I CHING

O LIVRO DAS MUTAÇÕES

I CHING

O LIVRO DAS MUTAÇÕES

Tradução do chinês para o alemão,
introdução e comentários
RICHARD WILHELM

Prefácio
C. G. JUNG

Introdução à edição brasileira
Gustavo Alberto Corrêa Pinto

Tradução para o português
Alayde Mutzenbecher
e
Gustavo Alberto Corrêa Pinto

Editora
Pensamento
SÃO PAULO

Título original: *I Ging – Das Buch der Wandlungen*.

Copyright © 1956 Eugen Diederichs Verlag Düsseldorf, Köln.

Copyright da edição brasileira © 1984 Editora Pensamento-Cultrix Ltda.

1ª edição 1984 (catalogação na fonte, em 2006, da 23ª reimpressão da 1ª edição).

34ª reimpressão 2024.

Todos os direitos reservados. Nenhuma parte deste livro pode ser reproduzida ou usada de qualquer forma ou por qualquer meio, eletrônico ou mecânico, inclusive fotocópias, gravações ou sistema de armazenamento em banco de dados, sem permissão por escrito, exceto nos casos de trechos curtos citados em resenhas críticas ou artigos de revistas.

A Editora Pensamento não se responsabiliza por eventuais mudanças ocorridas nos endereços convencionais ou eletrônicos citados neste livro.

Dados Internacionais de Catalogação na Publicação (CIP)
(Câmara Brasileira do Livro, SP, Brasil)

I Ching : o livro das mutações / tradução do chinês para o alemão, introdução e comentários Richard Wilhelm ; prefácio C. G. Jung ; introdução à edição brasileira Gustavo Alberto Corrêa Pinto ; tradução para o português Alayde Mutzenbecher e Gustavo Alberto Corrêa Pinto. -- São Paulo : Pensamento, 2006.

Título original : I Ging : das Buch der Wandlungen
23ª reimpr. da 1ª ed. de 1984
ISBN 978-85-315-0314-6

1. Adivinhação 2. I Ching I. Wilhelm, Richard, 1873-1930. II. Jung, Carl Gustav, 1875-1961. III. Pinto, Gustavo Alberto Corrêa.

06-7961   CDD-299.51482

Índices para catálogo sistemático:
1. I Ching : Livros sagrados chineses 299.51482

Direitos reservados
EDITORA PENSAMENTO-CULTRIX LTDA.
Rua Dr. Mário Vicente, 368 – 04270-000 – São Paulo, SP – Fone: (11) 2066-9000
E-mail: atendimento@editorapensamento.com.br
http://www.editorapensamento.com.br
Foi feito o depósito legal.

SUMÁRIO

Prefácio à Edição Brasileira (Gustavo Alberto Corrêa Pinto) — XI
Prefácio à Primeira Edição (Richard Wilhelm) — 1
Introdução (Richard Wilhelm) — 3
Prefácio de C. G. Jung — 15

LIVRO PRIMEIRO: O TEXTO

Primeira Parte

1.	Ch'ien	O Criativo	29
2.	K'un	O Receptivo	33
3.	Chun	Dificuldade Inicial	37
4.	Meng	A Insensatez Juvenil	40
5.	Hsu	A Espera (Nutrição)	43
6.	Sung	Conflito	45
7.	Shih	O Exército	48
8.	Pi	Manter-se Unido (Solidariedade)	50
9.	Hsiao Ch'u	O Poder de Domar do Pequeno	53
10.	Lu	A Conduta (Trilhar)	56
11.	T'ai	Paz	58
12.	Pi	Estagnação	61
13.	Tung Jên	Comunidade com os Homens	63
14.	Ta Yu	Grandes Posses	66
15.	Ch'ien	Modéstia	68
16.	Yu	Entusiasmo	71
17.	Sui	Seguir	74
18.	Ku	Trabalho Sobre o que se Deteriorou	76
19.	Lin	Aproximação	78
20.	Kuan	Contemplação (a Vista)	81
21.	Shih Ho	Morder	84
22.	Pi	Graciosidade (Beleza)	87
23.	Po	Desintegração	89
24.	Fu	Retorno (o Ponto de Transição)	91
25.	Wu Wang	Inocência (o Inesperado)	94
26.	Ta Ch'u	O Poder de Domar do Grande	96
27.	I	As Bordas da Boca (Prover Alimento)	98
28.	Ta Kuo	Preponderância do Grande	101
29.	K'an	O Abismal (Água)	103
30.	Li	Aderir (Fogo)	106

Segunda Parte

31.	*Hsien*	A Influência (Cortejar)	109
32.	*Heng*	Duração	111
33.	*Tun*	A Retirada	113
34.	*Ta Chuang*	O Poder do Grande	116
35.	*Chin*	Progresso	118
36.	*Ming I*	Obscurecimento da Luz	120
37.	*Chia Jen*	A Família	122
38.	*K'uei*	Oposição	125
39.	*Chien*	Obstrução	128
40.	*Hsieh*	Liberação	130
41.	*Sun*	Diminuição	132
42.	*I*	Aumento	135
43.	*Kuai*	Irromper (a Determinação)	138
44.	*Kou*	Vir ao Encontro	141
45.	*Ts'ui*	Reunião	143
46.	*Shêng*	Ascensão	146
47.	*K'un*	Opressão (a Exaustão)	148
48.	*Ching*	O Poço	151
49.	*Ko*	Revolução	153
50.	*Ting*	O Caldeirão	156
51.	*Chên*	O Incitar (Comoção, Trovão)	159
52.	*Kên*	A Quietude (Montanha)	161
53.	*Chien*	Desenvolvimento (Progresso Gradual)	164
54.	*Kuei Mei*	A Jovem que se Casa	167
55.	*Fêng*	Abundância (Plenitude)	170
56.	*Lü*	O Viajante	172
57.	*Sun*	A Suavidade (o Penetrante, Vento)	174
58.	*Tui*	Alegria (Lago)	177
59.	*Huan*	Dispersão (Dissolução)	179
60.	*Chieh*	Limitação	182
61.	*Chung Fu*	Verdade Interior	184
62.	*Hsiao Kuo*	A Preponderância do Pequeno	188
63.	*Chi Chi*	Após a Conclusão	191
64.	*Wei Chi*	Antes da Conclusão	194

LIVRO SEGUNDO: O MATERIAL

Introdução	199
Shuo Kua: Discussão dos Trigramas	203
Capítulo I	203
Capítulo II	205
Capítulo III	210
Ta Chuan: O Grande Tratado (O Grande Comentário)	217

Primeira Parte

A. Os Fundamentos

I.	As Mutações no Universo e no Livro das Mutações	217
II.	Sobre a Composição e Uso do Livro das Mutações	222

B. Argumentos

III.	Sobre as Palavras Atribuídas aos Hexagramas e às Linhas	224
IV.	Implicações mais Profundas do Livro das Mutações	226
V.	O Tao em sua Relação com o Poder Luminoso e com o Poder Obscuro	228
VI.	O Tao Aplicado ao Livro das Mutações	231
VII.	Os efeitos do Livro das Mutações Sobre o Homem	232
VIII.	Sobre o Uso das Explicações Adicionais	233
IX.	Sobre o Oráculo	236
X.	O Quádruplo Uso do Livro das Mutações	240
XI.	Sobre as Varetas de Caule de Milefólio, os Hexagramas e as Linhas	242
XII.	Síntese	246

Segunda Parte

I.	Sobre os Signos, as Linhas, a Criação e a Ação	249
II.	História da Civilização	251
III.	Sobre a Estrutura dos Hexagramas	256
IV.	Sobre a Natureza dos Trigramas	257
V.	Explicação de Determinadas Linhas do Livro das Mutações	257
VI.	Sobre a Natureza do Livro das Mutações em Geral	261
VII.	A Relação de Certos Hexagramas com a Formação do Caráter	262
VIII.	Sobre o Uso do Livro das Mutações	264
IX.	As Linhas (cont.)	265
X.	As Linhas (cont.)	267
XI.	O Valor da Cautela como Ensinamento do Livro das Mutações	267
XII.	Síntese	268

A Estrutura dos Hexagramas
    1. Considerações Gerais   271
    2. Os Oito Trigramas e suas Aplicações   271
    3. O Tempo   273
    4. As Posições   273
    5. O Caráter das Linhas   274
    6. Relações das Linhas Entre Si   274
    7. As Linhas Diretrizes dos Hexagramas   276

Sobre a Consulta Oracular
    1. O Oráculo de Varetas de Caule de Milefólio   276
    2. Oráculo de Moedas   278

LIVRO TERCEIRO: OS COMENTÁRIOS

Primeira Parte

1.	Ch'ien	O Criativo	283
2.	K'un	O Receptivo	294
3.	Chun	Dificuldade Inicial	302
4.	Mêng	Insensatez Juvenil	307
5.	Hsu	A Espera (Nutrição)	310
6.	Sung	Conflito	314
7.	Shih	O Exército	317
8.	Pi	Manter-se Unido (Solidariedade)	320
9.	Hsiao Ch'u	O Poder de Domar do Pequeno	324
10.	Lu	Conduta (Trilhar)	327
11.	T'ai	Paz	331
12.	P'i	Estagnação	335
13.	Tung Jên	Comunidade com os Homens	338
14.	Ta Yu	Grandes Posses	342
15.	Ch'ien	Modéstia	345
16.	Yu	Entusiasmo	348
17.	Sui	Seguir	352
18.	Ku	Trabalho Sobre o que se Deteriorou	355
19.	Lin	Aproximação	359
20.	Kuan	Contemplação (a Vista)	362
21.	Shih Ho	Morder	365
22.	Pi	Graciosidade (Beleza)	368
23.	Po	Desintegração	372
24.	Fu	Retorno (o Ponto de Transição)	375
25.	Wu Wang	Inocência (o Inesperado)	378
26.	Ta Ch'u	O Poder de Domar do Grande	382
27.	I	As Bordas da Boca (Prover Alimento)	385
28.	Ta Kuo	Preponderância do Grande	388
29.	K'an	O Abismal (Água)	392
30.	Li	Aderir (Fogo)	396

Segunda Parte

31.	Hsien	Influência (Cortejar)	399
32.	Heng	Duração	402
33.	Tun	A Retirada	405
34.	Ta Chuang	O Poder do Grande	408
35.	Chin	Progresso	411
36.	Ming I	Obscurecimento da Luz	414
37.	Chia Jen	A Família	418
38.	K'uei	Oposição	421
39.	Chien	Obstrução	425
40.	Hsieh	Liberação	428

41.	*Sun*	Diminuição	431
42.	*I*	Aumento	435
43.	*Kuai*	Irromper (a Determinação)	440
44.	*Kou*	Vir ao Encontro	444
45.	*Ts'ui*	Reunião	447
46.	*Shêng*	Ascensão	451
47.	*K'un*	Opressão (a Exaustão)	454
48.	*Ching*	O Poço	457
49.	*Ko*	Revolução	461
50.	*Ting*	O Caldeirão	465
51.	*Chên*	O Incitar (Comoção, Trovão)	469
52.	*Kên*	A Quietude (Montanha)	472
53.	*Chien*	Desenvolvimento (Progresso Gradual)	476
54.	*Kuei Mei*	A Jovem que se Casa	480
55.	*Fêng*	Abundância (Plenitude)	484
56.	*Lü*	O Viajante	487
57.	*Sun*	A Suavidade (o Penetrante, Vento)	491
58.	*Tui*	Alegria (Lago)	495
59.	*Huan*	Dispersão (Dissolução)	498
60.	*Chieh*	Limitação	501
61.	*Chung Fu*	Verdade Interior	504
62.	*Hsiao Kuo*	A Preponderância do Pequeno	507
63.	*Chi Chi*	Após a Conclusão	511
64.	*Wei Chi*	Antes da Conclusão	514

Esquema de Identificação dos Hexagramas em sua Função Oracular	519
Índice dos Hexagramas	522
As Diversas Partes do Livro das Mutações	524
Os Hexagramas Dispostos por Casas	525

A Editora Pensamento agradece o alto idealismo
de Alayde Mutzenbecher e de Gustavo Alberto Corrêa Pinto,
cuja dedicação tornou possível esta edição do I CHING,
e à Editora Vozes Ltda., por ter-nos permitido reproduzir
o prefácio de C. G. Jung.

PREFÁCIO À EDIÇÃO BRASILEIRA

Sobre o conceito de mutações

O que hoje conhecemos com o nome de *I Ching, o Livro das Mutações*, surgiu no período anterior à dinastia Chou (1150-249 a.C.), com figuras lineares, compostas de linhas inteiras e linhas interrompidas, superpostas em conjuntos de três e seis linhas, chamados "Kua" (signo). James Legge, em sua tradução do *I Ching* (*The Sacred Books of the East, XVI: The Yi King*, Oxford, 1882), cunhou os termos "trigrama" e "hexagrama" para designar os Kua compostos por, respectivamente, três e seis linhas. Esses termos têm sido adotados por vários estudiosos do *I Ching*, uma vez que possibilitam a distinção dos dois diferentes tipos de Kua. (Na presente tradução, adotamos também esses termos.) Nessas figuras lineares, estavam as sementes da cultura, de extraordinária complexidade e riqueza, que, ao longo dos milênios seguintes, viria a se desenvolver na China. A sabedoria contida nos Kua veio a exercer uma influência decisiva nos rumos futuros da civilização chinesa. A tradição desses Kua era, até meados da dinastia Chou, identificada com a designação "I" (▤), um ideograma de origem controvertida e que tem sido traduzido por "mutação". Para a China antiga, o nome de algo era considerado não apenas como um rótulo arbitrariamente atribuído, mas, antes, uma expressão do ser mesmo daquilo que em seu nome se deixa ver, se desvela. Essa concepção será desenvolvida mais tarde por Confúcio, para quem a harmonia do mundo depende da retificação dos nomes. O fato, portanto, de a tradição de sabedoria dos Kua ter sido originalmente designada por "I" é da máxima importância*. A etimologia do ideograma "I" tem sido objeto de grande discussão. Segundo alguns autores, o ideograma teria sua origem no desenho de um camaleão, significando movimento (em virtude da agilidade dos lagartos) e mutação (em virtude do mimetismo). A parte superior do ideograma (▤) seria resultante de uma estilização do desenho da cabeça, e a parte inferior

---

* As designações "Chou I" e "I Ching" se referem a fases distintas na elaboração dos textos que vieram a acompanhar os Kua. Chou se refere à dinastia cujos fundadores, Wên e Chou, redigiram (segundo a tradição) os textos referentes, respectivamente, ao Julgamento e às Linhas. O fato de o "I" ter passado a chamar-se "Chou I" evidencia que, no decorrer da dinastia Chou, o acesso ao significado dos Kua passa a se fazer através da Mediação dos textos de Wên e Chou, como também demonstra a prevalência cada vez maior dos textos sobre as figuras lineares. Quando, na fase final da dinastia Chou, o "I" passa a ser editado como um dos "Clássicos" ("Ching"), inicia-se a leitura dos próprios textos de Wên e Chou através das chamadas "Dez Asas", que, em sua maioria, apresentam uma forte influência da escola confucionista. (A tradição chinesa mantém, desde Ssu-ma Ch'ien, 145-86 a.C., que as Dez Asas são de autoria de Confúcio. Há, entretanto, vários indícios que mostram ser essa hipótese discutível.) "Chou I" e "I Ching" são, portanto, designações tardias. O título original seria apenas "I". Nas próprias Dez Asas, há várias passagens que se referem às "Mutações" ("I") para designar a obra.

(𝄞) resultaria do corpo e das patas do camaleão. Outros autores sustentam que o ideograma em questão teria surgido de uma composição do ideograma de "Sol" (日) na parte superior com o ideograma de "Lua" (月), estilizado na parte inferior. O sentido de "mutações" se deveria então ao constante movimento aparente do Sol e da Lua no céu. Outros elementos importantes para a elucidação do significado do termo podem ser encontrados nessa hipótese. Sem dúvida, mutação é o fator central da visão de mundo que se consolida na China no período imediatamente anterior à dinastia Chou. A observação do mundo em torno de si e a observação do mundo em seu próprio interior levaram o homem chinês à constatação de um fluir contínuo do qual nada escapa. É, porém, necessário atentar-se ao fato de que, assim como no conceito budista de *anicca* (impermanência), essa mutação não era concebida como incidindo sobre seres ou objetos sofrendo modificações. Não há *o que* mude, não há *quem* mude, pois só há o mudar. Supor que algo ou alguém muda é supor esse algo ou alguém fora da mutação, sofrendo-lhe então a ação. Ante a universalidade e onipresença da mutação, não se pode propriamente falar de algo ou alguém que muda. Há que se compreender, isto sim, os modos e estágios da mutação e, para tanto, cunharam-se os Kua, que a tradição chinesa atribui a Fu Hsi, o ser mítico em quem teve origem todo o mundo chinês.

Analisando-se a mutação, verifica-se que ela própria é invariável. Sendo onipresente e absoluta, a mutação é imutável. Por isso, "I" significa mutação e não-mutação.

Há ainda um terceiro significado, que equivaleria, aproximadamente, a "fácil e simples". No fundo da complexidade aparente do universo, jaz oculta uma "simplicidade". Ela consiste nas tendências opostas e complementares em que sempre oscila a mutação. Atividade e repouso, movimento e inércia, ascensão e declínio são os eternos e mesmos caminhos que sempre o irrepetível percorre. Muda constantemente a natureza, porém sempre ao longo das mesmas estações. Nunca as mesmas flores, mas sempre a primavera. Os fenômenos são incontáveis e distintos uns dos outros, porém regidos, em suas tendências de mudança, pelos mesmos e constantes princípios. Apreendendo-os, descobre-se o simples por detrás do complexo, o que implica também no fácil, que é a trajetória e o percurso de tudo o que acompanha o ciclo em vigência. Fluindo em acordo com as circunstâncias, evita-se o atrito, escapa-se ao desgaste. O caminho do fácil é duradouro e espontâneo, pois não exige esforço. Assim como a água descendo a montanha, diante de nada recua, diante de nada insiste; mergulha, desvia, contorna, adapta-se sem resistência e chega, pois, infalivelmente ao que lhe corresponde.

Mutação, não-mutação, fácil e simples, são, portanto, aspectos de um só todo, o conceito de "I"; ele expressa de forma completa e perfeita o conjunto das sessenta e quatro estruturas lineares, os hexagramas.

Mas, ao raiar da dinastia Chou, essas estruturas deviam estar se tornando obscuras, pois textos foram acrescentados, no intuito de se indicar, através de palavras, o significado que antes os próprios Kua transmitiam. A tradição atribui esses textos ao rei Wên (Julgamento) e ao duque de Chou (Linhas), com quem a dinastia Chou principia. Esses textos passaram a acompanhar os Kua e, com o tempo, a tradição das "Mutações" ("I") passou a ser designada "Chou I", uma referência à dinastia cujo início coincide com a redação dos textos, os quais, cada vez mais, catalisaram a atenção em virtude do crescente velamento dos próprios Kua. Mas o significado desses mesmos textos, séculos mais tarde, começaria a velar-se, exigindo novos adendos explicativos e, no VI século a.C., surgem as chamadas "Dez Asas". A tradição atribui as Dez Asas a Confúcio. Apesar de ser questionável se Confúcio teria, ele próprio, redigido todas ou mesmo alguma das Dez Asas, é indubitável a forte influência de seu pensamento em grande parte delas. Sem Confúcio talvez não se pudesse conceber a maioria das asas. Pelo menos como fonte básica de inspiração, é a ele que esses textos remontam. Consta que o Chou I foi incluído por Confúcio em sua edição dos "Clássicos" ("Ching"). Assim, a tradição das "Mutações" veio a se tornar conhecida como o *I Ching, o Livro* (ou *Clássico*) *das Mutações.*

O fato de se ter acrescido, inicialmente, a indicação dos primórdios da dinastia Chou ao ideograma "I" mostra que o acesso ao "I" já não se fazia mais diretamente, como fora antes, mas recorria-se à mediação dos textos de Wên e Chou. Quando se passa a designar o "I" como "Ching", evidencia-se o obscurecimento da via anterior e o recurso aos comentários (Dez Asas), que procuraram esclarecer os comentários (Julgamento e Linhas), que, por sua vez, procuraram esclarecer o original, os Kua. O "I" é, portanto, um livro sem palavras, que fala na eloqüência silenciosa de suas figuras lineares.

Disse um mestre zen que: "O dedo serve para apontar a Lua; o sábio olha para a Lua, o ignorante para o dedo." Os textos todos que foram acrescidos ao verdadeiro original — as figuras lineares — são úteis e preciosos, mas somente quando não se permanece neles.

Sobre o uso oracular do Livro das Mutações

O *Livro das Mutações* tem sido utilizado como oráculo desde a Antigüidade. Ao longo da História da China, pode-se notar que alguns períodos têm dado menor ou maior ênfase a esse aspecto, como ocorreu no VI século a.C. e durante a dinastia Han, respectivamente. No Ocidente, seu uso oracular tem despertado um interesse e fascínio excessivos. Lamentavelmente, toda sorte de abusos e erros tem se acumulado, em virtude dessa visão parcial e distorcida. O *I Ching* não é *apenas* (nem primordialmente) um oráculo. Ele é *também* um oráculo. E essa sua faceta é, inclusive, quase irrelevante se confrontada com a riqueza da sabedoria contida nos Kua. O uso oracular do livro corresponde apenas a uma fase, digamos, primária, quando ainda não sabemos aplicar por nós mesmos, às nossas vidas, os princípios desvelados pelas figuras lineares, por não conseguirmos enxergar as correspondências existentes entre os Kua e todos os fenômenos. O aspecto oracular é apenas uma nota dentro do vasto complexo melódico do intróito ao *I Ching*. Mas, ainda assim, é uma nota e como tal não deve ser ignorada, tanto quanto não deve ser exclusivamente considerada. Wilhelm, em seu Apêndice sobre o oráculo, explica como se procede à consulta (cf. Livro Terceiro), mas não se detém o suficiente num ponto que é de importância capital, a saber, formulação da pergunta, e quase não menciona outro, o ritual.

A formulação da pergunta tem um papel decisivo no êxito ou no fracasso da consulta (no sentido da compreensão ou não da resposta obtida). O oráculo, segundo a tradição chinesa, nunca falha. Suas respostas são sempre claras e precisas; porém o nosso entendimento é, muitas vezes, turvo e confuso. O oráculo sempre mostra o que é; nós, entretanto, muitas vezes não conseguimos ver o que ele nos mostra, pois não queremos ou não sabemos ver. Todas as barreiras e obstáculos à compreensão da resposta estão em nós e não no oráculo. Enquanto manifestação do inconsciente, o oráculo usa a linguagem simbólica, que é própria daquele, e não o discurso racionalizado que o consciente habitualmente articula. Para que o significado se aclare, teremos de aprender o modo de concatenação dessas imagens simbólicas, ao invés de insistirmos em tentar decodificá-las segundo padrões que lhes são estranhos.

A primeira grande dificuldade que enfrentamos é saber com clareza e precisão o que buscamos. Só quem sabe o que procura pode encontrar. Na formulação da pergunta, explicitamos para nós mesmos o que estamos buscando. A pergunta incorretamente formulada revela uma imperfeita compreensão do que procuramos saber, o que, por si só, já dificulta ou mesmo impossibilita que o reconheçamos. Mas o que é uma pergunta correta? Ela se caracteriza por sua intenção e por sua forma. A intenção correta consiste na adequação ao propósito e finalidade do próprio oráculo, ou seja, auxiliar o homem na busca da verdade, na busca de si mesmo, já que é em si que ele há de encontrá-la. A consulta oracular, no sentido exato da expressão, não é outra coisa senão a busca do que é, na transcendência do que parece ser. A pergunta que busca o que é, que procura o real para além do aparente, possui a reta intenção. Ora, o eu, a personalidade consciente de si enquanto individualidade isolada, é em nós apenas uma aparência transitória. Tudo, portanto, o que diz respeito aos propósitos, interesses, ambições ou anseios do eu, não passa de fugaz ilusão, não é senão o que deve ser superado. O oráculo possui uma completa autonomia; não está a nosso serviço nem se submete a nossos caprichos e desejos. À pergunta impertinente ele se recusará a responder (cf. Hexagrama 4, Insensatez Juvenil) ou, então, tematizará a ignorância e a ilusão que motivaram a pergunta, incitando à sua superação. O oráculo não é uma máquina de informações, mas um ser vivo, que encerra a suprema sabedoria e compaixão. Aproximarmo-nos dele requer humildade, sinceridade e ardor. Só sabiamente caminhando se pode chegar à sabedoria. Ela é seu próprio requisito. É a sabedoria que nos conduz à sabedoria. Realizá-la é possível, tão-somente porque já a possuímos, desde todo sempre, em nós mesmos.

Ao lado da intenção correta, supõe-se a forma correta. Isso significa estarmos aptos a dar expressão de modo claro, inequívoco, sintético e preciso ao que procuramos. A pergunta formulada de modo ambíguo ou vago evidencia uma visão turva e confusa do que se busca, e resulta na incapacidade de se reconhecer aquilo que não se sabe ser o objeto da busca. Uma pergunta não deve, também, ter mais de um significado visado. Se, numa questão, estão envolvidos dois ou mais temas, deve-se subdividi-la em tantas perguntas quantos forem os núcleos de significado intencionados. Assim, cada pergunta deve indagar por uma única coisa. O caráter sintético da formulação é também muito importante. Na concepção chinesa, o que de fato se sabe deve-se poder expressar em poucas palavras. Quando se precisa falar muito para se dizer algo, é porque ou o saber ainda não alcançou sua plena maturidade, ou se está dissimulando, o que significa que se está procurando evitar que se faça o saber. A dissimulação é a ignorância que procura perpetuar a ignorância. "A sabedoria de um pensador se mede pela sua capacidade de dar um exemplo", diz a máxima chinesa. O exemplo é uma síntese simbólica de toda uma idéia ou mesmo de um complexo de idéias. Antes da consulta ao oráculo, a pergunta deve ser lapidada, cada aresta de imprecisão aparada, até que se chegue ao ponto em que só o núcleo essencial brilhe, claro e solitário. Então, sabendo o que buscamos, livres dos embaraços de aspectos secundários ou irrelevantes, podemos dar início à fase seguinte, o processo de obtenção da resposta segundo o método tradicional de divisão de cinqüenta varetas, conforme os procedimentos descritos por Wilhelm no Apêndice sobre o oráculo e explicados também no Livro Segundo (Ta Chuan, O Grande Tratado, Primeira Parte, Capítulo X). Quanto ao método de consulta por meio de jogo de moedas, sua única suposta vantagem (a economia de tempo) revela-se, na verdade, uma séria desvantagem, quando se leva em consideração certos mecanismos psicológicos envolvidos no processo oracular. O método de varetas requer, para cada consulta, em torno de meia hora. Durante esse tempo, repete-se um processo já estabelecido de divisão sistemática das varetas em conjuntos e subconjuntos, que, no entanto, exige uma constante atenção, pois qualquer lapso pode pôr a perder a ordem dos procedimentos necessários. Com isso, a atenção se fixa sobre os dados imediatos e afasta temporariamente a influência dispersiva do eu, com suas expectativas e memórias, com seus desejos e repulsas. Durante esses momentos, a mente tende a se afastar de seu centramento no arbítrio consciente e se torna mais disponível ao que lhe é sugerido do inconsciente, pelo próprio inconsciente, através do texto. O "salto" quase instantâneo sobre a resposta que o processo de lançamento das moedas provoca resulta, portanto, num despreparo, que será pernicioso ao trabalho de interpretação. A voracidade imediatista que busca apressar a obtenção da resposta demonstra uma imaturidade inadequada ao diálogo oracular. A pressa afastará de nós aquilo pelo que não soubemos esperar. Quanto ao fato de ser o método de moedas mais fácil de executar que o sistema de divisão de varetas, lembremos o seguinte: se recuarmos já diante de um processo mecânico tão simples, como poderemos enfrentar as complexidades de um texto denso e, mais ainda, de tão sutis e difíceis correspondências no plano interno? Se o mero processo mecânico da consulta por meio das varetas lhe parece demasiado difícil, é melhor deixar o oráculo de lado, pois o que há adiante é muitas vezes mais árduo, e exige, isto sim, paciência, perseverança, coragem e disposição inabaláveis para enfrentar uma investigação longa e trabalhosa.

Quanto ao ritual que tradicionalmente cercava a prática oracular na China, deve-se ter em mente que o processo de consulta nada tem de mágico. O ritual tinha uma função psicológica e se inseria na tendência chinesa de abordar ritualisticamente as atividades quotidianas.

Um conjunto de hábitos ligados à prática oracular e ao manuseio do *I Ching* faz parte desse contexto. Por exemplo, usava-se sempre um corte de seda virgem para envolver o livro e uma caixa de madeira (que, também, jamais tivesse servido a outra finalidade), para acondicionar as varetas. Assim, expressava-se o respeito e reverência para com o oráculo enquanto meio de expressão do inconsciente, do que há de mais verdadeiro, puro e essencial em nós. Por outro lado, o livro nunca era guardado a uma altura superior à de seu dono, numa advertência contra a idolatria, que obscureceria o fato simples de que quem responde não é senão quem pergunta. Toda a diferença está no caráter sempre periférico do aspecto que pergunta e no caráter central do que responde.

O consulente sentava-se sempre voltado para o sul, a região do Sol, da luz (Li, o trigrama do fogo, está situado ao sul, no arranjo do Céu Posterior), tal como o faziam os governantes quando concediam audiências. A posição externa simbolizava a atitude interna. Voltar-se para a luz significa voltar-se para o que permite ver e entender.

O incenso era usado durante a consulta, assim como em grande parte dos demais ritos. Era considerado elemento purificador, bem como representava a perseverança, pela constância com que queima. Antes de iniciar o processo de divisão das varetas, o consulente curvava-se três vezes e, tomando as cinqüenta varetas em sua mão direita, passava-as três vezes pela fumaça do incenso, em movimento circular, no sentido horário.

Todo esse ritual é, entretanto, perfeitamente prescindível, sem que isso altere a precisão da resposta. Seu efeito seria no âmbito interno, no consulente. Também, por isso, antes da consulta, era costume dedicar algum tempo à prática da meditação. Dentro de um contexto cultural tão diverso como o que nos encontramos, talvez vários aspectos desse rito antigo não signifiquem para nós mais que simples exotismo. Se assim for, o melhor é deixá-los de lado, preservando apenas o que possuir um real significado e ressonância interior.

Sobre a presente tradução

A tradução que está agora sendo apresentada ao público de língua portuguesa surgiu da iniciativa de Alayde Mutzenbecher junto à Editora Pensamento, em 1979. Alayde, que fora minha aluna em cursos sobre *I Ching*, na Universidade Cândido Mendes, propôs, após os contatos com a Editora Pensamento, que trabalhássemos juntos na tradução. Teve início então uma jornada que consumiria mais de três anos. Decidimos que Alayde faria primeiramente uma versão, tanto quanto possível literal, do alemão para o português. Nessa versão, as inúmeras dificuldades afluiriam, tanto na busca de uma equivalência para certas expressões, como também na determinação de um específico sentido entre os vários possíveis. Nessa etapa, o texto passava às minhas mãos. Foram também consultadas as traduções inglesa, francesa, argentina e chilena do texto de Wilhelm. Dentre essas traduções, a versão inglesa de Cary F. Baynes, que contou com a revisão de Helmult Wilhelm, requeria especial atenção. A colaboração de Helmut Wilhelm possibilitou a correção de alguns pequenos lapsos existentes no texto alemão, assim como a elucidação de certas passagens mais obscuras. A revisão de Helmut Wilhelm se fez, inclusive, numa época em que novas pesquisas sobre o *I Ching* traziam à luz dados inexistentes na época em que o trabalho de seu pai se realizou.

Ao leitor que estiver tomando um primeiro contato com o *I Ching*, julguei serem úteis alguns esclarecimentos em certas passagens. Para tanto, acrescentei notas, que estão identificadas como relativas à tradução brasileira — o que as distingue, sem risco de dúvida, das notas do texto original.

Tal como na tradução inglesa, mantivemos a transcrição dos termos chineses de acordo com o sistema Wade, geralmente adotado nos estudos de sinologia.

Quando o texto parecia ter alcançado seu perfil definitivo, uma nova revisão teve lugar, outra vez com a colaboração de Alayde, que acompanhava, com o texto em alemão, a leitura do texto em português. As passagens mais problemáticas eram anotadas e revistas. Nessas diversas etapas, inúmeras pessoas contribuíram com sugestões, revisões, consultas, de modo que, na realidade, o trabalho de tradução consistiu num esforço conjunto e não na obra isolada de dois indivíduos. A ajuda de todos possibilitou a conclusão do presente texto. Agradecer-lhes, nunca se poderia fazer o bastante, e, creio, seria desnecessário, pois, para todos nós, esteve sempre claro que o trabalho, sem dúvida exaustivo, era também uma oportunidade rara e afortunada de intenso convívio com tão extraordinário acervo de sabedoria. Quanto aos méritos que na presente tradução se possam encontrar, devem-se, sem dúvida, às contribuições de todos os que junto conosco trabalharam. Quanto aos erros que nela subsistem, estes devo assumir pessoal e solitariamente, pois a mim coube a pesada e difícil responsabilidade da palavra final. Procurei de todos os modos evitá-los; nisso coloquei o mais sério empenho, a mais completa dedicação. Não poderia fazê-lo diferente, pois quem ama não sabe negar esforços em favor do que ama. Ao final, resta-me apenas a certeza de que fiz tudo o que me foi possível.

Aos que estiverem lendo o *I Ching* pela primeira vez, gostaria de dizer que não se deixem esmorecer diante do que lhes pareça demasiado obscuro. Há de aclarar-se, pois não há noite que dure para sempre. É nesse esforço que se pode aprender a virtude da perseverança, tão enfatizada no *Livro das Mutações*.

Ao relermos o *I Ching*, é necessário e recomendável que estejamos atentos ao perigo do que julgamos demasiado claro. Os dias também findam e o destino de todo saber é conduzir-nos ao não-saber. Só nesse cuidado poderemos cultivar a virtude da modéstia, ressaltada no Hexagrama 15. O estudo do *I Ching* é um trabalho constante, no qual, mais que um acúmulo de conhecimento, se processa uma crescente conscientização do ignorado. Ao primeiro ano de estudo, em geral julgamos que estamos sabendo muito mais do que antes. Ao décimo ano, em geral descobrimos que desconhecemos o livro muito mais do que julgávamos. Ao início do estudo, procuramos o significado do *I Ching* através dos textos; a seguir, através dos Kua e, finalmente, na própria vida, da qual surgiram os Kua, dos quais surgiram as palavras. O caminho deve reencontrar o ponto de partida e descobrir que no próprio caminhar tudo se modificou. Que a presente tradução possa tornar acessível, ao maior número de pessoas, o ponto de partida deste extraordinário caminho sem fim, e que o legado do passado possa assim ser transmitido para o futuro.

Gustavo Alberto Corrêa Pinto

Lhassa, 5 de junho de 1982

PREFÁCIO
À PRIMEIRA EDIÇÃO

Esta tradução do Livro das Mutações teve início há quase dez anos. Quando, depois da revolução chinesa, Tsingtao tornou-se a residência de vários dos mais importantes eruditos chineses da Velha Escola, encontrei entre eles o meu estimado professor Lao Nai Suan, a quem devo não só um aprofundamento no estudo do Ta Hsueh, do Chung Yung, da obra de Mencius, como também a primeira abertura às maravilhas do Livro das Mutações. Fascinado, percorri, sob sua orientação, esse mundo estranho e, no entanto, tão familiar. A tradução era feita depois de detalhado comentário do texto. Do alemão traduziu-se novamente para o chinês, e só aceitávamos a tradução depois de recriado o sentido total do texto. Em meio a esse trabalho eclodiu o horror da Primeira Guerra Mundial. Os eruditos chineses dispersaram-se, e o Sr. Lao viajou para Kufu, terra natal de Confúcio, de cuja família era aparentado.

Interrompeu-se, então, a tradução do livro, embora meu estudo da antiga sabedoria chinesa não tenha falhado um só dia, mesmo quando trabalhava na Cruz Vermelha chinesa, que dirigi na ocasião do cerco de Tsingtao. Coincidência curiosa: no acampamento, nos arredores da cidade, o general japonês Kamio, comandante do ataque, lia, nos seus momentos de descanso, a obra de Mencius, ao mesmo tempo que eu, um alemão, em minhas horas livres, mergulhava na sabedoria chinesa. O mais feliz de todos, entretanto, era um velho chinês, tão absorto em seus livros sagrados, que nem uma granada caída a seu lado conseguiu tirá-lo de sua tranqüilidade. Ao estender a mão para apanhá-la, pois a granada não havia detonado, recuou rápido ao verificar que ela estava demasiado quente, e retornou a seus livros.

Tsingtao foi conquistada. Apesar de vários outros trabalhos, consegui algum tempo para dedicar-me à tarefa da tradução, porém o mestre em cuja companhia o trabalho havia começado estava longe e era-me impossível deixar Tsingtao. Foi, por isso, uma grande alegria quando, no meio de minhas perplexidades, recebi uma carta do Sr. Lao, comunicando-me que estava pronto para retomarmos nossos estudos interrompidos. Ele chegou, e finalmente foi terminada a tradução. Foram momentos maravilhosos de enriquecimento interior os que então vivi com o velho mestre. Quando a tradução estava completa em suas linhas gerais, o destino chamou-me de volta à Alemanha; ao mesmo tempo o velho mestre despedia-se deste mundo.

HABENT SUA FATA LIBELLI — Na Alemanha, quando aparentemente tão distanciado da Antiga Sabedoria Chinesa, muitas palavras de orientação vieram deste misterioso livro, encontrando em mim, vez ou outra, um solo fértil. Foi, portanto, uma agradável surpresa descobrir na casa de um amigo, em Friedenau, uma bela edição do Livro das Mutações, que eu tanto procurara em vão, em Pequim. Esse amigo demonstrou uma verdadeira amizade, e transformou esse encontro feliz numa posse permanente. Desde então o livro me tem acompanhado em muitas viagens, tendo percorrido comigo metade do globo.

Voltei à China. Novas tarefas me chamavam. Em Pequim um mundo inteiramente novo se abria, com outras pessoas e outros centros de interesse. Ali novamente por diversos caminhos nos veio ajuda e, finalmente, num dia quente de verão, o trabalho foi concluído. Refeito por diversas vezes, o texto afinal tomou uma forma que, mesmo estando longe de responder a meus anseios, dá-me a sensação de poder publicá-lo. Possa o leitor encontrar na verdadeira sabedoria a mesma alegria que tive ao trabalhar nesta tradução.

PEQUIM, VERÃO DE 1923   RICHARD WILHELM

INTRODUÇÃO

O Livro das Mutações — I Ching em chinês — é, sem dúvida, uma das mais importantes obras da literatura mundial. Sua origem remonta a uma antiguidade mítica, tendo atraído a atenção dos mais eminentes eruditos chineses até os nossos dias. Tudo o que existiu de grandioso e significativo nos três mil anos de história cultural da China ou inspirou-se nesse livro ou exerceu alguma influência na exegese do seu texto. Assim, pode-se afirmar com segurança que uma sabedoria amadurecida ao longo de séculos compõe o I Ching. Não é, pois, de estranhar que essas duas vertentes da filosofia chinesa, o Confucionismo e o Taoísmo, tenham suas raízes comuns aqui. Esse livro lança uma nova luz em muitos segredos ocultos no modo de pensar tantas vezes enigmático desse sábio misterioso, Lao-tse e seus discípulos. O mesmo ocorre em relação a muitas idéias que surgem na tradição confucionista como axiomas aceitos sem serem devidamente examinados.

Na realidade, não apenas a filosofia da China mas também sua ciência e arte de governar sempre buscaram inspiração na fonte de sabedoria encontrada no I Ching, não sendo, por isso, motivo para surpresa que apenas este dentre todos os clássicos confucionistas tenha escapado à grande queima de livros ocorrida no período de Ch'in Shih Huang Ti. Mesmo os aspectos mais simples da vida cotidiana da China estão embebidos de sua influência. Quando se percorre as ruas de uma cidade chinesa, encontra-se aqui e acolá, numa esquina qualquer, um adivinho sentado diante de uma mesa coberta com um fino tecido, tendo à mão um pincel e uma pequenina tábua, pronto a extrair do antigo livro de sabedoria conselhos e informações relativos às dificuldades da vida diária. Não apenas isso; até mesmo os letreiros que ornamentam as casas, painéis verticais de madeira com pintura em ouro ou laca negra, trazem inscrições cujo estilo floreado reporta sempre a pensamentos ou citações do I Ching. Mesmo os dirigentes políticos de uma nação modernizada como o Japão, famosos por sua astúcia, não desprezam o recurso aos seus conselhos quando confrontados com situações difíceis.

No curso do tempo, em virtude do grande prestígio de que gozava o Livro das Mutações como expressão de sabedoria, inúmeras doutrinas ocultas — algumas inclusive de correntes não chinesas — vieram a se ligar aos seus ensinamentos. No período das dinastias Ch'in e Han surge a tendência formalista da Filosofia Natural que procurava abarcar, com um sistema de símbolos numéricos, todo o âmbito do pensar. Quando foram reunidas a doutrina dualista do yin-yang, com sua elaboração rigorosa, e a doutrina dos "cinco estados da mutação", extraída do Livro da História, a Filosofia Chinesa passou a tender a um formalismo cada vez mais rígido. Assim, especulações cabalísticas as mais abstrusas vieram a envolver o Livro das Mutações numa névoa de mistério. Tudo do passado e do futuro foi sendo enquadrado nesse sistema numérico tendo então o I Ching adquirido a reputação de livro de insondável profundidade. É também por culpa dessas especulações que as sementes da ciência natural chinesa, que, sem dúvida, existiam no período de Mo Ti e seus discípulos, vieram a desaparecer, sendo substituídas por uma tradição estéril de leitura e escrita, sem qualquer vínculo com a experiência vivencial. Por esse motivo a China veio a apresentar ao Ocidente, durante um longo período, uma imagem de estagnação sem esperanças.

Porém, não se pode esquecer que, paralelamente a essa numerologia de caráter místico e mecanicista, uma fonte viva de profunda sabedoria humana fluía sempre, através do canal desse livro, para a vida cotidiana da China. Foi isso que possibilitou a maturação da sabedoria milenar que hoje, com certa melancolia, admiramos no remanescente dessa última cultura autóctone.

O que é, atualmente, o Livro das Mutações? Para que se possa chegar a uma compreensão do livro e seus ensinamentos é necessário afastar o denso emaranhado de interpretações que trouxeram toda sorte de idéias estranhas. Isso é indispensável, quer se esteja lidando com as superstições e mistérios dos antigos magos chineses, quer se trate das teorias não menos supersticiosas dos modernos especialistas europeus que tentam aplicar interpretações oriundas de suas experiências com selvagens primitivos a todas as culturas históricas.[1] É necessário tomar como princípio que o Livro das Mutações deve ser explicado à luz de seu próprio conteúdo e do período ao qual pertence. Com isso, a escuridão é perceptivelmente reduzida, podendo-se ver, então, que esta obra, apesar de sua grande profundidade, não oferece dificuldade maior à compreensão que qualquer outro livro que tenha atravessado tão longa história até chegar aos nossos dias.

I. O USO DO LIVRO DAS MUTAÇÕES

O Livro dos Oráculos

No início, o Livro das Mutações consistia numa coleção de signos usados como oráculos.[2] Na antiguidade, em toda parte usavam-se oráculos. Os mais antigos restringiam-se às respostas "sim" e "não". Essa forma de expressão oracular foi também a base do Livro das Mutações. "Sim" era indicado por uma linha simples, inteira (_____), e "Não", por uma linha partida (___ ___). Entretanto, já muito cedo parece que se percebeu a necessidade de uma diferenciação maior e as linhas, antes isoladas, foram combinadas em pares:

== == == ==

A cada uma dessa combinações adicionou-se uma terceira linha. Assim surgiram

---

[1] É necessário mencionar, como curiosidade, a tentativa grotesca e amadorística do Rev. Canon McClatchie, M. A., de aplicar a chave de uma "mitologia comparativa" ao I Ching. Seu livro foi publicado em 1876 com o título "A translation of the Confucian Yi King or the Classic of Changes, with Notes and Appendix".

[2] Como será demonstrado a seguir, o Livro das Mutações não era um léxico, como julgam alguns autores.

os oito trigramas.[3] Esses oito trigramas foram concebidos como imagens de tudo o que ocorre no céu e na terra. Sustentava-se também que eles sempre se acham num estado de contínua transição, passando de um a outro, assim como uma transição sempre está ocorrendo, no mundo físico, de um fenômeno para outro. Aqui se tem o conceito fundamental do Livro das Mutações. Os oito trigramas são símbolos que representam mutáveis estados de transição. São imagens que estão em constante mutação. Focalizam-se não as coisas, em seus estados de ser — como acontece no Ocidente —, mas os seus movimentos de mutação. Os oito trigramas, portanto, não são representações das coisas enquanto tais, mas de suas tendências de movimento.

Essas oito imagens vieram a adquirir múltiplos significados. Representavam certos processos na natureza, correspondentes às suas próprias características. Representavam, ainda, uma família, composta de pai, mãe, três filhos, não no sentido mitológico em que os deuses gregos povoavam o Olimpo, mas no que poderia ser chamado de sentido abstrato, ou seja, expressando não entidades objetivas, mas funções.

Considerando-se rapidamente estes oito símbolos que formam as bases do Livro das Mutações chega-se à seguinte classificação:

Nome	Atributo	Imagem	Função Familiar
Chi'ien, o Criativo	Forte	Céu	Pai
K'un, o Receptivo	Abnegado maleável	Terra	Mãe
Chên, o Incitar	Provoca o movimento	Trovão	Filho mais velho Primeiro filho
K'an, o Abismal	Perigoso	Água	Filho do meio Segundo filho
Kên, a Quietude	Repouso	Montanha	Filho mais moço Terceiro filho
Sun, a Suavidade	Penetrante	Vento, madeira	Filha mais velha Primeira filha
Li, o Aderir	Luminoso	Fogo	Filha do meio Segunda filha
Tui, a Alegria	Jovial	Lago	Filha mais moça Terceira filha

---

[3] As estruturas formadas por três linhas, assim como as formadas por seis linhas, são ambas denominadas em chinês "Kua". Esse termo foi traduzido por Wilhelm como "Zeichen", "signo". Deu-se preferência, num caso e noutro, aos termos "trigrama" e "hexagrama", usados por James Legge em "The Yi King", uma vez que, assim, evita-se uma problemática ambigüidade. A tradução inglesa, a tradução chilena e a tradução francesa adotaram esse mesmo procedimento. *(Nota da tradução brasileira.)*

Os filhos representam o princípio do movimento em seus vários estágios — o início do movimento, o perigo no movimento, o repouso e fim do movimento. As filhas representam a devoção em suas várias etapas — a suave penetração, a clareza e adaptabilidade e, por fim, a alegre tranqüilidade.

De modo a abranger uma multiplicidade ainda maior, essas oito imagens, numa data muito remota, foram combinadas uma com as outras, quando então se obteve um total de 64 signos. Cada um desses signos consiste de seis linhas positivas ou negativas. Cada linha é considerada como sendo passível de mudança, e sempre que uma linha muda toda a situação representada pelo hexagrama muda também. Tomemos, por exemplo, o hexagrama K'un, RECEPTIVO, terra:

Ele representa a natureza da terra, a abnegação poderosa. Quanto às estações, corresponde ao final do outono, quando todas as forças da vida encontram-se em repouso.

Se a linha inferior muda, surge o hexagrama Fu, RETORNO:

Ele representa o trovão, o movimento que volta a agitar-se no interior da terra, na época do solstício. Simboliza o retorno da luz.

Como esses exemplos demonstram, nem todas as linhas de um hexagrama mudam necessariamente. Isso depende por completo do caráter de uma dada linha. Uma linha cuja natureza é positiva,[4] com um aumento de seu dinamismo transforma-se no oposto, numa linha negativa, enquanto que uma linha positiva de menor força não sofre essa mudança. O mesmo princípio se aplica às linhas negativas.

Informações mais detalhadas sobre essas linhas — que se encontram tão intensamente carregadas de energia positiva ou negativa que tendem a mudar — serão encontradas no Livro Segundo no Grande Tratado (parte I, capítulo IX) e na seção especial sobre o uso do oráculo, ao final do Livro Terceiro. Será suficiente, por enquanto, dizer-se que linhas positivas móveis são designadas pelo número 9 e linhas negativas móveis, pelo número 6. As linhas que não são móveis funcionam apenas como material de estruturação do hexagrama, sem um significado intrínseco seu, e são representadas pelos números 7 (positivas) e 8 (negativas). Assim, quando no texto se lê "Nove na primeira posição significa..." equivale a dizer "Quando a linha positiva na primeira posição é representada por um nove, tem o seguinte significado...". Se, por outro lado, a linha for representada pelo número 7, não deve ser considerada ao se interpretar o oráculo. O mesmo princípio se aplica às linhas representadas pelos números 6 e 8, respectivamente.

Pode-se obter o hexagrama antes mencionado — K'un, O RECEPTIVO — da seguinte forma:[5]

---

[4] Positivo ou negativo aqui não tem qualquer caráter qualitativo em termos de bom e mau. Representam apenas as tendências de movimento e repouso do Criativo e do Receptivo que, mais tarde, viriam a inspirar as noções do yang e yin. *(Nota da tradução brasileira.)*

[5] Como será visto na nota nº 6 do Livro Primeiro, todo hexagrama é considerado como iniciando-se em baixo e concluindo-se no alto. Por isso, a primeira linha é a linha inferior. *(Nota da tradução brasileira.)*

```
__  __  8 na sexta posição
__  __  8 na quinta posição
__  __  8 na quarta posição
__  __  8 na terceira posição
__  __  8 na segunda posição
__  __  6 na primeira posição
```

Assim sendo, as cinco linhas superiores não são consideradas na interpretação. Assim, o seis na primeira posição tem um significado independente e, em virtude de sua mudança para a condição contrária, a situação de K'un, O RECEPTIVO,

torna-se a situação de Fu, RETORNO:

Desse modo tem-se uma série de situações simbolizadas pelas linhas enquanto que pela mudança dessas linhas as situações mudam umas para as outras. Por outro lado, essa mudança não é obrigatória pois quando um hexagrama se compõe apenas de linhas representadas pelos números 7 e 8 não há mudança em seu interior e só se considera seu aspecto global.

Além da lei da mutação e das imagens dos estados de mutação apresentados pelos sessenta e quatro hexagramas, outro fator a ser considerado é o curso da ação. Cada situação exige uma forma de ação que lhe seja adequada. Em cada situação há um caminho de ação cujo curso é correto e outro cujo curso é errado. É claro que o curso correto traz boa fortuna e o errado, infortúnio. Qual, então, é o caminho correto em cada caso dado? Esta questão era o fator decisivo e graças a ela o I Ching transcendeu a condição de um livro comum de adivinhação. Se um adivinho ao ler cartas diz à sua cliente que, dentro de uma semana, ela receberá uma carta com dinheiro da América, não há nada que essa mulher possa fazer senão esperar que a carta chegue, ou não chegue. Nesse caso, o que se prevê é a sorte, que em muito independe do que o indivíduo possa fazer ou não. Por isso a previsão da sorte carece de importância moral. Quando, um dia, pela primeira vez na China, alguém ao receber uma previsão sobre o futuro não deixou que a questão parasse nesse ponto mas se perguntou "o que devo fazer?", o livro divinatório tornou-se livro de sabedoria.

Estava reservado ao Rei Wen, que viveu em torno de 1150 a.C., e a seu filho, Duque de Chou, que realizassem essa mudança.[6] Eles dotaram os hexagramas e as linhas, até então mudos, dos quais o futuro era previsto em cada caso como um assunto individual, de conselhos preciosos quanto à conduta correta. Assim, o indivíduo vem a tornar-se co-autor de seu destino, uma vez que suas ações intervêm como fatores determinantes dos acontecimentos do mundo, e o fazem, de maneira ainda mais decisiva, quanto mais cedo, com a ajuda do Livro das Mutações, ele puder identificar as situações ainda em sua fase embrionária, pois esse é o momento crucial. Enquanto as coisas estão nos primórdios podem ser controladas, mas uma vez desenvolvidas até as últimas conseqüências ganham um poder

---

[6] Essa é a tese sustentada pela tradição chinesa. Alguns autores questionam sua validade. Cf. Iulian K. Shchutskii. *Researches on the I Ching*. Princeton University Press, Bollingen Series LXII 2, 1979. *(Nota da tradução brasileira.)*

tão avassalador que o homem se vê impotente diante delas. Por isso, o Livro das Mutações tornou-se uma obra de divinação muito singular. Os hexagramas e as linhas, em seus movimentos e mutações, reproduzem, de maneira misteriosa, os movimentos e as mutações do macrocosmo. Através do uso das varetas de caule de milefólio[7] se poderia chegar a uma visão global da configuração das circunstâncias. Alcançada essa perspectiva, as palavras do oráculo indicariam o que deveria ser feito de modo a atender às necessidades do momento.

O único ponto que parece estranho ao nosso moderno modo de ver é o método usado para perceber a natureza de uma situação que recorre à manipulação das varetas. Este procedimento, no entanto, era considerado misterioso apenas no sentido de que a manipulação das varetas tornava possível ativar-se no homem o inconsciente. Nem todos os indivíduos estão igualmente aptos a consultar o oráculo. Para fazê-lo é necessário uma mente clara e tranqüila, receptiva às influências cósmicas ocultas nas humildes varetas usadas no processo divinatório. Enquanto produto do reino vegetal elas eram vistas como estando relacionadas com as fontes da vida. As varetas eram obtidas de plantas consideradas sagradas.

O Livro de Sabedoria

De importância muito maior que o uso oracular é o uso do Livro das Mutações como Livro de Sabedoria. Lao-Tse conheceu esse livro e alguns de seus mais profundos aforismos nele se inspiraram. Confúcio também teve contato com o I Ching, ao qual dedicou longa reflexão. Ele provavelmente redigiu alguns dos comentários de interpretação encontrados no I Ching, enquanto que outra parte desses comentários deve ter transmitido a seus discípulos em aulas.[8] Foi a versão do Livro das Mutações editada e comentada por Confúcio que chegou até o nosso tempo.

Procurando-se os conceitos básicos que permeiam o livro, pode-se permanecer dentro dos limites de alguns poucos porém amplos conceitos.

A idéia subjacente a todo o conjunto é a de mutação. Nos Analetos diz-se que Confúcio, diante de um rio, disse: "Tudo segue, fluindo, como esse rio, sem cessar, dia e noite". Isso exprime a idéia de mutação. Aquele que percebe o significado da mutação, fixa sua atenção não mais sobre os entes transitórios e individuais, mas sobre a imutável e eterna lei que atua em toda mutação. Essa lei é o Tao[9] de Lao-

---

[7] Sobre o método de divisão dessas varetas para a consulta oracular, v. os apêndices referentes ao uso dos oráculos do I Ching. *(Nota da tradução brasileira.)*

[8] O contato de Confúcio com o I Ching, apesar de sustentado pela autoridade da tradição, foi muitas vezes questionado mesmo na China. Ou-yang Hsiu (1017-1072 d.C.), em sua obra "I T'ung Tzu-wen", afirma que não há qualquer conexão entre Confúcio e o I Ching, ou mesmo as Dez Asas. *(Nota da tradução brasileira.)*

[9] Aqui, como em outras passagens, Wilhelm usa o termo "Sinn" (sentido) para traduzir o termo chinês Tao. Na tradução inglesa chama-se a atenção para o trecho em que Wilhelm justifica essa escolha em sua tradução do Tao Te Ching de Lao-Tse *(Tao Te King: das Buch des Alten von Sinn und Leben.* 3ª ed. Düsseldorf e Colônia, 1952). Como no período entre 1923, época da primeira edição da tradução de Wilhelm, e o nosso momento, o termo "Tao" veio a tornar-se de uso corrente nas traduções e estudos de textos chineses, e tendo sido inclusive muito debatida a questão de sua possibilidade de versão para línguas ocidentais, julgou-se preferível manter o termo chinês. *(Nota da tradução brasileira.)*

-Tse, o curso das coisas, o princípio Uno no interior do múltiplo. Para que possa tornar-se manifesto é necessário uma decisão, um postulado. Esse postulado fundamental é o "Grande princípio primordial" de tudo que existe, "t'ai chi" — que no sentido original significa "viga mestra". Essa idéia de um princípio primordial foi tema de muitas reflexões por parte dos filósofos chineses posteriores. Wu Chi, um princípio ainda anterior a t'ai chi, era simbolizado por um círculo. Segundo essa concepção, t'ai chi era representado por um círculo dividido em luz e escuridão, yang e yin: ☯. Esse símbolo também teve um papel importante na Índia e na Europa. No entanto, especulações dualistas de caráter gnóstico são estranhas ao pensamento do I Ching em sua origem. Ele afirma apenas a viga mestra, a linha. Com essa linha, que em si mesma representa a unidade, a dualidade surge no mundo, pois a linha determina, ao mesmo tempo, o acima e o abaixo, a direita e a esquerda, adiante e atrás — em suma, o mundo dos opostos.

Esses opostos tornaram-se conhecidos com os nomes de Yin e Yang, tendo causado grande sensação em especial no período de transição entre as dinastias Ch'in e Han, nos séculos que precederam a era cristã, quando havia toda uma escola de doutrina do Yin e Yang. Nessa época, o Livro das Mutações era muito usado como um livro de magia e as pessoas liam nos seus textos toda sorte de coisas misteriosas, as quais, entretanto, eram inteiramente estranhas à sua origem. Essa doutrina do Yin e Yang, do feminino e do masculino como princípios primordiais, atraiu, é claro, muito interesse entre os estrangeiros estudiosos do pensamento chinês. Seguindo uma tendência muito comum, alguns deles julgaram encontrar nessa doutrina um simbolismo fálico, com todas as suas decorrências.

Para desapontamento de tais descobridores é preciso dizer que não há qualquer indício disso na origem do significado dos termos yin e yang. Em seu sentido original yin significa "o nebuloso", "o sombrio", e yang significa na realidade "estandartes tremulando ao sol" [10], ou seja, algo que "brilha", ou "luminoso". Esses dois conceitos foram transferidos e aplicados ao lado iluminado e ao sombrio de uma montanha ou rio. No caso de uma montanha a vertente sul é o lado iluminado e a do norte, o lado sombrio, enquanto que no caso de um rio visto do alto o lado norte é o iluminado (yang), pois reflete a luz, e o sul é o lado sombrio (yin). Assim, as duas expressões foram trazidas ao Livro das Mutações e aplicadas aos dois alternantes estados fundamentais de ser. Deve-se indicar, no entanto, que os termos Yin e Yang não aparecem com este sentido nem nos textos propriamente do livro, nem nos comentários mais antigos. Sua primeira ocorrência se dá no Grande Tratado, o qual, em alguns trechos, evidencia uma influência taoísta. No Comentário sobre a Decisão os termos usados para os opostos são "o firme" e "o maleável", e não yang e yin.

Porém, não importa que nomes sejam aplicados a essas forças, o certo é que a existência surge da sua mutação e interação. Assim, a mutação é concebida como sendo, em parte, a contínua mudança de uma força em outra e, em parte, como um ciclo fechado de acontecimentos complexos, conectados entre si, como o dia e a noite, o verão e o inverno. A mutação não é desprovida de sentido — se o fosse não seria possível formular qualquer conhecimento a seu respeito —, mas está sujeita à lei universal, o Tao.

O segundo tema fundamental no Livro das Mutações é sua teoria das idéias. Os oito trigramas não são tanto imagens de objetos mas de estados de mutação. Essa concepção está associada ao conceito expresso nos ensinamentos de Lao-Tse e Confú-

---

[10] Cf. os importantes comentários de Liang Ch'i Chao no jornal chinês *The Endeavor*, 15 e 22 de julho de 1923, como também o ensaio em inglês de B. Schindler. "The development of the Chinese conceptions of Supreme Beings". *Asia Major*, Hirth Anniversary Volume (London: Probsthain), p. 298-366.

cio de que todo acontecimento no mundo visível é um efeito de uma "imagem", isto é, de uma idéia num mundo invisível. Desse modo, tudo o que ocorre na terra é apenas uma reprodução, por assim dizer, de um acontecimento num mundo situado além de nossas percepções sensoriais; quanto à sua ocorrência no tempo, é sempre posterior ao evento supra-sensível. Os homens santos e sábios, estando em contato com aquelas esferas mais elevadas, têm acesso a essas idéias através de uma intuição direta, e, assim, podem intervir de maneira decisiva nos acontecimentos no mundo. Desse modo, o homem está ligado ao céu, o mundo supra-sensível das idéias, e à terra, o mundo material das coisas visíveis, formando com eles a tríade dos poderes primordiais.

Essa teoria das idéias aplica-se em dois sentidos. O Livro das Mutações mostra as imagens dos acontecimentos como também o vir a ser das situações *in statu nascendi*. Assim, discernindo, graças à sua ajuda, as sementes do porvir, o homem pode prever o futuro do mesmo modo que compreender o passado. Dessa forma, as imagens em que os hexagramas se fundamentam servem como modelos para uma ação oportuna nas condições indicadas. Não só, com isso, torna-se possível sua adaptação ao curso da natureza como, inclusive, no Grande Tratado (parte II, capítulo II) se procuram as origens de todas as práticas e inventos da civilização nessas idéias e imagens arquetípicas. Apesar da hipótese poder ou não ser aplicada a todas as circunstâncias específicas, o conceito básico contém uma verdade.[11]

O terceiro elemento fundamental ao Livro das Mutações são os julgamentos. Os julgamentos como que vestem as imagens com palavras. Indicam se uma ação trará boa fortuna ou infortúnio, remorso ou humilhação. Os julgamentos possibilitam ao homem a liberdade para decidir desistir de um curso de ação, que é indicado pela situação do momento, mas que seria prejudicial a longo prazo. Dessa forma ele se torna independente da tirania dos acontecimentos. O Livro das Mutações, em seus julgamentos e nas interpretações que o acompanham do tempo de Confúcio em diante, abre ao leitor o mais rico tesouro da sabedoria chinesa. Ao mesmo tempo lhe oferece uma visão abrangente da diversidade das experiências humanas habilitando-o, em virtude dessa perspectiva, a estruturar sua vida segundo sua vontade soberana, de modo a torná-la um todo orgânico, dirigindo-se assim à harmonia com o derradeiro Tao, em que estão enraizados todos os seres.

II. A HISTÓRIA DO LIVRO DAS MUTAÇÕES

Na literatura chinesa, quatro sábios são citados como autores do Livro das Mutações: respectivamente Fu Hsi, Rei Wen, o Duque de Chou e Confúcio. Fu Hsi é uma figura lendária que representa a era da caça e da pesca, devendo-se a ele também o hábito de cozer os alimentos. O fato de ser ele indicado como o inventor dos signos lineares do Livro das Mutações significa que lhes é atribuída uma tal antiguidade que antecede à memória histórica. Além disso, os oito trigramas têm nomes que não aparecem em qualquer outra passagem na língua chinesa, razão pela qual julgou-se que tivessem origem estrangeira. De qualquer modo, não são caracteres arcaicos co-

---

[11] Cf. os importantíssimos debates de Hu Shih em *The Development of the Logical Method in Ancient China*. 2ª ed. New York, Paragon, 1963; e a discussão ainda mais detalhada no primeiro volume de sua História da Filosofia *(Chung-Kuo che-hsüeh-shih ta-kang. v.I)*.

mo alguns autores foram levados a crer pela semelhança em parte acidental, em parte intencional com um ou outro ideograma antigo.[12]

Já desde um período muito remoto que os trigramas aparecem em várias combinações. Duas compilações que tiveram origem na antiguidade são mencionadas: primeiro, o Livro das Mutações da dinastia Hsia chamado Lien Shan que, segundo consta, principiava com o hexagrama Kên, "A QUIETUDE", montanha; segundo, o Livro das Mutações que data da dinastia Shang intitulado Kuei Ts'ang, que começava com o hexagrama K'un, "O RECEPTIVO". Este último é mencionado numa breve referência feita por Confúcio, que supunha sua historicidade. É difícil saber se os nomes dos sessenta e quatro hexagramas existiam já naquela época e, em caso positivo, se eram os mesmos que hoje constam do Livro das Mutações.

Segundo a tradição geralmente aceita, sobre a qual não temos motivo para levantar suspeitas, a atual compilação dos sessenta e quatro hexagramas teve sua origem com o Rei Wen, antecessor da dinastia Chou. Diz-se que ele acrescentou breves julgamentos aos hexagramas durante o período em que esteve aprisionado por ordem do tirano Chou Hsin. O texto relativo às linhas foi redigido por seu filho, o Duque de Chou. Sob essa forma, e com o título de "As Mutações de Chou" (Chou I), foi usado como oráculo durante o período da dinastia Chou como demonstram vários antigos registros históricos.

Essa era a forma do Livro quando Confúcio o encontrou. Já com idade avançada dedicou-lhe um intenso estudo, sendo muito provável que o Comentário sobre a Decisão (T'an Chuan) seja trabalho seu. O Comentário sobre a Imagem também reporta a ele, ainda que menos diretamente. De um terceiro tratado, um importante e detalhado comentário sobre as linhas, compilado por seus discípulos ou sucessores sob a forma de perguntas e respostas, restam apenas fragmentos. (Alguns encontram-se na seção intitulada Wên Yen — Comentário às Palavras do Texto —, outros estão no Ta Chuan — O Grande Tratado.)

Dentre os seguidores de Confúcio parece que foi principalmente Pu Shang (Tzu Hsia) que difundiu o conhecimento do Livro das Mutações. Com o desenvolvimento da especulação filosófica, como se vê no "Ya Hsueh" e no "Chung Yung", esse tipo de filosofia exerceu uma influência cada vez maior na interpretação do Livro das Mutações. Toda uma filosofia se desenvolveu em torno do Livro, do qual fragmentos — alguns mais antigos, outros mais recentes — encontram-se nas chamadas "Dez Asas". Elas diferem muito entre si quanto ao conteúdo e valor intrínseco.

O Livro das Mutações escapou ao destino dos outros Clássicos na época da famosa queima de livros ordenada pelo tirano Ch'in Shih Huang Ti. Caso houvesse algum fundo de realidade na lenda de que esse incêndio seria o único responsável pela mutilação dos textos dos antigos tratados, o I Ching, pelo menos, deveria estar intato; mas não é esse o caso. Na verdade, as vicissitudes dos séculos, o colapso das culturas tradicionais e a mudança no sistema de escrita é que são responsáveis pelos danos sofridos por todas as obras da antiguidade.

Após o Livro das Mutações ter se celebrizado como um tratado divinatório e de magia no período de Ch'in Shih Huang Ti, a escola de magos (fang shih) das dinastias Ch'in e Han veio a se apoderar dele. A doutrina do Yin-yang, que foi, provavelmente, introduzida pela obra de Tsou Yen e depois promovida por Tung Chung Shu, Liu Hsin e Liu Hsiang, cometeu toda sorte de excessos na interpretação do I Ching.

---

[12] Em especial no caso do trigrama K'an (☵), que lembra o ideograma de "água", 水, shui.

A tarefa de expurgo de toda essa confusão estava destinada ao grande sábio erudito Wang Pi, que escreveu sobre o significado do Livro das Mutações como livro de sabedoria, não como obra divinatória. Sua iniciativa logo encontrou eco e em lugar das teorias de magia e dos adeptos da escola Yin-yang começa a surgir, ligada ao I Ching, uma filosofia política. No período Sung o I Ching foi usado como base da doutrina do T'ai Chi T'u — a qual, provavelmente, não era de origem chinesa —, até que o mais velho dos Ch'êng Tzü redigiu uma excelente obra de comentário. Era costume separar os antigos comentários contidos nas Dez Asas de modo a que passassem a acompanhar os hexagramas aos quais se referiam. Com isso, pouco a pouco, o livro veio a se tornar uma obra sobre teoria de estado e filosofia de vida. Foi Chu Hsi quem, em seguida, procurou preservar o aspecto oracular do I Ching, tendo publicado, além de um curto e preciso comentário, uma introdução às suas investigações relativas à arte de divinação.

A tendência crítico-historicista da última dinastia também se voltou para o Livro das Mutações. No entanto, em virtude de sua oposição aos eruditos do período Sung e sua preferência pelos comentaristas da dinastia Han, mais próximos no tempo à época de compilação do Livro das Mutações, tiveram menos êxito em relação ao I Ching do que para com os outros Clássicos. Isso porque os comentaristas do período Han eram, em última análise, magos ou influenciados pelas teorias de magia. Uma excelente edição foi organizada no período de K'ang Hsi, com o título de "Chou I Che Chung"; apresenta o texto e as Asas separadamente e inclui os melhores comentários das diversas épocas. É nessa edição que se baseia a presente tradução.

III. A ORGANIZAÇÃO DA TRADUÇÃO

A tradução do Livro das Mutações obedeceu a princípios cujo conhecimento facilitará muito a leitura.

A tradução do texto procurou a forma mais breve e concisa possível de modo a manter-se a impressão de arcaísmo que o original chinês transmite. Isso tornou ainda mais necessária a apresentação não só do texto mas também de um extrato dos principais comentários chineses. Essa sinopse procurou ser a mais sucinta possível, trazendo uma perspectiva abrangente das maiores contribuições dos especialistas chineses para a compreensão do livro. Comparações com textos ocidentais[13] que em muitas passagens pareciam sugestivas, assim como meus próprios pontos de vista, foram acrescentados só ocasionalmente e sempre de forma a serem identificados, sem risco de dúvidas, como tais. O leitor, portanto, pode considerar o texto e os comentários como autênticas expressões do pensamento chinês. Chama-se a atenção em especial a este fato, pois várias das verdades fundamentais aqui apresentadas coincidem a um tal ponto com preceitos cristãos que com freqüência surpreendem.

De modo a facilitar o mais possível a compreensão do I Ching ao leitor leigo no assunto, os textos dos sessenta e quatro hexagramas junto com as interpretações correspondentes foram apresentados no Livro Primeiro. Recomenda-se, pois, que a leitura comece por esta parte procurando fixar sua atenção nas idéias e evitando enredar-se com as formas e imagens. Por exemplo, deve-se seguir a idéia do Criativo em seu desenvolvimento gradual — tal como se descreve de maneira magistral no primeiro hexagrama —, aceitando-se, por ora, o simbolismo do dragão. Assim se poderá chegar a formar uma idéia do que a sabedoria chinesa tinha a dizer sobre diversas situações de vida.

[13] Assim como outras traduções, omite-se aqui um grande número de citações de poetas alemães (em especial Goethe), uma vez que tais passagens perdem grande parte de sua pertinência quando traduzidas. *(Nota da tradução brasileira.)*

Os Livros Segundo e Terceiro explicam por que tudo isso é assim. Aqui foi reunido o material essencial à compreensão da estrutura dos hexagramas. Selecionou-se apenas o que é absolutamente necessário, procurando-se recorrer às fontes mais antigas, tal como foram preservadas nas Dez Asas. Esses comentários, na medida do possível, foram separados e distribuídos junto aos textos aos quais se referem, de modo a facilitar sua compreensão, uma vez que a essência de seu conteúdo fora já utilizada antes no sumário dos comentários no Livro Primeiro. Com isso, para aquele que procura mergulhar nas profundezas da sabedoria do Livro das Mutações, os Livros Segundo e Terceiro são indispensáveis. Por outro lado, é preferível que o poder de compreensão do leitor ocidental não seja sobrecarregado logo ao início com um excesso de material que lhe é ainda estranho. Por conseguinte, não foi possível evitar certas repetições; mas isso pode ajudar a que se chegue a uma compreensão plena do Livro. Estou firmemente convencido de que quem quer que assimile a essência do Livro das Mutações se verá enriquecido, por isso, tanto em experiência quanto no verdadeiro entendimento da vida.

RICHARD WILHELM

PREFÁCIO DE C. G. JUNG [1]

Não sendo um sinólogo, meu prefácio ao Livro das Mutações terá que ser um testemunho da experiência pessoal com esse grande e único livro. Ao mesmo tempo terei a grata oportunidade de homenagear também a memória de meu falecido amigo Richard Wilhelm. Ele próprio tinha profunda consciência da importância cultural de sua tradução do I Ching, versão sem paralelo no mundo Ocidental.

Se o significado do Livro das Mutações fosse de fácil apreensão, a obra não precisaria de um prefácio. Mas sem dúvida esse não é o caso, já que há tantos pontos enigmáticos em seu conteúdo que os estudiosos ocidentais tenderam a considerá-lo como um conjunto de "fórmulas mágicas" que, ou seriam abstrusas demais para serem inteligíveis, ou careceriam de todo valor. A tradução de Legge do I Ching, até agora a única versão disponível em inglês, pouco contribuiu para tornar a obra mais acessível à mente ocidental.[2] Wilhelm, entretanto, fez o esforço possível para abrir o caminho à compreensão do simbolismo do texto. Ele tinha condições de fazê-lo, pois a filosofia e o uso do I Ching foram-lhe ensinados pelo venerável sábio Lao-Nai-hsüan; além disso, durante um período de vários anos havia posto em prática a peculiar técnica do oráculo. A apreensão do sentido vivo do texto dá à sua versão do I Ching uma profundidade de perspectiva que um conhecimento exclusivamente acadêmico da filosofia chinesa nunca poderia proporcionar.

Tenho uma enorme dívida para com Wilhelm pelo esclarecimento que trouxe à complicada problemática do I Ching e também pelas intuições relativas à sua aplicação prática. Por mais de 30 anos, interessei-me por essa técnica oracular, ou método de explorar o inconsciente, que pareceu-me de excepcional significado. Já estava bastante familiarizado com o I Ching quando conheci Wilhelm no começo da década de 20; ele confirmou o que eu já sabia, além de ensinar-me muito mais.

Desconheço a língua chinesa e nunca estive na China. Posso afirmar ao meu leitor que é muito difícil encontrar o correto modo de acesso a esse monumento do pensamento chinês tão distante de nossa forma de pensar. De modo a poder compreender de que trata esse livro, é indispensável deixar de lado certos preconceitos da mente ocidental. É curioso que um povo tão dotado e inteligente como o chinês nun-

---

[1] O prefácio de Jung foi redigido a pedido de Cary F. Baynes para a primeira edição da tradução inglesa do I Ching. Esse prefácio não consta da edição alemã usada para a presente tradução. O texto de Jung foi traduzido da edição da Bollingen Series XIX, Princeton University Press, 1972. *(Nota da tradução brasileira.)*

[2] Legge faz o seguinte comentário sobre o texto explicativo das linhas: "De acordo com nossas noções, um criador de símbolos deveria ter muito de um poeta, mas aqueles do Yi nos sugerem apenas uma completa aridez. De um total de mais de trezentas e cinqüenta, a maior parte das afirmações podem ser consideradas simplesmente grotescas". *(The Sacred Books of the East*, XVI: the Yi King. 2ª ed. Oxford, Clarendon Press, 1899, p. 22.) A respeito das "Lições" dos hexagramas, o mesmo autor diz: "Mas por que, poder-se-ia perguntar, deveriam nos ser transmitidas através de uma tal disposição de figuras lineares e em tal miscelânea de representações simbólicas". *(Ibid.* p. 25.) No entanto, em nenhum trecho é dito se Legge alguma vez se deu ao trabalho de colocar o método à prova, num teste prático.

ca tenha desenvolvido o que chamamos ciência. Nossa ciência, entretanto, é baseada no princípio da causalidade, o qual é considerado uma verdade axiomática. Mas uma grande mudança está ocorrendo em nosso ponto de vista. O que a "Crítica da Razão Pura" de Kant não conseguiu, está sendo realizado pela física moderna. Os axiomas da causalidade estão sendo abalados em seus fundamentos: sabemos agora que o que denominamos leis naturais são meramente verdades estatísticas que supõem, necessariamente, exceções. Ainda não nos apercebemos que necessitamos do laboratório com suas decisivas limitações para demonstrar a validade invariável das leis naturais. Se deixarmos a natureza agir, veremos um quadro muito diferente: o acaso vai interferir total ou parcialmente em todo o processo, tanto assim que, em circunstâncias naturais, uma seqüência de fatos que esteja em absoluta concordância com leis específicas constitui quase uma exceção.

A mente chinesa, como a vejo trabalhando no I Ching, parece preocupar-se exclusivamente com o aspecto casual dos acontecimentos. O que chamamos de coincidência parece ser o interesse primordial desta mente peculiar e o que cultuamos como causalidade passa quase desapercebido. Devemos admitir que há muito a dizer a respeito da imensa importância do acaso. Uma quantidade incalculável do esforço do homem visa a combater e limitar os incômodos ou perigos representados pelo acaso. Considerações teóricas de causa e efeito freqüentemente parecem fracas e pobres em comparação com os resultados práticos do acaso. É correto dizer que o cristal de quartzo é um prisma hexagonal. A afirmação é verdadeira quando se considera um cristal ideal; entretanto, na natureza não se encontram dois cristais exatamente iguais, ainda que todos sejam inequivocamente hexagonais. A forma concreta, no entanto, parece interessar mais ao sábio chinês que a forma ideal. O emaranhado de leis naturais que constitui a realidade empírica é mais significativo para ele que uma explicação causal de fatos que, além disso, em geral devem ser separados uns dos outros para que possam ser adequadamente tratados.

A maneira como o I Ching tende a encarar a realidade parece não favorecer nossa maneira causal de proceder. O momento concretamente observado apresenta-se à antiga visão chinesa, mais como um acontecimento fortuito que o resultado claramente definido de um concordante processo causal em cadeia. A questão que interessa parece ser a configuração formada por eventos casuais no momento da observação e de modo nenhum as hipotéticas razões que aparentemente justificam a coincidência. Enquanto a mente ocidental cuidadosamente examina, pesa, seleciona, classifica e isola, a visão chinesa do momento inclui tudo até o menor e mais absurdo detalhe, pois tudo compõe o momento observado.

Assim ocorre quando são jogadas as três moedas, ou quando se contam as 49 varetas; esses detalhes casuais entram no quadro do momento de observação e fazem parte dele — uma parte que para nós é insignificante, porém para a mente chinesa é de suma importância. Seria para nós uma afirmação banal e quase sem sentido (pelo menos à primeira vista) dizer que tudo que acontece num determinado momento tem inevitavelmente a qualidade peculiar àquele momento. Esse não é um argumento abstrato mas, ao contrário, muito prático. Alguns especialistas são capazes de determinar só pelo aspecto, gosto e comportamento de um vinho a sua procedência e o ano de sua origem. Existem conhecedores de antiguidades que podem afirmar com extraordinária precisão a data, o lugar de origem e o autor de um "objet d'art" ou de um móvel, simplesmente olhando-os. Existem astrólogos que podem dizer a uma pessoa, sem nenhum conhecimento prévio, a data de seu nascimento, qual era a posição do sol e da lua, e qual o signo que se encontrava sobre o horizonte no momento de seu nascimento. Diante de tais fatos é preciso admitir que os momentos podem deixar marcas duradouras.

Em outras palavras, quem quer que tenha inventado o I Ching estava convencido de que o hexagrama obtido num determinado momento coincidia com esse momento tanto em qualidade quanto em tempo. Para ele o hexagrama era o intérprete do momento no qual era tirado — mais que as horas do relógio ou as divisões de um calendário —, uma vez que o hexagrama era compreendido como sendo o indicador da situação essencial que prevalecia no momento de sua origem.

Essa suposição envolve um certo princípio curioso que denominei sincronicidade,[3] conceito este que formula um ponto de vista diametralmente oposto ao da causalidade. A causalidade enquanto uma verdade meramente estatística não absoluta é uma espécie de hipótese de trabalho sobre como os acontecimentos surgem uns a partir dos outros, enquanto que, para a sincronicidade, a coincidência dos acontecimentos, no espaço e no tempo, significa algo mais que mero acaso, precisamente uma peculiar interdependência de eventos objetivos entre si, assim como dos estados subjetivos (psíquicos) do observador ou observadores.

O pensamento tradicional chinês apreende o cosmos de um modo semelhante ao do físico moderno, que não pode negar que seu modelo do mundo é uma estrutura decididamente psicofísica. O fato microfísico inclui o observador tanto quanto a realidade subjacente ao I Ching abrange a subjetividade, isto é, as condições psíquicas dentro da totalidade da situação momentânea. Assim como a causalidade descreve a seqüência dos acontecimentos, a sincronicidade, para a mente chinesa, lida com a coincidência de eventos.

O ponto de vista causal nos relata uma dramática história sobre como D chegou à existência: originou-se de C que existia antes de D, e C, por sua vez, teve um pai, B, etc. Por outro lado, a visão da sincronicidade tenta produzir uma representação igualmente significativa da coincidência. Como é que A, B, C, D, etc. aparecem todos no mesmo momento e no mesmo lugar? Isso acontece, em primeiro lugar, porque os eventos físicos A e B são da mesma qualidade dos eventos psíquicos C e D, e ainda porque todos são intérpretes de uma única e mesma situação momentânea. Assume-se que a situação representa um quadro legível ou compreensível.

Os 64 hexagramas do I Ching são o instrumento pelo qual se pode determinar o significado de 64 situações diferentes, porém típicas. Essas interpretações são equivalentes a explicações causais. A conexão causal é estatisticamente necessária e pode, portanto, ser submetida à experiência. Uma vez que as situações são únicas e não podem ser repetidas, não parece ser possível, em condições normais,[4] realizar experiências com a sincronicidade. No I Ching, o único critério de validade da sincronicidade é a opinião do observador de que o texto do hexagrama equivale a uma interpretação fiel de sua condição psíquica. Supõe-se que a queda das moedas ou o resultado da divisão do conjunto de varetas de caule de milefólio é o que necessariamente deve ser uma "situação" dada, já que qualquer coisa que aconteça naquele momento pertence a ele como parte indispensável do quadro. Se um punhado de fósforos é jogado no chão, eles formam o padrão característico daquele momento. Porém, uma verdade tão óbvia como essa só revela seu caráter significativo se for possível ler o padrão e verificar sua interpretação, em parte pelo conhecimento, do observador, da situação objetiva e da subjetiva e, em parte, pelo caráter dos fatos subseqüentes. Obviamente esse não é um procedimento que atraia uma mente crítica, acostumada à verificação

---

[3] Cf. "Sincronicity: An Acausal Connecting Principle". *The Structure and Dynamics of the Psyche.* (Col. das obras de C. G. Jung, v. 8.)

[4] Cf. J. B. Rhine. *The Reach of the Mind.* New York - London, 1928.

experimental de fatos ou à evidência factual. Mas para alguém que goste de olhar o mundo segundo a perspectiva da antiga China, o I Ching pode exercer alguma atração.

Meu argumento, tal como foi exposto acima, jamais, é claro, ocorreu à mente chinesa. Ao contrário, de acordo com a antiga tradição, são "agentes espirituais", atuando de uma forma misteriosa, que fazem com que as varetas de caule de milefólio dêem uma resposta significativa.[5] Esses poderes constituem como que a alma viva do livro, que é, portanto, uma espécie de ser vivo, e a tradição supõe que se podem fazer perguntas ao I Ching e esperar receber respostas inteligentes. Ocorreu-me, portanto, que talvez interesse ao leitor não iniciado ver o I Ching operando. Com esse propósito realizei uma experiência rigorosamente de acordo com a concepção chinesa: personifiquei, de certo modo, o livro, perguntando seu julgamento sobre sua situação atual, isto é, sobre minha intenção de apresentá-lo à mente ocidental.

Ainda que esse procedimento se enquadre perfeitamente nas premissas da filosofia Taoísta, para nós ele parece demasiado extravagante. Entretanto, nem mesmo o insólito dos delírios doentios ou superstições primitivas jamais me chocaram. Sempre tentei permanecer livre de preconceitos e curioso — *rerum novarum cupidus*. Por que não ousar um diálogo com um antigo livro que se propõe como algo vivo? Não pode haver mal nenhum nisso, e o leitor poderá observar um procedimento psicológico que tem sido posto em prática vezes e mais vezes através dos milênios da civilização chinesa, representando para homens como Confúcio ou Lao-tse tanto a expressão suprema da autoridade espiritual quanto um enigma filosófico. Utilizei o método de moedas e a resposta obtida foi o hexagrama 50 — Ting, O CALDEIRÃO.

De acordo com a maneira como foi formulada minha pergunta, deve-se entender o texto do hexagrama como se o próprio I Ching fosse a pessoa que fala. Assim, ele descreve a si próprio como um caldeirão, isto é, como um recipiente de ritual contendo comida preparada. Deve-se entender comida, aqui, como alimento espiritual. Wilhelm diz a respeito:

"O Ting, enquanto um utensílio pertencente a uma civilização refinada, sugere o cuidado e a alimentação dos homens capazes, o que resulta em benefício da nação... Aqui a cultura atinge sua culminância na religião. O Ting serve para a oferenda de sacrifícios a Deus. Os mais elevados valores terrenos devem ser oferecidos em sacrifício a Deus... A suprema revelação de Deus encontra-se nos profetas e nos santos. Venerá-los é, na verdade, venerar a Deus. Os desígnios de Deus, manifestados através deles, devem ser aceitos com humildade".

Seguindo nossa hipótese, devemos concluir que aqui o I Ching está testemunhando a respeito de si mesmo.

Quando alguma das linhas de um hexagrama dado tem o valor de seis ou nove, significa que são especialmente enfatizadas, e que, por isso, são importantes na interpretação.[6] Em meu hexagrama os "agentes espirituais" enfatizaram com um nove as linhas na segunda e terceira posições. Diz o texto:

> Nove na segunda posição significa:
> Há alimento no Ting.
> Meus companheiros têm inveja,
> mas nada podem contra mim.
> Boa fortuna.

---

[5] Ele são shên, isto é, "semelhantes a um espírito". "Os céus produziram coisas semelhantes a um espírito." (Legge, p. 41.)

[6] V. a explicação do método no texto de Wilhelm sobre o uso oracular.

Assim, o I Ching diz de si mesmo: "Eu contenho alimento (espiritual)". Como a participação em algo grande sempre desperta inveja, o coro dos invejosos [7] é parte da cena. Os invejosos querem despojar o I Ching daquilo que ele possui de grandioso, isto é, procuram roubar ou destruir o seu significado. Mas essa hostilidade é em vão. Sua riqueza de significado está assegurada, isto é, o I Ching está seguro de suas positivas conquistas, as quais ninguém lhe pode tirar. O texto continua:

> Nove na terceira posição significa:
> A alça do Ting está alterada.
> Ele é impedido em suas atitudes.
> A gordura do faisão não é comida.
> Quando a chuva cair, o remorso desaparecerá.
> A boa fortuna virá ao final.

A alça (em alemão *Griff*) é a parte pela qual o Ting pode ser segurado (*gegriffen*). Portanto, significa o conceito [8] (*Begriff*) que se tem do I Ching (o Ting). No decorrer do tempo, esse conceito aparentemente mudou, de modo que hoje já não podemos apreender (*begreifen*) o I Ching. Assim, "ele é impedido em suas atitudes". Já não somos mais amparados pelo sábio conselho e pela profunda visão intuitiva do oráculo; por isso, não mais encontramos nosso caminho através das complexidades do destino e da escuridão de nossa própria natureza. Já não mais se come a gordura do faisão, isto é, a melhor e mais rica parte de um bom prato. Mas quando, finalmente, a terra sequiosa novamente receber a chuva, isto é, quando esse estado de carência for superado, o "remorso", isto é, a tristeza pela perda da sabedoria tiver cessado, virá a tão esperada oportunidade. Wilhelm comenta: "Isso descreve alguém que, em meio a uma cultura muito desenvolvida, encontra-se numa posição em que não é notado nem reconhecido. Isso é um grande obstáculo à sua atuação". O I Ching parece estar lamentando que suas excelentes qualidades não sejam reconhecidas e portanto permaneçam inexploradas. Conforta-se com a esperança de recuperar, em breve, o reconhécimento.

A resposta dada, nessas duas linhas de destaque, à pergunta que formulei ao I Ching não requer nenhuma sutileza especial de interpretação, nenhum artifício, nenhum conhecimento incomum. Qualquer pessoa com um pouco de bom senso pode compreender o significado da resposta; é a resposta de alguém que tem uma boa opinião sobre si próprio, mas cujo valor não é pela maioria reconhecido, nem sequer amplamente conhecido. Quem responde tem uma noção interessante sobre si mesmo: se vê como um recipiente no qual as oferendas ao sacrifício são trazidas aos deuses, a comida do ritual destinada à sua alimentação. Concebe a si próprio como um utensílio de culto destinado a prover o alimento espiritual para os elementos ou forças inconscientes ("agentes espirituais") que foram projetados como deuses – em outras palavras, para dar a essas forças a atenção que elas necessitam para desempenhar seu papel na vida do indivíduo. Na realidade, esse é o significado original da palavra "religio" – uma cuidadosa observação e consideração (de "relegere") [9] do numinoso.

---

[7] Por exemplo, os *invidi* ("o invejoso") são uma imagem bastante freqüente nos velhos livros latinos de alquimia, principalmente na *Turba Philosophorum* (séc. XI ou XII).

[8] Do latim *Concipere*, "segurar junto", isto é, num recipiente: CONCIPERE deriva de CAPERE, "tomar", "segurar".

[9] Esta é a etimologia clássica. A derivação de *RELIGIO* de *RELIGARE,* "ligar à", originou-se com os Padres da Igreja.

O método do I Ching leva realmente em consideração a oculta qualidade individual existente nas coisas e nos homens e também no nosso próprio inconsciente. Interroguei o I Ching como fazemos com alguém a quem estamos prestes a apresentar a nossos amigos: perguntamos se isso seria ou não agradável a ele. O I Ching, como resposta, fala de seu significado religioso, do fato de ser desconhecido e mal interpretado na atualidade, e sua esperança de voltar a ocupar um lugar de honra — essa última parte obviamente como uma direta menção ao meu prefácio [10] ainda não redigido e sobretudo à tradução para o inglês. Essa parece ser uma reação perfeitamente compreensível, tal como se poderia esperar de uma pessoa numa situação similar.

Mas como surgiu essa reação? Porque eu joguei três pequenas moedas ao ar e as deixei cair, rodar e parar em cara ou coroa, conforme o caso. Esse curioso fato de que uma reação que faz sentido surja de uma técnica que, aparentemente, exclui, de início, todo e qualquer sentido, é a grande conquista do I Ching. O exemplo que acabo de dar não é único, respostas significativas são a regra. Sinólogos ocidentais e importantes eruditos chineses deram-se ao trabalho de informar-me que o I Ching é uma coleção de "fórmulas mágicas" obsoletas. No decorrer destas conversas, meu informante algumas vezes admitiu ter consultado o oráculo através de um adivinho, geralmente um monge Taoísta. Naturalmente isto "só poderia ser bobagem". Mas o estranho é que a resposta obtida aparentemente coincidia, de um modo notável, com o ponto cego psicológico do consulente.

Concordo com o pensamento ocidental que seriam possíveis inúmeras respostas à minha pergunta e certamente não posso afirmar que outra resposta não teria sido igualmente significativa. Entretanto, a resposta obtida foi a primeira e única; nada sabemos sobre outras possíveis respostas. Esta me agradou e satisfez. Fazer a mesma pergunta uma segunda vez teria sido falta de tato, por isso não a fiz: "o mestre só fala uma vez". O opressivo enfoque pedagogico que pretende enquadrar os fenômenos irracionais dentro de um padrão racional preconcebido é anátema para mim. Na realidade, coisas assim como essa resposta devem permanecer tal como eram em sua primeira aparição, pois só então sabemos o que faz a natureza quando deixada em si mesma sem ser perturbada pela intromissão do homem. Não se deve recorrer a cadáveres para estudar a vida. Além disso, uma repetição da experiência é impossível pelo simples motivo de que a situação original não pode ser reconstruída. Portanto, em cada caso há apenas uma primeira e única resposta.

Voltemos ao próprio hexagrama. Não há nada estranho no fato de que todo o Ting, O CALDEIRÃO, amplie os temas propostos pelas duas linhas ressaltadas.[11] A primeira linha do hexagrama diz:

> Um Ting com os pés para o alto, emborcado.
> É favorável remover o conteúdo estagnado.
> Uma concubina é aceita em virtude de seu filho.
> Nenhuma culpa.

Um caldeirão que se encontra de cabeça para baixo está fora de uso. Logo, o I Ching é como um caldeirão que não está sendo usado. Virá-lo ao contrário serve para eliminar o conteúdo estagnado, como diz a linha. Assim como um homem toma uma concubina quando sua esposa não tem filho, recorre-se ao I Ching quando não se encontra outra saída. Apesar do *status* quase legal da concubina na China, na realidade

---

[10] Na verdade, eu fiz essa experiência antes de escrever o prefácio.

[11] Os chineses interpretam somente as linhas móveis obtidas através do uso do oráculo. Eu concluí que na maioria dos casos todas as linhas do hexagrama são relevantes.

ele não é mais que um recurso de certa forma secundário; assim também o processo mágico do oráculo é um recurso que pode ser usado com um objetivo mais elevado. Não há culpa, embora se trate de um recurso excepcional.

A segunda e terceira linhas já foram discutidas. A quarta linha diz:

> O Ting com as pernas quebradas.
> A refeição do príncipe é derramada,
> e nódoas recaem sobre sua pessoa.
> Infortúnio.

Aqui o Ting foi posto em uso, mas evidentemente de uma forma bastante canhestra, isto é, abusou-se do oráculo ou o interpretaram erroneamente. Deste modo, perdeu-se o alimento divino e se expôs à vergonha. Legge traduz da seguinte forma: "o sujeito em questão irá corar de vergonha". O abuso de um utensílio de culto tal como o Ting (isto é, o I Ching) é uma profanação grosseira. Evidentemente, o I Ching está insistindo aqui em sua dignidade como um objeto de ritual e protestando contra sua utilização profana.

A quinta linha diz:

> O Ting tem alças amarelas e argolas de ouro.
> A perseverança é favorável.

O I Ching parece ter encontrado uma nova e correta (amarela) compreensão, isto é, um novo conceito (*Begriff*), através do qual pode ser apreendido. Esse conceito é valioso (de ouro). Há realmente uma nova edição em inglês, que torna o livro mais acessível que antes ao mundo ocidental.

A sexta linha diz:

> O Ting tem argolas de jade.
> Grande boa fortuna!
> Nada que não seja favorável.

O jade se distingue pela sua beleza e suave brilho. Se as alças são de jade, todo o recipiente será realçado em sua beleza, honra e valor.

Aqui o I Ching expressa-se não só como estando muito satisfeito, mas também bastante otimista. Pode-se apenas esperar futuros acontecimentos e, até lá, contentar-se com a agradável conclusão de que o I Ching aprova a nova edição.

Demonstrei nesse exemplo de forma tão objetiva quanto me foi possível como o oráculo atua num caso dado. Evidentemente, o processo varia um pouco segundo a forma como a pergunta é formulada. Se, por exemplo, uma pessoa encontra-se numa situação confusa, ela própria pode aparecer no oráculo como aquela que fala, ou se a pergunta diz respeito a um relacionamento com outra pessoa, essa pessoa pode aparecer como aquela que fala. Entretanto, a identidade de quem fala não depende inteiramente da maneira pela qual a pergunta foi formulada, da mesma forma que nossas relações com nossos semelhantes nem sempre são determinadas por estes últimos.

Freqüentemente nossas relações dependem quase que exclusivamente de nossas próprias atitudes, mesmo que não estejamos conscientes desse fato. Assim sendo, se um indivíduo não tem consciência do seu papel num relacionamento, poderá haver uma surpresa à sua espera; ao contrário das expectativas, ele próprio pode aparecer como o agente principal, como às vezes é indicado, de forma inequívoca, pelo texto. Pode ocorrer também que tomemos uma situação demasiadamente a sério e a consideremos de extrema importância, enquanto que a resposta que obtemos ao consultar o I Ching chama a atenção para algum outro aspecto inesperado, implícito na pergunta.

Tais ocorrências podem, ao início, levar-nos a pensar que o oráculo é ardiloso. Diz-se que Confúcio recebeu uma só resposta imprópria, isto é, o hexagrama 22, Graciosidade — um hexagrama totalmente estético. Isso lembra o conselho dado a Sócrates por seu "daimon": "Você deveria fazer mais música" — e a partir de então Sócrates começou a tocar flauta. Confúcio e Sócrates concorrem ao primeiro lugar no que se refere a uma perspectiva racional e uma atitude pedagógica diante da vida; mas é pouco provável que um deles tenha se preocupado em "embelezar a barba em seu queixo", como aconselha a segunda linha desse hexagrama. Infelizmente a razão e a pedagogia, com freqüência, carecem de encanto e graça, e assim, afinal, o oráculo talvez não se tenha enganado.

Voltemos uma vez mais ao nosso hexagrama. Apesar do I Ching não só parecer estar satisfeito com sua nova edição, como até demonstra um enfático otimismo, isso ainda não prediz o efeito que terá no público que se pretende atingir.

Já que temos em nosso hexagrama duas linhas yang enfatizadas pelo valor numérico nove, estamos em condições de averiguar que tipo de prognóstico o I Ching formula para si próprio. Segundo a concepção da antiguidade, as linhas indicadas por um seis ou um nove possuem uma tensão interna tão grande que faz com que se transformem em seus opostos, isto é, yang em yin e vice-versa. Através dessa transformação, nós obtemos no presente caso o hexagrama 35, Chin, PROGRESSO.

O tema desse hexagrama é relativo a alguém que encontra toda sorte de vicissitudes do destino em sua ascensão, e o texto descreve como ele deve se comportar. O I Ching está nessa mesma situação: eleva-se como o sol e se dá a conhecer, mas é repudiado e não inspira confiança — ele está "progredindo porém em tristeza". Entretanto, "obtém-se grande felicidade da parte de seu ancestral". A psicologia nos pode ajudar a elucidar essa passagem obscura. Em sonhos e nos contos de fadas, a avó, ou ancestral, freqüentemente representa o inconsciente, pois esse último, no homem, contém o componente feminino da psiquê. Se o I Ching não é aceito pelo consciente, pelo menos o inconsciente, em parte, o aceita e o I Ching está mais ligado ao inconsciente que à atitude racional da consciência. Já que o inconsciente é freqüentemente representado em sonhos por uma figura feminina, poderia ser essa, no caso, a explicação. A figura feminina pode ser interpretada como a tradutora, que deu ao livro cuidados maternais, e o I Ching poderá facilmente considerar isso como uma "grande felicidade". O I Ching prevê a compreensão geral, mas teme ser mal usado. "Progresso como o de um roedor." Mas está atento à advertência, "Não se deixe levar por ganho ou perda". Ele permanece livre de "partidarismos" e não se impõe a ninguém.

O I Ching, portanto, encara seu futuro no mercado editorial americano tranqüilamente, exprimindo-se aqui como o faria qualquer pessoa sensata a respeito do destino de uma obra tão controvertida. Essa profecia é tão razoável e cheia de bom senso, que seria difícil pensar-se em resposta mais apropriada.

Tudo isso ocorreu antes de eu ter escrito os parágrafos anteriores. Quando cheguei a esse ponto, quis conhecer a atitude do I Ching diante da nova situação. As circunstâncias tinham sido alteradas pelo que havia escrito, uma vez que eu mesmo tinha entrado em cena e, portanto, esperava ouvir algo referente à minha própria ação. Devo confessar que enquanto escrevia este prefácio não me sentia muito feliz pois, como alguém com senso de responsabilidade em relação à ciência, não tenho o hábito de afirmar algo que não possa provar, ou pelo menos, apresentar de maneira aceitável à razão. É realmente uma tarefa duvidosa tentar apresentar a um público moderno, crítico, um conjunto de arcaicos "encantamentos mágicos", com a intenção de torná-los mais ou menos aceitáveis. Empreendi essa tarefa porque julgo que há mais, no antigo modo de pensar chinês, do que parece à primeira vista. Porém, é para mim constrangedor ter que apelar à boa vontade e à imaginação do leitor, já que tenho que introduzi-lo na obscuridade de um antiquíssimo ritual mágico. Infelizmente conheço muito bem os argumentos que podem levantar contra ele. Não temos sequer certeza de que o barco que nos há de levar através de mares desconhecidos não tenha uma falha em algum lugar. Não poderá estar corrompido o velho texto? Será precisa a tradução de Wilhelm? Não estaremos enganados em nossas explicações?

O I Ching a todo instante insiste no autoconhecimento. O método pelo qual isso deve ser alcançado está aberto a todo tipo de aplicações errôneas e por isso não convém aos frívolos e imaturos, nem aos intelectualistas e racionalistas. Só é apropriado àqueles afeitos ao pensar, à reflexão e aos quais apraz meditar sobre o que fazem e o que lhes ocorre — predileção essa que não deve ser confundida com o mórbido cismar do hipocondríaco. Como indiquei acima, não tenho resposta para a infinidade de problemas que surgem quando procuramos harmonizar o oráculo do I Ching com nossos cânones científicos aceitos. Mas é desnecessário dizer que nada "oculto" é passível de ser deduzido. Minha posição nessas questões é pragmática e as grandes disciplinas que me ensinaram a utilidade prática desse ponto de vista são a psicoterapia e a psicologia médica. Provavelmente em nenhum outro campo temos que levar em conta tantas incógnitas, e em nenhuma outra área temos que ter por hábito adotar métodos que funcionam, ainda que, por longos períodos, não saibamos por que eles funcionam. Curas inesperadas podem surgir de métodos presumivelmente confiáveis. Na exploração do inconsciente deparamos com coisas muito estranhas, das quais um racionalista se afastaria com horror, afirmando, depois, que nada viu. A plenitude irracional da vida ensinou-me a nunca descartar nada, mesmo quando vão contra todas as nossas teorias (que mesmo na melhor das hipóteses têm vida tão curta) ou quando não admitem nenhuma explicação imediata. Naturalmente isso é inquietante e não sabemos, com certeza, se a indicação da bússola está correta ou não, porém a segurança, a certeza e a paz não conduzem a descobertas. O mesmo ocorre com esse método divinatório chinês. O método aponta claramente para o autoconhecimento, ainda que em todas as épocas tenha sido usado num sentido supersticioso.

É claro que estou de todo convencido do valor do autoconhecimento, mas valerá a pena recomendar semelhante introspecção, quando os mais sábios homens em todos os tempos pregaram essa necessidade sem êxito? Este livro representa, e isto é óbvio até mesmo para os mais preconceituosos, uma longa exortação a uma cuidadosa análise de nosso próprio caráter, a atitudes e motivações. Essa posição me atrai e levou-me a escrever o prefácio. Só uma vez antes havia me pronunciado acerca do problema do I Ching — foi durante um discurso em memória de Richard Wilhelm. Afora esta ocasião, mantive um discreto silêncio. Não é tarefa fácil descobrir o caminho para penetrar numa mentalidade distante e misteriosa como a que perpassa o I Ching. Não se pode menosprezar tão facilmente grandes pensadores como Confúcio e Lao-tse, quando se é capaz de avaliar a qualidade dos pensamentos que eles representam; tampouco se pode ignorar o fato de que o I Ching era sua principal fonte de inspiração. Sei que anteriormente não teria ousado expressar-me de forma tão explícita sobre assunto tão incerto. Posso correr esse risco porque estou agora em minha oitava década e as volúveis opiniões dos homens já não mais me impressionam; os pensamentos dos velhos mestres são mais valiosos para mim que os preconceitos filosóficos da mente ocidental.

Não gosto de incomodar meu leitor com essas considerações pessoais, mas como já indiquei, nossa própria personalidade está, com freqüência, envolvida na resposta do oráculo. Na verdade, ao formular minha pergunta eu como que, de fato, convidava o oráculo a comentar diretamente minha ação. A resposta foi o hexagrama 29 – K'an, O ABISMAL. Ênfase especial foi dada à linha na terceira posição, pelo fato de ela ser designada por um seis. Essa linha diz:

> Para adiante e para trás.
> Abismo sobre abismo.
> Num perigo como esse, detenha-se ao início e espere.
> Senão você cairá num buraco no abismo.
> Não atue assim.

Anteriormente eu teria aceito incondicionalmente o conselho "Não atue assim" e teria recusado dar minha opinião sobre o I Ching, pelo simples fato de não ter nenhuma. Mas agora, o conselho pode servir como um exemplo do modo como funciona o I Ching. É um fato, se começamos a pensar nisso, que os problemas do I Ching representam "abismo sobre abismo", e inevitavelmente deve-se "parar primeiro e esperar" em meio aos perigos de uma especulação demasiado vaga e desprovida de senso crítico; de outro modo, realmente nos perderíamos na escuridão. Pode haver uma posição intelectualmente mais incômoda que a de flutuar na névoa de possibilidades não comprovadas, não sabendo se o que estamos vendo é verdade ou ilusão? Essa é a atmosfera quase onírica do I Ching, e nela não encontramos nada em que possamos confiar, exceto o nosso próprio e tão falível julgamento subjetivo. Não posso deixar de reconhecer que essa linha representa muito apropriadamente o sentimento com o qual redigi as páginas precedentes. As reconfortantes palavras iniciais desse hexagrama são igualmente apropriadas — "Se você é sincero, terá o sucesso em seu coração" — porque indicam que o decisivo aqui não é o perigo exterior, mas a condição subjetiva, isto é, se acreditamos sermos "sinceros" ou não.

O hexagrama compara a ação dinâmica nessa situação ao comportamento da água corrente, que não teme nenhum lugar perigoso e mergulha sobre rochedos e preenche os fossos que encontra em seu curso (K'an também significa água). Essa é a maneira como o "homem superior" age e "exerce o ofício de ensinar".

K'an é, sem dúvida, um dos hexagramas menos agradáveis. Descreve uma situação na qual alguém parece encontrar-se em sério perigo de ser apanhado em toda sorte de armadilhas. Do mesmo modo que, ao interpretar um sonho, é preciso seguir o texto do sonho com a máxima exatidão, assim, ao consultar o oráculo, é preciso ter em mente a formulação da pergunta, pois essa impõe um limite definido à interpretação da resposta. A primeira linha do hexagrama mostra a presença do perigo: "No abismo se cai num fosso". A segunda linha faz o mesmo e acrescenta o conselho: "Deve-se procurar alcançar apenas pequenas coisas". Eu aparentemente me antecipara a esse conselho, limitando-me, no prefácio, a uma demonstração de como o I Ching funciona na mente chinesa e renunciando ao projeto mais ambicioso, de escrever um comentário psicológico sobre todo o livro.

A quarta linha diz:

> Uma jarra de vinho, uma tigela de arroz,
> louça de barro, simplesmente entregues pela janela.
> Isso por certo não implica em culpa.

Wilhelm faz o seguinte comentário a respeito:

"Em condições normais, o funcionário que aspirava a um cargo devia trazer certas oferendas e recomendações antes de ser nomeado. Tudo aqui está simplificado ao

máximo. As oferendas são modestas, não há ninguém para recomendá-lo e ele tem de fazer sua própria apresentação. No entanto, não deve se envergonhar por isso, se existir apenas a sincera intenção de prestar uma ajuda mútua no perigo".
É como se o livro fosse, num certo sentido, o sujeito dessa linha.
A quinta linha dá continuidade ao tema da limitação. Observando-se a natureza da água, verifica-se que ela preenche um fosso somente até a borda e prossegue, então, fluindo. Não fica contida ali.

O abismo não está cheio a ponto de transbordar,
está cheio apenas até a borda.

Mas, se tentados pelo perigo e em virtude apenas da insegurança, insistíssemos tentando forçar uma convicção através de um esforço excepcional, como no caso de elaborados comentários ou coisas semelhantes, atolaríamos nas dificuldades que a linha ao alto descreve com grande precisão como condições que tolhem e aprisionam. Na verdade, a última linha muitas vezes mostra as conseqüências decorrentes de não se levar a sério o significado do hexagrama.
Em nosso hexagrama temos um seis na terceira posição. Essa linha yin de crescente tensão transforma-se em uma linha yang e assim gera um novo hexagrama, mostrando uma nova possibilidade ou tendência. Temos agora o hexagrama 48 – Ching, O POÇO. O fosso cheio de água já não significa mais perigo e sim algo benéfico, um poço.

Assim o homem superior incentiva o povo em seu trabalho,
exortando as pessoas a se ajudarem mutuamente.

A imagem de pessoas ajudando-se uma às outras pareceria referir à reconstrução do poço, pois este está quebrado e cheio de lama. Nem mesmo os animais bebem nele. Há peixes vivendo nele e pode-se apanhá-los, mas o poço não é utilizado para beber, isto é, para as necessidades humanas. Essa descrição lembra o Ting – O CALDEIRÃO – de cabeça para baixo e fora de uso, que precisa receber uma nova alça. Além disso, esse poço, como o Ting, está limpo, mas ninguém bebe dele.

Este é o pesar de meu coração,
pois se poderia usufruir dele.

O perigoso fosso cheio de água ou o abismo referiam-se ao I Ching e o poço também, porém esse último tem um sentido positivo: contém as águas da vida. Deveria ser posto outra vez em uso. Mas não se possui nenhuma noção (*Begriff*) sobre ele, nem utensílio algum para extrair a água; o cântaro está quebrado e vaza. O Ting precisa de novas alças pelas quais se possa segurá-lo, e o poço também deve receber um revestimento, pois contém "uma fonte límpida e fresca, da qual se pode beber". Pode-se tirar água dele porque é "digno de confiança".
Está claro neste presságio que o sujeito que fala é outra vez o I Ching, representando-se como uma fonte de água da vida. O hexagrama precedente descreve com detalhes o perigo que ameaça a pessoa que acidentalmente cai num fosso dentro do abismo. Ela deve procurar a saída, para poder descobrir que se trata de um velho poço em ruínas, enterrado na lama, mas passível de ser restituído ao uso novamente.
Submeti duas perguntas ao método do acaso representado pelo oráculo das moedas, a segunda pergunta tendo sido formulada depois de eu ter escrito minha análise da resposta à primeira. A primeira pergunta como que se dirigia ao I Ching: o que tinha ele a dizer sobre minha intenção de escrever um prefácio? A segunda pergunta referia-se à minha própria ação, ou melhor, à situação na qual eu era o sujeito agente que discutira o primeiro hexagrama. À primeira pergunta o I Ching respondeu comparando-se a um caldeirão, um recipiente de ritual que necessitava de renovação

e que estava encontrando apenas uma questionável aprovação da parte do público. A resposta à segunda pergunta dizia que eu me encontrava numa dificuldade pois o I Ching representava um profundo e perigoso fosso com água no qual poder-se-ia facilmente atolar. No entanto, o fosso com água revelou ser um velho poço que precisava apenas ser restaurado para tornar-se útil novamente.

Esses quatro hexagramas são, em seus elementos centrais, coerentes entre si quanto ao tema (recipiente, fosso, poço), e no que se refere ao conteúdo intelectual parecem ser significativos. Se um ser humano desse tais respostas, eu, como psiquiatra, teria de considerá-lo mentalmente sadio, pelo menos, com base no material apresentado. De fato, eu não teria sido capaz de descobrir nada de delirante, de oligofrênico ou esquizofrênico nas quatro respostas. Diante da extrema antiguidade do I Ching e de sua origem chinesa, não posso considerar anormal sua linguagem arcaica, simbólica e floreada.

Ao contrário, eu teria felicitado essa hipotética pessoa pela amplitude de sua intuição do estado de dúvida que não chegara a expressar. Por outro lado, qualquer pessoa inteligente e versátil pode torcer tudo isso e mostrar como eu projetei os meus conteúdos subjetivos no simbolismo dos hexagramas. Semelhante crítica, ainda que catastrófica do ponto de vista do racionalismo ocidental, não afeta a função do I Ching. Ao contrário, o sábio chinês me diria sorrindo: "Não percebe quão útil é o I Ching para fazer com que você projete num simbolismo abstruso seus pensamentos, até então não percebidos? Você poderia ter escrito seu prefácio sem jamais perceber a avalanche de mal-entendidos que o mesmo poderia desencadear".

O ponto de vista chinês não se preocupa com a atitude que se adota frente ao funcionamento do oráculo. Somos unicamente nós que estamos confusos, porque tropeçamos repetidas vezes em nosso preconceito, ou seja, a noção de causalidade. A antiga sabedoria oriental enfatiza o fato de que o indivíduo inteligente compreende seus próprios pensamentos, mas não se preocupa de modo algum com a forma como o faz. Quanto menos se pense sobre a teoria do I Ching melhor se dormirá.

Parece-me que com base nesse exemplo, um leitor sem preconceitos estaria agora em condições de, pelo menos, tentar formar uma opinião aproximada sobre o modo de operar do I Ching.[12] Mais não se pode esperar de uma simples introdução. Se, através dessa demonstração, consegui elucidar a fenomenologia psicológica do I Ching, terei alcançado o meu propósito. Quanto aos milhares de perguntas, dúvidas e críticas que esse livro extraordinário suscita, não posso respondê-las. O I Ching não se apresenta com provas e resultados, não se vangloria de si, nem é de fácil abordagem. Como uma parte da natureza, espera até ser descoberto. Não oferece fatos, nem poder, porém para os amantes do autoconhecimento, da sabedoria — se estes existem — parece ser o livro indicado. Para alguns seu espírito parecerá claro como o dia; para outros, sombrio como o crepúsculo; e para outros ainda, obscuro como a noite. Aquele que não o aprecia, não precisa usá-lo e aquele que é contra, não é obrigado a considerá-lo verdadeiro. Que o deixem seguir para o mundo em benefício daqueles que sejam capazes de discernir seu significado.

ZURIQUE, 1949   C. G. JUNG

---

[12] Será útil ao leitor ler juntos os quatro hexagramas que se encontram no texto, assim como seus relevantes comentários.

LIVRO PRIMEIRO
O TEXTO

PRIMEIRA PARTE

乾

1. CH'IEN / O CRIATIVO

☰ *Acima CH'IEN, O CRIATIVO, CÉU.*
☰ *Abaixo CH'IEN, O CRIATIVO, CÉU.*

O primeiro hexagrama se compõe de seis linhas inteiras. Essas linhas correspondem à energia que, em sua forma primordial, é luminosa, forte, espiritual, ativa. O hexagrama é integralmente forte em sua natureza e, por estar livre de toda fraqueza, tem como essência a energia. Sua imagem é o céu. Sua força nunca é limitada por condições determinadas no espaço e por isso é concebida como movimento. O tempo é a base desse movimento. Portanto, o hexagrama inclui também o poder do tempo e o poder de persistir no tempo, ou seja, a duração.

O poder representado pelo hexagrama deve ser interpretado em dois sentidos: em termos de uma ação no universo e de sua ação no mundo dos homens. Em relação ao universo o hexagrama expressa a atividade criativa e poderosa da Divindade. Aplicado ao mundo dos homens ele representa a ação criativa dos santos e dos sábios, dos que governam e conduzem a humanidade e que, através de sua força, despertam e desenvolvem a natureza mais elevada dos seres humanos.[1]

JULGAMENTO
O CRIATIVO promove sublime sucesso, favorecendo[2] através da perseverança.

De acordo com o sentido original, os atributos (sublime, sucesso, poder de favorecer ou propiciar, perseverança) devem ser considerados em pares. Para aquele que obtém esse oráculo, isso significa que o sucesso lhe chegará das profundezas primordiais do universo e que tudo dependerá dele procurar a sua felicidade e a dos outros através de um único caminho: a perseverança no bem.

Os significados específicos dos quatro atributos, já desde a antiguidade, foram objeto de discussão. A palavra chinesa interpretada como "sublime" significa literalmente "cabeça", "origem", "grande". Por isso, ao explicá-la, diz Confúcio: "Grande em verdade é o poder gerador do Criativo; a ele todos os seres devem seu começo. Esse poder permeia todo o céu". Portanto, esse primeiro atributo é também inerente aos outros três.

---

[1] O hexagrama é atribuído ao quarto mês (maio-junho), quando o poder luminoso alcança sua culminância, antes do solstício do verão dar início ao declínio do ano.

[2] As expressões "favorecer", "ser favorável", que aparecem em tantos hexagramas, têm o sentido estrito de favorecer ou ser favorável à manifestação da natureza essencial ou do ser mesmo de algo ou de alguém. *(Nota da tradução brasileira.)*

O começo de todas as coisas jaz, por assim dizer, no além, na condição de idéias que estão ainda por se realizar. Mas o Criativo tem também o poder de dar forma a esses arquétipos das idéias. Isso é indicado na palavra "sucesso". Esse processo é representado por uma imagem da natureza: as nuvens passam, a chuva atua, e todos os seres individuais fluem para as suas formas próprias.[3]

Aplicados ao plano humano, esses atributos indicam ao homem superior o caminho para o grande êxito. "Por ver com muita clareza as causas e os efeitos, ele completa, no tempo certo, as seis etapas e sobe no momento adequado rumo aos céus, como que conduzido por seis dragões." As seis etapas são as seis diferentes posições (linhas) existentes no hexagrama, representadas adiante pelo símbolo do dragão. Aqui se indica que o caminho para o sucesso consiste em apreender e realizar o sentido do universo (Tao), o qual, como lei perene, perpassa o início e o fim das existências, originando todos os fenômenos condicionados pelo tempo. Assim, cada etapa alcançada torna-se preparação para a seguinte. O tempo já não constitui um obstáculo e sim um meio para atualizar o que permanecia potencial.

O ato de criação se exprime nos dois atributos "sublime" e "sucesso". A tarefa da conservação manifesta-se na contínua atualização e diferenciação da forma. Isso será expresso nos termos "favorecendo" ou "propiciando" (criando o que corresponde à essência de um dado ser) e "perseverança" (literalmente "correto e firme"). O curso do Criativo modifica e modela os seres até que cada um alcance sua verdadeira e específica natureza, e os mantém, então, em concordância com a grande harmonia. Assim o Criativo se revela como o que favorece ou propicia através da perseverança. Aplicado à esfera humana, isso mostra como o homem superior traz ao mundo paz e segurança em virtude de sua ação ordenadora. "Ele eleva-se acima da multidão de seres e todas as terras se unem em paz."

Outra linha de reflexão prossegue distinguindo as palavras "sublime", "sucesso", "favorecer", "perseverança" e as associa às quatro virtudes cardeais da humanidade. Ao "sublime", que, como princípio fundamental engloba todos os demais atributos, se relaciona o amor. Ao atributo "sucesso" relacionam-se os costumes, que regulam e organizam as expressões de amor, levando-as ao sucesso. Ao atributo "favorecer" relaciona-se a justiça, que cria as condições nas quais cada ser obtém aquilo que corresponde à sua natureza, aquilo que lhe é devido e que constitui sua felicidade. Ao atributo "perseverança" relaciona-se a sabedoria, que discerne as leis imutáveis presentes em todos os acontecimentos e assim estabelece condições duradouras.

Essas reflexões já sugeridas no comentário intitulado Wen Yen (v. Livro Terceiro) formaram, mais tarde, o elo que uniu a filosofia das cinco etapas (elementos) da mutação proposta no Livro da História (Shu Ching) com a filosofia do Livro das Mutações, que se baseia na polaridade de princípios positivos e negativos. Com o tempo o relacionamento entre esses dois sistemas de pensamento deu origem a um simbolismo numérico que foi se tornando cada vez mais complexo.[4]

---

[3] Gênese, cap. 2, 1 e segs., onde o desenvolvimento dos diferentes seres é também relacionado à queda das chuvas.

[4] O Criativo causa o início e a geração de todos os seres, podendo ser designado como céu, energia irradiante, pai, governante. Pode-se questionar se os chineses personificaram o Criativo como os gregos, que o conceberam como Zeus. A resposta é que esse problema não é primordial para os chineses. O divino princípio Criativo é suprapessoal e torna-se perceptível apenas através de sua atividade toda poderosa.

IMAGEM

O movimento do céu é poderoso.
Assim, o homem superior torna-se forte e incansável.

Como só existe um céu, a repetição do trigrama Ch'ien, que tem o céu como imagem, indica o movimento do céu. Uma rotação completa do céu constitui um dia e a repetição do trigrama significa que os dias se seguem uns aos outros. Isso gera a idéia de tempo. Já que é o mesmo céu que se move com poder incansável, sugere também a idéia de duração tanto no tempo como além dele, um movimento que jamais se detém ou reduz seu ritmo, assim como os dias seguem-se uns aos outros continuamente. Essa duração no tempo é a imagem da força inerente ao Criativo.

O sábio extrai dessa imagem o modelo segundo o qual ele deverá desenvolver-se de modo a tornar sua influência duradoura. Ele deve tornar-se integralmente forte, eliminando de maneira consciente tudo que é degradante e inferior. Assim, ele se torna incansável em virtude de uma limitação consciente de seu campo de atividade.

LINHAS [5]

Nove na primeira posição significa:
Dragão oculto. Não atue.

O dragão tem, na China, uma conotação completamente diferente daquela que tem no Ocidente. Simboliza a força propulsora, eletricamente carregada, dinâmica, que se manifesta nas tempestades. No inverno essa força recolhe-se de volta à terra; no começo do verão reativa-se, surgindo no céu como relâmpago e trovão. Como conseqüência as forças criativas na terra redespertam-se.

Essa força criadora ainda está oculta na terra e, assim, seus efeitos, por enquanto, não são perceptíveis. Aplicado às circunstâncias humanas, isso significa que um grande homem ainda não é reconhecido como tal. Entretanto, ele permanece fiel a si mesmo. Não permite que êxitos e fracassos exteriores o influenciem, mas, confiante em sua força, espera o momento propício.

Portanto, aquele que, consultando o oráculo, obtém essa linha deve aguardar com tranqüilidade e paciência. O momento oportuno virá. Não há necessidade de temer que uma poderosa vontade não prevaleça. Mas é preciso não desperdiçar prematuramente suas energias tentando obter algo, pela força, antes de seu tempo.

Nove na segunda posição significa:
Dragão aparecendo no campo.
É favorável procurar o grande homem.

---

[5] As linhas são contadas de baixo para cima, sendo a linha inferior a primeira. Se aquele que consulta o oráculo retirar um sete, isso é importante em relação à estrutura do hexagrama como um todo, pois essa é uma linha inteira; mas uma vez que não é móvel, não tem significado como linha individual. Por outro lado, se o consulente obtém um nove, a linha é móvel e tem um significado especial, devendo ser considerada separadamente. O mesmo princípio se aplica a todas as outras linhas inteiras e também às linhas abertas e móveis, isto é, aos seis e noves. As duas linhas de baixo de cada hexagrama representam a terra; as duas do meio, o mundo dos homens; as duas de cima, os céus. Maiores detalhes sobre o significado dos noves e dos seis são encontrados no apêndice I, ao final do Livro.

Começam a manifestar-se aqui os efeitos do poder luminoso. Aplicado ao âmbito humano, significa que o grande homem aparece em seu campo de atividade. Não ocupa uma posição de comando, encontra-se ainda entre subalternos. Porém, o que o distingue dos outros é sua seriedade de propósitos, sua absoluta confiabilidade e a influência que exerce, sem esforço consciente, sobre seu ambiente. Um tal homem está destinado a ter grande influência e a conduzir o mundo à ordem. Por isso é favorável ir ao seu encontro.

Nove na terceira posição significa:
O homem superior permanece criativamente ativo o dia todo.
Preocupações ainda o envolvem ao anoitecer.
Perigo. Nenhuma culpa.

Uma esfera de influência se abre para o grande homem. Sua fama começa a difundir-se. Multidões vêm a ele. Sua força interna está à altura do aumento de atividade externa. Há muito que fazer e até mesmo à noite, enquanto outros repousam, planos e preocupações o pressionam. Mas um perigo ameaça nessa transição do plano inferior para as alturas. Grandes homens arruinaram-se quando foram cercados pela multidão e por ela arrastados a seus próprios rumos. Nesse caso a ambição teria corrompido a integridade interior. Mas tentações não podem macular a verdadeira grandeza. Aquele que permanecer em empatia com o tempo que surge e suas exigências, será assim prudente o suficiente para evitar desvios e culpas.

Nove na quarta posição significa:
Vôo hesitante sobre as profundezas.
Nenhuma culpa.

Alcançou-se aqui o ponto de transição, onde a liberdade de escolha pode atuar. Uma dupla possibilidade é apresentada ao grande homem: elevar-se tornando-se influente, ou recolher-se à solidão e desenvolver-se em silêncio. Ele pode seguir o caminho do herói ou o do santo sábio que busca reclusão. Não há regra que determine o caminho certo. Todo aquele que se encontra em tal situação deve decidir livremente, de acordo com os princípios mais profundos de sua natureza interna. Se ele atua com toda veracidade e solidez, encontra o caminho que lhe corresponde e este será para ele o caminho certo e sem culpa.

O Nove na quinta posição significa:
Dragão voando nos céus.
É favorável ver o grande homem.

O grande homem chegou, aqui, à esfera dos seres celestiais. Sua influência se estende, tornando-se visível em todo o mundo. Todo aquele que o contempla pode considerar-se abençoado.

Confúcio faz o seguinte comentário a respeito desta linha: "As coisas que se harmonizam em tom, vibram em conjunto. As coisas que, entre si, têm afinidade em suas essências mais íntimas atraem-se mutuamente. A água flui para o que é úmido, o fogo volta-se para o que é seco. As nuvens (o sopro dos céus) seguem o dragão, o vento (o sopro da terra) segue o tigre. Ergue-se assim o sábio, e todos os seres seguem-no com o olhar. O que nasce do céu tende para o que está acima; o que nasce da terra tende para o que está abaixo. Cada um segue o que lhe corresponde".

Nove na sexta posição significa:
Dragão arrogante terá motivo de arrependimento.

Quando alguém pretende subir tão alto que perde o contato com o resto da humanidade isola-se e isso conduz, necessariamente, ao fracasso. Aqui há uma advertência contra aspirações titânicas que excedem as forças disponíveis. A conseqüência seria uma queda nas profundezas.

> Quando todas as linhas são noves, isso significa:
> Aparece uma revoada de dragões sem cabeça.
> Boa fortuna.

Quando todas as linhas são noves, todo o hexagrama entra em movimento e se transforma no hexagrama Kun, O RECEPTIVO, cuja característica é a devoção. A força do Criativo se une à suavidade do Receptivo. A força está indicada pela revoada dos dragões, e a suavidade pelo fato de suas cabeças estarem ocultas. Isso significa que a suavidade na ação, unida à força de decisão, traz boa fortuna.

2. K'UN / O RECEPTIVO

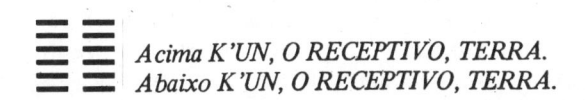

Acima K'UN, O RECEPTIVO, TERRA.
Abaixo K'UN, O RECEPTIVO, TERRA.

Este hexagrama se compõe de seis linhas abertas. A linha aberta representa o poder primordial obscuro, maleável e receptivo de Yin. O atributo do hexagrama é a devoção e sua imagem, a terra. É o perfeito complemento do Criativo, a contraparte, não seu oposto, pois o Receptivo não combate o Criativo, mas o completa. Representa a natureza em contraste com o espírito, a terra em contraste com o céu, o espaço em contraste com o tempo e o feminino-maternal em contraste com o masculino-paternal. Aplicado ao âmbito humano o princípio dessa relação complementar encontra-se tanto nas relações entre homem e mulher quanto entre príncipe e ministro, e entre pai e filho. Mesmo no interior do indivíduo esta realidade aparece na coexistência do mundo espiritual com o mundo dos sentidos.

Não se deve, entretanto, ver aqui um real dualismo, pois existe entre os dois princípios um relacionamento claramente definido em termos hierárquicos. O Receptivo em si é, evidentemente, tão importante quanto o Criativo, mas o atributo da devoção define a posição desse poder primordial em relação ao Criativo. O Receptivo deve ser ativado e dirigido pelo Criativo, quando, então, produzirá resultados benéficos. Só quando abandona essa posição e tenta colocar-se ao lado do Criativo como um ser igual torna-se nefasto. A conseqüência seria, então, oposição e luta contra o Criativo, trazendo infortúnio para ambos.

JULGAMENTO

> O RECEPTIVO traz sublime sucesso,
> propiciando através da perseverança de uma égua.
> Se o homem superior empreender algo e tentar dirigir,

ele se desviará; porém se ele seguir, encontrará
orientação. É favorável encontrar amigos a oeste e ao sul,
evitar amigos a leste e ao norte.
Uma perseverança tranqüila traz boa fortuna.

Os quatro aspectos fundamentais do Criativo — "sublime sucesso, favorecido através da perseverança" — são também atribuídos ao Receptivo. Aqui, porém, a perseverança é definida com maior precisão como sendo a de uma égua. O Receptivo designa a realidade espacial em contraste com a potencialidade espiritual do Criativo. O potencial torna-se real e o espiritual torna-se espacial através de uma definição especificamente qualificativa que limita e individualiza. Por isso a qualificação "de uma égua" é adicionada à idéia de "perseverança". O cavalo pertence à terra como o dragão ao céu. Percorrendo incansavelmente a vastidão das planícies, o cavalo simboliza a imensa extensão da terra. A égua foi escolhida como símbolo porque combina a força e a agilidade do cavalo com a docilidade e a devoção da vaca.

É apenas porque a natureza, em suas incontáveis formas, corresponde aos incontáveis impulsos do Criativo, que ela pode realizá-los. A riqueza da natureza jaz em seu poder de alimentar todos os seres, e sua grandeza em seu poder de lhes conceder beleza e esplendor. Assim ela faz prosperar tudo que vive. Enquanto o Criativo gera os seres, estes são partejados pelo Receptivo. Aplicado ao âmbito humano o hexagrama indica que se deve agir em conformidade com a situação. Trata-se aqui de alguém que não se encontra numa posição independente, e sim atuando como assistente. Isso significa que ele deve realizar algo. Não é sua tarefa tentar dirigir — isso apenas o desviaria de seu caminho — e sim se deixar conduzir. Se ele souber enfrentar o destino com uma atitude de aceitação, certamente encontrará a orientação correta. Aqui o homem superior se deixa conduzir. Não avança às cegas, mas aprende a ver nas circunstâncias o que se espera dele, seguindo então esta exigência do destino.

Já que se deve realizar algo, são necessários auxiliares e amigos na hora do trabalho e do esforço, quando as idéias a serem cumpridas estiverem firmemente estabelecidas. O tempo do trabalho e do esforço é indicado pelo oeste e pelo sul, pois o sul e o oeste simbolizam o lugar onde o Receptivo trabalha para o Criativo — como a natureza no verão e no outono. Se todas as forças não forem reunidas, o trabalho a ser realizado não será efetuado. Por isso encontrar amigos significa, aqui, realizar uma tarefa. Mas além do trabalho e do esforço há também um tempo de planejar, e para isso se requer solidão. O leste simboliza o lugar em que um homem recebe ordens de seu mestre e o norte, o lugar em que presta contas do que realizou. Neste momento ele precisa estar só e ser objetivo. Nesta hora sagrada ele deve evitar os companheiros, para que a pureza do momento não seja maculada pelo ódio e pela parcialidade.

IMAGEM

A condição da terra é a devoção receptiva.
Assim o homem superior com sua grandeza de caráter
sustenta o mundo externo.

Assim como só existe um céu, existe apenas uma terra. No hexagrama do céu a repetição do trigrama significa duração no tempo; no hexagrama da terra essa repetição de seu trigrama significa a extensão no espaço e a firmeza com que a terra sustenta e preserva tudo o que vive e se move sobre ela. Em sua devoção, a terra sustenta, sem exceção, todas as coisas, boas e más. Assim, o homem superior torna seu caráter amplo, puro, resistente, de modo a poder dar apoio aos homens e às coisas.

LINHAS

Seis na primeira posição significa:
Quando se caminha pela geada,
o gelo sólido não estará longe.

Assim como o poder luminoso representa a vida, o poder obscuro e sombrio representa a morte. No outono, quando cai a primeira geada, o poder da escuridão e do frio começa a manifestar-se. Depois dos primeiros indícios, os sinais da morte irão se multiplicando gradualmente, segundo leis imutáveis, até que chegue o rígido inverno com seu gelo.

O mesmo acontece na vida. A decadência surge, ao início sugerida através de sinais apenas perceptíveis, para em seguida se avolumar até a chegada da dissolução final. Porém, na vida podem-se tomar precauções, se houver atenção aos primeiros sinais de decadência, evitando-a a tempo.

O Seis na segunda posição significa:
Reto, quadrado, grande.
Sem propósito, porém, nada permanece desfavorecido.

O símbolo do céu é o círculo; o da terra, o quadrado. Logo o quadrangular é a qualidade primordial da terra. Por outro lado, o movimento retilíneo ou de primeira grandeza é também a primeira qualidade do Criativo. Todas as figuras planas têm sua origem na linha reta e formam, por sua vez, as figuras sólidas. Quando em matemática se estabelecem distinções entre linhas, planos e sólidos, verifica-se que das linhas retas resultam figuras sólidas. O Receptivo orienta-se segundo as propriedades do Criativo e as incorpora. Assim o quadrado provém da linha reta e o cubo, do quadrado. Isso significa a simples devoção às leis do Criativo, sem nada acrescentar ou retirar. Por isso o Receptivo não requer nenhum propósito e nenhum esforço especial, e tudo se desenrola da maneira adequada.

A natureza cria os seres sem erro, mostrando-se assim retilínea. Ela é tranqüila e silenciosa, essa é a sua condição quadrangular. A todos dá apoio com equanimidade, essa é a sua grandeza. Por isso ela atinge o que é justo para todos, sem artifícios, sem propósitos particulares. O homem atinge a culminância da sabedoria quando todas as suas ações tornam-se tão auto-evidentes em si mesmas quanto as da natureza.

Seis na terceira posição significa:
Linhas ocultas. Alguém é capaz de permanecer perseverante.
Se acaso você está a serviço de um rei,
não procure trabalhos, porém leve à conclusão.

Se um homem está livre de vaidade, será capaz de ocultar suas habilidades de modo a não atrair a atenção cedo demais. Assim poderá atingir a maturidade em paz. Se as circunstâncias o exigirem, ele poderá entrar na vida pública, porém de forma discreta. O sábio deixa de bom grado a fama a outros. Ele procura liberar forças eficazes, sem se preocupar em ter atribuído a si os méritos do trabalho já realizado, isto é, ele completa suas obras de modo a serem frutíferas para o futuro.

Seis na quarta posição significa:
Saco amarrado. Nenhuma culpa. Nenhum elogio.

O princípio da escuridão abre-se quando em movimento e fecha-se quando em repouso. A mais rigorosa reserva é aqui indicada. O momento é perigoso; qualquer sinal de proeminência levará à animosidade por parte de adversários mais fortes caso, o homem os desafie, ou a um falso reconhecimento baseado numa incompreensão, caso seja complacente. Ele deve, portanto, manter a reserva, seja na solidão ou no turbilhão do mundo, pois, também aí, poderá ocultar-se de modo a passar desapercebido.

> Seis na quinta posição significa:
> Roupa de baixo amarela traz suprema boa fortuna.

O amarelo é a cor da terra e do centro, o símbolo do que é autêntico e digno de confiança. A roupa de baixo é discretamente adornada, símbolo de aristocrático recato. Quando alguém é chamado a atuar numa posição de destaque, porém, não independente, o verdadeiro sucesso dependerá de rigorosa discrição. A autenticidade e o refinamento não devem destacar-se diretamente, porém devem expressar-se apenas de modo indireto como um efeito que surge do interior.

> Seis na sexta posição significa:
> Dragões lutando no prado.
> Seu sangue é negro e amarelo.

No ponto mais alto, o obscuro deve ceder ao luminoso. Se tentar manter uma posição que não lhe corresponde e, ao invés de servir, pretender dirigir, atrairá sobre si a ira do forte. O resultado é uma luta na qual o obscuro será derrubado, porém com prejuízos para ambas as partes. O dragão, símbolo do céu, vem combater o falso dragão que simboliza a atitude pretensiosa do princípio terrestre. O azul-noite é a cor do céu, o amarelo é a cor da terra. Quando, portanto, o sangue negro e amarelo é derramado, isso indica que nessa luta antinatural os dois poderes primordiais sofrem dano.[6]

> Quando todas as linhas são seis, isso significa:
> A perseverança constante é favorável.

Quando se tem apenas seis, o hexagrama do Receptivo transforma-se no hexagrama do Criativo. Permanecendo firme no que é correto, conquista-se o poder da perseverança. Não há nenhum progresso, mas também nenhum retrocesso.

---

[6] Enquanto a linha ao alto do hexagrama "O CRIATIVO" indica o orgulho dos titãs, sendo, assim, equivalente à lenda grega de Ícaro, a linha de alto do hexagrama "O RECEPTIVO" assemelha-se ao mito da rebelião de Lúcifer contra a divindade suprema, ou o combate entre os poderes da escuridão e os deuses do Walhalla, que termina no Crepúsculo dos Deuses.

3. CHUN / DIFICULDADE INICIAL

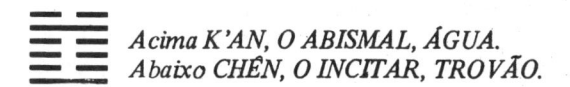

Acima K'AN, O ABISMAL, ÁGUA.
Abaixo CHÊN, O INCITAR, TROVÃO.

O nome do hexagrama, Chun, representa propriamente um talo de grama que, no seu esforço de crescimento, encontra um obstáculo. Disso resulta o significado de Dificuldade Inicial. O hexagrama indica a maneira como o céu e a terra dão origem aos seres individuais. Esse primeiro encontro entre o céu e a terra é cercado por dificuldades. O trigrama inferior Chên é o Incitar, seu movimento tende para o alto, sua imagem é o trovão. O trigrama superior K'an é o Abismal, o perigoso; seu movimento tende para baixo, sua imagem é a chuva. A situação é, portanto, de um denso caos. A atmosfera está carregada de trovão e chuva. Porém, o caos se dissolve. Enquanto o Abismal desce, o movimento que tende para o alto ultrapassa o perigo. A tempestade traz alívio de tensão e todos os seres respiram aliviados.

JULGAMENTO

DIFICULDADE INICIAL traz sublime sucesso
favorecendo através da perseverança.
Nada deve ser empreendido.
É favorável designar ajudantes.

Tempos de crescimento implicam em dificuldades. Assemelham-se a um primeiro nascimento. Mas essas dificuldades surgem da profusão de seres que lutam por adquirir forma. Tudo está em movimento; assim, com perseverança, há perspectivas de grande sucesso, apesar do perigo. Quando tais épocas aparecem no destino do homem, tudo encontra-se ainda informe e obscuro. Portanto, é preciso esperar, pois qualquer movimento prematuro poderia ocasionar infortúnio. É também de grande importância não permanecer sozinho. Devem-se convocar ajudantes, para com eles superar o caos. Isso não significa que se devam contemplar passivamente os acontecimentos. É necessário cooperar e participar, encorajando e orientando.

IMAGEM

Nuvens e trovão: a imagem da DIFICULDADE INICIAL.
Assim, o homem superior atua desembaraçando e pondo em ordem.

As nuvens e o trovão são representados por linhas ornamentais definidas, isto é, a ordem já está implícita dentro do caos da Dificuldade Inicial. Assim também o homem superior deve, nesses momentos iniciais, estruturar e ordenar o vasto caos reinante, da mesma forma com que se desembaraçam os fios de seda emaranhados, juntando-os em meadas. Para que cada um encontre o seu lugar entre a infinidade dos seres é necessário tanto separar quanto unir.

LINHAS

O Nove na primeira posição significa:
Hesitação e obstáculo.
É favorável permanecer perseverante.
É favorável designar ajudantes.

Se alguém encontra obstáculos ao início de um empreendimento, não deve forçar o avanço e sim deter-se para refletir. Entretanto não deve se deixar desviar, mantendo a constância e a perseverança de modo a não perder de vista sua meta. É importante procurar o auxílio certo. Só o encontrará evitando a arrogância e associando-se a seus semelhantes com espírito de humildade. Desse modo atrairá aqueles que o ajudarão a enfrentar as dificuldades.

Seis na segunda posição significa:
As dificuldades se acumulam.
O cavalo e a carroça se separam.
Ele não é um malfeitor.
Deseja cortejar no momento oportuno.
A jovem é casta, não se compromete.
Dez anos e então ela se compromete.

Alguém está diante de dificuldades e obstáculos. Repentinamente há uma mudança, como se alguém chegasse com cavalo e carroça, e os desatrelasse. Isso ocorre tão inesperadamente que desconfia-se ser o recém-chegado um malfeitor. Pouco a pouco se verifica que ele não tem más intenções, mas procura estabelecer amizade e oferecer ajuda. Mas o oferecimento não deve ser aceito, pois não procede da fonte certa. Deve-se esperar até que o prazo se cumpra; dez anos formam um ciclo completo de tempo. As condições normais retornam para si próprias, e então podemos nos unir ao amigo que nos está destinado.

Usando a imagem de uma noiva que permanece fiel a seu amado em meio a graves conflitos, o hexagrama dá um conselho para essa condição excepcional. Quando, em épocas de dificuldades, um obstáculo é encontrado e um alívio inesperado é oferecido por uma fonte estranha, deve-se proceder com cautela, evitando assumir compromissos decorrentes de tal ajuda. Em caso contrário, a liberdade de decisão seria tolhida. Caso se aguarde o momento adequado, tudo se tranqüilizará e o que se almejava será alcançado.[7]

Seis na terceira posição significa:
Quem caça o veado sem o guarda-florestal
só poderá se perder na floresta.
O homem superior compreende os sinais do tempo

---

[7] Outra tradução é aqui possível, resultando em interpretação diferente:
As dificuldades se acumulam.
O cavalo e a carroça mudam de direção.
Se o malfeitor não estivesse lá,
o pretendente viria.
A donzela é fiel, ela não se compromete.
Dez anos e então ela se compromete.

e prefere desistir.
Continuar traz humilhação.

Se um homem quer caçar sem guia numa floresta desconhecida, se perderá. Não se deve tentar escapar das dificuldades de maneira irrefletida e sem orientação. O destino não se deixa enganar. Um esforço prematuro, sem a necessária orientação, conduz ao fracasso e ao infortúnio. Assim, o homem superior, identificando as sementes do que está para acontecer, prefere renunciar a um desejo do que provocar o fracasso e o infortúnio, tentando consegui-lo pela força.

Seis na quarta posição significa:
O cavalo e a carroça se separam.
Busque união.
Ir adiante traz boa fortuna.
Tudo atua de modo favorável.

Alguém se encontra numa situação na qual o dever impõe agir, mas não dispõe de força suficiente. Surge uma oportunidade para se fazer contatos. Deve-se aproveitá-la. Um homem não deve permitir que uma falsa reserva ou um falso orgulho o detenha. É sinal de clareza interior dar o primeiro passo, mesmo quando isso envolve um certo grau de abnegação. Não é vergonhoso aceitar ajuda numa situação difícil. Caso se encontre o ajudante certo, tudo irá bem.

O Nove na quinta posição significa:
Dificuldades em abençoar.
Uma pequena perseverança traz boa fortuna.
A grande perseverança traz infortúnio.

Alguém se encontra numa situação na qual é impossível exprimir suas boas intenções de modo a que tomem forma, e sejam compreendidas. Outras pessoas interpõem-se e deformam tudo o que se fez. É preciso então ser cauteloso e proceder por etapas. Não se deve forçar a realização de algo grandioso, pois o sucesso só é possível quando já se dispõe da confiança geral. Somente o trabalho realizado em silêncio, com lealdade e consciência, poderá, pouco a pouco, levar a situação a se esclarecer e os obstáculos a desaparecerem.

Seis na sexta posição significa:
O cavalo e a carroça separam-se.
Derramam-se lágrimas de sangue.

As dificuldades iniciais são pesadas demais para algumas pessoas. Elas ficam presas e já não encontram mais a saída. Cruzam os braços e renunciam à luta. Uma tal resignação é o que há de mais triste. Por isso Confúcio faz a seguinte observação a respeito dessa linha: "Derramam-se lágrimas de sangue: não se deve persistir numa tal atitude".[8]

---

[8] Quando, no decorrer da luta da vida, o homem chega a um ponto em que não avança, um suspiro escapa de seu peito — como naquele famoso trecho da Sinfonia em Dó menor de Beethoven, — essa situação não deve perdurar. Ele deve atrelar os cavalos de seu pensamento positivo, uma vez mais, e conduzir a luta até o fim.
"Aquele que nunca descansa,
aquele cujo pensamento almeja de
corpo e alma ao impossível,
esse é o vencedor."

蒙

4. MENG / A INSENSATEZ JUVENIL

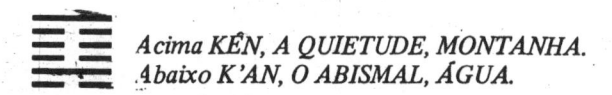

Acima KÊN, A QUIETUDE, MONTANHA.
Abaixo K'AN, O ABISMAL, ÁGUA.

Este hexagrama nos apresenta a juventude e a insensatez de duas maneiras. O trigrama superior, Kên, tem como imagem a montanha e o inferior, K'an, tem como imagem a água. A fonte que brota no sopé da montanha é a imagem da juventude inexperiente. O atributo do trigrama superior é a Quietude, o atributo do inferior é o Abismal, perigo. Manter-se imóvel e perplexo diante de um perigoso abismo é também um símbolo de Insensatez Juvenil. Mas os dois trigramas indicam ainda o caminho através do qual a Insensatez Juvenil pode ser superada. A água tende necessariamente a seguir fluindo. Quando a fonte brota, não sabe, a princípio, para onde se dirigirá. Entretanto, através de seu constante fluir preenche as depressões que impedem seu progresso e assim atinge o sucesso.

JULGAMENTO

A INSENSATEZ JUVENIL tem sucesso.
Não sou eu quem procura o jovem insensato,
é o jovem insensato quem me procura.
À primeira consulta eu respondo.
Se ele pergunta duas ou três vezes, torna-se importuno.
Ao que se torna importuno não dou nenhuma informação.
A perseverança é favorável.

Na juventude a insensatez não chega a ser um mal. Apesar dela, podemos chegar ao sucesso. Para isso é necessário encontrar um instrutor experiente e ter a atitude correta em relação a ele. O jovem deve em primeiro lugar reconhecer sua inexperiência e procurar o instrutor. Somente tal modéstia e interesse podem assegurar-lhe encontrar a necessária receptividade expressa na respeitosa aquiescência por parte do instrutor.

Este deve esperar tranqüilamente até ser procurado. Não deve oferecer-se espontaneamente. Só assim poderá a instrução se realizar no tempo certo e do modo adequado.

A resposta de um instrutor à pergunta do aprendiz deve ser clara e precisa como a que deseja obter aquele que consulta o oráculo. Ela deve então ser aceita como chave para solução de dúvidas e como base para decisão. A insistência em perguntas tolas e desconfiadas serve apenas para incomodar o instrutor que deve ignorá-las em silêncio, assim como o oráculo que responde apenas uma vez, recusando as questões movidas pela dúvida.

Finalmente, valendo-se ainda da perseverança que não enfraquece até dominar, ponto por ponto, a aprendizagem, se chegará a um grande sucesso. O hexagrama aconselha, então, tanto ao instrutor quanto ao aprendiz.

IMAGEM

Uma fonte surge na base da montanha:
a imagem da juventude.
Assim o homem superior fortalece seu caráter
graças à meticulosidade em tudo que faz.

A fonte consegue fluir e superar a estagnação, preenchendo todas as depressões que encontra em seu caminho. Do mesmo modo, a formação do caráter consiste na meticulosidade que nada omite, porém, como a água, contínua e gradualmente preenche todos os espaços vazios e assim segue adiante.

LINHAS

Seis na primeira posição significa:
Para fazer com que o insensato se desenvolva
é favorável aplicar a disciplina.
Deve-se remover os grilhões.
Continuar assim traz humilhação.

A lei é o começo da educação. A juventude, em sua inexperiência, tende, ao início, a encarar tudo de maneira descuidada, como uma brincadeira. Deve-se então mostrar-lhe a seriedade da vida. É benéfico procurar o autodomínio através de uma rigorosa disciplina. Aquele que brinca com a vida nada realizará. Mas a disciplina não deve degenerar em um treinamento militar, pois com o tempo isso teria um efeito humilhante sobre o educando, bloqueando até mesmo suas forças.

O Nove na segunda posição significa:
Suportar aos insensatos com benevolência traz boa fortuna.
Saber como tratar as mulheres traz boa fortuna.
O filho está apto a administrar a casa.

Essa linha representa um homem privado de poder externo, porém dotado da necessária força espiritual para suportar o peso de suas responsabilidades. Ele possui a superioridade interior e a força que lhe permitem tolerar gentilmente as deficiências decorrentes da insensatez humana. Frente às mulheres enquanto sexo mais fraco, cabe uma atitude semelhante.[9]

---

[9] A formulação de Wilhelm, nessa passagem de seu comentário, é ambígua e perigosa. Poderia induzir à conclusão de que se estivesse associando a mulher aos insensatos, concluindo-se assim a indicação de uma atitude condescendente para com o sexo feminino também. Isso entraria em choque frontal com a doutrina da complementaridade dos opostos exposta no I Ching. Pode-se, por isso, concluir que é necessário procurar um outro nexo entre a primeira e a segunda frases do texto da linha. Esse vínculo estaria numa analogia entre a característica de suavidade da benevolência e a suave cortesia de uma atitude de cavalheirismo. Esse, então, é o denominador comum das duas frases; o atributo de suavidade existente em ambas as atitudes e não os seus respectivos, independentes e diversos motivos. *(Nota da tradução brasileira.)*

Deve-se compreendê-las e mostrar-lhes reconhecimento com um espírito cavalheiresco. Somente unindo força interna e discrição externa se poderá assumir a responsabilidade do comando de um organismo social de maiores proporções e obter um verdadeiro sucesso.

>Seis na terceira posição significa:
>Não tome a uma jovem que,
>ao ver um homem de bronze,
>perde o domínio de si mesma.
>Nada é favorável.

Uma pessoa fraca e inexperiente, lutando para ascender, perde facilmente sua própria individualidade se, diante de uma personalidade forte numa alta posição, passa a imitá-la como um escravo. Essa atitude assemelha-se à de uma jovem que logo se entrega ao encontrar um homem forte. Não se deve ser complacente para com tal aproximação servil, pois isso seria nocivo tanto para o educando quanto para o educador. A dignidade de uma jovem exige que ela espere até ser cortejada. É, pois, indigno tanto oferecer quanto aceitar tal oferecimento.

>Seis na quarta posição significa:
>Insensatez juvenil limitada traz humilhação.

Não há esperanças para a insensatez juvenil quando se deixa enredar em fantasias ocas. Quanto mais teimosamente se aferrar a essas fantasias irreais, mais atrairá humilhações sobre si.

Diante da limitada insensatez, freqüentemente o educador não terá outra saída senão abandoná-la a si própria durante algum tempo, sem protegê-la da humilhação decorrente de seu comportamento. Muitas vezes este é o único caminho para a salvação.

>O Seis na quinta posição significa:
>Insensatez infantil traz boa fortuna.

Uma pessoa inexperiente que busca instrução com simplicidade, como uma criança, tem tudo a seu favor. Pois aquele que sem arrogância se subordina ao instrutor será certamente auxiliado.

>Nove na sexta posição significa:
>Ao castigar a insensatez,
>não é favorável cometer abusos.
>É favorável apenas coibir abusos.

Às vezes, um insensato incorrigível deve ser punido. Aquele que não dá ouvidos às advertências deve sentir as conseqüências em sua própria carne. A punição aqui difere de quando sacudimos alguém pela primeira vez, repreendendo-o por seu erro. Mas a aplicação da punição não deve ser conduzida com raiva, e sim limitar-se a uma defesa objetiva contra abusos injustificados. O castigo nunca é um fim em si mesmo. Deve servir apenas ao restabelecimento da ordem. Isso se aplica tanto à educação, quanto às medidas de um governo frente a uma população culpada de abusos. A intervenção do governo deve ser sempre preventiva e ter como único objetivo a segurança e a tranqüilidade públicas.

5. HSU / A ESPERA (NUTRIÇÃO)

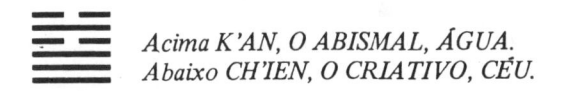

Acima K'AN, O ABISMAL, ÁGUA.
Abaixo CH'IEN, O CRIATIVO, CÉU.

Todos os seres necessitam do alimento que vem do alto. Porém a doação do alimento tem seu tempo próprio, e por ele se deve esperar. O hexagrama mostra as nuvens no céu trazendo a chuva para alegria de tudo o que cresce e provendo à humanidade com comida e bebida. A chuva virá em seu tempo próprio. Não se pode forçá-la, deve-se esperá-la. A idéia de espera é também sugerida pelos atributos dos dois trigramas: a força no interior[10] e diante dela, perigo. A força diante do perigo não se precipita, mas, ao contrário, é capaz de esperar. A fraqueza diante do perigo torna-se inquieta, e não tem a paciência para a espera.

JULGAMENTO

A ESPERA.
Se você é sincero, tem a luz e o sucesso.
A perseverança traz boa fortuna.
É favorável atravessar a grande água.

A espera não é uma esperança vazia. Possui a certeza interior de alcançar o seu objetivo. Só essa certeza confere a luz única que conduz ao sucesso. Isso leva à perseverança que traz boa fortuna e provê a força para atravessar a grande água.

Alguém se encontra diante de um perigo que deve ser superado. Fraqueza e impaciência nada conseguirão. Só o forte pode enfrentar seu destino, pois, graças à sua segurança interior, ele é capaz de resistir. Essa força manifesta-se através de uma incorruptível veracidade para consigo mesmo. Só quando se é capaz de ver as coisas diretamente, tais como são na realidade, sem se deixar enganar nem iludir, é que surge uma luz que permite reconhecer o caminho para o sucesso. A este reconhecimento deve seguir-se uma atuação resoluta e perseverante, pois só quem enfrenta seu destino de modo decidido o realizará. Assim, se poderá atravessar a grande água, isto é, tomar uma decisão e vencer o perigo.

---

[10] Considera-se o trigrama superior como estando adiante do trigrama inferior. Superior e inferior, quando relativos aos trigramas, não têm conotações qualitativas, como ocorre com as noções de homem superior e homem inferior. Quanto aos trigramas, os termos indicam apenas a posição em que se encontram num dado hexagrama. Trigrama inferior, interno ou anterior é aquele formado pelas linhas na primeira, segunda e terceira posições (a contar de baixo), enquanto o trigrama superior, externo ou posterior é aquele formado pelas linhas na quarta, quinta e sexta posições. *(Nota da tradução brasileira.)*

IMAGEM

Nuvens se elevam no céu: a imagem da ESPERA.
Assim o homem superior come e bebe,
permanece alegre e de bom humor.

Quando as nuvens se elevam nos céus, é sinal de chuva. Não há nada a fazer senão esperar que a chuva caia. O mesmo ocorre na vida quando o destino articula seus movimentos. Não se deve ceder a preocupações nem procurar moldar o destino com intervenções prematuras. Ao contrário, deve-se, com tranqüilidade, fortificar o corpo, comendo e bebendo, e o espírito, através da alegria e do bom humor. O destino virá no seu tempo devido e então se estará preparado.

LINHAS

Nove na primeira posição significa:
A espera na planície.
É favorável esperar no duradouro.
Nenhuma culpa.

O perigo ainda está longe. Espera-se na vasta planície. As circunstâncias ainda são simples, mas pressente-se já o que se aproxima. Em tal caso deve-se manter a vida em seu ritmo regular enquanto for possível. Só assim se evitará um desperdício prematuro de forças e se escapará de erros e culpas que mais tarde enfraqueceriam.

Nove na segunda posição significa:
A espera na areia.
Há alguma maledicência.
O final traz boa fortuna.

O perigo aproxima-se pouco a pouco. A areia está próxima à margem do rio e a água significa perigo. Aumentam os desentendimentos. Nessas épocas cresce facilmente uma intranqüilidade geral. Os homens culpam-se uns aos outros. Quem permanecer sereno[11] conseguirá que tudo chegue a bom termo. A difamação terminará por emudecer, caso não seja alimentada por réplicas ofendidas.

Nove na terceira posição significa:
A espera no lodo
gera a chegada do inimigo.

O lodo que está sendo tragado pelas águas não é um bom lugar para a espera. Ao invés de concentrar as forças para atravessar o rio numa só investida, alguém faz uma tentativa prematura, que o conduz apenas até o lodo. Uma situação tão desfavorável atrai os inimigos do exterior, que naturalmente aproveitam-se disso. Só com seriedade e cautela se conseguirá evitar danos.

Seis na quarta posição significa:
A espera no sangue.
Saia do buraco.

A situação é extremamente perigosa, muito grave. Tornou-se agora uma questão de vida ou morte. É iminente o derramamento de sangue. Não se pode avançar nem retroceder. Alguém encontra-se isolado como se estivesse num buraco. Deve-se,

---

[11] Literalmente "estado de abandono". Como esclarece a tradução francesa: "Wilhelm utiliza aqui o termo 'gelassen', 'abandonado', para caracterizar a atitude perfeita do homem que renunciou à sua vontade própria e entregou-se inteiramente à vontade do céu".

então, simplesmente perseverar e deixar que o destino se realize. Essa tranqüilidade, que não agrava a situação com iniciativas próprias, é o único caminho que conduz à saída do perigoso fosso.

O Nove na quinta posição significa:
A espera junto ao vinho e ao alimento.
A perseverança traz boa fortuna.

Mesmo em meio ao perigo há intervalos de tranqüilidade nos quais o homem se sente relativamente bem. Se possuir suficiente força interior, aproveitará a pausa fortalecendo-se para uma nova luta. Ele deve ser capaz de desfrutar do momento sem se deixar desviar de sua meta, pois a perseverança é necessária para se permanecer vitorioso.

O mesmo acontece na vida pública. Não se pode alcançar tudo ao mesmo tempo. A suprema sabedoria consiste em permitir às pessoas esses intervalos de recuperação, com os quais se vivifica a alegria no trabalho até se chegar ao término da tarefa. Jaz oculto aqui o segredo de todo o hexagrama. Este difere do hexagrama "OBSTÁCULO" (39), pois na espera o homem está seguro de sua meta e por isso não perde a serenidade nascida da alegria interior.

Seis na sexta posição significa:
Alguém cai no buraco.
Chegam três hóspedes que não foram convidados.
Honra-os, e ao final virá boa fortuna.

A espera acabou: já não se pode mais evitar o perigo. Alguém cai no buraco e tem que aceitar o inevitável. Tudo parece ter sido em vão. Porém justamente nesse momento extremo ocorre uma imprevista mudança. Sem qualquer movimento de sua parte, faz-se uma intervenção externa. Ao início não se sabe se tal intervenção visa à salvação ou à destruição. Em tais circunstâncias deve-se manter a mente alerta sem deixá-la recuar num gesto de recusa teimosa, para então acolher respeitosamente a nova alternativa. Desta maneira se sairá afinal do perigo, e tudo irá bem. O destino com freqüência traz felizes reviravoltas em formas que ao início parecem estranhas.

6. SUNG / CONFLITO

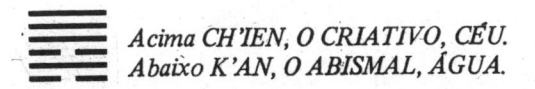

Acima CH'IEN, O CRIATIVO, CÉU.
Abaixo K'AN, O ABISMAL, ÁGUA.

O trigrama superior, cuja imagem é o céu, tende a subir e o trigrama inferior, a água, tende por sua natureza a descer. O movimento dos dois componentes básicos é divergente, o que gera a idéia de conflito.

O atributo do Criativo é a força, o do Abismal é o perigo, a astúcia. Quando a astúcia tem a força diante de si há conflito.

Há uma terceira indicação de conflito em termos de caráter, pela reunião de uma profunda astúcia no interior e uma forte decisão no exterior. Um tal caráter provoca conflito.

JULGAMENTO

CONFLITO. Você é sincero e está sendo impedido.
Deter-se cautelosamente no meio do caminho traz boa fortuna.
Ir até o fim traz infortúnio.
É favorável ver o grande homem.
Não é favorável atravessar a grande água.

O conflito surge quando alguém julga estar certo mas encontra oposição. Sem a convicção de se estar certo, a oposição conduz à astúcia ou a um abuso violento, mas não ao conflito aberto.

Quando se está envolvido num conflito a única salvação está numa lúcida e firme prudência, disposta a buscar conciliação indo ao encontro do oponente a meio caminho. Conduzir a luta até seu amargo fim é nefasto mesmo quando se tem razão, porque através dessa atitude se perpetua a inimizade. É importante ir ver o grande homem, isto é, um homem imparcial cuja autoridade seja suficiente para solucionar o conflito pacificamente ou garantir uma decisão justa. Por outro lado deve-se evitar "atravessar a grande água" em época de discórdia, isto é, começar empreendimentos perigosos, pois estes só teriam sucesso caso houvesse uma união de forças. O conflito interno enfraquece, impedindo assim a vitória sobre o perigo externo.

IMAGEM

O céu e a água movimentam-se em sentido oposto:
a imagem do CONFLITO.
Assim, o homem superior em todas as suas negociações
cuidadosamente considera o começo.

A imagem indica que as causas do conflito encontram-se latentes nas tendências opostas dos dois trigramas. Quando essas tendências divergentes aparecem, o conflito torna-se inevitável. Assim, para que se possa evitá-lo, tudo deve ser cuidadosamente considerado desde o início. Se os direitos e os deveres são definidos com precisão ou se num grupo as orientações espirituais convergem, a causa do conflito fica, de antemão, eliminada.

LINHAS

Seis na primeira posição significa:
Se não se perpetuar a questão
haverá uma pequena maledicência.
Ao final chega a boa fortuna.

Enquanto a luta encontra-se em seus primórdios, o melhor que se pode fazer é abandoná-la. Principalmente diante de um adversário mais forte, não é aconselhável deixar que o conflito chegue à instância de decisão. Assim pode ainda ocorrer uma discussão áspera, mas ao final tudo irá bem.

Nove na segunda posição significa:
Não se pode lutar, volta-se para casa e cede-se.
As pessoas de sua cidade, trezentos lares,
permanecem livres de culpa.

Na luta contra um adversário superior a retirada não é uma vergonha. Quando alguém se retira a tempo, evita más conseqüências. Se, movido por um falso amor-próprio, entrasse numa luta desigual, provocaria com isso sua própria desgraça. Uma sábia conciliação nesse caso beneficiará toda a comunidade, que assim não será arrastada ao conflito.

>Seis na terceira posição significa:
>Alimentar-se da antiga virtude induz à perseverança.
>Perigo. Ao final chega a boa fortuna.
>Se acaso você está a serviço de um rei,
>não procure encargos.

Há aqui uma advertência sobre o perigo que implica a tendência à expansão. O homem só tem posse duradoura sobre o que foi ganho honestamente através de méritos. Tal patrimônio pode ser ocasionalmente questionado, mas como se trata de propriedade legítima, não poderá ser roubado. Ele não pode perder aquilo que pela força de seu próprio ser lhe corresponde. Quando se coloca a serviço de um superior, só evitará o conflito não procurando obter prestígio através de seus trabalhos. O que importa é que a tarefa seja realizada. Que as honrarias sejam deixadas aos outros.

>Nove na quarta posição significa:
>Ele não pode lutar,
>volta e submete-se ao destino.
>Modifica-se e encontra a paz na perseverança.
>Boa fortuna.

Isso indica alguém cuja atitude interna ao início não encontra paz. Ele não se sente bem em sua situação e deseja alcançar uma posição melhor, mesmo que através do conflito. Ao contrário da linha na segunda posição, aqui se está lidando com um adversário mais fraco e portanto se poderia vencer. Mas ele não pode lutar pois em sua consciência sabe ser isso injustificável. Assim sendo recua, aceitando seu destino. Modifica sua atitude e encontra a paz duradoura na harmonia com a lei eterna. Isso traz boa fortuna.

>O Nove na quinta posição significa:
>Lutar diante dele traz suprema boa fortuna.

Aqui surge o árbitro do conflito. Poderoso e justo, é capaz de fazer prevalecer o que é correto. Pode-se confiar a ele um litígio sem temor. Aquele que tiver razão encontrará suprema boa fortuna.

>Nove na sexta posição significa:
>Mesmo que, por um acaso,
>alguém seja presenteado com um cinto de couro,
>ao final da manhã lhe terá sido arrancado três vezes.

Descreve-se aqui alguém que levou o conflito até seu amargo fim, e triunfou. Recebe uma condecoração. Porém, sua felicidade não durará. Ele será atacado continuamente e o resultado é um conflito sem fim.

師

7. SHIH / O EXÉRCITO

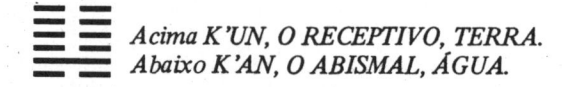

☷
☵
Acima K'UN, O RECEPTIVO, TERRA.
Abaixo K'AN, O ABISMAL, ÁGUA.

Este hexagrama se compõe dos trigramas K'an, água, e K'un, terra. Simboliza, assim, a água subterrânea, acumulada debaixo da terra. Da mesma forma, uma força militar jaz acumulada num povo; invisível na paz, porém disponível a qualquer momento como fonte de poder. Os atributos dos dois trigramas básicos são: perigo no interior e obediência no exterior. Isso indica a natureza do exército, algo perigoso em seu interior e cuja manifestação externa exige disciplina e obediência.

A forte linha nove na segunda posição exerce o comando do hexagrama, tendo as demais linhas, todas maleáveis, como subordinadas. Essa linha representa um dirigente, pois encontra-se na posição central em um dos dois trigramas básicos. Entretanto, como isso ocorre no trigrama inferior e não no superior, ela simboliza não o governante mas o eficiente general que mantém o exército obediente através de sua autoridade.

JULGAMENTO

O EXÉRCITO necessita de perseverança e de um homem forte. Boa fortuna sem culpa.

O exército é uma massa que necessita de organização para tornar-se uma força de combate. Sem uma firme disciplina nada se pode alcançar. Porém tal disciplina não pode ser atingida através de meios violentos. Ela requer um homem forte que conquiste o coração do povo, despertando-lhe o entusiasmo. Para que ele possa desenvolver suas habilidades, necessita da completa confiança de seu dirigente, o qual, por sua vez, deve-lhe conferir a responsabilidade total enquanto a guerra durar. Porém uma guerra é algo sempre perigoso, acarretando danos e devastação. Por isso não se deve deflagrá-la apressada e impensadamente mas, como a um remédio venenoso, recorrer-lhe apenas em última instância. A causa justa, assim como o objetivo claro e compreensível da guerra, deve ser explicada ao povo por um líder experiente. Somente quando existem objetivos de guerra bem definidos, aos quais o povo possa aderir em plena consciência, surgem a unidade e a força de convicção que conduzem à vitória. Mas o líder deve cuidar para que a paixão da guerra e o delírio do triunfo não levem a injustiças que não teriam a aprovação de todos. Tendo como base a justiça e a perseverança, tudo irá bem.

IMAGEM

No meio da terra está a água: a imagem do EXÉRCITO.
Assim o homem superior aumenta as massas
através de sua generosidade para com o povo.

A água subterrânea jaz invisível dentro da terra. Assim também o poder militar de um povo está invisivelmente presente nas massas.

Quando o perigo ameaça, cada camponês torna-se soldado; ao final da guerra, ele retorna ao seu arado. Aquele que se mostra magnânimo em relação ao povo conquista seu afeto e o povo que vive sob um governo generoso torna-se forte e poderoso. Só um povo economicamente forte pode ter relevância em termos de poderio militar. Deve-se, portanto, cultivar esse poder através do incentivo das condições econômicas do povo e de um regime político humanitário. Só se pode mover uma guerra vitoriosa quando existe entre o governo e o povo esta aliança invisível que faz com que o povo se sinta protegido pelo governo, assim como a água subterrânea é protegida pela terra.

LINHAS

Seis na primeira posição significa:
Um exército deve ser posto em movimento ordenadamente.
Se não há boa ordem, o infortúnio ameaça.

Ao começo de um empreendimento militar a ordem é imprescindível. Deve haver uma causa justa e válida, a obediência e coordenação das tropas precisam ser bem organizadas, pois do contrário o fracasso será inevitável.

O Nove na segunda posição significa:
No meio do exército.
Boa fortuna. Nenhuma culpa.
O rei concede uma tríplice condecoração.

O comandante deve estar no meio de seu exército. Deve manter-se em contato com ele e compartilhar as experiências positivas e negativas com as massas que comanda. Só assim estará à altura das responsabilidades de seu cargo. Ele necessita também do reconhecimento do governante. As condecorações que recebe são justificadas pois não representam um privilégio pessoal. O exército inteiro recebe as honrarias através daquele que está ao centro, o comandante.

Seis na terceira posição significa:
Talvez o exército conduza cadáveres na carroça.
Infortúnio.

Duas explicações são possíveis aqui: uma indicaria derrota em virtude de alguém que, não sendo o legítimo dirigente, interfere no comando. A outra explicação é semelhante quanto ao sentido geral, porém interpreta diferentemente a expressão "conduzir cadáveres na carroça". Nos enterros e nos sacrifícios aos mortos, era costume, na China, que aquele a quem se oferecia o sacrifício fosse representado por um menino de sua família, que sentava-se no lugar do morto e recebia as honrarias por ele. Com base nesse costume interpreta-se o texto como significando que um "menino-cadáver" está sentado na carroça, isto é, que a autoridade não está sendo exercida pelos legítimos dirigentes, porém foi usurpada por outros. Toda a dificuldade poderia ser resolvida com a hipótese de um erro de cópia. O ideograma "fam", que significa "todos", teria sido confundido com "Shih", que significa cadáver. Neste caso o significado seria de que se a multidão assumir a liderança do exército (viajando na carroça), o infortúnio se seguirá.

> Seis na quarta posição significa:
> O exército retrocede. Nenhuma culpa.

Quando diante de um inimigo superior, contra o qual a luta seria inútil, uma retirada ordenada seria a única medida acertada, porque através dessa retirada o exército evitaria a derrota e a desintegração. Não é de modo algum uma prova de coragem ou força insistir, apesar das condições, em lançar-se numa luta inútil.

> ○ Seis na quinta posição significa:
> Há caça no campo. É favorável capturá-la.
> Sem culpa. Que o mais velho lidere o exército.
> O mais moço conduz cadáveres.
> A perseverança traz infortúnio.

A caça está no campo. Abandonou sua morada, a floresta, e irrompeu nos campos, devastando-os. Isso significa uma invasão inimiga. Neste caso, luta enérgica e castigo são perfeitamente justificáveis, desde que conduzidos de acordo com os regulamentos. Não devem degenerar num tumulto selvagem em que todos procuram defender-se isoladamente. Ainda que contasse com a máxima perseverança e coragem, isso levaria ao infortúnio. O exército deve ser chefiado por um comandante experiente. Trata-se de mover uma guerra, e não de deixar que a turba trucide todos os que caírem em suas mãos, pois nesse caso a derrota seria inevitável e, apesar de toda persistência, o infortúnio ameaçaria.

> Seis na sexta posição significa:
> O grande príncipe emite ordens,
> funda estados, outorga feudos a famílias.
> Não se deve utilizar homens inferiores.

A guerra termina com sucesso; conquistou-se a vitória e o rei reparte estados e feudos entre seus vassalos leais. Nessa ocasião é importante não permitir que homens inferiores cheguem ao poder. Se contribuíram dando ajuda, devem ser pagos em dinheiro. Mas não se lhes deve conceder terras nem direitos senhoriais para que não ocorram abusos.

8. PI / MANTER-SE UNIDO (SOLIDARIEDADE)

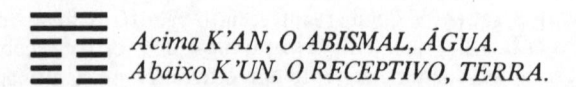

Acima K'AN, O ABISMAL, ÁGUA.
Abaixo K'UN, O RECEPTIVO, TERRA.

As águas sobre a terra fluem convergindo sempre que podem, como por exemplo no mar, onde todos os rios se encontram. Simbolicamente isso representa a união e suas respectivas leis. A mesma idéia é sugerida pelo fato de todas as linhas do hexagrama serem maleáveis, à exceção da linha na quinta posição, a do dirigente. Ao centro da união, numa posição de liderança, está um homem de vontade firme; sob sua influência unem-se as linhas maleáveis. Por sua vez, esta personalidade forte e capaz de liderar une-se também aos outros, encontrando neles o complemento de sua própria natureza.

JULGAMENTO

MANTER-SE UNIDO traz boa fortuna.
Indague ao oráculo mais uma vez
se você possui elevação, constância e perseverança;
então não há culpa.
Os inseguros gradualmente se aproximam.
Aquele que chega tarde demais encontra o infortúnio.

Aqui o que se requer é a união com os outros de modo a que, graças a um espírito de solidariedade, possa haver uma complementação e ajuda entre todos. Uma tal união requer uma figura central em torno da qual as pessoas se congreguem. Tornar-se um centro de influência unindo as pessoas é uma tarefa grave e de pesadas responsabilidades. Requer grandeza interior, firmeza e força. Assim sendo, quem deseja unir os outros em torno de si deve, antes, se perguntar se está à altura de um tal encargo. Aquele que tentasse realizar uma tal tarefa sem possuir uma verdadeira vocação provocaria uma confusão ainda maior do que se não tivesse havido união alguma.

Mas quando existe um ponto de convergência real, aqueles que ao início estavam hesitantes e incertos pouco a pouco aproximam-se espontaneamente. Os retardatários se verão prejudicados, pois é importante que se realize a união no momento oportuno. Relacionamentos formam-se e se consolidam de acordo com leis internas definidas. Vivências compartilhadas fortalecem esses vínculos. Aquele que chega tarde demais, deixando, por isso, de participar dessas experiências básicas, terá de sofrer as conseqüências de seu atraso, encontrando a porta fechada.

Se um homem reconhece a necessidade da união mas não encontra em si mesmo a força suficiente para ser o centro, é então seu dever tornar-se membro de alguma outra comunidade.[12]

IMAGEM

Sobre a terra há água: a imagem do MANTER-SE UNIDO.
Assim os reis da antiguidade concediam direitos feudais
sobre os diferentes estados
e mantinham relações amistosas com os senhores feudais.

A água preenche os espaços vazios que encontra na terra e se mantém firmemente aderida a ela. A organização social da China antiga baseava-se nesse princípio de preservar a união entre os vassalos e os governantes. As águas fluem unindo seus cursos porque estão todas sujeitas às mesmas leis. Assim também a sociedade humana deve igualmente manter-se unida através de uma comunidade de interesses que possibilite a cada um sentir-se parte do todo. O poder central de um organismo social deve procurar fazer com que cada membro encontre um verdadeiro interesse em manter-se unido, como era o caso na relação paternal existente entre o rei e os vassalos na antiga China.

---

[12] Comparar com o dístico: "Deves sempre almejar ao todo, e se não podes, por ti só, tornar-te um todo, integra-te a esse todo, servindo-o como um membro.

LINHAS

Seis na primeira posição significa:
Mantenha-se solidário a ele com sinceridade e lealdade.
Não há culpa nisso.
A verdade é como um cântaro de barro cheio.
Assim, ao final, a boa fortuna vem de fora.

Para se formar relacionamentos a única base acertada é a completa sinceridade. Essa atitude representada pela imagem de um cântaro de barro cheio, no qual o conteúdo é tudo e a forma vazia nada, se expressa não em palavras inteligentes, mas através da força interior. E essa força é tão poderosa que é capaz de atrair para si a boa fortuna do exterior.

Seis na segunda posição significa:
Mantenha-se unido a ele interiormente.
A perseverança traz boa fortuna.

O homem que atende de forma correta e perseverante aos apelos que vêm do alto e que o exortam à ação, torna seus relacionamentos interiorizados e não se perde. Porém, quando o homem liga-se aos outros com a atitude servil de quem ambiciona ascender, perde a si mesmo e não segue o caminho do homem superior, que jamais abandona sua dignidade.

Seis na terceira posição significa:
Você une-se às pessoas erradas.

Freqüentemente o homem se encontra entre pessoas com as quais não possui afinidade. Ele não deve se deixar levar, pela força do hábito, a uma falsa intimidade. Talvez seja desnecessário acrescentar que isso seria nefasto. A única atitude acertada diante de tais pessoas é manter uma sociabilidade sem intimidade. Só assim nos manteremos livres para um relacionamento futuro com aqueles que nos são semelhantes.

Seis na quarta posição significa:
Mantenha-se unido a ele também exteriormente.
A perseverança traz boa fortuna.

Aqui as relações com um homem que é o centro da união estão firmemente estabelecidas. Assim se pode e se deve mostrar adesão abertamente. Mas deve-se permanecer firme sem se deixar desviar por nada.

O Nove na quinta posição significa:
Manifestação de solidariedade.
Durante a caçada o rei usa batedores somente em três lados
e renuncia à caça que foge pela frente.
Os cidadãos não precisam ser advertidos.
Boa fortuna.

Nas caçadas reais da China antiga era costume que os animais fossem cercados pelos batedores por apenas três lados. O animal cercado tinha então uma chance de escapar pelo quarto lado. Caso não fugisse por esse rumo mantido livre, teria de passar por uma porta atrás da qual encontrava-se o rei, pronto para atirar. Só eram alvejados os animais que passavam por ali. Deixava-se escapar os animais que fugiam pela frente. Este costume correspondia à atitude própria a um rei de não converter a caçada numa carnificina, porém só abater os animais que, por assim dizer, se expunham livremente.

Aqui se indica um governante ou um homem influente que atrai as pessoas. Aqueles que vêm a ele são aceitos; os que não vêm, ele deixa que sigam seus rumos. Não convida nem adula ninguém; todos vêm por iniciativa própria. Desta maneira forma-se uma dependência voluntária por parte dos que a ele se unem. As pessoas não precisam reprimir-se, mas podem expressar suas opiniões abertamente. Medidas policiais são desnecessárias; todos, por livre iniciativa, mostram-se devotados para com o governante. Esse princípio de liberdade é válido para a vida em geral. Não se deve implorar o favor das pessoas. Se alguém desenvolve em si mesmo a pureza e a força necessárias para ser um centro de união, os homens que lhe são destinados aproximam-se por si mesmos.

Seis na sexta posição significa:
Ele não encontra uma cabeça para manter-se unido.
Infortúnio.

A cabeça é o princípio. Sem um começo acertado, não pode haver um final correto. Se uma pessoa perde o momento próprio à união, e amedrontada hesita em aderir plena e verdadeiramente, lamentará seu erro quando for tarde demais.

9. HSIAO CH'U / O PODER DE DOMAR DO PEQUENO

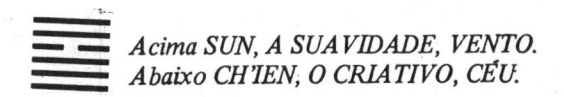

Acima SUN, A SUAVIDADE, VENTO.
Abaixo CH'IEN, O CRIATIVO, CÉU.

O hexagrama significa o poder do pequeno, do sombrio, que retém, amansa, freia. Na quarta posição, o lugar do ministro, há uma linha fraca que limita todas as demais linhas fortes. Sua imagem é a do vento soprando nas alturas do céu. Ele retém as nuvens, o sopro ascendente do Criativo, para que se condensem. Mas ainda não é suficientemente forte para transformá-las em chuva. O hexagrama apresenta uma configuração de circunstâncias na qual o forte é temporariamente contido pelo fraco. Uma tal situação só pode ter êxito através da suavidade.

JULGAMENTO

O PODER DE DOMAR DO PEQUENO tem sucesso.
Nuvens densas, nenhuma chuva vinda de nossa região oeste.

Esse simbolismo se refere às condições vigentes na China na época do Rei Wen. Oriundo do oeste, ele encontrava-se então no leste, na corte do poderoso tirano Chou Hsin. Ainda não era o momento para atuar em grande escala. Ele podia apenas conter o tirano, até certo ponto, através de uma persuasão amável. Por isso, a imagem de numerosas nuvens que prometem à terra umidade e bênçãos, sem que, por hora, chegue a haver chuva. A situação não é desfavorável. Há perspectivas de um sucesso final. Mas existem ainda obstáculos no caminho. Só se podem tomar medidas preparatórias.

Pode-se exercer influência apenas através dos limitados recursos de persuasão amável. Ainda não é o momento para uma ação enérgica e em grande escala. Porém, dentro de certos limites, pode-se exercer uma influência que contenha e domestique. Para se realizar o propósito intencionado é necessário uma firme determinação interna e uma suave adaptabilidade externa.

IMAGEM

O vento percorre os céus:
a imagem do PODER DE DOMAR DO PEQUENO.
Assim o homem superior aperfeiçoa
a forma externa de sua natureza.

O vento pode reunir as nuvens no céu, mas sendo apenas ar, sem corpo sólido, não é capaz de produzir efeitos grandiosos ou duradouros. Assim, em épocas em que não é possível uma grande atuação exterior, resta ao homem a possibilidade de aprimorar as expressões de seu ser mediante pequenas coisas.

LINHAS

Nove na primeira posição significa:
Retorno ao caminho. Como poderia haver culpa nisso?
Boa fortuna.

É próprio à natureza do homem forte pressionar para adiante. Com isso, ele encontra obstáculos. Retorna então ao caminho próprio à sua situação no qual é livre para avançar ou recuar. É sábio e razoável não tentar obter as coisas através da violência e da força. Aplicado à natureza do assunto em pauta, isso trará boa fortuna.

Nove na segunda posição significa:
Ele deixa-se conduzir ao retorno.
Boa fortuna.

Há um desejo de avançar, mas antes de prosseguir um homem vê, através do exemplo de seus semelhantes, que esse caminho está bloqueado. Num tal caso, quando o impulso para avançar não está de acordo com o tempo, o homem sensato e resoluto não irá se expor a um fracasso pessoal, mas recuará com os companheiros que pensam como ele. Isso traz boa fortuna, pois assim ele não se expõe inutilmente.

Nove na terceira posição significa:
Os raios soltam-se da roda da carroça.
O homem e a mulher viram os olhos.

Tenta-se aqui avançar violentamente, conscientes que o poder que bloqueia é fraco. Porém, como em virtude das circunstâncias é de fato o elemento fraco que detém o poder, essa tentativa de um ataque precipitado fracassará. Circunstâncias externas impedem o progresso, assim como uma carroça não pode avançar quando se soltam os raios de suas rodas. Ainda não se dá importância a essa indicação do destino e por isso surgem controvérsias desagradáveis, como uma discussão conjugal. Certamente essa não é uma condição propícia, pois, apesar das circunstâncias favorecerem o lado fraco em seus intentos, as dificuldades são numerosas demais para que se possa garantir um resultado feliz. Como conseqüência, o elemento forte não pode utilizar seu poder para exercer a influência correta sobre os que estão em seu poder. Ele foi rechaçado lá onde esperava uma vitória fácil e com isso, de certa forma, comprometeu-se.

☐ Seis na quarta posição significa:
Se você é sincero
o sangue desaparece e o medo afasta-se.
Nenhuma culpa.

Se alguém se encontra numa situação difícil e de grande responsabilidade, como conselheiro de um homem poderoso, deve refreá-lo, para que prevaleça o que é correto. Nisso jaz um perigo tão grande que se pode temer até um derramamento de sangue. Mas o poder da verdade desinteressada é maior que todos esses obstáculos. Tamanho é seu impacto que o objetivo é atingido, desaparecendo o temor, assim como todo o perigo de derrramamento de sangue.

○ Nove na quinta posição significa:
Se você é sincero e leal em sua aliança,
será rico em seu semelhante.

A lealdade conduz a uma aliança firme, pois se fundamenta numa complementação entre as pessoas. No mais fraco, a lealdade consiste na devoção, e no mais forte, em ser digno de confiança. Essa complementação mútua conduz a uma verdadeira riqueza, que se manifesta plenamente quando o homem não a retém para si, mas procura compartilhá-la com o seu próximo. Alegria compartilhada, alegria redobrada.

Nove na sexta posição significa:
A chuva vem, o repouso chega.
Isso se deve ao efeito duradouro do caráter.
A mulher cai em perigo devido à perseverança.
A lua está quase cheia.
Se o homem superior persistir, o infortúnio virá.

O sucesso foi atingido. O vento juntou as nuvens, causando a chuva. Uma posição firme foi alcançada. Isso foi conseguido graças à acumulação progressiva de pequenos efeitos, resultantes da reverência a um caráter superior. Mas um tal sucesso, obtido pouco a pouco, exige muita cautela. Seria uma perigosa ilusão julgar que se pode fazer alarde de uma tal vitória. O princípio feminino, o elemento fraco que alcançou a vitória, não deve jamais se vangloriar de tal conquista, pois isso levaria ao perigo. O poder sombrio da lua é maior quando a lua está quase cheia. É no plenilúnio, quando a lua está em direta oposição ao sol, que se inicia, inexorável, o minguante. Em tais circunstâncias o homem deve se contentar com o que foi alcançado. Avançar mais ainda antes do momento apropriado levaria ao infortúnio.

10. LU / A CONDUTA (TRILHAR)

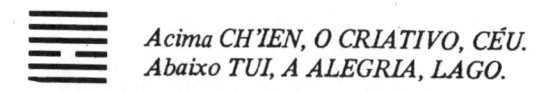

Acima CH'IEN, O CRIATIVO, CÉU.
Abaixo TUI, A ALEGRIA, LAGO.

A CONDUTA significa, inicialmente, a maneira correta de se comportar. Acima está o céu, o pai; abaixo, o lago, a filha mais moça. Isso mostra a distinção entre alto e baixo; nela se fundamenta a tranqüilidade e a conduta correta na sociedade. Por outro lado, no sentido de trilhar, Lu significa literalmente "pisar sobre algo". O pequeno e alegre Tui pisa sobre o grande e forte Ch'ien. O movimento dos dois trigramas básicos é ascendente. O fato de que o forte pise no fraco é pressuposto no Livro das Mutações, não sendo por isso mencionado. O trilhar do fraco sobre o forte não é perigoso aqui, pois isso se dá em meio a uma alegria livre de arrogância, que faz com que o forte não se irrite, tudo aceitando de bom grado.

JULGAMENTO

A COND
Trilhando   sobre a cauda do tigre.
Ele não morde o homem.
Sucesso.

A situação é realmente difícil. O mais forte e o mais fraco encontram-se muito próximos um do outro. O fraco segue a trilha do forte e o provoca. Mas o forte o aceita e não lhe causa nenhum mal, pois o contato dá-se de forma alegre e inofensiva.

Em termos de assuntos humanos isso significa que se está lidando com pessoas selvagens e intratáveis. Neste caso o objetivo será alcançado se a conduta mantiver o decoro. Atitudes gentis conseguem sucesso mesmo com pessoas irritáveis.

IMAGEM

Acima o céu, abaixo o lago: a imagem da CONDUTA.
Assim o homem superior discrimina entre o alto e o baixo
e fortalece desse modo a mente do povo.

O céu e o lago evidenciam uma diferença de altitude inerente à essência dos dois, e que, por isso, não desperta inveja. Assim também entre os homens há, necessariamente, diferenças de nível. É impossível chegar a uma igualdade universal. Porém, o que importa é que as diferenças de nível na sociedade humana não sejam arbi-

---

[13] O termo "Auftreten" foi aqui traduzido por "trilhar" em atenção à sua origem no latim "tribulare", "debulhar". Esse sentido de "exercer pressão sobre algo" daria ao "trilhar" o significado de "pisar sobre", ao mesmo tempo que indicaria o caráter de movimento do caminhar, associado à conduta. *(Nota da tradução brasileira.)*

trárias e injustas, pois nesse caso a inveja e a luta de classes se seguiriam inevitavelmente. Se, ao contrário, às diferenças de nível externo corresponderem diferenças de capacidade interna, e o valor interno for o critério para a determinação da hierarquia externa, a tranqüilidade reinará entre os homens e a sociedade encontrará ordem.

LINHAS

Nove na primeira posição significa:
Conduta simples. Progresso sem culpa.

Alguém está numa situação em que ainda não assumiu compromissos sociais. Se sua conduta for simples, permanecerá livre deles. Estando satisfeito e evitando fazer exigências aos outros, ele poderá seguir calmamente suas predileções. O significado desse hexagrama não é estancar, porém seguir adiante. Alguém se encontra, ao início, numa posição insignificante. Mas possui a força interna que possibilita o progresso. Se ele se contenta com a simplicidade, poderá seguir adiante sem culpas. Quando um homem está insatisfeito com condições modestas, torna-se inquieto e ambicioso, querendo progredir, não para realizar algo de valor, mas apenas para escapar da pobreza e, ao atingir sua meta, torna-se arrogante e apegado ao luxo. Por isso seu progresso é acompanhado de culpa. O homem capaz, ao contrário, está satisfeito com sua conduta simples. Ele quer avançar de modo a executar alguma coisa. Uma vez alcançado seu objetivo, algo é realizado e tudo fica bem.

Nove na segunda posição significa:
Trilhando sobre um caminho plano e simples.
A perseverança de um homem obscuro traz boa fortuna.

Aqui é indicada a situação de um sábio solitário. Ele mantém-se afastado do turbilhão ruidoso do mundo; nada procura, nada pede, nem se deixa ofuscar por objetivos sedutores. Permanece fiel a si mesmo, e assim segue por um caminho plano, sem ser molestado. Como está satisfeito com o que tem e não desafia o destino, permanece livre de atribulações.

☐ Seis na terceira posição significa:
Um homem com uma só vista pode enxergar,
um aleijado pode pisar.
Ele pisa na cauda do tigre.
O tigre morde o homem. Infortúnio.
Um guerreiro age assim em favor de seu grande príncipe.

Um homem com uma só vista certamente pode ver, mas não o suficiente para uma visão clara. Um aleijado pode certamente pisar, mas não o suficiente para avançar. Se alguém com esses defeitos considera-se entretanto forte, e se expõe ao perigo, provoca seu próprio infortúnio, pois tenta realizar algo que está acima de suas forças. Esse modo temerário de investir, sem levar em conta suas próprias forças, pode no máximo justificar-se num guerreiro que luta pelo seu príncipe.

Nove na quarta posição significa:
Ele pisa na cauda do tigre.
Cautela e circunspecção conduzem, ao final, à boa fortuna.

Isso se refere a um empreendimento perigoso. Existe a força interior necessária para realizá-lo, porém esse poder interno está aliado a uma cautela hesitante nas atitudes externas. Essa linha contrasta com a anterior, na qual havia fraqueza interna forçando o avanço externo. Aqui, o sucesso final está assegurado. Esse consiste em realizar o seu propósito, isto é, ultrapassar o perigo seguindo adiante.

O Nove na quinta posição significa:
Conduta decidida.
Perseverança com consciência do perigo.

Aqui está o dirigente do hexagrama como um todo. Alguém se vê forçado a uma conduta decidida. Mas ao mesmo tempo é necessário permanecer consciente do perigo inerente a tal atitude, em especial quando ela deve ser prolongada. Só a consciência do perigo possibilita o sucesso.

Nove na sexta posição significa:
Contemple sua conduta e examine os sinais favoráveis.
Quando tudo estiver completo, virá suprema boa fortuna.

O trabalho terminou. Se o homem quiser saber se a boa fortuna se seguirá, deve então olhar para trás, para sua conduta e para as conseqüências dela advindas. Se os resultados forem bons, a boa fortuna é certa. Ninguém conhece a si próprio. Só pelas conseqüências de suas ações, pelos frutos de seu trabalho, poderá o homem avaliar o que o espera.

11. T'AI / PAZ

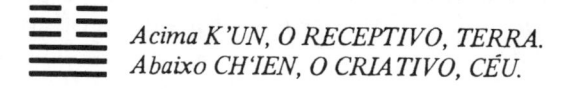

Acima K'UN, O RECEPTIVO, TERRA.
Abaixo CH'IEN, O CRIATIVO, CÉU.

O Receptivo, cujo movimento tende a descer, está acima; o Criativo, cujo movimento eleva-se, está abaixo. Assim, suas influências encontram-se, estão em harmonia, e todos os seres florescem e prosperam. O hexagrama está relacionado ao primeiro mês[14] (fevereiro-março), no qual as forças da natureza preparam uma nova primavera.

JULGAMENTO

PAZ. O pequeno parte, o grande se aproxima.
Boa fortuna. Sucesso.

O hexagrama indica uma época em que o céu parece estar na terra. O céu colocou-se sob a terra, e assim os dois princípios unem seus poderes em profunda harmonia. Essa união traz paz e bênção a todos os seres.

[14] Sendo o calendário chinês lunar, o Ano Novo é data móvel, situando-se, em geral, em fins de janeiro ou começo de fevereiro. Assim, o primeiro mês seria fevereiro-março. A associação à primavera refere-se ao fato de ela ocorrer ao final do período do primeiro mês, no hemisfério norte. Sempre que os meses são mencionados, em relação com os hexagramas, é necessário considerar que o texto visa a ressaltar, com isso, o simbolismo de uma das quatro estações. Quando, portanto, o hexagrama é aplicado ao hemisfério sul, deve-se prescindir da referência ao mês e considerar-se apenas a simbologia da estação aludida pelo texto. (Nota da tradução brasileira.)

No âmbito humano isto representa uma época de harmonia social. Os poderosos voltam-se para os humildes, enquanto esses se mostram amistosos em relação àqueles, terminando assim toda hostilidade.

O princípio luminoso está no interior, no centro, em posição decisiva. O princípio da escuridão encontra-se do lado de fora. Assim, o princípio luminoso exerce uma poderosa influência, e o princípio obscuro submete-se. Deste modo ambos recebem o que lhes corresponde. Quando, numa sociedade, os bons elementos detêm o comando em suas mãos, exercem uma influência sobre os maus elementos que, então, mudam para melhor. Quando, no homem, o espírito dos céus governa, sua natureza corpórea sofre essa influência, encontrando o seu lugar apropriado.

As linhas chegam ao hexagrama embaixo, abandonando-o em cima. Aqui são, portanto, os elementos pequenos, fracos e maus que estão partindo, enquanto os elementos grandes, fortes e bons ascendem. Isso traz boa fortuna e sucesso.

IMAGEM

Céu e terra unem-se: a imagem da PAZ.
Assim o governante divide e completa
o curso do céu e da terra,
favorece e regula os dons do céu e da terra
e desta forma ajuda ao povo.

O céu e a terra estão em contato e combinam suas influências, propiciando uma época de florescimento e prosperidade geral. O governante dos homens deve regular essa corrente de energia. Isso se faz através da divisão. Assim, os homens dividem o fluxo uniforme do tempo em estações, de acordo com a seqüência dos fenômenos naturais, e dividem também em pontos cardeais o espaço que envolve todas as coisas. Desse modo, a natureza, em sua pujante profusão de fenômenos, é delimitada e controlada. Por outro lado, é necessário estimular a natureza em sua produtividade. Isso se consegue ajustando os produtos ao momento e lugar adequados, o que aumenta o rendimento natural. Assim, a natureza recompensa o homem que a controlou e estimulou.

LINHAS

Nove na primeira posição significa:
Quando se arranca uma folha de grama,
junto vem o torrão.
Cada qual de acordo com sua espécie.
Empreendimentos trazem boa fortuna.

Em épocas de prosperidade, cada homem capaz chamado a ocupar um cargo traz consigo companheiros igualmente aptos, assim como ao se puxar uma folha de grama arrancam-se sempre várias outras, pois os caules se entrelaçam nas raízes. Em tais épocas, em que é possível se exercer uma ampla influência, o propósito do homem capaz é lançar-se à vida e realizar algo.

O Nove na segunda posição significa:
Suportar gentilmente os incultos,
atravessar o rio com decisão,
não negligenciar o longínquo,
não privilegiar os companheiros.
Assim se poderá trilhar o caminho do meio.

Em épocas de prosperidade é acima de tudo importante possuir a grandeza interior que permite suportar pessoas imperfeitas. Nas mãos de um grande mestre nenhum material é improdutivo, para tudo ele encontra utilidade. Porém essa generosidade não deve ser confundida de modo algum com negligência ou fraqueza. É justamente em épocas de prosperidade que se deve estar sempre pronto para arriscar até empreendimentos perigosos, como a travessia de um rio, se for necessário. Do mesmo modo não se deve negligenciar o que está distante, mas atender, escrupulosamente, a tudo. Deve-se evitar, em especial, cair em partidarismos ou sob o domínio de facções. Mesmo quando homens que pensam de maneira semelhante chegam, juntos, a uma certa proeminência, não devem por isso formar facção, mas cada qual deve cumprir o seu dever. São esses quatro fatores que permitem superar o perigo de um gradual relaxamento, ameaça que se oculta em todo período de paz. Deste modo se encontra o caminho do meio para a ação.

> Nove na terceira posição significa:
> Não há planície que não seja seguida por uma escarpa.
> Não há partida que não seja seguida por um retorno.
> Aquele que se mantém perseverante quando em perigo
> permanece sem culpa.
> Não lamenta essa verdade:
> usufrua a boa fortuna que ainda possui.

Tudo na terra está sujeito à mutação. À prosperidade segue-se a decadência. Esta é a eterna lei da terra. O mal pode ser controlado, mas não permanentemente eliminado. Sempre voltará. Esta convicção poderia provocar melancolia, porém isso não deve acontecer. Ela deve servir, apenas, para que o homem não se deixe iludir quando a boa fortuna chega. Se permanecer atento ao perigo, poderá prosseguir com perseverança e sem cometer erros. Enquanto a natureza interior do homem permanecer mais forte e mais rica que a fortuna externa, enquanto ele permanecer interiormente superior à sua sorte, a felicidade não o abandonará.

> Seis na quarta posição significa:
> Ele desce voando sem se vangloriar de sua riqueza.
> Junto a seu próximo, sincero e sem malícia.

Nas épocas em que há confiança mútua, os grandes vêm ao encontro dos humildes com simplicidade, sem se vangloriar de suas riquezas. Isso não se deve à força das circunstâncias, mas corresponde a seus sentimentos mais profundos. A aproximação se dá com espontaneidade, pois está fundamentada numa convicção interior.

> O Seis na quinta posição significa:
> O soberano I concede sua filha em casamento.
> Isso traz bênçãos e suprema boa fortuna.

O soberano I é Tang. O QUE COMPLETA. Por um decreto seu, as princesas imperiais, apesar da posição hierárquica superior à dos maridos, lhes deviam obediência, como todas as outras esposas. Aqui também se indica uma união realmente modesta entre o alto e o baixo, que traz bênçãos e boa fortuna.

> Seis na sexta posição significa:
> A muralha cai novamente no fosso.
> Não use o exército agora.
> Proclame suas ordens em sua própria cidade.
> A perseverança traz humilhação.

Começou a ocorrer a mudança mencionada no meio do hexagrama. A muralha da cidade cai novamente no fosso do qual tinha sido erguida. Sobrevém o desastre. Agora o homem deve se submeter ao destino, e não pretender detê-lo através de uma resistência violenta. O único recurso restante é resguardar-se em seu círculo mais íntimo. Se quisesse, como de costume, perseverar na resistência ao mal, o colapso seria ainda mais completo, levando à humilhação.

12. PI / ESTAGNAÇÃO

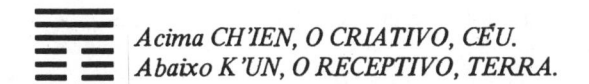

Acima CH'IEN, O CRIATIVO, CÉU.
Abaixo K'UN, O RECEPTIVO, TERRA.

Este hexagrama é o oposto do precedente. O céu está acima, retirando-se cada vez mais, enquanto a terra abaixo mergulha nas profundezas. Os poderes criadores estão dissociados. É a época da estagnação e do declínio. Esse hexagrama é atribuído ao sétimo mês (agosto-setembro)[15], quando o ano já ultrapassou seu zênite e o declínio outonal advém.

JULGAMENTO

ESTAGNAÇÃO. Homens maus não favorecem
a perseverança do homem superior.
O grande parte, o pequeno se aproxima.

Céu e terra estão dissociados, e todas as coisas tornam-se entorpecidas. O que está acima não se relaciona com o que está abaixo e na terra prevalece a confusão e a desordem. O poder da escuridão está no interior e o poder da luz, no exterior. A fraqueza está no interior, a rigidez, no exterior. Os inferiores estão no interior, os homens superiores estão no exterior. O caminho dos homens inferiores está em ascensão, o caminho dos homens superiores, em declínio. Porém os homens superiores não se deixam afastar de seus princípios. Mesmo quando não podem exercer influência, permanecem leais a seus princípios e retiram-se para a reclusão.

IMAGEM

Céu e terra não se unem: a imagem da ESTAGNAÇÃO.
Assim o homem superior recolhe-se a seu valor interno

---

[15] Cf. a nota 14 (hexagrama 11, PAZ). *(Nota da tradução brasileira.)*

de modo a evitar dificuldades.
Ele não permite que o honrem com recompensas.

Quando em virtude das influências de homens inferiores prevalece uma desconfiança mútua na vida pública, torna-se impossível uma atividade frutífera, porque os fundamentos estão errados. Assim sendo, o homem superior sabe como deve agir em tais circunstâncias. Ele não se deixa seduzir pelas fascinantes ofertas para participar de atividades públicas, pois com isso iria apenas se expor ao perigo, já que não poderia concordar com as vilezas dos outros. Ele, portanto, oculta seu valor, retirando-se à reclusão.

LINHAS

Seis na primeira posição significa:
Quando se arranca uma folha de grama,
junto vem o torrão.
Cada qual de acordo com sua espécie.
A perseverança traz boa fortuna e sucesso.

O texto é quase idêntico ao da primeira linha do hexagrama anterior, porém com um sentido oposto. Lá, um homem atrai outro para o caminho de uma carreira oficial. Aqui um homem leva outro consigo, ao aposentar-se da vida pública. Por isso o presente texto diz: "A perseverança traz boa fortuna e sucesso" e não "empreendimentos trazem boa fortuna". Quando as possibilidades de exercer alguma influência são nulas, a retirada oportuna é o único meio de se evitar a humilhação. O sucesso, em seu sentido mais elevado, estará garantido, pois o homem, com isso, preserva a integridade de sua personalidade.

☐ Seis na segunda posição significa:
Eles suportam e toleram.
Isso significa boa fortuna para os homens inferiores.
A estagnação ajuda o grande homem a obter sucesso.

Os homens inferiores estão prontos a adular servilmente seus superiores. Eles também tolerariam o homem superior se este lhes ajudasse a pôr um termo às suas confusões. Isso lhes traria boa fortuna. Porém, o grande homem suporta com tranqüilidade as conseqüências da estagnação e não se mistura à massa de seres inferiores. Esse não é o seu lugar. Assumindo seu próprio sofrimento, ele garante o sucesso de seus princípios fundamentais.

Seis na terceira posição significa:
Eles sentem vergonha.

Os homens inferiores, tendo alcançado suas posições de forma ilegítima, sentem que não estão à altura da responsabilidade que assumiram. Começam a se envergonhar interiormente, apesar de, a princípio, não demonstrarem. Isto é um sinal de mudança para melhor.

Nove na quarta posição significa:
Aquele que age segundo a ordem do mais alto
permanece sem culpa.
Os que compartilham de seu ideal participam das bênçãos.

A época de estagnação aproxima-se do ponto em que uma transformação em direção oposta ocorrerá. Aquele que deseja restaurar a ordem deve sentir uma verdadeira vocação para tal tarefa e dispor da autoridade necessária. Quem se arroga ser capaz de criar a ordem segundo sua própria vontade, corre o risco de errar e fracassar. Porém, o homem que é verdadeiramente chamado a essa tarefa será ajudado pelas condições do momento, e todos os que participam de seus ideais serão com ele abençoados.

○ Nove na quinta posição significa:
A estagnação aproxima-se do fim.
Boa fortuna para o grande homem.
"E se fracassasse, e se fracassasse?"
Deste modo ele a amarra a um feixe de brotos de amoreira.

Mudam os tempos. Chega o homem certo, capaz de restaurar a ordem. Portanto, boa fortuna. Porém, são justamente tais épocas de transição que exigem o temor e o tremor. O sucesso só será assegurado mediante a máxima cautela, como alguém que perguntasse sem cessar: "e se fracassasse?". Quando um arbusto de amoreira é cortado, brota de suas raízes uma série de mudas particularmente fortes. Por isso, a imagem de se amarrar algo a um feixe de brotos de amoreira é usada para simbolizar a maneira infalível de se alcançar o sucesso.

Confúcio comenta a respeito dessa linha: "O perigo surge quando o homem sente-se seguro em sua posição. A ruína ameaça quando o homem procura preservar sua situação. A confusão aparece quando o homem põe tudo em ordem. Portanto, o homem superior não esquece o perigo quando está em segurança, não esquece a ruína quando está bem estabelecido, nem esquece a confusão quando seus negócios estão em ordem. Deste modo ele assegura sua segurança pessoal e protege o reino".

Nove na sexta posição significa:
A estagnação termina.
Primeiro estagnação, depois boa fortuna.

A estagnação não dura para sempre. Entretanto, ela não acaba por si mesma; para extingui-la é necessário o homem adequado. Essa é a diferença entre a paz e a estagnação: é preciso um contínuo esforço para manter a paz, que de outro modo se converteria em estagnação e em decadência. Entretanto, a época de decadência não se converte automaticamente em paz e prosperidade, mas ao contrário, requer um esforço para ser superada. Isso indica a atitude criativa, necessária para que o homem possa trazer ordem ao mundo.

13. TUNG JÊN / COMUNIDADE COM OS HOMENS

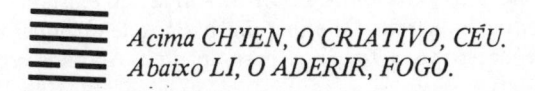

Acima CH'IEN, O CRIATIVO, CÉU.
Abaixo LI, O ADERIR, FOGO.

A imagem do trigrama superior, Ch'ien, é o céu; a do trigrama inferior, Li, é a chama. Por sua própria natureza o fogo arde em direção ao alto, rumo ao céu. Isso sugere a idéia de comunidade. Devido a seu caráter central, é a segunda linha que reúne à sua volta as cinco linhas fortes. Este hexagrama é o oposto do hexagrama 7, O EXÉRCITO. Neste último, o perigo encontra-se no interior e a obediência no exterior, caracterizando um exército guerreiro que para manter-se unido necessita de um homem forte entre muitos fracos. Aqui a clareza encontra-se no interior e a força no exterior, o que caracteriza uma pacífica união entre os homens, que para manter sua coesão necessita de uma pessoa suave entre muitas firmes.

JULGAMENTO

COMUNIDADE COM OS HOMENS em espaço aberto.
Sucesso.
É favorável atravessar a grande água.
É favorável a perseverança do homem superior.

A verdadeira comunidade entre os homens deve basear-se em interesses de caráter universal. Não são os propósitos particulares do indivíduo, mas os objetivos da humanidade que criam uma comunidade duradoura entre os homens. Por isso se diz que a comunidade com os homens em espaço aberto tem sucesso. Quando prevalece esse tipo de união, deve-se levar a cabo até mesmo tarefas difíceis e perigosas, como a travessia da grande água. Porém, para que se possa formar uma tal comunidade, é necessário um líder perseverante e lúcido que tenha metas claras, convincentes, que despertem entusiasmo e que possua força para realizá-las. (O trigrama inferior significa claridade, o exterior significa força.)

IMAGEM

O céu junto com o fogo:
a imagem da COMUNIDADE COM OS HOMENS.
Assim o homem superior estrutura os clãs
e estabelece distinções entre as coisas.

O céu se movimenta na mesma direção que o fogo e, no entanto, são diferentes um do outro. Assim como os corpos luminosos no céu servem para a articulação e divisão do tempo, a comunidade humana e todas as coisas que pertencem à mesma espécie devem ser estruturadas organicamente. A comunidade não deve ser um simples conglomerado de indivíduos ou coisas – isso seria um caos, e não uma comunidade –, mas para que a ordem se estabeleça é necessário que haja uma organização entre a diversidade dos seres.

LINHAS

Nove na primeira posição significa:
Comunidade com os homens no portão.
Nenhuma culpa.

O início de uma união entre os homens deve ocorrer diante da porta. Todos encontram-se igualmente próximos uns aos outros. Ainda não existem divergências e nenhum erro foi até então cometido. Os princípios básicos de qualquer tipo de união devem ser igualmente acessíveis a todos os participantes. Acordos secretos geram infortúnio.

O Seis na segunda posição significa:
Comunidade com os homens no clã.
Humilhação

Existe aqui o perigo de se formar uma facção isolada com base em interesses pessoais e egoístas. Essas facções são exclusivistas; ao invés de acolherem a todos os homens, condenam um grupo de modo a manter unidos outros. Tais movimentos têm origem em motivos baixos e por isso ao final conduzem à humilhação.

>Nove na terceira posição significa:
>Ele esconde armas entre os arbustos,
>escala a alta colina que está adiante.
>Não se ergue durante três anos.

A fraternidade converteu-se em desconfiança. Cada indivíduo desconfia dos demais, planeja uma emboscada secreta e procura espionar o outro à distância. Lida-se com um adversário obstinado que não pode ser abordado deste modo. Aqui são indicados obstáculos que se apresentam no caminho da comunidade com os outros. Um homem tem, ele próprio, segundas intenções e procura surpreender o outro. É justamente isso que o torna desconfiado, pois suspeita das mesmas tramas no adversário e tenta descobri-las, espionando-o. Conseqüentemente, isto leva a um crescente distanciamento da verdadeira comunidade. Quanto mais se prolongar esta situação, mais ele se alienará.

>Nove na quarta posição significa:
>Ele sobe em seu muro e não pode atacar.
>Boa fortuna.

Aproxima-se a reconciliação após o desentendimento. É verdade que subsistem ainda muros que separam e sobre os quais as pessoas se confrontam. Mas as dificuldades são grandes demais. Elas se envolvem com problemas e isso as leva à reflexão. Não podem lutar, e justamente nisso reside a boa fortuna.

>○ Nove na quinta posição significa:
>Homens ligados por um sentido de comunidade
>primeiro choram e se lamentam, mas depois riem.
>Após grandes lutas conseguem encontrar-se.

Duas pessoas estão exteriormente separadas, porém unidas em seus corações. Suas posições na vida as mantêm separadas. Erguem-se, entre elas, muitos obstáculos e impedimentos, causando-lhes tristezas. Mas elas não permitem que nada as separe e permanecem fiéis uma à outra. E ainda que a superação desses obstáculos exija grandes lutas, elas vencerão, e ao se reencontrarem suas tristezas se transformarão em alegria.

Confúcio comenta a respeito desta linha:
"A vida conduz o homem responsável por caminhos tortuosos e mutáveis.
Muitas vezes o curso é bloqueado, em outras segue desimpedido.
Ora pensamentos sublimes vertem-se livremente em palavras,
ora o pesado fardo da sabedoria deve fechar-se no silêncio.
Mas quando duas pessoas estão unidas no íntimo de seus corações
podem romper até mesmo a resistência do ferro e do bronze.
E quando duas pessoas se compreendem plenamente no íntimo de seus corações
suas palavras tornam-se doces e fortes como a fragrância das orquídeas".

>Nove na sexta posição significa:
>Comunidade com os homens no prado.
>Nenhum arrependimento.

Falta aqui a calorosa adesão que surge do coração. Em realidade aqui alguém já se encontra fora da comunidade com os homens, mas ainda assim se alia a eles. A comunidade não inclui a todos mas só àqueles que estão próximos exteriormente. O prado é o pasto à entrada da cidade. Ainda não foi alcançada, por enquanto, a meta final da união da comunidade. Mas aquele que se encontra nessa situação não precisa se recriminar. Ele se reúne à comunidade sem propósitos egoístas.

14. TA YU / GRANDES POSSES

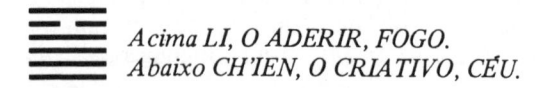

Acima LI, O ADERIR, FOGO.
Abaixo CH'IEN, O CRIATIVO, CÉU.

O brilho do fogo ao alto, no céu, tem um longo alcance, iluminando e tornando manifestas todas as coisas. A linha fraca na quinta posição ocupa o lugar de honra e todas as linhas fortes estão em harmonia com ela. Todas as coisas vêm àquele que é modesto e gentil, ao ocupar uma posição elevada.[16]

JULGAMENTO

GRANDES POSSES: sublime sucesso!

Os dois trigramas indicam a união da força com a clareza. Grandes posses são determinadas pelo destino e correspondem ao tempo. Como é possível que a linha fraca tenha o poder de manter unidas e possuir as linhas fortes? Isso se deve à sua modéstia desinteressada. A época é favorável: um tempo de força interna aliada à clareza e à cultura externa. A força manifesta-se de modo gentil e controlado, conduzindo ao sublime sucesso e riqueza.[17]

IMAGEM

Fogo ao alto, no céu: a imagem de GRANDES POSSES.
Assim, o homem superior reprime o mal e promove o bem em obediência à benevolente vontade do céu.

O sol no alto do céu iluminando tudo sobre a terra é a imagem de grandes posses. Porém, semelhante posse deve ser bem administrada. O sol traz à luz tanto o mal como o bem. O homem deve combater e reprimir o mal, assim como promover e favorecer o bem. Só desse modo poderá ele corresponder à benevolente vontade de Deus, que só deseja o bem.

---

[16] O sentido do hexagrama concorda com as palavras de Jesus: "Bem-aventurados os mansos, pois deles será o reino dos céus".

[17] O hexagrama 8, MANTER-SE UNIDO, pareceria ser mais favorável que GRANDES POSSES, pois lá uma linha forte reúne cinco linhas fracas em torno de si. Mas o Julgamento que acompanha o presente hexagrama, "sublime sucesso", é mais auspicioso. Isso se deve ao fato de os homens reunidos pelo poderoso governante no hexagrama 8 serem simples subalternos, enquanto que aqueles que aqui auxiliam o gentil governante são pessoas fortes e capazes.

LINHAS

Nove na primeira posição significa:
Nenhuma relação com o que é prejudicial.
Não há culpa nisso.
Aquele que se mantém consciente da dificuldade
permanecerá livre de culpa.

Grandes posses, nesse estágio inicial em que ainda não se enfrentaram desafios, não envolvem culpa, pois ainda não surgiram condições que dessem margem a erros. Mas há várias dificuldades a superar. Somente permanecendo consciente dessas dificuldades poderá o homem se manter interiormente livre de possíveis arrogâncias e desperdícios, superando, de início, qualquer motivo de culpa.

Nove na segunda posição significa:
Uma grande carroça a ser carregada.
Pode-se empreender algo. Nenhuma culpa.

Grandes posses subsistem não somente na quantidade de bens disponíveis, mas sobretudo em sua mobilidade e utilidade prática, pois são essas condições que possibilitam seu uso em empreendimentos, evitando embaraços e erros. A grande carroça capaz de receber muita carga e transportá-la a grandes distâncias sugere a existência de ajudantes capazes, com cujo apoio se pode contar e que estão à altura de suas tarefas. Pode-se confiar a esses ajudantes a carga de grandes responsabilidades e isso é necessário em empreendimentos importantes.

Nove na terceira posição significa:
Um príncipe o oferece ao Filho do Céu.
Um homem mesquinho[18] não poderia fazê-lo.

Um homem magnânimo e liberal não considera suas posses como exclusiva propriedade pessoal, porém as coloca à disposição do governante e do bem público. Assim ele adota uma atitude correta em relação às suas posses, que jamais poderiam perdurar como propriedade particular. Um homem mesquinho é incapaz de semelhante atitude. Grandes posses lhe são prejudiciais pois deseja conservá-las para si ao invés de ofertá-las.[19]

Nove na quarta posição significa:
Ele estabelece uma diferença
entre ele próprio e seu próximo.
Nenhuma culpa.

Isso indica a posição de um homem que se encontra entre vizinhos ricos e poderosos. Isso gera perigo. Ele não deve olhar nem para a direita nem para a esquerda, deve evitar a inveja e a tentação de competir com os outros. Desse modo permanecerá livre de erro.[20]

---

[18] Literalmente "pequeno". *(Nota da tradução brasileira.)*

[19] Trata-se aqui do mesmo princípio de posse, expresso nas palavras: "Aquele que pretender conservar sua vida, a perderá, e aquele que a perder, a conservará".

[20] Outra opção de tradução para essa linha, que em geral é também aceita, seria a seguinte:
Ele não confia em sua abundância.
Nenhuma culpa.
Isso significaria que alguém evita erros pois detém posses, porém como quem nada possuísse.

O Seis na quinta posição significa:
   Aquele cuja verdade é acessível porém digna
   terá boa fortuna.

A situação é muito favorável. Conquistam-se os homens não por coação, mas através da sinceridade espontânea, e assim há uma adesão sincera e verdadeira. Porém, a benevolência apenas não é suficiente na época de grandes posses, pois aos poucos a insolência poderia surgir e grassar. Tal surto deve ser contido pela dignidade. Com isso a boa fortuna estará assegurada.

Nove na sexta posição significa:
   Ele é abençoado pelo céu. Boa fortuna.
   Nada que não seja favorável.

Na plenitude da posse e do poder ele permanece modesto e honra o sábio que se mantém afastado dos assuntos do mundo. Desse modo ele se coloca sob a benéfica influência do céu e tudo vai bem.

Confúcio comenta a respeito desta linha:

"Abençoar significa ajudar. O céu ajuda ao homem de devoção; os homens ajudam a quem é sincero. Aquele que caminha na verdade e pensa com devoção, reverenciando ainda aos homens dignos, é abençoado pelo céu. Ele encontra a boa fortuna e tudo lhe é favorável".

15. CH'IEN / MODÉSTIA

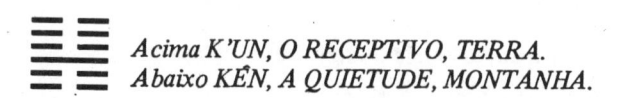

Acima K'UN, O RECEPTIVO, TERRA.
Abaixo KÊN, A QUIETUDE, MONTANHA.

O hexagrama é formado por Kên, Quietude, a montanha, e K'un. A montanha é o filho mais moço do Criativo e representa o céu na terra. Ele distribui as bênçãos do céu, as nuvens e as chuvas que se acumulam em torno de seu cume, e brilha então com o esplendor da luz celestial. Isso indica o que é a modéstia e quais seus efeitos nos homens elevados e fortes. Acima está K'un, a terra. A característica da terra é estar embaixo; por isso mesmo neste hexagrama ela é exaltada, sendo colocada sobre a montanha. Isso mostra os efeitos da modéstia nos homens simples e em posições subalternas: ela os eleva.

JULGAMENTO

A MODÉSTIA cria o sucesso.
O homem superior conduz as coisas à conclusão.

A lei do céu esvazia o que está pleno e preenche o vazio; de acordo com a lei do céu, quando o sol alcança o zênite, inicia seu declínio, e quando chega ao nadir, ascende outra vez rumo a um novo amanhecer. De acordo com a mesma lei, quando a lua está cheia, começa o minguante, e na lua nova reinicia-se o crescente. Essa lei celeste atua também no destino dos homens. A lei da terra consiste em alterar o que é pleno e fluir em direção ao que ἐ modesto; assim, as altas montanhas são aplainadas pelas águas e os vales são preenchidos. A lei do poder do destino corrói o que está pleno e faz prosperar o que é modesto. Os homens também odeiam o que é cheio de si e amam o que é modesto.

O destino dos homens segue leis imutáveis que têm de ser cumpridas. Mas o homem tem o poder de moldar seu destino, na medida em que sua conduta o expõe à influência de forças benéficas ou destrutivas. Quando um homem está em posição elevada e é modesto, ele brilha com a luz da sabedoria. Quando ele está numa posição inferior e é modesto, não pode ser ignorado. Assim o homem superior leva seu trabalho à conclusão sem vangloriar-se daquilo que conseguiu.

IMAGEM

A montanha no interior da terra: a imagem da MODÉSTIA.
Assim o homem superior diminui o que é demasiado
e aumenta o que é insuficiente.
Ele pesa as coisas, igualando-as.

A terra em cujo interior se oculta uma montanha não deixa ver sua riqueza, pois a altura da montanha serve para compensar a profundidade da terra. Assim a altura e a profundidade se complementam e o resultado é o plano. A imagem da modéstia está aqui representada por algo que, embora ao final pareça fácil e simples, exigiu um longo esforço. O homem superior faz o mesmo ao estabelecer a ordem no mundo; ele iguala os desequilíbrios sociais que são fonte de insatisfações, criando condições justas e equânimes. [21]

LINHAS

Seis na primeira posição significa:
Um homem superior modesto em sua modéstia
pode atravessar a grande água.
Boa fortuna.

Um empreendimento perigoso como a travessia de um grande rio torna-se ainda mais difícil quando se tem de levar em conta muitas exigências e considerações. Ao contrário, torna-se fácil quando realizado com rapidez e simplicidade. Por isso a atitude despretensiosa que acompanha a modéstia torna o homem capaz de realizar até mesmo empreendimentos difíceis; ele não impõe exigências nem condições prévias, mas procura soluções fáceis e rápidas. Onde não são levantadas pretensões, não surgem resistências.

---

[21] Este hexagrama denota uma série de paralelos aos ensinamentos proféticos e cristãos da Bíblia, como, por exemplo:
"Aquele que se eleva, será humilhado e o que se humilha será elevado."
"Todos os vales serão elevados e todas as montanhas e colinas serão rebaixadas e tudo que é protuberante será rebaixado." (Jes. 40,4.)
"Deus castiga os orgulhosos e perdoa os humildes."
A propósito dessa última passagem bíblica, deve-se fazer uma referência ao conceito grego de inveja dos deuses. No julgamento de religião parsi também encontram-se traços semelhantes.

Seis na segunda posição significa:
Modéstia manifesta.
A perseverança traz boa fortuna.

Os lábios exprimem o que ocupa o coração. Quando a modéstia de um homem é tal que chega a se refletir em seu comportamento, isso se torna para ele fonte de boa fortuna. Desta forma a possibilidade de exercer uma influência duradoura surge naturalmente, e ninguém poderá impedi-la.

O Nove na terceira posição significa:
Um homem superior, de mérito e modesto
leva tudo à conclusão.
Boa fortuna.

Este é o centro do hexagrama, onde seu segredo é desvendado. Um significativo prestígio é alcançado graças a grandes realizações. Se um homem se deixa deslumbrar pela fama, será logo criticado e surgirão dificuldades. Se, ao contrário, ele permanecer modesto apesar de seus méritos, será estimado e encontrará o apoio necessário para levar seu trabalho à conclusão.

Seis na quarta posição significa:
Nada que não seja favorável
para a modéstia no movimento.

Tudo tem sua medida própria. Até a conduta modesta pode ser exagerada. Aqui, entretanto, ela é adequada, pois a posição entre um ajudante valoroso abaixo e um governante bondoso acima implica em grande responsabilidade. Não se deve abusar da confiança do homem em posição superior, assim como não se devem esconder os méritos do homem em posição inferior. Há, sem dúvida, funcionários que não desejam se sobressair; eles se escondem sob o aspecto literal das ordens, recusam toda responsabilidade, aceitam remunerações sem fazerem jus e ostentam títulos injustificáveis. Tudo isso é o oposto do que se entende por modéstia. Numa tal posição a modéstia se manifesta pelo interesse no trabalho.

Seis na quinta posição significa:
Não se vanglorie de sua riqueza diante do próximo.
É favorável atacar com violência.
Nada que não seja propício.

A modéstia não deve ser confundida com a indulgência fraca que tudo deixa passar. Quando um homem ocupa uma posição de responsabilidade deve, em certos momentos, recorrer a medidas enérgicas. Mas para isso não deve tentar inpressionar fazendo alarde de sua própria superioridade, e sim assegurar-se dos que estão ao seu redor. As medidas a serem tomadas devem ser puramente objetivas, sem qualquer conteúdo de ofensa pessoal. Assim, a modéstia manifesta-se até mesmo no rigor.

Seis na sexta posição significa:
Modéstia que se exterioriza.
É favorável colocar os exércitos em marcha
para castigar a própria cidade e o próprio país.

Aquele que é verdadeiramente sincero em sua modéstia deve manifestá-la. Nisso deve proceder com grande energia. Quando surge a hostilidade, nada mais fácil que culpar o outro. Pode acontecer que um homem fraco, sentindo-se ofendido, volte-se para si mesmo, refugiando-se na autocompaixão e julgando que é a modéstia que o impede de defender-se. A verdadeira modéstia leva o homem a uma ação enérgica em busca da ordem; ele começa por disciplinar a si mesmo e aos que estão mais próximos. Só se pode realizar algo de valor quando se tem a coragem de conduzir os exércitos contra si mesmo.[22]

16. YU / ENTUSIASMO

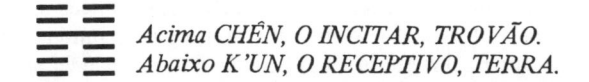

Acima CHÊN, O INCITAR, TROVÃO.
Abaixo K'UN, O RECEPTIVO, TERRA.

A linha forte na quarta posição, a do funcionário dirigente, encontra cooperação e obediência por parte das demais linhas, que são fracas. O atributo do trigrama superior, Chên, é o movimento; o do trigrama inferior, K'un, é a obediência, a devoção. Inicia-se, então, um movimento que encontra a devoção e assim desperta um entusiasmo que a todos contagia. É de grande importância também a lei do movimento na linha de menor resistência que neste hexagrama é enunciada como a lei dos fenômenos naturais e da vida humana.

JULGAMENTO

ENTUSIASMO. É favorável designar ajudantes
e pôr os exércitos em marcha.

A época do entusiasmo se baseia na presença de um homem eminente que se encontra em empatia com a alma do povo e atua de acordo com ela. Por isso ele encontra uma obediência geral e voluntária. Para despertar o entusiasmo, o homem deve ajustar suas instruções ao caráter daqueles a quem vai conduzir. A inviolabilidade das leis naturais se deve a esse princípio de movimento pela linha de menor resistência. Essas leis não são externas às coisas, mas constituem a harmonia de movimento inerente às mesmas. É por isso que os corpos celestes não se desviam de suas órbitas e que todos os fenômenos da natureza ocorrem com regularidade precisa. O mesmo acontece na sociedade humana; prevalecem somente as leis enraizadas no sentimento do povo, enquanto que as leis que o contradizem provocam apenas ressentimentos.

É ainda o entusiasmo que possibilita designar ajudantes para executar tarefas, sem temer oposições secretas. É também graças a ele que se pode chegar à unificação dos movimentos de massa de modo a se atingir a vitória, assim como em caso de guerra.

---

[22] No Livro das Mutações há poucos hexagramas em que todas as linhas têm um significado exclusivamente favorável como é o caso do hexagrama MODÉSTIA. Isso mostra o grande valor que os chineses atribuíam a esta virtude.

IMAGEM.
O trovão surge ressoando do interior da terra:
a imagem do ENTUSIASMO.
Assim os reis da antiguidade tocavam música
para honrar os homens de mérito
e a ofereciam com magnificência à Divindade Suprema,
convidando seus antepassados a presenciá-lo.

Quando, ao início do verão, o trovão, a energia elétrica, surge novamente da terra e a primeira tempestade refresca a natureza, uma prolongada tensão se dissolve. Há alívio e alegria. A música tem também o poder de dissolver as tensões do coração e a violência de emoções sombrias. O entusiasmo do coração se manifesta espontaneamente no som do canto, na dança e no movimento rítmico do corpo. O efeito inspirador do som invisível que emociona os corações dos homens, unindo-os, é um enigma que perdura desde os tempos mais remotos. Governantes utilizavam essa tendência natural para a música; elevaram-na e deram-lhe ordem. A música era considerada como algo sério e sagrado, que purificava os sentimentos dos homens. Cabia a ela louvar os méritos dos heróis, construindo, assim, uma ponte para o mundo invisível. Nos templos, os homens se aproximavam de Deus através da música e da pantomima (da qual o teatro se desenvolveu). O sentimento religioso dedicado ao Criador do mundo unia-se ao mais sagrado dos sentimentos humanos, a reverência aos antepassados. Estes compareciam às cerimônias religiosas como convidados do Senhor do Céu e como representantes da humanidade nestas esferas mais elevadas. Essa união do passado humano com a Divindade, nos momentos solenes da inspiração religiosa, estabelecia uma aliança entre Deus e o homem. Ao reverenciar a Divindade através de seus antepassados, o governante convertia-se em Filho do Céu, aquele em quem o céu e a terra uniam-se misticamente. Nestas idéias encontra-se a culminância da cultura chinesa.

Confúcio comentava a respeito do grande sacrifício em que se celebravam esses ritos: "Aquele que compreendesse plenamente este sacrifício poderia reger o mundo como se o girasse em suas mãos".

LINHAS

Seis na primeira posição significa:
Entusiasmo que se expressa traz infortúnio.

Um homem em posição inferior mantém relações com a aristocracia e se vangloria disso. Essa arrogância acarreta inevitável infortúnio. O entusiasmo nunca deve ser um sentimento egoísta; justifica-se somente quando tem um caráter universal unindo o indivíduo aos demais.

Seis na segunda posição significa:
Firme como uma rocha. Nem um dia inteiro.
A perseverança traz boa fortuna.

Aqui descreve-se alguém que não se deixa enganar por ilusão alguma. Enquanto outros se deslumbram com o entusiasmo, ele reconhece claramente os primeiros sinais do tempo. Assim, não adula os que se encontram acima, nem negligencia os que se encontram abaixo. Ele é firme como uma rocha. Quando os primeiros sinais de discórdia surgem, ele percebe o momento próprio à retirada e não se retarda um dia sequer. A perseverança em tal conduta traz boa fortuna.

Confúcio comenta a respeito dessa linha: "Conhecer as sementes é sem dúvida uma faculdade divina. Em sua relação com seus dirigentes o homem superior não é adulador. Na relação com seus subalternos não é arrogante, pois conhece as sementes. As sementes são os primórdios ainda imperceptíveis do movimento, o primeiro sinal de boa fortuna (ou de infortúnio). O homem superior percebe as sementes e age imediatamente. Ele não espera um dia inteiro.
Diz-se no Livro das Mutações:

'Firme como uma rocha. Nem um dia inteiro.
A perseverança traz boa fortuna'.

Firme como uma rocha, para que um dia inteiro?
Pode-se saber o julgamento.
O homem superior conhece o oculto e o manifesto,
conhece a fraqueza e também a força:
por isso as multidões erguem o olhar para ele".

Seis na terceira posição significa:
O entusiasmo que ergue o olhar traz arrependimento.
Hesitação traz arrependimento.

Esta linha é o oposto da precedente; enquanto lá há independência, aqui se ergue o olhar para o líder com entusiasmo. Se um homem hesita demais, se arrependerá. Ele deve perceber o momento certo para a aproximação. Só assim acertará.

O Nove na quarta posição significa:
A fonte do entusiasmo. Ele alcança grandes coisas.
Não duvide. Os amigos juntam-se à sua volta
assim como o grampo junta o cabelo.

Aqui descreve-se um homem capaz de provocar entusiasmo através de sua segurança e ausência de dúvidas. Ele atrai as pessoas porque não hesita e é inteiramente sincero. Por confiar nelas, conquista sua entusiástica colaboração e atinge o sucesso. Assim como um grampo junta os cabelos, mantendo-os unidos, assim também ele reúne os homens em virtude do apoio que lhes dá.

Seis na quinta posição significa:
Persistentemente doente,
mas ainda assim não morre.

Aqui o entusiasmo está impedido. Alguém se encontra sob uma constante pressão que não lhe deixa respirar livremente. Porém, nessas circunstâncias tal pressão é uma vantagem, pois impede o homem de consumir suas forças num entusiasmo vazio. Essa pressão constante pode contribuir, então, para mantê-lo vivo.

Seis na sexta posição significa:
Entusiasmo ofuscado.
Mas se depois da conclusão o homem se modifica,
não há culpa.

Não é aconselhável que o homem se deixe iludir pelo entusiasmo. Mas caso esta ilusão seja um fato passado e se ele ainda for capaz de se modificar, ficará livre de culpa. Tomar consciência de uma falso entusiasmo é algo possível e muito favorável.

17. SUI / SEGUIR

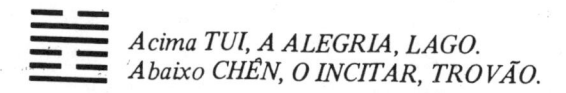

Acima TUI, A ALEGRIA, LAGO.
Abaixo CHÊN, O INCITAR, TROVÃO.

O trigrama Tui, cujo atributo é a alegria, está acima; o incitar, cujo atributo é o movimento, está abaixo. A alegria no movimento induz a seguir. A alegria é a filha mais moça, enquanto que o incitar é o filho mais velho. Um homem mais velho reverencia uma jovem, demonstrando-lhe consideração. Isso faz com que ela o acompanhe.

JULGAMENTO

SEGUIR tem sublime sucesso.
A perseverança é favorável. Nenhuma culpa.

Para alguém chegar a se fazer acompanhar é preciso primeiro saber adaptar-se. O homem que deve comandar precisa primeiro aprender a servir. Só assim conseguirá despertar o apoio alegre de seus subalternos, o que é necessário para que eles o acompanhem. O homem que força a que o sigam, recorrendo à astúcia ou à violência, a intrigas ou criando facções, sempre encontrará resistência que impedirá que o acompanhem de forma espontânea. Porém, mesmo o movimento alegre pode levar a resultados maléficos. Por isso o texto do Julgamento acrescenta a advertência: "A perseverança é favorável", isto é, a constância no agir correto, e ainda "nenhuma culpa". Um homem não deve pedir a outros que o sigam a não ser sob estas condições. Por isso também, elas são indispensáveis para que se possa seguir a outros sem risco de danos.

A idéia de seguir adaptando-se às exigências do tempo é grandiosa e importante; por isso o julgamento é tão favorável.

IMAGEM

O trovão no meio do lago: a imagem do SEGUIR.
Assim o homem superior recolhe-se, ao anoitecer,
para descansar e recuperar suas forças.

No outono a eletricidade se recolhe novamente à terra e entra em repouso. Aqui é o trovão no meio do lago, em seu repouso de inverno, que serve como imagem e não o trovão em movimento. É dessa imagem que surge a idéia de seguir, adaptando-se às exigências do tempo. O trovão no meio do lago sugere épocas de escuridão e repouso. Assim, o homem superior, depois de um dia de atividade incansável, busca o repouso durante a noite de modo a recuperar suas forças. Para que uma situação se torne favorável é necessário saber adaptar-se a ela, evitando-se, assim, o desgaste provocado por uma resistência errônea.

LINHAS

○ Nove na primeira posição significa:
O padrão está se modificando. A perseverança
traz boa fortuna.
Sair acompanhado pela porta afora leva a realizações.

Há condições excepcionais nas quais se modifica a relação entre o líder e seus seguidores. Está implícita na idéia de seguir e adaptar-se a noção de que, se alguém deseja liderar, deve permanecer acessível e sensível às opiniões dos subordinados. Ao mesmo tempo, porém, deve ter princípios firmes, para não vacilar quando se tratar apenas de modismos. Quando se está preparado para ouvir a opinião alheia, não se deve procurar apenas a companhia daqueles que compartilham dos mesmos pontos de vista ou que pertencem à mesma facção. É preciso sair para lidar livremente com homens de toda espécie, amigos ou inimigos. Só assim se realizará alguma coisa.

Seis na segunda posição significa:
Ligando-se ao pequeno menino,
perde-se o homem forte.

Um homem deve escolher cuidadosamente suas amizades e relações mais íntimas. Ou ele se cerca de boa ou de má companhia; não pode ter ambas ao mesmo tempo. Quem se corrompe, unindo-se a pessos indignas, perde o contato com as pessoas espiritualmente elevadas, que o estimulariam ao bem.

Seis na terceira posição significa:
Ligando-se ao homem forte,
perde-se o pequeno menino.
Através do seguir encontra-se o que se busca.
É favorável permanecer perseverante.

Quando se estabelecem vínculos corretos com pessoas de valor, isso traz naturalmente uma certa perda. O homem deve afastar-se do que é inferior e superficial. Porém, em seu interior, ele está satisfeito por encontrar o que procurava e precisava para o desenvolvimento da sua personalidade. O importante é permanecer firme. Ele precisa saber o que quer, não permitindo que tendências momentâneas o desviem.

Nove na quarta posição significa:
O seguir cria sucesso.
A perseverança traz infortúnio.
Trilhar seu caminho com sinceridade traz esclarecimento.
Como poderia haver culpa nisso?

Quando alguém que exerce influência se mostra condescendente com os que estão abaixo, freqüentemente encontra seguidores. Mas estes que a ele se unem não são movidos por intenções honestas. Procuram vantagens pessoais e tentam tornar-se indispensáveis, recorrendo à adulação e à subserviência. Quando alguém se habitua a estes seguidores a ponto de não poder prescindir deles, caminha para o infortúnio. Somente aquele que, tendo-se libertado de seu próprio ego, busca, por convicção, o que é verdadeiro e essencial, terá a clareza de visão necessária para perscrutar as reais intenções de tais pessoas. Assim não haverá culpa.

○ Nove na quinta posição significa:
Sincero no bem. Boa fortuna.

Todo homem precisa ter algo a que seguir, algo que lhe sirva de guia. Aquele que segue com convicção a beleza e a bondade deve sentir-se fortalecido por estas palavras.

> Seis na sexta posição significa:
> Ele encontra uma sólida fidelidade
> e o leva a ligar-se ainda mais.
> O rei o apresenta à Montanha do Oeste.

Isso se refere a um elevado sábio, um homem que já abandonou o tumulto do mundo. Mas ele encontra um seguidor que o compreende e que não deve ser recusado. O sábio volta então ao mundo e o ajuda em sua tarefa. Assim se desenvolve uma aliança eterna entre eles.

Essa alegoria tem sua origem nos anais da dinastia Chou. Os governantes dessa dinastia honravam seus melhores seguidores concedendo-lhes um lugar no templo dos ancestrais da família real na Montanha do Oeste. Julgava-se assim que aqueles iriam então participar do destino da família real.

18. KU / TRABALHO SOBRE O QUE SE DETERIOROU

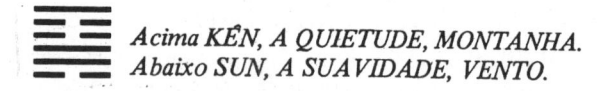

Acima KÊN, A QUIETUDE, MONTANHA.
Abaixo SUN, A SUAVIDADE, VENTO.

O ideograma chinês Ku representa uma tigela em cujo conteúdo proliferam vermes. Isso significa o que se deteriorou. Isso ocorreu porque a suave indiferença do trigrama inferior uniu-se à rígida inércia do trigrama superior, resultando em estagnação. Como isso implica em culpa, tal condição exige a remoção da causa. Por isso o significado do hexagrama não é simplesmente "o que se deteriorou" e sim TRABALHO SOBRE O QUE SE DETERIOROU.

JULGAMENTO

TRABALHO SOBRE O QUE SE DETERIOROU tem sublime sucesso.
É favorável atravessar a grande água.
Antes do ponto de partida, três dias,
depois do ponto de partida, três dias.

Aquilo que se deteriorou por culpa dos homens pode ser pelo seu trabalho restaurado. O que levou a esse estado de corrupção não foi um destino imutável, como na época da ESTAGNAÇÃO,[23] mas sim o uso abusivo da liberdade. O trabalho visando à melhoria das condições é promissor, pois está em harmonia com as possi-

---

[23] Hexagrama 12. *(Nota da tradução brasileira.)*

bilidades do momento. O homem não deve recuar amedrontado diante do trabalho e do perigo —simbolizados pela travessia da grande água —, e sim empenhar-se nele com energia. O sucesso, entretanto, depende de uma deliberação correta. Isso está expresso nas frases: "Antes do ponto de partida, três dias", "Depois do ponto de partida, três dias". Deve-se conhecer as causas da deterioração para então se poder afastá-las; por isso é necessário cautela no período que antecede o ponto de partida. Depois deve-se cuidar para que o novo caminho seja iniciado com segurança de maneira a evitar um retrocesso. Por isso a cautela é importante também depois do ponto de partida. A indiferença e a inércia que provocaram a deterioração devem ser substituídas pela decisão e energia, para que após o final surja um novo começo.

IMAGEM

O vento sopra na base da montanha: a imagem da Deterioração.
Assim o homem superior agita os homens e lhes
fortalece o espírito.

Quando o vento sopra na base da montanha, é por ela rechaçado. Tal movimento danifica a vegetação, o que torna necessário melhorias. Assim também, atitudes e hábitos aviltantes levam a sociedade humana a deteriorar-se. Para eliminá-los, o homem superior deve regenerar a sociedade. Seus métodos devem se derivar também dos dois trigramas básicos, mas de modo a que seus efeitos se desenvolvam numa seqüência ordenada. O homem superior deve remover a estagnação sacudindo a opinião pública, assim como age o vento sacudindo tudo para, em seguida, fortalecer e tranqüilizar o caráter dos homens — assim como a montanha oferece tranqüilidade e alimento a tudo que vive ao seu redor.

LINHAS

Seis na primeira posição significa:
Corrigindo o que foi deteriorado pelo pai.
Se há um filho,
nenhuma culpa permanecerá sobre o pai que partiu.
Perigo. Ao final, boa fortuna.

O rígido apego à tradição provocou a decadência. Porém, essa deterioração não está ainda profundamente enraizada, não sendo, por isso, difícil a recuperação. É como se um filho compensasse a deterioração que seu pai deixou que se instalasse. Nenhuma culpa afetará então a memória do pai. Porém, não se deve ignorar o perigo ou abordar a questão de modo superficial. Somente se o homem permanece consciente do perigo que toda reforma implica é que tudo irá bem ao final.

Nove na segunda posição significa:
Corrigindo o que foi deteriorado pela mãe.
Não se deve ser demasiado perseverante.

Isso se refere a erros provocados pela fraqueza e que levaram à decadência; por isso o simbolismo do que foi deteriorado pela mãe. Neste caso, ao se corrigirem os erros, deve-se proceder com uma certa consideração e amabilidade. Para não causar ferimentos, é necessário evitar uma atitude rude.

Nove na terceira posição significa:
Corrigindo o que foi deteriorado pelo pai.
Haverá um pouco de remorso.
Nenhuma grande culpa.

Descreve-se aqui um homem que age com um certo excesso de energia ao corrigir os erros do passado. Por isso, vez ou outra surgirão, sem dúvida, pequenas discordâncias e aborrecimentos. Mas em ações corretivas é preferível o excesso de rigor à insuficiência. Portanto, mesmo tendo, às vezes, algum motivo de remorso, se permanecerá livre de qualquer culpa séria.

>Seis na quarta posição significa:
>Tolerante para com o que foi deteriorado pelo pai.
>Continuando se encontrará humilhação.

Isso indica a situação de um homem que por fraqueza não enfrenta a deterioração que vem do passado e que agora começa a se manifestar. Ele permite que a deterioração siga o seu curso. Se isso prosseguir, a consequência será a humilhação.

>O Seis na quinta posição significa:
>Corrigindo o que foi deteriorado pelo pai.
>Encontram-se elogios.

Um homem está diante da deterioração nascida da negligência em épocas passadas. Ele não possui a força para afastar a corrupção sozinho. Encontra, porém, auxiliares capazes com cujo apoio, ainda que não podendo criar algo inteiramente novo, conseguirá realizar uma reforma profunda. Isso também é louvável.

>Nove na sexta posição significa:
>Ele não está a serviço de reis e príncipes.
>Propõe para si objetivos mais elevados.

Nem todo homem é obrigado a envolver-se nos assuntos do mundo. Há alguns cujo desenvolvimento interior lhes permite deixar que o mundo siga seu rumo, sem se envolverem em reformas na vida pública. Mas isso não implica no direito a uma atitude passiva ou meramente crítica. Tal recolhimento é justificado apenas quando o homem se dedica a realizar em si mesmo os ideais mais elevados da humanidade. Pois ainda que distante, o sábio cria para o futuro valores humanos incomparáveis.[24]

19. LIN / APROXIMAÇÃO

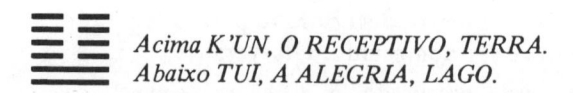

Acima K'UN, O RECEPTIVO, TERRA.
Abaixo TUI, A ALEGRIA, LAGO.

A palavra chinesa Lin tem uma série de significados, difíceis de sintetizar num único vocábulo de uma língua ocidental. As antigas interpretações do Livro das Mutações dão como primeiro significado "tornar-se grande". O que se torna grande são os dois traços fortes que surgem e crescem embaixo, no hexagrama. Com eles o poder

---

[24] A atitude de Goethe após as guerras napoleônicas é um exemplo disto na história européia.

luminoso se expande. Essa idéia se estende de modo a incluir o conceito de aproximar e em específico a aproximação do forte, do que está acima, em direção ao que se encontra abaixo. Finalmente, significa a atitude de condescendência da parte de um homem numa posição elevada em relação ao povo e também o início das negociações. Este hexagrama está relacionado com o décimo segundo mês (janeiro-fevereiro)[25], quando o poder luminoso começa a ascender outra vez, após o solstício de inverno.

JULGAMENTO

APROXIMAÇÃO tem sublime sucesso.
A perseverança é favorável.
Ao chegar o oitavo mês, haverá infortúnio.

O hexagrama como um todo anuncia uma época de progresso alegre e esperançoso. A primavera se aproxima. A alegria e tolerância fazem com que o alto e o baixo se aproximem. O sucesso é certo. Mas é necessário trabalhar com determinação e perseverança de modo a aproveitar plenamente a favorabilidade de tal época. E mais ainda: a primavera não dura para sempre. No oitavo mês, os aspectos se invertem. Restam então somente duas linhas fortes e luminosas que já não avançam, mas, ao contrário, recuam (ver o próximo hexagrama). É necessário refletir a tempo sobre esta inversão. Enfrentando o mal antes de ele se manifestar, antes mesmo de seus primeiros sinais, é possível dominá-lo.

IMAGEM

A terra acima do lago: a imagem da APROXIMAÇÃO.
Assim o homem superior é inesgotável em sua disposição de ensinar e ilimitado em sua tolerância e proteção ao povo.

Ao alto, a terra faz fronteira com o lago. Isso simboliza a aproximação e a condescendência do homem em posição elevada para com os que estão abaixo. As duas partes da imagem indicam sua atitude para com eles. Assim como o lago é inesgotável em sua profundidade, o sábio é inesgotável em sua disposição de instruir os homens. Assim como a terra é ilimitadamente vasta, sustentando e protegendo todas as criaturas, assim também o sábio sustenta e protege todos os homens sem impor limites nem excluir qualquer parte da humanidade.

LINHAS

O Nove na primeira posição significa:
Aproximação em conjunto.
A perseverança traz boa fortuna.

O bem começa a prevalecer e a encontrar apoio em círculos influentes. Isso é também um incentivo para que pessoas capazes se aproximem. É favorável aderir a essa tendência de ascensão. Porém é preciso não se deixar desviar pela corrente do tempo. É necessário permanecer persistente no bem. Isso traz boa fortuna.

O Nove na segunda posição significa:
Aproximação conjunta. Boa fortuna!
Tudo é favorável.

---

[25] Cf. nota 14 (hexagrama 11, PAZ). *(Nota da tradução brasileira.)*

Quando o estímulo à aproximação vem do alto e o homem possui em seu interior a força e a integridade que tornam prescindíveis as advertências, a boa fortuna se seguirá. Nem deve o futuro ser causa de qualquer preocupação. Ele está consciente de que tudo na terra é transitório e que a cada ascensão segue-se um declínio. Mas não deve deixar que essa lei universal do destino o confunda. Tudo está sendo favorável. Assim, ele percorrerá os caminhos da vida veloz, honesta e valentemente.

> Seis na terceira posição significa:
> Aproximação confortável. Nada que seja favorável.
> Se o homem chegar a se entristecer por este motivo
> ficará livre de culpa.

Um homem avança sem encontrar dificuldades, alcança poder e influência. Mas, por isso mesmo, corre o risco de acomodar-se e, por um excesso de confiança, deixar que uma atitude de cômoda displicência se evidencie no contato com as pessoas. Isso seria certamente nocivo. Mas é possível uma mudança de atitude. Arrependendo-se de sua atitude errônea e assumindo a responsabilidade inerente a uma posição influente, ele se livrará de culpas.

> Seis na quarta posição significa:
> Aproximação total. Nenhuma culpa.

Enquanto as três linhas inferiores indicam a ascensão ao poder e à influência, as três superiores mostram a atitude dos homens que ocupam posições elevadas em relação aos subalternos, a quem concedem influência. Aqui se fala de um homem liberal, numa posição elevada, que se aproxima de uma pessoa capaz e a convida para participar de seu círculo de amizades, sem se preocupar com a diferença de classe. Isso é muito favorável.

> Seis na quinta posição significa:
> Sábia aproximação. Isto é correto para um grande príncipe.
> Boa fortuna.

Um príncipe ou alguém em posição de liderança deve ter a sabedoria de atrair para si homens capazes, exímios na direção de negócios. Sua sabedoria consiste tanto em saber selecionar a pessoa adequada como em evitar interferir, deixando-a livre para agir por si mesma. Pois só mediante tal atitude de reserva se encontrarão as pessoas acertadas, que preencham todos os requisitos.

> Seis na sexta posição significa:
> Aproximação magnânima. Boa fortuna.
> Nenhuma culpa.

Um sábio, que deixou para trás o mundo, que interiormente já se retirou da vida, pode, em determinadas circunstâncias, decidir voltar mais uma vez a este mundo, aproximando-se dos homens. Isso significa grande boa fortuna para os homens a quem ele instrui e ajuda. Mas também para ele, este ato de magnânima humildade não implica culpa.

觀

20. KUAN / CONTEMPLAÇÃO (A VISTA)

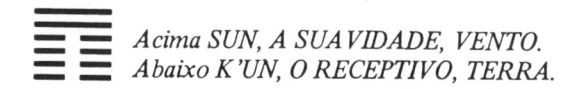

Acima SUN, A SUAVIDADE, VENTO.
Abaixo K'UN, O RECEPTIVO, TERRA.

Uma pequena variação de acento dá ao nome chinês desse hexagrama um duplo significado. Por um lado representa a contemplação, por outro o fato de ser contemplado, de ser um exemplo, um modelo. Essas idéias são sugeridas pelo fato de o hexagrama poder ser relacionado com a forma de um tipo de torre 冗, muito freqüente na China antiga. Do alto dessas torres tinha-se uma ampla visão dos arredores e, por outro lado, quando situada no cume de uma montanha, a torre era vista de longe. Assim, o hexagrama mostra um dirigente que contempla, ao alto, a lei dos céus, e em baixo, os costumes do povo. Graças a seu bom governo, ele se torna um elevado exemplo e modelo para o povo.

Este hexagrama está relacionado com o oitavo mês (setembro-outubro) [26]. A força luminosa se retira e a escuridão está novamente em ascensão. Entretanto, esse aspecto não é relevante para a interpretação do hexagrama como um todo.

JULGAMENTO

CONTEMPLAÇÃO. A ablução já foi realizada,
mas ainda não a oferenda.
Confiantes, eles erguem o olhar para ele.

O ritual de sacrifício na China começava com uma ablução e uma libação, com que se invocava a divindade. Em seguida se oferecia o sacrifício. O lapso de tempo entre as duas cerimônias é o mais sagrado, o momento de suprema concentração interior. Quando a devoção é sincera, inspirada por uma fé verdadeira, sua contemplação tem um efeito transformador e inspira respeito naqueles que a presenciam. Na natureza também se observa um rigor sagrado e grave que se manifesta na regularidade com que se desenrolam todos os fenômenos. A contemplação do sentido divino subjacente à ocorrência de todos os fenômenos no universo dá, ao homem destinado a liderar os outros, meios para realizar efeitos semelhantes. Para isso é necessário a concentração interior que a contemplação religiosa desenvolve nos grandes homens, dotados de uma fé poderosa. Permite-lhes apreender as misteriosas e divinas leis da vida e, através da mais profunda concentração, chegarem a expressar essas leis em suas próprias pessoas. De sua contemplação emana um poder espiritual oculto que influencia e domina os homens, sem que eles estejam conscientes de como isso ocorre.

[26] Cf. nota 14 (hexagrama 11, PAZ). *(Nota da tradução brasileira.)*

IMAGEM

O vento sopra sobre a terra: a imagem da CONTEMPLAÇÃO. Assim os reis da antiguidade visitavam as regiões do mundo, contemplavam o povo e o instruíam.

Quando o vento sopra sobre a terra, alcança todos os recantos e a grama inclina-se ante seu poder. Esses dois fatos encontram confirmação nesse hexagrama. As duas imagens simbolizam a forma de agir dos reis da antiguidade. Por um lado, graças a viagens regulares, eles observavam atentamente a vida de seu povo e nenhum costume em vigor lhes passava desapercebido. Com isso, exerciam, por outro lado, a influência necessária para mudar os hábitos inconvenientes.

Tudo isso indica o poder de uma personalidade superior. Um tal homem será capaz de perceber os verdadeiros sentimentos da grande massa da humanidade e por isso não poderá ser enganado. Por outro lado, ele exercerá sua influência através da mera presença, e o impacto de sua personalidade fará com que todos sejam por ele orientados, assim como a grama pelo vento.

LINHAS

Seis na primeira posição significa:
Contemplação pueril.
Para um homem inferior, nenhuma culpa.
Para um homem superior, humilhação.

Isso significa uma contemplação a distância, sem compreensão. Há um homem influente, mas sua atuação não é compreendida pelas pessoas comuns. Isso não tem grande importância em relação às massas, pois são beneficiadas pela ação do sábio governante, mesmo sem compreendê-lo. Mas, para o homem superior, isso é uma desgraça. Ele não deve satisfazer-se com uma contemplação superficial e irrefletida das forças dominantes; deve contemplá-las em conjunto, e procurar compreendê-las.

Seis na segunda posição significa:
Contemplação através de uma brecha na porta.
Favorável à perseverança de uma mulher.

Através de uma brecha na porta se tem uma visão restrita. Olha-se de dentro para fora. A contemplação é limitada subjetivamente. Um homem relaciona tudo a si mesmo e é incapaz de se colocar no lugar do outro e compreender os motivos de sua ação. Isso é apropriado a uma boa dona-de-casa, que não precisa entender dos assuntos do mundo.[27] Para um homem que tem de atuar na vida pública, este modo egoísta e limitado de ver as coisas é evidentemente nefasto.

[27] Nessa passagem, ao referir-se à mulher, parece-nos que a interpretação de Wilhelm sucumbe à identificação do conteúdo do símbolo com a sua forma. Mas, com isso, o símbolo deixaria de ser símbolo. Para respeitar-lhe a propriedade, seria necessário, em virtude do caráter meramente evocativo da forma, buscar transcendê-la para encontrar antes o conteúdo que ela desvelaria justo na medida em que o velasse. Assim, a mulher não seria senão a forma evocativa de um conteúdo, este sim, parte da essência mesma do texto. Mas para a compreensão dessa frase em que se faz a referência à mulher é necessário remontar à frase anterior, analisando o texto como um todo. A contemplação através da brecha da porta representaria uma limitação de perspectiva, porém não no sentido de uma visão deficiente. Se o fosse seria difícil explicar a frase subseqüente, "favorável à perseverança da mulher". A explicação de que tal perspectiva seria "apropriada a uma boa dona-de-casa, que não precisa entender dos assuntos do mundo", é inconvincente e, no mínimo, bastante depreciativa quanto à condição da mulher. A brecha na porta afirma, isto sim, a limitação intrínseca a todo juízo uma vez que, por sua própria natureza, se constrói sempre a partir de um

Seis na terceira posição significa:
A contemplação de minha vida
decide entre progresso ou retrocesso.

Este é o ponto de transição. Aqui o homem já não olha mais para fora, para receber imagens limitadas e confusas, porém dirige a contemplação a si mesmo em busca de orientação para suas decisões. Essa introspecção representa a superação do egoísmo ingênuo daquele que vê a tudo de seu próprio ponto de vista. Ele começa a refletir e com isso se torna objetivo. Porém, o autoconhecimento não consiste em alguém se ocupar dos seus próprios pensamentos; é, isto sim, voltar-se para as conseqüências do que criou. É somente através dos efeitos resultantes de sua vida que uma pessoa pode julgar se o que realizou significa progresso ou retrocesso.

Seis na quarta posição significa:
Contemplação da luz do reino.
É favorável exercer influência
como convidado de um rei.

Isso descreve um homem que conhece os segredos do que faz um reino florescer. Tal homem deve ser colocado numa posição de autoridade em que possa exercer influência. Ele deve ser como que um hóspede, isto é, deve ser reverenciado e deixado livre para agir com independência, e não ser usado como um instrumento.

O Nove na quinta posição significa:
Contemplação de minha vida.
O homem superior está livre de culpas.

Um homem que ocupa uma posição de autoridade, para o qual os outros erguem o olhar, deve estar constantemente disposto a analisar-se. Porém, o correto modo de examinar-se não consiste numa passiva meditação sobre si mesmo e sim na análise dos efeitos que se produziram. Somente quando esses efeitos são benéficos e quando se tem uma boa influência sobre os outros é que a contemplação da própria vida trará ao homem a satisfação de se saber livre de erros.

O Nove na sexta posição significa:
Contemplação da sua vida.
O homem superior está livre de culpas.

Enquanto a linha anterior representa um homem que se contempla a si mesmo, aqui, na posição mais elevada, está excluído tudo o que é pessoal e relacionado ao ego. Assim se tem a imagem de um sábio afastado dos assuntos do mundo. Liberto de seu ego, ele contempla as leis da vida, e reconhece que saber se manter livre de culpas é o supremo bem.

---

conjunto restrito e não ilimitado de dados. Mas isto não invalida os juízos, apenas atenta à sua específica esfera de pertinência. A verdade, no plano gnoseológico, seria sempre relativa aos dados a partir dos quais o juízo se contrói, e esses dados são sempre limitados. No interior desses limites os juízos são válidos e se pode inferir sua correção pela coerência e adequação de suas deduções. É então essa a razão pela qual "é favorável a perseverança da mulher". Isto é, uma vez que o feminino representa a terra, o âmbito do Receptivo, refere-se ao que possui limites, à forma, em contraposição ao masculino, o céu, o âmbito do Criativo, que se refere à transcendência dos limites, e não à forma. *(Nota da tradução brasileira.)*

噬嗑

21. SHIH HO / MORDER

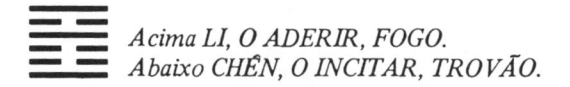

Acima LI, O ADERIR, FOGO.
Abaixo CHÊN, O INCITAR, TROVÃO.

Este hexagrama representa uma boca aberta (cf. hexagrama 27), com um obstáculo entre os dentes (na quarta posição). Como resultado os lábios não se podem juntar. Para uni-los é necessário morder energicamente através do obstáculo. Sendo o hexagrama composto dos trigramas trovão e relâmpago, indica como às vezes na natureza as obstruções são eliminadas de forma enérgica. Mordendo com tenacidade se vence o obstáculo que impede os lábios de se unirem. Da mesma forma a tempestade, com o trovão e o relâmpago, supera a tensão perturbadora na natureza. Processos e penalidades eliminam os distúrbios que criminosos e caluniadores causam à harmonia da vida social. O tema desse hexagrama é um processo penal, em distinção ao hexagrama 6, CONFLITO, que tratava de processos civis.

JULGAMENTO

MORDER tem sucesso.
É favorável administrar justiça.

Quando um obstáculo impede a união, o sucesso é obtido através de uma enérgica mordida. Isso é válido em todas as circunstâncias. Se a união não é consolidada, isto se deve a alguém que cria intrigas, um traidor, alguém que arma obstáculos e interfere, freando o caminhar. É necessário, então, intervir de forma enérgica, para evitar danos permanentes. Uma tal obstrução deliberada não desaparece por si mesma. Para detê-la e eliminá-la é preciso julgar e castigar. Mas é importante que se proceda de modo correto. O hexagrama é formado pelos trigramas Li, clareza e Chên, movimento e agitação. Li é maleável, Chên é rígido. Recorrendo-se apenas à rigidez e à agitação, causar-se-ia um castigo muito violento; porém, clareza e suavidade sozinhas seriam muito fracas. Unidos, os atributos dos dois trigramas criam a medida justa. É importante que o homem que decide (representado pela quinta posição) seja de natureza gentil e ao mesmo tempo, por sua conduta no cargo em que ocupa, inspire respeito.

IMAGEM

Trovão e relâmpago: a imagem do MORDER.
Assim os reis da antiguidade consolidavam as leis
através de penalidades claramente definidas.

As penalidades são as aplicações individuais das leis. As leis especificam as penalidades. A clareza prevalece quando se distingue nitidamente entre as penalidades leves e as graves, de acordo com o delito. Isso é simbolizado pela clareza do raio. A lei é fortalecida pela correta aplicação da penalidade; isso é simbolizado pelo terror do trovão. O objetivo dessa clareza e rigor é inspirar o devido respeito; as penalidades não têm seu fim em si mesmas. Os obstáculos, na vida social, aumentam quando há falta de clareza nos códigos penais e negligência em executá-los. Só se podem fortalecer as leis tornando-as claras e executando-as com presteza e decisão.

LINHAS [28]

> Nove na primeira posição significa:
> Seus pés estão presos no cepo
> de modo que os dedos desaparecem.
> Nenhuma culpa.

Quando um homem é castigado em sua primeira tentativa de cometer um mal, a penalidade é leve. Só os dedos dos pés são presos no cepo. Isto o impede de seguir pecando e redime-o de culpa. O texto é, portanto, uma advertência para deter-se a tempo no caminho do mal.

> Seis na segunda posição significa:
> Mordendo através da carne macia
> de modo que o nariz desaparece.
> Nenhuma culpa.

Nesse caso é fácil distinguir entre o certo e o errado. É como morder em carne macia. Encontrando um pecador renitente, indignado um homem se excede um pouco. O desaparecimento do nariz, ao morder, significa que com a irritação se perde a acuidade perceptiva. Mas isso não é muito prejudicial, pois o castigo como tal é justo.

> Seis na terceira posição significa:
> Mordendo uma velha carne ressecada
> encontra-se algo venenoso.
> Pequena humilhação. Nenhuma culpa.

Um castigo deve ser aplicado por alguém que não dispõe de suficiente poder e autoridade para fazê-lo. Por isso os castigados não se submetem. Trata-se de uma causa antiga, simbolizada pela carne de caça salgada e, ao lidar com ela, depara-se com dificuldades. A carne velha está estragada. Ao ocupar-se do assunto, aquele que deve aplicar o castigo atrai sobre si um venenoso ódio e por isso se vê numa situação um tanto humilhante. Mas como o castigo é uma exigência do tempo, ele permanece livre de culpa.

> Nove na quarta posição significa:
> Mordendo a carne seca cartilaginosa.
> Recebendo flechas de metal.
> É favorável estar atento ao perigo
> e ser perseverante. Boa fortuna.

---

[28] As linhas podem ser explicadas independentemente do sentido geral do hexagrama. A primeira e a última linhas sofrem castigo, enquanto as restantes o executam. (Comparar com as linhas correspondentes no hexagrama 4, Meng, A INSENSATEZ JUVENIL.)

Existem grandes obstáculos a serem superados, poderosos inimigos a serem castigados. O desafio é árduo mas o esforço terá êxito. Para superar as dificuldades deve-se ter a dureza do metal e a retidão de uma flecha. Quando se está cônscio dessas dificuldades e se permanece perseverante, atinge-se a boa fortuna. Ao final, a difícil tarefa é realizada.

> O Seis na quinta posição significa:
> Mordendo a carne seca musculosa.
> Recebendo ouro amarelo.
> Perseverantemente consciente do perigo.
> Nenhuma culpa.

O caso a ser resolvido não é fácil, porém está perfeitamente claro. Como se tende, por natureza, à benevolência, deve-se realizar um esforço para ser como o ouro amarelo, isto é, verdadeiro como o ouro e imparcial como o amarelo, a cor que simboliza o meio. Só quando se permanece consciente dos perigos decorrentes da responsabilidade que se assumiu é que se podem evitar erros.

> Nove na sexta posição significa:
> O pescoço preso à canga de madeira
> de modo que as orelhas desaparecem.
> Infortúnio.

Ao contrário da linha inicial, esta se refere a um homem incorrigível. Como castigo, ele está preso pelo pescoço à canga de madeira, na qual suas orelhas desaparecem. Isto significa que ele se torna surdo às advertências. Essa obstinação conduz ao infortúnio.[29]

---

[29] Deve-se notar que há uma alternativa de interpretação para esse hexagrama, baseada na idéia: "Acima a luz (o sol), abaixo o movimento". Nessa interpretação o hexagrama simboliza um movimentado mercado de alimentos abaixo, enquanto o sol brilha acima. A alusão à carne sugere que se trata de um mercado de gêneros alimentícios. O ouro e as flechas são artigos de comércio. O desaparecimento do nariz significa a ausência de olfato, isto é, a pessoa em questão não é ambiciosa. O veneno indica os perigos da riqueza, etc.
A respeito do nove na primeira posição deste hexagrama, comenta Confúcio: "O homem inferior não se envergonha da falta de gentileza e não teme a injustiça. Quando ele não vê nenhuma vantagem, não toma iniciativa. Quando não é ameaçado, não melhora. Mas quando ele é corrigido nas pequenas coisas, é forçado a ser cuidadoso nas questões de maior vulto. Isso é um bem para o homem inferior".
A respeito do nove na sexta posição deste hexagrama, comenta Confúcio: "Se o bem não se acumula, não será suficiente para tornar um homem famoso. Se o mal não se acumula, não será suficiente para destruí-lo. O homem inferior julga, então, que o bem são pequenas coisas não tem valor e por isso o negligencia. Ele julga que os males menores não o prejudicam e por isso não os evita. Assim, acumulam-se as suas faltas até que já não se podem ocultar, e sua culpa torna-se tão grande que já não pode ser expiada".

賁

22. PI / GRACIOSIDADE (BELEZA)

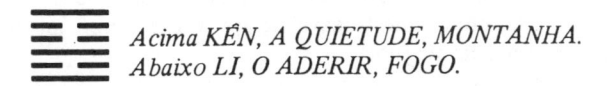

Acima KÊN, A QUIETUDE, MONTANHA.
Abaixo LI, O ADERIR, FOGO.

Este hexagrama mostra um fogo que irrompe das misteriosas profundezas da terra e cujas chamas ascendem iluminando e embelezando a montanha, as alturas celestiais. A graciosidade, a beleza da forma, é necessária em toda união para que esta se realize de modo ordenado e agradável, e não desordenado e caótico.

JULGAMENTO

A GRACIOSIDADE tem sucesso.
É favorável empreender algo em assuntos menores.

A graciosidade traz o sucesso. Mas não é essencial nem fundamental. É apenas um ornamento e por isso deve ser usada com moderação, em pequena escala. No trigrama inferior, o fogo, uma linha suave surge entre duas linhas fortes, embelezando-as; as linhas fortes constituem a essência, a linha fraca é a forma embelezadora. No trigrama superior, a montanha, a linha forte toma a liderança, de modo que aqui também deve ser considerada como fator decisivo. Na natureza, vemos no céu a luz forte do sol, da qual depende a vida no mundo. Mas essa força, esse atributo essencial, modifica-se com a graciosa variação da lua e das estrelas. Na vida humana, a forma estética consiste no fato de princípios sólidos e firmes como montanhas tornarem-se agradáveis em virtude de sua lúcida beleza. Contemplando as formas existentes no céu, pode-se compreender o tempo e suas diferentes exigências. Contemplando as formas existentes na sociedade humana, pode-se estruturar o mundo.[30]

IMAGEM

O fogo na base da montanha: a imagem da GRACIOSIDADE.
Assim procede o homem superior esclarecendo
assuntos correntes.
Mas ele não ousa decidir questões controvertidas dessa maneira.

---

[30] Esse hexagrama mostra a beleza tranqüila: clareza interna e quietude externa. Essa á a tranqüilidade da pura contemplação. Quando se cala o desejo e a vontade se aquieta, o mundo manifesta-se enquanto pura idéia. E nesse sentido o mundo é belo, distante da luta pela existência. Este é o mundo da arte. Mas a mera contemplação não é suficiente para tranqüilizar definitivamente a vontade. Ela se redespertará e toda a beleza parecerá, então, ter sido só um momento fugaz de exaltação. Por isso, este ainda não é o verdadeiro caminho da redenção. Confúcio foi desagradavelmente surpreendido quando em certa ocasião, ao consultar o oráculo, obteve como resposta o hexagrama "GRACIOSIDADE".

O fogo, cuja luz ilumina e embeleza a montanha, não brilha a grande distância. Assim também, a forma graciosa é suficiente para alegrar e para aclarar assuntos de menor monta. Porém, questões importantes não podem ser decididas dessa maneira. Exigem maior seriedade.

LINHAS

Nove na primeira posição significa:
Ele embeleza os dedos dos pés,
abandona a carruagem e caminha.

A condição de iniciante e a posição subalterna exigem que a própria pessoa realize um esforço para avançar. Pode haver uma oportunidade para, subrepticiamente, se facilitar a caminhada — representada pela imagem da carruagem. Mas um homem íntegro despreza tal modo questionável de ajuda. Ele prefere andar a pé do que andar indevidamente numa carruagem.

O Seis na segunda posição significa:
Ele embeleza a barba em seu queixo.

A barba não é algo independente; só pode mover-se junto com o queixo. A imagem significa então que a forma só deve ser considerada como conseqüência e como atributo [31] do conteúdo. A barba é um adorno supérfluo. Cultivá-la por si só, sem levar em consideração o conteúdo interno ao qual ela serve de ornamento, seria sinal de uma certa frivolidade.

Nove na terceira posição significa:
Gracioso e úmido.
A perseverança constante traz boa fortuna.

Isto indica uma situação de vida muito agradável. Uma pessoa se encontra envolvida pela beleza e inebriada pelo esplendor. Essa beleza pode, sem dúvida, ornamentar, mas também pode subjugar. Por isso, a advertência para não se deixar mergulhar nessa comodidade inebriada, mas procurar se manter constante em sua perseverança. Disso depende a boa fortuna.

Seis na quarta posição significa:
Graça ou simplicidade?
Um cavalo branco chega como que voando.
Ele não é um salteador,
deseja cortejar, no momento devido.

Uma pessoa se encontra numa situação de dúvida: deve continuar e procurar a beleza do brilho externo, ou será melhor voltar à simplicidade? A dúvida em si mesma já implica na resposta. Uma confirmação chega do exterior; vem como um cavalo branco alado. O branco indica simplicidade. Mesmo que, num primeiro momento, pareça decepcionante ter de renunciar às comodidades que por outro caminho se poderiam obter, com o tempo encontra-se a paz interior na união verdadeira com o amigo que corteja. O cavalo alado é o símbolo dos pensamentos que transcendem os limites do espaço e do tempo.

Seis na quinta posição significa:
Graciosidade nas colinas e nos jardins.
O embrulho de seda é pobre e pequeno.
Humilhação, mas, ao final, boa fortuna.

---

[31] Literalmente "acompanhante". *(Nota da tradução brasileira.)*

Alguém se afasta do contato com os homens das regiões baixas, que procuram apenas o luxo e a ostentação, e se volta à solidão das alturas. Ele encontra então uma pessoa a quem pode admirar e a quem gostaria de ter como amigo. Mas os presentes que tem para oferecer são pobres e pequenos e ele se sente então envergonhado. Porém, não é a dádiva externa que importa, mas a sinceridade de sentimento. Por isso tudo acaba bem.

O Nove na sexta posição significa:
Graciosidade simples.
Nenhuma culpa.

Aqui, no nível mais elevado do desenvolvimento, todo ornamento é descartado. A forma não mais oculta o conteúdo, mas o manifesta em plenitude. A graciosidade suprema não consiste no adorno externo da matéria e sim na simplicidade e adequação da forma.

23. PO / DESINTEGRAÇÃO

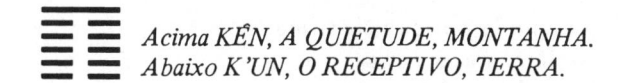

Acima KÊN, A QUIETUDE, MONTANHA.
Abaixo K'UN, O RECEPTIVO, TERRA.

As linhas obscuras estão prestes a galgar o cume e provocar a queda da última linha firme e luminosa, exercendo sobre ela sua influência corrosiva. O inferior, o obscuro, não luta de maneira direta contra o que é superior e forte, mas vai solapando lentamente em sua ação dissimulada, até que ao final provoca-lhe a queda. As linhas do hexagrama representam a imagem de uma casa. A linha superior é o telhado. Ao ruir o telhado, a casa desaba. O hexagrama é atribuído ao nono mês (outubro-novembro).[32] O poder Yin avança dominando cada vez mais e está prestes a suplantar por completo o poder Yang.

JULGAMENTO

DESINTEGRAÇÃO. Não é favorável ir a parte alguma.

Esta é a época do avanço dos inferiores, que estão prestes a expulsar os últimos homens fortes e nobres. Sob tais circunstâncias, decorrentes do ciclo em andamento, não é favorável ao homem superior empreender coisa alguma. A atitude correta nessas épocas adversas deve ser deduzida das imagens e seus atributos. O trigrama inferior significa a terra, cujo atributo é a docilidade e a devoção. O trigrama superior significa a montanha, cujo atributo é a quietude. Isso sugere a aceitação da época adversa, mantendo-se a quietude. Não se trata aqui de uma iniciativa humana, mas das condições do ciclo em vigor; estes ciclos, seguindo as leis celestiais, alternam o aumento e a

---

[32] Cf. nota 14 (hexagrama 11, PAZ). *(Nota da tradução brasileira.)*

diminuição, a plenitude e o vazio. Não é possível se contrariar essas condições do tempo e por isso não é covardia, e sim sabedoria, submeter-se, evitando a ação.

IMAGEM

A montanha repousa sobre a terra:
a imagem da DESINTEGRAÇÃO.
Assim, os superiores só podem garantir suas posições
mediante dádivas aos inferiores.

A montanha repousa sobre a terra. Se ela for íngreme e estreita, não tendo uma base larga, ruirá. Sua posição é segura somente quando se ergue da terra larga e ampla, e não orgulhosa e íngreme. Do mesmo modo, aqueles que governam repousam sobre o amplo fundamento do povo. Eles também devem ser generosos e magnânimos como a terra, que a tudo sustenta. Desse modo, tornarão sua posição segura como a montanha em sua tranqüilidade.

LINHAS

Seis na primeira posição significa:
A perna da cama se desintegra.
Os perseverantes são destruídos.
Infortúnio.

Os homens inferiores avançam, sorrateiros, e começam, num destrutivo trabalho de intriga, a solapar o homem superior. Os partidários do governante que permanecem leais são destruídos através de calúnias e intrigas. A situação é desastrosa. Porém, nada se pode fazer senão esperar.

Seis na segunda posição significa:
O canto da cama se desintegra.
Os perseverantes são destruídos.
Infortúnio.

Cresce o poder dos homens inferiores. O perigo já se aproxima da própria pessoa. Os sinais se tornam claros e a tranqüilidade é perturbada. Além de se estar numa posição perigosa, não se conta com ajuda ou solidariedade nem por parte dos que estão acima, nem por parte dos que estão abaixo. Num tal isolamento, torna-se necessário uma extrema cautela. É preciso adaptar-se às condições do momento e evitar a tempo o perigo. Perseverar teimosamente em manter seu ponto de vista levaria à ruína.

Seis na terceira posição significa:
Rompendo sua ligação com eles.
Nenhuma culpa.

Um homem se encontra em meio a um ambiente nocivo ao qual está exteriormente ligado. Porém, ele tem vínculos internos com um homem superior. Com isso consegue atingir o equilíbrio que o liberta das tendências dos homens inferiores que o rodeiam. Assim, cria-se um antagonismo com eles, mas isso não é um erro.

Seis na quarta posição significa:
A cama desintegra-se até a pele.
Infortúnio.

Aqui a desgraça alcança não somente o lugar de descanso, mas atinge até mesmo o seu ocupante. O texto não traz qualquer advertência ou comentário. O infortúnio tendo chegado ao seu clímax não pode mais ser evitado.

Seis na quinta posição significa:
Um cardume. Favores vêm através das damas do palácio.
Tudo é favorável.

Aqui a natureza do poder da obscuridade se modifica em virtude da proximidade imediata do princípio luminoso, ao alto. A escuridão já não combate mais ao forte princípio luminoso com intrigas, porém se submete à sua orientação. Liderando as outras linhas fracas, dirige-as todas à linha forte, assim como uma princesa conduz suas servas, como um cardume, a seu marido, obtendo assim seus favores. Ao subordinar-se voluntariamente ao que está ao alto, o que está abaixo encontra sua felicidade e o que está acima recebe o que lhe é devido. Assim tudo vai bem.

O Nove na sexta posição significa:
Um grande fruto ainda não foi comido.
O homem superior recebe uma carruagem.
A casa do homem inferior se desintegra.

Aqui a desintegração chega ao final. Quando o infortúnio esgota suas forças, retornam épocas melhores. A semente do bem permanece, e é justamente quando o fruto cai ao chão que o bem renasce de sua semente. O homem superior recupera sua influência e sua efetividade. Ele é sustentado pela opinião pública, como se estivesse sobre uma carruagem. A maldade do homem inferior volta-se contra ele próprio. Sua casa é destruída. Aqui se manifesta uma lei da natureza. O mal não é nefasto apenas para o bem, mas termina por destruir-se a si próprio. Pois o mal, vivendo somente da negação, não pode subsistir em si mesmo. O homem inferior se conduz melhor quando é controlado pelo homem superior.

24. FU / RETORNO (O PONTO DE TRANSIÇÃO)

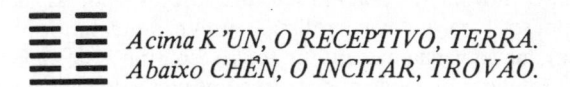

Acima K'UN, O RECEPTIVO, TERRA.
Abaixo CHÊN, O INCITAR, TROVÃO.

O ponto de transição é sugerido pelo fato de que após as linhas obscuras expulsarem do hexagrama as linhas luminosas acima, uma outra linha luminosa surge novamente, embaixo. O tempo das trevas passou. O solstício de inverno traz a vitória da luz. Este hexagrama é atribuído ao décimo primeiro mês, o mês do solstício (dezembro-janeiro).[33]

---

[33] Cf. nota 14 (hexagrama 11, PAZ). *(Nota da tradução brasileira.)*

JULGAMENTO

RETORNO. Sucesso.
Saída e entrada sem erro.
Amigos chegam sem culpa.
Para adiante e para trás segue o caminho.
Ao sétimo dia vem o retorno.
É favorável ter aonde ir.

Após uma época de decadência vem o ponto de transição. A luz poderosa que tinha sido banida retorna. Porém, este movimento não é provocado pela força. Como a característica do trigrama superior K'un é a devoção, o movimento é natural e surge espontaneamente. Por isso a transformação do antigo também torna-se fácil. O velho é descartado e o novo, introduzido. Ambos os movimentos estão de acordo com as exigências do tempo e, portanto, não causam prejuízos. Formam-se associações de pessoas que têm os mesmos ideais. Como tal grupo se une em público e está em harmonia com o tempo, os propósitos particulares e egoístas estão ausentes, e assim erros são evitados. A idéia de retorno baseia-se no curso da natureza. O movimento é cíclico e o caminho se completa em si mesmo. Por isso não é necessário precipitá-lo artificialmente. Tudo vem de modo espontâneo e no tempo devido. Esse é o sentido do céu e da terra.

Todos os movimentos se completam em seis etapas, e a sétima traz o retorno. Deste modo, o solstício de inverno, com o qual tem início o declínio do ano, ocorre no sétimo mês após o solstício de verão. Do mesmo modo, o nascer do sol ocorre na sétima hora dupla,[34] após o crepúsculo. Por isso o sete é o número da luz nova e surge quando ao seis, o número da grande escuridão, se adiciona a unidade. Assim, o estado de repouso dá lugar ao movimento.

IMAGEM

O trovão no interior da terra:
a imagem do PONTO DE TRANSIÇÃO.
Assim, os reis da antiguidade
fechavam as passagens na época do solstício.
Comerciantes e forasteiros não transitavam
e o governante não viajava pelas províncias.

Na China, o solstício de inverno foi sempre celebrado como a época de repouso do ano — costume que se conserva até hoje, no período de descanso do ano novo. No inverno, a energia vital, simbolizada pelo trovão, "O Incitar", encontra-se ainda no interior da terra. O movimento está em seus primórdios e por isso deve-se fortalecê-lo através do repouso, para que não se dissipe num uso prematuro. Esse princípio básico, de fazer com que a energia nascente se fortifique através do repouso, aplica-se a todas as situações similares. A saúde que retorna após uma doença, o entendimento que ressurge após uma discórdia, enfim, tudo o que está recomeçando deve ser tratado com suavidade e cuidado, para que o retorno leve ao florescimento.

---

[34] Na China, segundo o antigo calendário lunar, dividia-se o dia em períodos de duas horas cada. Esses períodos eram regidos pelos signos do horóscopo dos doze animais simbólicos. Assim, o poente ocorria no período regido pelo Galo, que vai das dezessete às dezenove horas, e o nascente, no sétimo período subseqüente, regido pelo Coelho (ou Gato em alguns horóscopos), que vai das cinco às sete horas da manhã. Por isso a idéia de "sete horas duplas" entre o poente e o nascente. *(Nota da tradução brasileira)*

LINHAS

O Nove na primeira posição significa:
Retorno de uma curta distância.
Não é necessário remorso.
Grande boa fortuna!

Pequenos desvios do bem não podem ser evitados. Porém, é preciso retroceder a tempo, antes de ir longe demais. Isto é especialmente importante na formação do caráter. Todo pensamento maléfico, por menor que seja, deve ser imediatamente afastado, antes que avance demais e se enraíze na mente. Assim, não haverá necessidade de arrependimento, e tudo irá bem.

Seis na segunda posição significa:
Retorno tranqüilo.
Boa fortuna.

O retorno é um ato de autodomínio e sempre exige decisão. Isto se torna mais fácil quando uma pessoa se encontra em boa companhia. Se consegue pôr de lado o orgulho e segue o exemplo dos homens de bem, encontra boa fortuna.

Seis na terceira posição significa:
Retorno repetido.
Perigo. Nenhuma culpa.

Há pessoas que, em virtude de uma certa instabilidade interior, tendem constantemente a retroceder. É sem dúvida perigoso esse movimento hesitante que, com freqüência, se deixa afastar do bem em virtude de desejos descontrolados para, em seguida, retroceder, mudando sua opinião. Mas como isso também não conduz a uma consolidação do mal, a tendência geral a superar o defeito não está excluída por completo.

Seis na quarta posição significa:
Andando no meio dos outros,
retorna-se sozinho.

Alguém se encontra em meio a uma sociedade de homens inferiores, mas se mantém ligado por vínculos interiores a um amigo forte e bom; isso o leva a retornar sozinho. Embora não se faça qualquer menção à recompensa ou castigo, esse retorno é certamente favorável, pois a opção pelo bem traz sua própria recompensa.

Seis na quinta posição significa:
Retorno digno.
Nenhum arrependimento.

Quando o movimento do retorno chega, não se deve buscar refúgio em desculpas banais e sim proceder a uma introspecção e a um auto-exame. Caso se tenha cometido algum erro, deve-se tomar a nobre decisão de reconhecer o erro. Ninguém se arrependerá de seguir esse caminho.

Seis na sexta posição significa:
Perde-se o retorno. Infortúnio.
Infortúnio interno e externo.
Se os exércitos forem postos em marcha desta forma,
se sofrerá, ao final, uma grande derrota,
desastrosa para o governante do país.
Durante dez anos não se estará em condições de atacar.

Quando se perde o momento certo para o retorno, encontra-se o infortúnio. O infortúnio tem sua causa interna numa atitude errônea diante do mundo. O infortúnio externo é conseqüência dessa atitude errônea. Descreve-se aqui uma cega obstinação, e o julgamento correspondente.

无妄

25. WU WANG / INOCÊNCIA (O INESPERADO)[35]

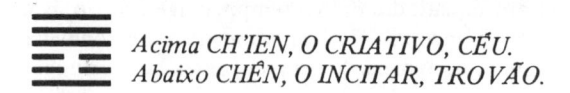

Acima CH'IEN, O CRIATIVO, CÉU.
Abaixo CHÊN, O INCITAR, TROVÃO.

Acima está Ch'ien, o céu; abaixo, Chên, movimento. O trigrama inferior, Chên, está sob a influência da linha forte que recebeu de cima, do céu. Quando, de acordo com isso, o movimento segue a lei dos céus, o homem se torna inocente e sincero. Sua mente permanece natural e autêntica, não sendo obscurecida por reflexões ou por segundas intenções. Pois sempre que surge um propósito consciente, a autenticidade e inocência da natureza se perdem. A natureza que não é guiada pelo espírito não é verdadeira, degenerou-se. Partindo da idéia da naturalidade, o hexagrama prossegue e abrange também as noções do inesperado, não-intencional.

JULGAMENTO

INOCÊNCIA. Supremo sucesso.
A perseverança é favorável.
Se o homem não é correto, terá infortúnio,
e não será favorável empreender coisa alguma.

O homem recebeu do céu uma natureza essencialmente boa, para guiá-lo em todos os seus movimentos. Entregando-se a esse princípio divino dentro de si, o homem alcança uma inocência incontaminada. Ela o conduz ao bem com certeza instintiva e livre de intenções ulteriores de recompensa ou vantagem. Essa certeza instintiva traz supremo sucesso e "favorece através da perseverança". Mas nem tudo o que é instintivo é também natural, nesse sentido mais elevado da palavra, mas somente o que é correto, aquilo que corresponde à vontade dos céus. Uma forma de agir

---

[35] Alguns ideogramas possuem uma tal complexidade de sentidos que possibilitam traduções muito distintas e, às vezes, não necessariamente incompatíveis. Este é o caso de Wu Wang. Wilhelm traduz por "INOCÊNCIA, O INESPERADO", porém em *Wandlung und Dauer* (Dusseldorf/Koln) (Ed. Eugen Diederichs Verlag) diz que concluíra que Wu Wang talvez devesse ser traduzido por "O Inconsciente". John Blofeld traduz esse mesmo termo por "Integridade", porém mantendo o substituto de Wilhelm, "O Inesperado". Shchutskii, talvez o mais literal em sua tradução do ideograma, propõe "Ausência de erro" em *Researches on the I Ching*, Princeton, N.Y. Princeton University Press, 1979. Uma análise cuidadosa do hexagrama mostra que essas diferentes traduções na verdade não se excluem, mas se completam. Cada uma delas enfatiza um aspecto distinto do complexo de significados que compõe Wu Wang. *(Nota da tradução brasileira.)*

instintiva e irrefletida, que não possua retidão, só poderá causar infortúnio. Confúcio comentava a respeito: "Onde irá aquele que se afasta da inocência? A vontade e as bênçãos dos céus não acompanham seus atos".

IMAGEM

Em baixo do céu está o trovão:
todas as coisas alcançam o estado natural da INOCÊNCIA.
Assim, os reis da antiguidade, ricos em virtude
e em harmonia com o tempo,
cultivavam e alimentavam a todos os seres.

Na primavera, quando o trovão, a força da vida, volta a mover-se debaixo do céu, tudo brota e cresce e todos os seres recebem da atividade criadora da natureza a inocência infantil de seu estado original. O mesmo ocorre com os bons governantes dos homens: com sua riqueza interior atendem a todas as formas de vida e cultura, provendo-lhes do possível, no momento correto.

LINHAS

O Nove na primeira posição significa:
Conduta inocente traz boa fortuna!

Os impulsos primordiais do coração são sempre benéficos; pode-se segui-los confiante, seguro de que se terá boa fortuna, e os objetivos serão alcançados.

Seis na segunda posição significa:
Se não pensamos na colheita enquanto aramos,
nem no uso do campo quando o preparamos,
então será favorável empreender algo.

Todo trabalho deve ser realizado por seu intrínseco valor, de acordo com o momento e as circunstâncias, e não com vistas ao resultado. Assim, qualquer trabalho frutificará, e tudo aquilo que se empreender terá sucesso.

Seis na terceira posição significa:
Infortúnio não merecido:
a vaca que foi amarrada por alguém
é o lucro do viajante, e a perda do cidadão.

Às vezes o infortúnio ocorre a alguém sem que tenha culpa, como quando um viajante leva uma vaca que se encontra amarrada no caminho. Seu lucro é a perda do dono. Em todas as ações, mesmo as mais inocentes, o homem deve se adaptar às exigências do tempo, pois de outro modo será colhido por um infortúnio inesperado.

Nove na quarta posição significa:
Aquele que é capaz de perseverar
permanece sem culpa.

Uma pessoa não pode perder o que verdadeiramente lhe pertence, nem mesmo se o joga fora. Assim sendo, não é necessário que se angustie. Deve cuidar somente de permanecer fiel à sua própria essência, e não dar ouvidos aos outros.

O Nove na quinta posição significa:
Não utilize medicamento algum
caso tenha contraído uma doença sem ter culpa nisso.
Ela passará por si mesma.

Um mal inesperado advém do exterior. Se ele não tem origem na natureza da pessoa, nem encontra nela um ponto de apoio, não se deve recorrer a meios externos para eliminá-lo. Deve-se deixar que a natureza siga seu próprio curso, e tudo melhorara por si mesmo.

>Nove na sexta posição significa:
>Ação inocente traz infortúnio.
>Nada é favorável.

Quando, numa situação qualquer, ainda não é chegado o momento próprio ao progresso, deve-se esperar em tranqüilidade, sem segundas intenções. Quando se age irrefletidamente, tentando avançar em oposição ao destino, o sucesso não será atingido.

26. TA CH'U / O PODER DE DOMAR DO GRANDE

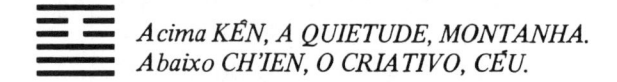

Acima KÊN, A QUIETUDE, MONTANHA.
Abaixo CH'IEN, O CRIATIVO, CÉU.

O "Criativo" é domesticado pela "Quietude". Isso produz uma grande força, em contraste com o hexagrama 9, O PODER DE DOMAR DO PEQUENO, onde o "Criativo" é domado pela "Suavidade" sozinha. Lá, uma linha fraca deve domar as cinco linhas fortes, enquanto aqui quatro linhas fortes são contidas por duas linhas fracas; além de um ministro, há também o príncipe, e assim o poder domesticador é bem mais poderoso. O hexagrama tem um triplo sentido, expressando diferentes aspectos do conceito de conter e sujeitar com firmeza. O céu, em meio à montanha, dá a idéia de conter, no sentido de manter unido. O trigrama Kên, que mantém o trigrama Ch'ien em repouso, sugere o sujeitar, no sentido de deter. Finalmente, uma linha forte surge acima, como governante do hexagrama, sendo reverenciada e atendida como o seria um sábio. Disso decorre a idéia de sujeitar no sentido de atender e nutrir. Esse último significado é ressaltado pelo governante do hexagrama, a linha forte, superior, que representa o sábio.

JULGAMENTO

>O PODER DE DOMAR DO GRANDE.
>A perseverança é favorável.
>Fazer as refeições fora de casa traz boa fortuna.
>É favorável cruzar a grande água.

Para conter e acumular grandes poderes criativos, como acontece neste hexagrama, é necessário um homem forte e lúcido que seja honrado pelo governante. O trigrama Ch'ien indica forte poder criativo, o trigrama Kên indica firmeza e verdade. Ambos sugerem luz e clareza, e a renovação diária do caráter. Só assim pode o homem permanecer na plenitude de seus poderes. Em épocas tranqüilas, a força do hábito ajuda a manter a ordem, mas em períodos em que há um grande acúmulo de energia, tudo depende do poder da personalidade. Entretanto, já que os valorosos são honrados, como no caso da forte personalidade a quem o governante confiou a chefia, é favorável não alimentar-se em casa, e sim ganhar o seu sustento assumindo uma função numa atividade pública. Tal homem está em harmonia com o céu; por isso, até as tarefas mais difíceis e perigosas, como a travessia da grande água, têm sucesso.

IMAGEM

O céu no interior da montanha:
a imagem do PODER DE DOMAR DO GRANDE.
O homem superior se põe a par dos muitos ditos
da antiguidade
e dos fatos do passado,
de modo a fortalecer assim seu caráter.

O céu no interior da montanha indica tesouros ocultos. Assim também, nas palavras e atos do passado jaz oculto um tesouro que o homem pode utilizar para fortalecer e elevar seu próprio caráter. O estudo do passado não deve se limitar a um mero conhecimento da história, mas deve, através da aplicação desse conhecimento, procurar dar atualidade ao passado.

LINHAS

Nove na primeira posição significa:
O perigo ameaça. É favorável desistir.

Um homem desejaria realizar um vigoroso avanço, mas as circunstâncias lhe apresentam um obstáculo. Ele é contido com firmeza. Se tentasse forçar um avanço, isso o levaria ao infortúnio. Portanto, é melhor controlar-se e esperar até que surja uma possibilidade para dar vazão às forças acumuladas.

Nove na segunda posição significa:
Os eixos da carroça foram retirados.

Aqui o avanço está contido, assim como na terceira linha do hexagrama 9, O PODER DE DOMAR DO PEQUENO. Mas lá a força que obstrui é pequena, resultando num conflito entre o movimento propulsor e a retenção, com a conseqüente perda dos raios das rodas. Aqui a força paralisadora é decididamente superior, e por isso não há luta. A pessoa, então, se submete, remove os suportes dos eixos da carroça e limita-se a esperar. Assim ela acumula a energia para um vigoroso avanço futuro.

Nove na terceira posição significa:
Um bom cavalo que segue a outros.
É favorável ter consciência do perigo e perseverança.
Pratique diariamente a condução da carroça e a defesa armada.
É favorável ter aonde ir.

O caminho se desobstrui. O impedimento passou. Um homem está ligado a uma poderosa vontade, a qual atua no mesmo sentido que a sua própria. Ele avança como um bom cavalo que segue a outro. Mas o perigo ainda ameaça e ele deve permanecer consciente disso para que não lhe roubem a firmeza. Assim, ele deve se exercitar no que lhe possibilita avançar tanto quanto no que o protege contra um ataque inesperado. É aconselhável ter um objetivo pelo qual se aspire.

Seis na quarta posição significa:
A tábua protetora de um novilho.
Grande boa fortuna.

Esta linha e a seguinte são as que domam as linhas inferiores que desejam avançar. Antes que cresçam os chifres de um touro coloca-se uma tábua protetora na sua cabeça a fim de impedir que, uma vez crescidos, venham a ferir. Prevenir o despertar da ferocidade antes que se manifeste é uma boa forma de domesticar. Assim se atinge um grande e fácil sucesso.

○ Seis na quinta posição significa:
As presas de um javali castrado.
Boa fortuna!

A contenção de um impetuoso impulso para avançar é aqui conseguida de modo indireto. As presas do javali em si são perigosas, mas quando a natureza deste é alterada, o perigo desaparece. Assim também não se deve combater diretamente a agressividade dos homens; deve-se, isto sim, extirpar suas raízes.

○ Nove na sexta posição significa:
O caminho do céu é alcançado.
Sucesso.

Passou a época da contenção. A força, que se acumulara durante um longo período, em virtude dos obstáculos, abre caminho e alcança grande sucesso. Isso se refere a um sábio sendo honrado pelo governante; seus princípios prevalecem e dão forma ao mundo.

27. I / AS BORDAS DA BOCA (PROVER ALIMENTO)

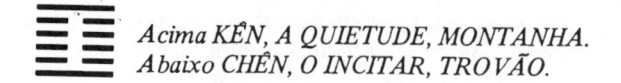

Acima KÊN, A QUIETUDE, MONTANHA.
Abaixo CHÊN, O INCITAR, TROVÃO.

Este hexagrama é a imagem de uma boca aberta; acima e abaixo as linhas firmes dos lábios e entre elas a abertura da boca. Começando com a imagem da boca, através da qual o homem ingere os alimentos com os quais se nutre, o hexagrama prossegue com a idéia da nutrição ela própria. As três linhas inferiores representam nutrir-se a si mesmo, em específico ao corpo. As três linhas superiores representam alimentar e cuidar dos outros num sentido mais elevado, espiritual.

JULGAMENTO

AS BORDAS DA BOCA. A perseverança traz boa fortuna.
Preste atenção à nutrição e àquilo que o homem procura
para encher sua própria boca.

Ao se prover cuidados e alimentos é importante que as pessoas certas sejam atendidas e que nossa própria nutrição proceda de modo correto. Para se conhecer alguém é necessário apenas observar a quem ele dispensa seus cuidados e quais os aspectos de seu próprio ser que cultiva e alimenta. A natureza alimenta todos os seres. O homem superior cultiva e promove os homens capazes, para, através deles, velar por todos os homens.

Mencius comenta a respeito: "Para verificarmos se alguém é um homem superior ou inferior, só precisamos observar a que parte de si ele atribui uma especial importância. O corpo tem partes superiores e inferiores, importantes e secundárias. Não devemos prejudicar as importantes em favor das secundárias, assim como não devemos prejudicar as partes superiores por causa das inferiores. Aquele que cultiva as partes inferiores de seu ser é um ser inferior. Aquele que cultiva as partes superiores de seu ser é um homem superior".

IMAGEM

O trovão na base da montanha:
a imagem de PROVER ALIMENTO.
Assim o homem superior é cuidadoso em suas palavras
e moderado no comer e beber.

"Deus surge no signo do Incitar." Quando, na primavera, as forças da vida voltam a se agitar, todas as coisas renascem. "Ele completa no signo da Quietude." No começo da primavera, quando as sementes caem na terra, todas as coisas se realizam. Isto sugere a imagem da nutrição através de movimento e tranqüilidade. O homem superior faz disso um modelo para o desenvolvimento e o cultivo de seu caráter. As palavras são um movimento do interior para o exterior. Comer e beber são movimentos do exterior para o interior. Essas duas formas de movimento podem ser moderadas através da tranqüilidade. A tranqüilidade faz com que as palavras e os alimentos não excedam a justa medida. Deste modo cultiva-se o caráter.

LINHAS

Nove na primeira posição significa:
Você deixa escapar sua tartaruga mágica
e olha para mim, com os lábios caídos.
Infortúnio.

A tartaruga mágica é um ser dotado de poderes extraordinários; pode viver do ar e não necessita de alimento material. A imagem indica que uma pessoa que poderia viver com liberdade e independência abdica dessa autonomia interior, e olha com inveja e desgosto para aqueles que estão externamente em melhor posição. Essa inveja mesquinha só provoca ironia e desprezo por parte dos outros. Isso leva a maus resultados.

Seis na segunda posição significa:
Dirigir-se ao alto em busca de alimento,
afastar-se do caminho para buscar alimento na colina:
caso se continue a agir assim, isso trará infortúnio.

Em geral ou as pessoas provêm seu próprio alimento ou são alimentadas por aqueles que têm esse dever e direito. Se, por uma fraqueza interior, alguém não é capaz de se manter, um certo mal-estar sobrevém. Isto se deve ao fato de se estar fugindo à responsabilidade de um correto meio de vida e aceitando ser sustentado pelo favor daqueles que se encontram em melhor posição. Isso é indigno, pois assim o homem se desvia de sua verdadeira natureza. Aquele que prossegue nessa atitude será levado ao infortúnio.

> Seis na terceira posição significa:
> Afastando-se da nutrição.
> A perseverança traz infortúnio.
> Durante dez anos, não atue dessa forma.
> Nada é favorável.

Aquele que procura o alimento que não nutre, tenderá do desejo à gratificação, e na gratificação despertará para o desejo. Uma desenfreada busca de prazer na satisfação dos sentidos jamais leva à meta. Nunca (dez anos é um ciclo completo) se deve seguir um tal caminho, pois dele nada de bom resultará.

> Seis na quarta posição significa:
> Dirigir-se ao alto em busca de alimento traz boa fortuna.
> Espreitando em torno com o olhar cortante
> como o de um tigre numa avidez insaciável.
> Nenhuma culpa.

Ao contrário do seis na segunda posição, que significa um homem voltado apenas para vantagens pessoais, a linha na quarta posição refere-se a alguém que, ocupando uma alta posição, aspira por fazer brilhar sua luz. Para isso precisa de ajuda, uma vez que sozinho não poderá alcançar sua elevada meta. Ávido como um tigre faminto, ele sai à procura das pessoas certas. Como não se está trabalhando em proveito próprio, mas para o bem comum, tal empenho não é um erro.

> O Seis na quinta posição significa:
> Desviar-se do caminho.
> Permanecer perseverante traz boa fortuna.
> Não se deve atravessar a grande água.

Um homem está consciente de uma deficiência sua. Ele deveria prover alimento às pessoas mas não tem força para tanto. Assim sendo, ele deve se afastar do caminho habitual para pedir conselho e ajuda a um homem que lhe é espiritualmente superior, ainda que na aparência externa não se destaque. Mantendo-se esta atitude com perseverança, sucesso e boa fortuna estarão garantidos. Mas é necessário permanecer consciente de sua posição dependente. Não se deve procurar pôr sua própria pessoa em destaque nem tentar empreender grandes tarefas, tais como atravessar a grande água.

> O Nove na sexta posição significa:
> A fonte da nutrição.
> A consciência do perigo traz boa fortuna.
> É favorável atravessar a grande água.

Aqui se descreve um sábio da mais elevada estirpe, do qual emanam todas as influências que provêm alimento aos outros. Tal posição implica em grave responsabilidade. Se ele permanecer consciente desse fato, terá boa fortuna e poderá, confiante, empreender grandes e difíceis tarefas como atravessar a grande água. Tais realizações trarão felicidade geral, para ele e para todos.

大過

28. TA KUO / PREPONDERÂNCIA DO GRANDE

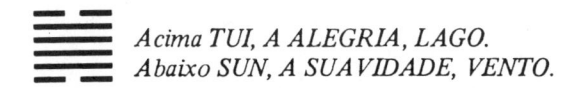

Acima TUI, A ALEGRIA, LAGO.
Abaixo SUN, A SUAVIDADE, VENTO.

Este hexagrama consiste de quatro linhas fortes no interior e duas linhas fracas no exterior. Quando os fortes estão no exterior e os fracos no interior, tudo vai bem, pois não há sobrecarga, nem ocorre nada de extraordinário. Aqui, entretanto, acontece o contrário. O hexagrama representa uma viga grossa e pesada ao centro, porém demasiado fraca nas extremidades. Essa é uma condição que não pode perdurar; deve ser modificada, deve passar, pois de outro modo o infortúnio ameaçará.

JULGAMENTO

PREPONDERÂNCIA DO GRANDE. A viga-mestra cede a ponto de quebrar.
É favorável ter onde ir.
Sucesso.

O peso do grande é demasiado. A carga é excessiva para a força dos apoios. A viga-mestra, sobre a qual todo o telhado se apóia, cede, porque as extremidades que visam à sustentação são muito fracas para suportar o peso. Medidas extraordinárias são necessárias, uma vez que esta é uma época e uma situação também excepcionais. Deve-se procurar o mais rapidamente possível uma saída e então agir. Isso promete sucesso. Pois apesar do forte pesar demais, está no meio, isto é, no centro de gravidade, de modo que não há motivo para se temer uma revolução. Nada se poderá conseguir com medidas violentas. O problema deve ser resolvido procurando-se chegar ao significado da situação de modo suave (como é sugerido pelo atributo do trigrama interno Sun, suave penetrar). Assim a transição a outras condições terá sucesso. Isso exige uma real superioridade, por isso a época da PREPONDERÂNCIA DO GRANDE é uma época excepcional.

IMAGEM

O lago sobrepassa às árvores:
a imagem da PREPONDERÂNCIA DO GRANDE.
Assim o homem superior não se aflige quando está só
e não se deixa abater quando deve renunciar ao mundo.

Épocas extraordinárias de preponderância do grande assemelham-se a uma inundação, quando o lago cobre as árvores. Porém, tais condições são passageiras. A atitude correta em tais épocas excepcionais é indicada pelos trigramas: a imagem de

Sun é a árvore, que permanece firme mesmo quando está só, e o atributo de Tui é a alegria, que permanece inabalável mesmo quando deve renunciar ao mundo.

LINHAS

Seis na primeira posição significa:
Forrar com uma esteira de junco branco.
Nenhuma culpa.

Quando se quer dar início a um empreendimento em meio a uma época excepcional, uma extraordinária cautela torna-se necessária, assim como, ao colocar algo pesado no chão, forra-se com junco embaixo para que nada se quebre. Essa precaução pode parecer excessiva, mas não é um erro. Os empreendimentos excepcionais só podem ter sucesso caso se observe a máxima cautela nos primórdios e nas bases.

O Nove na segunda posição significa:
Num álamo seco surge um broto na raiz.
Um homem mais velho toma uma jovem como esposa.
Tudo é favorável.

A madeira está junto à água, por isso a imagem de um velho álamo brotando na raiz. Isto significa um extraordinário redespertar do processo de crescimento. Uma situação igualmente excepcional ocorre quando um homem mais velho casa-se com uma jovem que lhe é apropriada. Apesar de ser uma situação pouco comum, tudo corre bem.

Do ponto de vista político, o sentido do texto é de que em épocas extraordinárias é aconselhável reunir-se aos inferiores, pois há entre eles a possibilidade de uma renovação.

Nove na terceira posição significa:
A viga-mestra cede a ponto de se partir. Infortúnio.

Isso indica uma personalidade que em tempos de preponderância do grande insiste em avançar com violência. Não aceita os conselhos dos outros e, como conseqüência, estes, por sua vez, também não se mostram dispostos a apoiá-lo. Por este motivo a carga aumenta e a estrutura cede ou se parte. Em épocas de perigo, uma atitude obstinada procurando avançar apenas acelera a catástrofe.

O Nove na quarta posição significa:
A viga-mestra é sustentada. Boa fortuna.
Se há segundas intenções isso é humilhante.

Um homem responsável consegue dominar a situação graças a relações amigáveis com seus inferiores. Mas, se ao invés de procurar a salvação do todo ele fizesse mau uso de suas amizades, procurando obter poder e sucesso, isso levaria à humilhação.

Nove na quinta posição significa:
Um álamo seco floresce.
Uma mulher idosa encontra um marido.
Nenhuma culpa. Nenhum elogio.

Um álamo seco que floresce esgota assim suas forças e apenas apressa o seu fim. Uma mulher idosa casa-se novamente, porém a renovação não ocorre. Tudo permanece estéril. Ainda que todas as formalidades sejam observadas, ao final resta apenas uma condição anômala.

Politicamente isso sugere que quando em tempos de insegurança se abandonam os vínculos com os subalternos, e se mantém apenas aliança com as altas hierarquias, cria-se uma situação instável.

> Seis na sexta posição significa:
> É preciso atravessar a água.
> Esta chega a cobrir a cabeça.
> Infortúnio. Nenhuma culpa.

Descreve-se aqui uma situação em que as condições excepcionais chegaram ao máximo. A pessoa é corajosa e quer cumprir seu dever apesar de tudo. Isso a conduz ao perigo. A água cobre-lhe a cabeça. Esse é o infortúnio. Porém, não há culpa quando se oferece a vida para que prevaleça o bem. Há coisas que são mais importantes que a própria vida.

29. K'AN / O ABISMAL (ÁGUA)

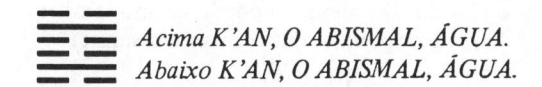

Acima K'AN, O ABISMAL, ÁGUA.
Abaixo K'AN, O ABISMAL, ÁGUA.

Este hexagrama consiste na repetição do trigrama K'an, sendo, portanto, um dos oito hexagramas em que um mesmo trigrama se repete acima e abaixo. K'an significa precipitar-se. Uma linha Yang precipitou-se entre duas linhas Yin e é aprisionada por elas, assim como a água num desfiladeiro. K'an é também o filho do meio. O Receptivo recebeu a linha média do Criativo e assim se formou K'an. Enquanto imagem é a água, a água que vem do alto e que se movimenta na terra em rios e correntezas, dando origem a toda a vida.

Aplicado ao homem, representa o coração, a alma aprisionada no corpo, o princípio de luz contido na escuridão, ou seja, a razão. O nome do hexagrama possui ainda o significado adicional de "repetição do perigo", em virtude da duplicação do trigrama K'an.

Assim o hexagrama procura indicar uma situação objetiva à qual é preciso acostumar-se, e não uma atitude subjetiva. Pois o perigo devido a uma atitude subjetiva significa temeridade ou astúcia. Assim sendo, o perigo será simbolizado pelo desfiladeiro, isto é, uma condição na qual o homem se encontrará como a água num desfiladeiro e do qual poderá sair se, assim como a água, mantiver a conduta correta.

JULGAMENTO

> O ABISMAL repetido.
> Se você é sincero, terá o sucesso em seu coração
> e tudo o que fizer terá êxito.

À medida que um perigo se repete, o homem tende a se acostumar a ele. A água dá o exemplo da conduta correta nessas condições. Prossegue fluindo e vai preenchendo todas as depressões que encontra. Não vacila ante nenhuma passagem perigosa, não retrocede ante nenhuma queda, e nada a faz perder sua natureza essencial. Ela permanece fiel a si mesma em todas as circunstâncias. Assim também, se uma pessoa for sincera quando confrontada com dificuldades, seu coração chegará ao significado da situação. E quando se consegue dominar interiormente um problema, o sucesso acompanhará de maneira natural as ações. Diante do perigo é preciso ser meticuloso, fazendo tudo o que for necessário, para então seguir adiante de modo a não perecer por demorar-se no perigo.

Usado corretamente, o perigo pode ter um importante significado como medida de precaução. Assim, o céu tem sua altura perigosa, protegendo-o de qualquer tentativa de ataque. Da mesma forma a terra tem montanhas e águas, separando os países através do perigo. Os governantes também utilizam o perigo para se defenderem de ataques externos e de tumultos internos.

IMAGEM

A água flui ininterruptamente, e chega à sua meta:
a imagem do ABISMAL repetido.
Assim, o homem superior caminha em constante virtude
e exerce o magistério.

A água alcança sua meta fluindo ininterruptamente. Ela preenche todas as depressões antes de fluir adiante. O homem superior segue esse exemplo e procura fazer com que o bem se torne um atributo consolidado em seu caráter, e não apenas uma ocorrência ocasional e isolada. Do mesmo modo, o ensino também requer constância, pois só a repetição da matéria permite que o aluno a assimile.

LINHAS

Seis na primeira posição significa:
A repetição do abismal.
No abismo, se cai num fosso.
Infortúnio.

Acostumando-se ao perigo, o homem pode com facilidade torná-lo parte de si mesmo. O perigo lhe é familiar e assim ele se acostuma ao mal. Perde, deste modo, o caminho correto e o infortúnio é a conseqüência natural.

O Nove na segunda posição significa:
O abismo é perigoso.
Deve-se procurar alcançar apenas pequenas coisas.

Quando o homem está em perigo, não deve tentar escapar de qualquer maneira. Ao início deve se contentar com que o perigo não o vença. Deve considerar com serenidade as circunstâncias do momento, contentando-se com pequenas vitórias, já que por enquanto não é possível alcançar um grande sucesso. Uma fonte começa a fluir aos poucos, e demora algum tempo até abrir um caminho livre.

Seis na terceira posição significa:
Para adiante e para trás.
Abismo sobre abismo.
Num perigo como esse, detenha-se ao início e espere.
Senão você cairá num fosso no abismo.
Não atue assim.

Aqui qualquer passo para diante ou para trás conduz ao perigo. Escapar é impossível. Assim sendo, deve-se evitar a ação, pois isso mergulharia ainda mais no perigo. Ainda que seja desagradável permanecer em tal situação, deve-se esperar até que surja uma saída.

> Seis na quarta posição significa:
> Uma jarra de vinho, uma tigela de arroz,[36]
> louça de barro, simplesmente entregues pela janela.
> Isso por certo não implica em culpa.

Em épocas de perigo as formalidades convencionais são abandonadas. O principal é a sinceridade. Em condições normais, o funcionário que aspirava a um cargo devia trazer certas oferendas e recomendações antes de ser nomeado. Tudo aqui está simplificado ao máximo. As oferendas são modestas, não há ninguém para recomendá-lo e ele tem de fazer sua própria apresentação. No entanto, não deve se envergonhar por isso, se existir apenas a sincera intenção de prestar uma ajuda mútua no perigo.

Outra idéia ainda é sugerida: é através da janela que a luz entra num aposento. Se, em épocas difíceis, se quer esclarecer alguém, deve-se começar pelo que é mais evidente e claro, para então se prosseguir a partir daí.

> O Nove na quinta posição significa:
> O abismo não está cheio a ponto de transbordar,
> está cheio apenas até a borda.
> Nenhuma culpa.

O perigo surge de um desejo de ascensão desmedida. Para sair do desfiladeiro, a água não se acumula em seu interior senão até alcançar o ponto mais baixo da borda, por onde então flui. Do mesmo modo quando em perigo, o homem deve procurar a linha de menor resistência para assim poder alcançar sua meta. Em tais épocas grandes realizações são inexeqüíveis. Sair do perigo já é o suficiente.

> Seis na sexta posição significa:
> Amarrado com cordas e cabos,
> aprisionado entre as muralhas de uma prisão,
> cercado de arbustos espinhosos.
> Durante três anos não se consegue encontrar o caminho.
> Infortúnio.

Um homem que, em meio a um extremo perigo, perde o caminho correto e que está irremediavelmente envolvido num emaranhado de erros, não tem nenhuma perspectiva de saída desta situação perigosa. Assemelha-se a um criminoso amarrado atrás das muralhas de uma prisão cercada de arbustos espinhosos.

---

[36] A tradução habitual, "duas tigelas de arroz", foi corrigida com base nos comentários chineses.

30. LI / ADERIR (FOGO)

Acima LI, O ADERIR, FOGO.
Abaixo LI, O ADERIR, FOGO.

Este é mais um dos hexagramas formados pela repetição de um mesmo trigrama. O trigrama Li significa "aderir a algo", "ser condicionado", "depender de algo" e "claridade". Uma linha obscura liga-se a uma linha luminosa acima e a outra abaixo. Assim surge a imagem de um espaço vazio entre duas linhas fortes, o que as torna luminosas. Li é a filha do meio. O Criativo incorporou a linha central do Receptivo e desse modo se forma Li. Como imagem é o fogo. O fogo não tem uma forma definida, porém liga-se aos corpos que queimam, tornando-se luminoso. Assim como a água desce do céu, o fogo arde elevando-se da terra. Enquanto K'an significa a alma aprisionada no corpo, Li significa a natureza em seu esplendor.

JULGAMENTO

ADERIR. A perseverança é favorável.
Ela traz o sucesso.
Cuidar da vaca traz boa fortuna.

O obscuro liga-se ao que é luminoso, promovendo assim a claridade deste último. Um corpo luminoso, ao irradiar luz, deve ter em seu interior algo que persevere pois, de outro modo, com o tempo se extinguiria. Tudo o que é luminoso no mundo depende de um elemento ao qual se liga, a fim de poder continuar a brilhar.

Assim, o sol e a lua ligam-se ao céu, enquanto os grãos, a grama e as árvores ligam-se à terra. Do mesmo modo a redobrada clareza do homem fiel a seu destino adere ao bem, e pode assim dar forma ao mundo. A vida humana no mundo é condicionada e dependente. Quando o homem reconhece essa limitação e se submete às forças harmoniosas e benéficas do cosmos, ele alcança o sucesso. A vaca é o símbolo da extrema docilidade. Cultivando em si essa docilidade e voluntária dependência, o homem conquista uma clareza suave e encontra seu lugar no mundo.

IMAGEM

A clareza eleva-se duas vezes: a imagem do FOGO.
Assim, o homem superior, perpetuando essa clareza,
ilumina as quatro regiões do mundo.

Cada um dos dois trigramas representa o sol no ciclo de um dia. Os dois juntos representam a repetição do movimento do sol, a função da luz gerando o tempo. O homem superior dá continuidade à obra da natureza no mundo dos homens. Graças à clareza de seu ser, ele faz com que a luz se expraie, penetrando cada vez mais na natureza do homem.

LINHAS

Nove na primeira posição significa:
As pegadas se entrecruzam.
Se o homem se mantém sério, nenhuma culpa.

Amanhece, e o trabalho se inicia. Após ter estado isolado do mundo exterior no sono, a alma começa a restabelecer suas relações com o mundo. As marcas das impressões se entrecruzam. Atividade e pressa imperam. Nesse momento, o importante é preservar o recolhimento interior e não se deixar levar pela agitação da vida. Se permanecer sério e concentrado, o homem alcançará a clareza necessária para a análise das numerosas impressões que lhe chegam. É precisamente no começo que esta séria concentração é importante, pois no início está a semente de tudo que se seguirá.

O Seis na segunda posição significa:
Luz amarela. Suprema boa fortuna.

É meio dia. O sol brilha com luz amarela. O amarelo é a cor do meio e da medida.[37] A luz amarela é, portanto, o símbolo da civilização e da arte em seu apogeu, cuja harmonia está no perfeito equilíbrio.

Nove na terceira posição significa:
Sob a luz do sol poente
os homens ou batem no caldeirão e cantam,
ou suspiram em voz alta à aproximação da velhice.
Infortúnio.

Finda o dia. A luz do sol poente lembra o aspecto condicionado e transitório da vida. Nesta falta de liberdade exterior os homens com freqüência perdem também sua liberdade interior. A transitoriedade da existência ou os impele a uma euforia desenfreada, a fim de gozar a vida enquanto ela dura, ou se deixam levar pela tristeza e desperdiçam um tempo precioso lamentando a aproximação da velhice. Ambas as atitudes são erradas. Para o homem superior é indiferente que a morte esteja próxima ou distante. Ele aprimora-se, aguarda sua sorte e assim consolida seu destino.

---

[37] Na China Antiga consideravam-se cinco cores básicas, sendo o amarelo a central. *(Nota da tradução brasileira.)*

Nove na quarta posição significa:
Sua chegada é repentina;
inflama-se, extingue-se, é jogado fora.

A clareza do intelecto tem para com a vida uma relação semelhante à que o fogo tem com a madeira. O fogo adere à madeira, mas ao mesmo tempo a consome. A clareza do intelecto tem suas raízes na vida, mas também pode consumi-la. Tudo depende de como essa clareza funciona. É usada aqui a imagem de um meteoro ou de um fogo de palha. Um homem de caráter excitável e inquieto tem uma rápida ascensão, porém sem deixar efeitos duradouros. É um erro desgastar-se demasiado rápido e se consumir como um meteoro.

O Seis na quinta posição significa:
Em prantos, suspirando e lamentando.
Boa fortuna!

A vida aqui atinge um apogeu. Nesta posição, se não houvesse uma advertência, o homem se consumiria como uma chama. Mas se chora e suspira, preocupado em conservar sua clareza, renunciando a toda esperança e temor por reconhecer a vacuidade de todas as coisas, essa sua tristeza trará boa fortuna. Aqui ocorre uma verdadeira e definitiva mudança de atitude, e não apenas uma mudança temporária, como no caso do nove na terceira posição.

Nove na sexta posição significa:
O rei o utiliza para marchar adiante e castigar.
O melhor será então matar os líderes
e aprisionar seus seguidores.
Nenhuma culpa.

O propósito da punição é impor disciplina, e não castigar cegamente. O mal deve ser cortado pela raiz. Na vida política, para fazê-lo, devem-se eliminar os líderes, porém poupar seus seguidores. No auto-aperfeiçoamento devem-se extirpar os maus hábitos e tolerar aqueles que são inofensivos. Pois o ascetismo muito rigoroso, assim como as punições excessivamente severas, não conduzem a bons resultados.

SEGUNDA PARTE

咸

31. HSIEN / A INFLUÊNCIA (CORTEJAR)

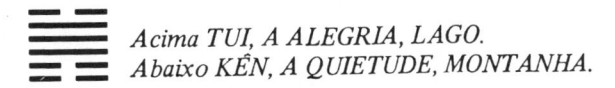

Acima TUI, A ALEGRIA, LAGO.
Abaixo KÊN, A QUIETUDE, MONTANHA.

O nome do hexagrama significa "universal", "geral", e num sentido figurado, "influenciar", "estimular". O trigrama superior é Tui, o alegre; o inferior é Kên, a quietude. O rígido trigrama inferior, através de sua influência persistente e tranqüilizadora, estimula o fraco trigrama superior, que então corresponde alegre e animadamente a este estímulo. Kên, o trigrama inferior, é o filho mais moço; o trigrama superior, Tui, a filha mais moça. Assim está representada a atração mútua entre os sexos. No cortejar, o masculino deve tomar a iniciativa, colocando-se abaixo do feminino. Assim como a primeira parte do livro começa com o hexagrama do céu e da terra como fundamento de tudo o que existe, a segunda parte começa com o hexagrama que trata do cortejar e do casamento como fundamento de todas as relações sociais.

JULGAMENTO

INFLUÊNCIA. Sucesso.
A perseverança é favorável.
Tomar uma jovem em casamento traz boa fortuna.

O fraco está acima, o forte abaixo, deste modo suas forças se atraem e eles se unem. Isso traz o sucesso, pois toda vitória baseia-se na atração mútua. A tranqüilidade interna, quando unida à alegria externa, faz com que a alegria não se exceda, mas permaneça dentro dos limites corretos. Este é o sentido da advertência: "a perseverança é favorável" — pois é através da perseverança que se diferencia o seduzir do cortejar, no qual o homem forte coloca-se abaixo da jovem fraca, mostrando-lhe consideração. Esta atração entre os afins é uma lei universal da natureza. O céu e a terra atraem-se um ao outro e assim todos os seres vêm à existência. O sábio influencia os homens graças à atração que exerce sobre os seus corações, e assim o mundo alcança a paz. Pode-se reconhecer a essência de todos os seres no céu e na terra pelas atrações que exercem.

IMAGEM

Um lago na montanha: a imagem da INFLUÊNCIA.
Assim o homem superior, através da receptividade,
incentiva as pessoas a que se lhe aproximem.

A montanha sobre a qual há um lago é estimulada pela sua umidade. Esta vantagem se deve ao fato de seu cume não sobressair, mas ser abaulado. A imagem recomenda que o homem se conserve interiormente humilde e livre, de modo a que possa permanecer receptivo aos bons conselhos. As pessoas logo desistem de aconselhar aqueles que julgam saber sempre mais que os outros.

LINHAS

Seis na primeira posição significa:
A influência manifesta-se no dedo maior do pé.

Antes que um movimento se realize de fato, manifesta-se primeiro no dedo maior do pé. A idéia da influência está já presente, porém no momento não é aparente para os outros. Enquanto a intenção não produz efeitos visíveis, não tem importância para o mundo externo. Não leva nem ao bem nem ao mal.

Seis na segunda posição significa:
A influência manifesta-se na altura da tíbia.
Infortúnio. Permanecer traz boa fortuna.

A canela segue o movimento do pé. Por si mesmo não pode nem avançar nem ficar parada. Sendo esse movimento dependente e sem autonomia, traz infortúnio. Deve-se esperar com paciência até que uma influência positiva estimule a ação. Assim se permanece livre de culpa.

Nove na terceira posição significa:
A influência manifesta-se nas coxas.
Aderir àquilo que segue.
Continuar é humilhante.

Todo estado de ânimo do coração induz a um movimento. As coxas correm sem hesitar em busca do que aspira o coração. Elas se ligam ao coração, ao qual seguem. Em relação à vida humana, entretanto, não é correto agir precipitadamente, sob a influência de cada capricho; quando se torna contínua, essa conduta leva à humilhação. Três idéias são aqui sugeridas; não se deve correr atrás daqueles que se quer influenciar, porém, de acordo com as circunstâncias, é preciso saber se conter. Também não se deve ceder de imediato a todos os caprichos daqueles a quem se serve. E, finalmente, nunca se deve desprezar a possibilidade de conter os estados de ânimo do seu próprio coração, pois esta é a base da liberdade humana.

O Nove na quarta posição significa:
A perseverança traz boa fortuna.
O arrependimento desaparece.
Quando o pensamento de um homem se agita em inquieto vaivém,
só os amigos aos quais dirige seus pensamentos conscientes o seguirão.

O lugar do coração é aqui atingido. O impulso que daí parte é o mais importante. É decisivo que aqui a influência seja constante e benéfica. Então, apesar do perigo decorrente da volubilidade do coração humano, já não haverá motivo para remorso. Quando num homem atua o tranqüilo poder de seu próprio ser, os efeitos serão adequados. Todos os seres que forem perceptivos às vibrações de um tal espírito serão então influenciados. A influência sobre os outros não deve manifestar-se como um esforço consciente e intencional para manipulá-los. Devido a essa agitação consciente, o homem entra num estado de excitação e esse contínuo oscilar o esgota. Além disso, os efeitos, nesse caso, se limitariam àqueles aos quais ele dirigisse seus pensamentos conscientes.

O Nove na quinta posição significa:
A influência manifesta-se na nuca.
Nenhum arrependimento.

A nuca é a parte mais imóvel do corpo. Quando a influência manifesta-se aqui, a vontade permanece firme, e a influência não perturba, nem confunde. Por essa razão não há motivo para remorso. O que ocorre nas profundezas do ser, no inconsciente, não pode ser provocado nem impedido pelo consciente. Na verdade, não pode influenciar o mundo exterior aquele que é ele próprio insensível à influência.

Seis na sexta posição significa:
A influência manifesta-se no maxilar,
na face e na língua.

A forma mais superficial de querer exercer influência sobre os outros é através da mera tagarelice, quando as palavras são vazias de sentido. Tal estímulo, produzido pela mera movimentação dos órgãos da fala, permanece necessariamente insignificante. Por essa razão o texto não traz qualquer referência à boa ou má fortuna.

32. HENG / DURAÇÃO

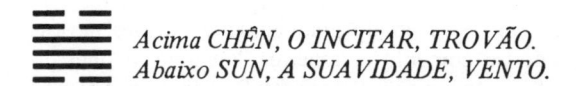

Acima CHÊN, O INCITAR, TROVÃO.
Abaixo SUN, A SUAVIDADE, VENTO.

O forte trigrama Chên está acima, o trigrama fraco, Sun, abaixo. Este hexagrama é o inverso do anterior: lá há influência; aqui, a união como condição duradoura. Aqui as imagens são o trovão e o vento, fenômenos que surgem constantemente associados. O trigrama inferior indica suavidade interna, o trigrama superior, movimento externo. Aplicado à esfera das relações sociais, o hexagrama representa a instituição do casamento como a união duradoura dos sexos. Durante o cortejar o jovem se subordina à jovem.[38] No casamento — representado pela união do filho mais velho com a filha mais velha —, ao homem cabe a função de ativar e dirigir no plano exterior, enquanto à mulher cabe preservar a suavidade e a obediência no plano interior.

JULGAMENTO

DURAÇÃO. Sucesso. Nenhuma culpa.
A perseverança é favorável.
É aconselhável ter onde ir.

A duração é um estado em que obstáculos não conseguem esgotar o movimento. Não é uma condição de repouso, pois a mera imobilidade significa na verdade um retrocesso. A duração é o movimento de uma totalidade organizada e completa em

---

[38] Tema do hexagrama 31, A INFLUÊNCIA. *(Nota da tradução brasileira.)*

si mesma. Esse movimento está sempre se renovando. Ele se realiza segundo leis imutáveis e cada término dá lugar a um novo começo. O objetivo é atingido por um movimento na direção interna: a inspiração, a sístole, a contração. Esse movimento se transforma num novo começo tomando a direção externa: a expiração, a diástole, a expansão.

Os corpos celestes movem-se em suas órbitas e por isso sua luminosidade perdura. As estações seguem uma lei invariável de mutação e transformação, e por isso têm uma ação duradoura. Assim também, o caminho do homem que segue seu destino tem um sentido duradouro: desse modo o mundo se estrutura e ganha forma. Naquilo que dá às coisas duração pode-se reconhecer a essência de todos os seres no céu e na terra.

IMAGEM

Trovão e vento: a imagem da DURAÇÃO.
Assim, o homem superior permanece firme
e não altera seu rumo.

O trovão eclode e o vento sopra. Sendo ambos fenômenos inconstantes, parecem se opor à duração. No entanto, surgem e desaparecem, vêm e vão seguindo leis imutáveis. Do mesmo modo, a independência do homem superior não se baseia numa rigidez ou imobilidade de caráter. Ele caminha de acordo com o tempo, e com ele muda. O duradouro é sua firme direção, a lei interna de seu ser, o que determina todos os seus atos.

LINHAS

Seis na primeira posição significa:
Buscar a duração depressa demais
traz persistente infortúnio.
Nada é favorável.

O duradouro só pode ser criado gradualmente, através de longo trabalho e cuidadosa reflexão. Lao-tse comenta a respeito: "Quando se quer comprimir algo, deve-se primeiro deixá-lo expandir-se plenamente". Aquele que já ao início faz exigências excessivas, está assim se precipitando, e por querer demais, termina não conseguindo nada.

O Nove na segunda posição significa:
O arrependimento desaparece.

Esta é uma situação anormal. A força de caráter de um homem é superior ao poder material de que dispõe. Poder-se-ia temer então que ele se inclinasse a buscar algo acima de suas forças. Mas como esta é a época da duração, ele consegue dominar sua força interna, e evita qualquer excesso. Assim desaparece todo motivo de arrependimento.

Nove na terceira posição significa:
Aquele que não procura dar duração a seu caráter
sofrerá vergonha.
Persistente humilhação.

Quando alguém se deixa levar por estados de ânimo, de esperança e medo provocados pelo mundo externo, perde a solidez interna de caráter. Esta inconsistência interna conduz invariavelmente a experiências penosas. Tais humilhações vêm muitas vezes de setores inesperados. Não são tanto efeitos produzidos pelo mundo externo, como conseqüências lógicas provocadas pela sua própria natureza.

Nove na quarta posição significa:
Nenhuma caça no campo.

Para que numa caçada se possa acertar em alguma presa, é necessário proceder-se de modo correto. Quando se insiste em espreitar a caça onde ela não existe, nunca se encontrará nada, por mais que se espere. Numa busca, a insistência não é suficiente. O que não se busca da maneira correta não se encontra.

Seis na quinta posição significa:
Dar duração a seu próprio caráter através da perseverança
traz boa fortuna para a mulher
e infortúnio para o homem.

A mulher deve seguir a um homem toda a sua vida. O homem, entretanto, deve ater-se àquilo que é seu dever no momento. Caso ele se deixasse constantemente conduzir pela mulher, cometeria um erro. É, portanto, correto, para uma mulher aderir, de modo conservador, à tradição. O homem, ao contrário, deve permanecer flexível e adaptável, guiando-se apenas pelo que o seu dever, no momento, exige.

Seis na sexta posição significa:
A inquietude como condição duradoura traz infortúnio.

Há pessoas que estão constantemente numa movimentação agitada e nunca alcançam a tranqüilidade interior. A inquietude não só impede um aprofundamento interior, mas torna-se na verdade perigosa quando predomina em posições de autoridade.

33. TUN / A RETIRADA

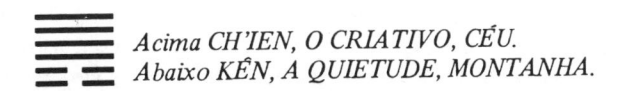

Acima CH'IEN, O CRIATIVO, CÉU.
Abaixo KÊN, A QUIETUDE, MONTANHA.

O poder obscuro ascende. O luminoso se retira a uma posição segura, de modo a que a escuridão não possa alcançá-lo. Esse recuo é resultante não do arbítrio humano, mas das leis que governam a natureza. É por isso que a retirada, nesse caso, é o caminho certo de ação, evitando um esgotamento.[39]

No calendário, este hexagrama é associado ao sexto mês (julho-agosto),[40] quando as forças do inverno voltam a mostrar sua influência.

---

[39] A idéia expressa nesse hexagrama é semelhante à expressão de Cristo: "Eu vos digo: não resistais ao mal" (*Mateus*, 5:39).

[40] Referente ao hemisfério norte. Cf. nota 14 (hexagrama 11, PAZ). *(Nota da tradução brasileira.)*

JULGAMENTO
A RETIRADA. Sucesso.
Em pequenas coisas, a perseverança é favorável.

As circunstâncias são de tal ordem que as forças hostis, favorecidas pelo tempo, avançam. Neste caso a retirada é a atitude correta, levando por isso ao sucesso. O êxito consiste em afastar-se da maneira adequada. Retirar-se não é o mesmo que fugir. Na fuga, busca-se apenas salvar a si mesmo, a qualquer preço. A retirada, ao contrário, é um sinal de força. Não se deve perder o momento adequado, enquanto ainda se possui força e posição. Assim se poderá interpretar a tempo os sinais do momento, e preparar uma retirada provisória e oportuna, em vez de se envolver numa luta desesperada de vida ou morte.

Deste modo não se abandona simplesmente o campo ao inimigo, porém dificulta-se-lhe o avanço, resistindo em setores específicos. Desta forma, durante a retirada já se prepara o contra-ataque. Não é fácil se compreender as leis de uma tal retirada construtiva. O significado que jaz oculto em tais épocas é importante.

IMAGEM
Montanha abaixo do céu: a imagem da RETIRADA.
Assim o homem superior mantém o inferior à distância
não com raiva, porém com reserva.

A montanha ergue-se sob o céu, mas em virtude de sua natureza, ao final se detém. Por outro lado, o céu retira-se para o alto, distancia-se e permanece fora de alcance. Isto simboliza o comportamento do homem superior diante da ascensão do inferior. Ele se recolhe a seu próprio interior. Mas não o faz por ódio, pois o ódio é uma forma de envolvimento subjetivo através do qual se permanece ligado ao objeto odiado. A força (céu) do homem superior é demonstrada pelo fato de ele provocar a contenção (montanha) do homem inferior através de seu equilíbrio e recato.

LINHAS
☐ Seis na primeira posição significa:
Na cauda durante a retirada: isto é perigoso.
Não se deve empreender algo.

Como o hexagrama é a imagem de algo que se vai retirando, a primeira linha é a cauda e a última, a cabeça. Durante a retirada é vantajoso estar à frente. Aqui se está atrás, em contato imediato com a perseguição inimiga. Isso é perigoso. Em tais circunstâncias não é aconselhável empreender coisa alguma. Manter-se quieto é a maneira mais fácil de escapar ao perigo.

☐ Seis na segunda posição significa:
Ele o submete e detém com firmeza
usando couro de boi amarelo.
Ninguém consegue soltá-lo.

O amarelo é a cor do centro.[41] Representa o que é correto, o que corresponde ao dever. O couro de boi é firme e resistente.

Aqui se indica que enquanto os homens superiores se retiram e os inferiores avançam, um homem inferior se aferra a um superior tão firme e tenazmente que este não pode desprender-se. Como deseja o que é correto e sua vontade é tão firme, ele

---

[41] Cf. nota 37 (hexagrama 30, O ADERIR). *(Nota da tradução brasileira.)*

alcança sua meta.[42] Deste modo, a linha confirma o que é dito no Julgamento: "No pequeno — equivalente aqui ao homem inferior — é favorável a perseverança".

> Nove na terceira posição significa:
> Uma retirada contida é penosa e arriscada.
> Manter as pessoas como empregados e empregadas
> traz boa fortuna.

Quando é tempo de retirar-se é desagradável e perigoso ver-se retido, pois se perde então a liberdade de ação. Neste caso a única saída para o homem é colocar a seu serviço aqueles que o retêm para assim garantir ao menos sua iniciativa, e não se entregar indefeso ao seu domínio. Mas ainda que esta seja uma saída, a situação está longe de ser satisfatória, pois o que se pode realizar com tais servidores?

> Nove na quarta posição significa:
> A retirada voluntária traz boa fortuna ao homem superior
> e ruína ao inferior.

Na retirada o homem superior se despede amistosamente e de bom grado. Interiormente a retirada também lhe é fácil, pois nela não terá de violentar suas convicções. O único a sofrer é o homem inferior, do qual ele se retira, pois sem a orientação do superior se arruinará.

> O Nove na quinta posição significa:
> Retirada amistosa.
> A perseverança traz boa fortuna.

Cabe ao homem superior reconhecer a tempo o momento de retirar-se. Quando se escolhe o momento adequado, a retirada pode ser realizada de forma perfeitamente amistosa, sem que sejam necessárias discussões desagradáveis. Mas ao lado da cortesia no cumprimento das formalidades externas é necessário absoluta firmeza de decisão para não se deixar confundir por considerações irrelevantes.

> Nove na sexta posição significa:
> Retirada alegre.
> Tudo é favorável.

A situação é inequívoca. O desprendimento interno é um fato consumado e se está livre para partir. Quando se vê o caminho adiante de forma tão clara e sem qualquer dúvida, surge um alegre estado de espírito e a escolha do bem se faz sem qualquer hesitação. Um caminho tão claro conduz sempre ao bem.

---

[42] Um pensamento análogo é indicado na luta noturna de Jacó com o Deus de Pruel 1, Mos 32: "Eu não te abandono, e então me abençoais".

大壯

34. TA CHUANG / O PODER DO GRANDE

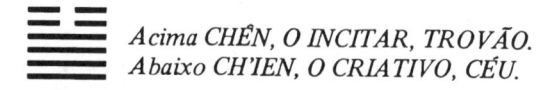

Acima CHÊN, O INCITAR, TROVÃO.
Abaixo CH'IEN, O CRIATIVO, CÉU.

As linhas grandes, isto é, luminosas e fortes, são poderosas. Quatro linhas luminosas ingressaram embaixo no hexagrama e vêm a ascender. O trigrama superior é Chên, o Incitar; o inferior é Ch'ien, o Criativo. O Criativo é forte, o Incitar provoca o movimento. O sentido de PODER DO GRANDE resulta da união do movimento com a força. Este hexagrama é associado ao segundo mês (março-abril).[43]

JULGAMENTO

O PODER DO GRANDE. A perseverança é favorável.

Este hexagrama indica uma época em que os valores internos ascendem vigorosamente e alcançam o poder. Mas a força já ultrapassou a linha mediana e por isso se corre o perigo de confiar inteiramente no seu próprio poder sem se preocupar com o que é correto. Há também o risco de se pôr em movimento sem esperar o momento adequado. Por isso, acrescenta-se a frase: "a perseverança é favorável". Pois o poder verdadeiramente grande não degenera em mera violência, mas permanece internamente ligado aos princípios do bem e da justiça. Quando se compreende que a grandeza e a justiça devem estar inseparavelmente unidas, então se poderá compreender o verdadeiro sentido de tudo o que ocorre no céu e na terra.

IMAGEM

O trovão acima, no céu: a imagem do PODER DO GRANDE.
Assim o homem superior não trilha caminhos
que não estão de acordo com a ordem vigente.

O trovão, a energia elétrica, ascende na primavera. Este movimento está em harmonia com a direção do movimento celeste e, assim, coincidindo com o céu, produz grande poder. Porém, a verdadeira grandeza consiste na harmonia com o bem. Por isso o homem superior, em épocas de grande poder, evita toda iniciativa que não esteja de acordo com a ordem reinante.

LINHAS

Nove na primeira posição significa:
Poder nos dedos dos pés.
Prosseguir traz infortúnio.
Isto é, sem dúvida, verdadeiro.

---

[43] Cf. nota 14 (hexagrama 11, PAZ). *(Nota da tradução brasileira.)*

Os dedos dos pés estão no ponto mais baixo e estão dispostos a avançar. Do mesmo modo, o grande poder, numa posição inferior, tende a forçar violentamente o progresso. Mas se essa atitude for levada adiante, certamente conduzirá ao infortúnio. Por isso, como conselho, acrescentou-se uma advertência.

Nove na segunda posição significa:
A perseverança traz boa fortuna.

A premissa aqui é de que as portas do sucesso começam a se abrir. A resistência começa a ceder e há um avanço poderoso. Este é o ponto em que facilmente pode surgir uma excessiva e arrogante autoconfiança. Por isso o oráculo diz que a perseverança — isto é, a perseverança no equilíbrio interno, sem o uso excessivo do poder — traz boa fortuna.

Nove na terceira posição significa:
O homem inferior age através do poder.
O homem superior não age assim.
É perigoso continuar.
Um bode arremete contra uma cerca
e prende seus chifres.

Aquele que exibe seu poder acaba por se enredar em dificuldades assim como um bode enreda seus chifres ao arremeter contra uma cerca. O homem inferior aproveita-se do poder, de modo exibicionista, enquanto está de posse dele. O homem superior não procede assim. Ele permanece consciente do perigo implicado em tal arremetida intempestiva e renuncia em tempo a essa mera exibição de poder.

O Nove na quarta posição significa:
A perseverança traz boa fortuna.
O arrependimento desaparece.
Abre-se a cerca, e não há nenhum emaranhamento.
O poder se apóia no eixo de um grande carro.

Se um homem trabalha com perseverança e tranqüilidade na superação de obstáculos, ao final alcançará sucesso.[44] Os obstáculos cedem, e desaparece todo motivo de arrependimento em virtude do uso abusivo do poder. Aqui o poder de um homem não se mostra externamente, mas é capaz de mover pesadas cargas assim como um carro grande, cuja força está nos eixos. Quanto menos ele utilizar o poder externamente, tanto maior será seu efeito.

Seis na quinta posição significa:
O bode se solta com facilidade.
Nenhum arrependimento.

O bode caracteriza-se pela rigidez externa aliada à fraqueza interna. A situação apresenta uma configuração em que tudo é fácil, não havendo qualquer resistência. Pode-se, então, abandonar as tendências à beligerância e à teimosia, sem qualquer risco de arrependimento.

Seis na sexta posição significa:
Um bode arremete contra uma cerca.

[44] Isto também é válido em relação às lutas contra a própria natureza incompleta. Pois também nesse âmbito, apesar das constantes reincidências, o cansaço deve ser evitado até que o sucesso se concretize. Chega, então, o momento em que se pode afirmar:
"Passou todo o transitório, enredado em pecado. Crescem asas e abre-se o portal que conduz à eterna sala."

> Não pode ir nem para diante nem para trás.
> Nada é favorável.
> Se o homem nota a dificuldade,
> isso traz boa fortuna.

Se alguém se aventura longe demais, chega a um impasse em que não pode nem avançar nem recuar, e tudo o que fizer apenas aumentará a complicação. Uma tal teimosia leva a dificuldades insuperáveis. Se a pessoa reconhecer sua situação, desistir de continuar numa atitude obstinada e se tranqüilizar, então, com o tempo, tudo voltará à normalidade.

35. CHIN / PROGRESSO

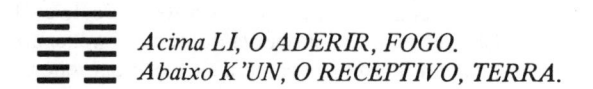

Acima LI, O ADERIR, FOGO.
Abaixo K'UN, O RECEPTIVO, TERRA.

Este hexagrama representa o sol que se eleva sobre a terra. É, portanto, o símbolo do progresso rápido e fácil, significando, ao mesmo tempo, uma crescente expansão e clareza.

JULGAMENTO

> PROGRESSO: o poderoso príncipe é honrado
> com grande número de cavalos.
> Num só dia é recebido em audiência três vezes.

Como exemplo do progresso descreve-se uma época em que um poderoso senhor feudal reúne os demais senhores em torno do governante num compromisso de lealdade e paz. O governante o presenteia ricamente e o convida a seu círculo mais íntimo.

Isso se refere a duas facetas de uma mesma idéia. O verdadeiro efeito do progresso emana de um homem numa posição dependente, que os outros consideram seu igual, a quem por isso seguem voluntariamente. Esse líder possui suficiente clareza de visão para não abusar da grande influência que exerce, e sim utilizá-la em benefício do governante. Este, por outro lado, livre de qualquer inveja, presenteia o grande homem com generosidade e o convida constantemente à corte. Um governante esclarecido e um servo obediente, eis os requisitos para um grande progresso.

IMAGEM

> O sol eleva-se sobre a terra: a imagem do PROGRESSO.
> Assim, o próprio homem superior
> ilumina suas evidentes qualidades.

A luz do sol quando se eleva sobre a terra é por natureza clara. Mas quanto mais alto o sol ascende, tanto mais emerge das névoas obscuras, irradiando a pureza primordial de seus raios sobre áreas cada vez mais extensas. Assim também a verdadeira essência do homem, originalmente pura, é obscurecida pelo contato com a terra, sendo por isso necessária uma purificação para poder brilhar em sua luminosidade original.[45]

LINHAS

Seis na primeira posição significa:
Progredindo, porém sendo recusado.
A perseverança traz boa fortuna.
Quando não se encontra confiança, deve-se permanecer calmo.
Nenhuma culpa.

Numa época em que tudo induz ao progresso, um homem tem ainda dúvidas se ao avançar não será rechaçado. Então é necessário apenas que continue no caminho correto: isso trará ao final boa fortuna. Pode ser que não lhe depositem confiança. Neste caso ele não deve tentar conquistar a confiança a qualquer preço, e sim permanecer calmo e alegre, não se deixando levar pela ira. Assim ele permanecerá livre de culpa.

Seis na segunda posição significa:
Progredindo, porém em tristeza.
A perseverança traz boa fortuna.
Obtém-se então uma grande felicidade
da parte de sua ancestral.

O progresso é detido. Alguém se encontra impossibilitado de entrar em contato com a autoridade com a qual tem ligações. Quando isso acontece, é necessário manter-se perseverante apesar da tristeza, pois o homem de autoridade que foi mencionado, com um carinho maternal, o presenteará com uma grande felicidade. Esta felicidade lhe advirá – e ela é merecida –, pois esta mútua simpatia não se baseia em motivos egoístas ou facciosos, e sim em princípios firmes e corretos.

Seis na terceira posição significa:
Todos estão de acordo.
O remorso desaparece.

Um homem se esforça para avançar associado a outros em cujo apoio encontra incentivo. Isso põe fim a qualquer sentimento de remorço pelo fato de não se dispor de independência suficiente para vencer sozinho as adversidades.

Nove na quarta posição significa:
Progresso como o de um roedor.
A perseverança provoca perigo.

Em épocas de progresso é fácil para homens fortes, ocupando posições incorretas, acumular grandes posses. Mas tal conduta obscurece a luz. E como épocas de progresso são também épocas em que atitudes duvidosas são sempre descobertas, a perseverança em tal procedimento sempre conduz ao perigo.

○ Seis na quinta posição significa:
O arrependimento desaparece.
Não se deixe levar por ganho ou perda.
Empreendimentos trazem boa fortuna.
Tudo é favorável.

[45] Este tema é tratado detalhadamente no "Grande Estudo" (Ta Huo).

Aqui se descreve a situação de alguém que, em tempos de progresso, apesar de se encontrar numa posição influente, permanece gentil e reservado. Ele talvez se recrimine por não aproveitar a conjuntura benéfica do momento para obter todas as vantagens possíveis. Mas esse arrependimento desaparece. Um homem não deve se deixar levar por ganhos ou perdas. Essas são coisas de ordem inferior. O importante é que ele assegurou para si a possibilidade de exercer uma influência eficaz e benéfica.

> Nove na sexta posição significa:
> Progredir com os chifres é lícito apenas
> quando se vai aplicar o castigo em seu próprio território.
> Ter consciência do perigo traz boa fortuna.
> Nenhuma culpa.
> A perseverança traz humilhação.

Progredir com os chifres, isto é, agir agressivamente numa época como a que aqui se descreve, só é lícito quando se lida com as faltas cometidas por seu próprio povo. Mesmo assim se deve estar consciente de que uma atitude agressiva sempre implica em perigo. Com isso um homem pode evitar os erros que de outro modo o ameaçariam e alcança sucesso naquilo que se propôs. Por outro lado, a persistência numa conduta demasiado enérgica, principalmente em relação a estranhos, levará à humilhação.

明夷

36. MING I / OBSCURECIMENTO DA LUZ

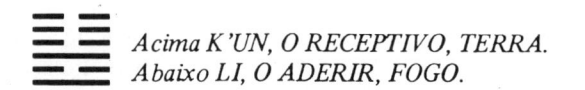

Acima K'UN, O RECEPTIVO, TERRA.
Abaixo LI, O ADERIR, FOGO.

Aqui o sol mergulhou sob a terra e está portanto obscurecido. O nome do hexagrama significa literalmente "lesão do luminoso", por isso as linhas individuais fazem freqüente menção a ferimentos. A situação é o exato oposto do hexagrama anterior. Lá um homem sábio liderava e, na companhia de ajudantes capazes, avançava. No presente hexagrama um homem tenebroso ocupa uma posição influente e causa malefícios aos homens capazes e sábios.

JULGAMENTO

OBSCURECIMENTO DA LUZ. Durante a adversidade
é favorável manter-se perseverante.

Um homem não deve se deixar arrastar passivamente por circunstâncias desfavoráveis, nem permitir que sua firmeza interna seja abalada. Ele o conseguirá conservando sua clareza interior e permanecendo adaptável e tratável no plano externo. Com essa atitude é possível superar até a maior adversidade. Em certas circunstâncias é necessário ocultar sua luz, de modo a salvaguardar a vontade em meio a um ambiente hostil. A perseverança deve-se resguardar no mais íntimo da consciência, sem ser percebida de fora. Só assim é possível conservar sua vontade diante de dificuldades.

IMAGEM

A luz mergulhou no fundo da terra:
a imagem do OBSCURECIMENTO DA LUZ.
Assim, o homem superior convive com o povo.
Ele oculta seu brilho e apesar disso ainda resplandece.

Em épocas de obscurecimento da luz é essencial ser cuidadoso e discreto. Não se deve atrair grandes inimizades desnecessariamente em virtude de uma conduta impensada. Nessas épocas o homem não deve se deixar conduzir pelos hábitos da maioria nem deve trrazê-los à luz criticamente. Em contatos sociais não se deve pretender saber tudo. É preciso deixar passar muita coisa sem ser porém enganado.

LINHAS

Nove na primeira posição significa:
Obscurecimento da luz durante o vôo.
Ele abaixa suas asas.
Em sua peregrinação, o homem superior
não come nada durante três dias.
Mas ele tem onde ir.
Seu anfitrião murmura a seu respeito.

Numa grandiosa decisão alguém tenta se elevar acima de todos os obstáculos. Mas encontra um destino hostil. Ele se retira e evita uma confrontação com o obstáculo. Esta é uma época difícil. É preciso continuar avançando apressadamente, sem descanso, sem uma morada fixa. Se ele não quiser se comprometer internamente, mas permanecer fiel a seus princípios, sofrerá privações. Mas ele se mantém firme na luta por seu objetivo, apesar das pessoas com as quais convive não o compreenderem e o difamarem.

O Seis na segunda posição significa:
O obscurecimento da luz o fere na coxa esquerda.
Ele dá ajuda com a força de um cavalo.
Boa fortuna.

Aqui o senhor da luz encontra-se em posição subalterna e é ferido pelo senhor das trevas. Mas o ferimento não é fatal, é somente uma dificuldade. A salvação ainda é possível. O ferido não pensa em si próprio. mas apenas em resgatar os outros, que também correm perigo. Por isso ele tenta com todas as suas forças salvar o que pode ser salvo. A boa fortuna consiste em agir de acordo com o dever.

Nove na terceira posição significa:
O obscurecimento da luz durante a caçada no sul.
Captura-se seu principal líder.
Não se deve esperar a perseverança muito rápido.

O jogo do destino parece estar se realizando. Enquanto se esforça e luta para estabelecer a ordem, sem quaisquer intenções ulteriores, o homem forte e leal encontra inesperadamente, como que por acaso, o líder da desordem, e o captura. Deste modo consegue a vitória. Mas não deve procurar suprimir os abusos com excessiva precipitação. Isto seria nefasto, pois os abusos vêm já há muito tempo

Seis na quarta posição significa:
Ele penetra do lado esquerdo do abdome.
Chega-se ao coração do obscurecimento da luz
e se deixa para trás o portão e o pátio.

Um homem se encontra próximo ao senhor das trevas e descobre seus mais secretos pensamentos. Deste modo constata que já não há qualquer esperança de melhora e que, portanto, se está autorizado a abandonar o lugar do infortúnio, antes do eclodir da tormenta.

○ Seis na quinta posição significa:
O obscurecimento da luz
tal como ocorreu com o príncipe Chi.
A perseverança é favorável.

O príncipe Chi viveu na corte do tenebroso tirano Chou Hsin, o qual, apesar de não ser mencionado, fornece o exemplo histórico correspondente a esta situação. O príncipe Chi era parente desse tirano e, por isso, não podia se retirar da corte. Assim sendo, ele ocultou seus verdadeiros sentimentos e fingiu-se de louco. Ainda que mantido na escravidão, ele não permitiu que a adversidade externa o afastasse de suas convicções.

Isso instrui àqueles que não podem abandonar suas posições em épocas de escuridão. Para escapar ao perigo precisarão aliar a uma invencível perseverança interior uma redobrada cautela no plano exterior.

☐ Seis na sexta posição significa:
Não há luz, porém há escuridão.
Primeiro ele galgou ao céu,
depois precipitou-se nas profundezas da terra.

Aqui a escuridão chega ao ápice. O poder das trevas alcançou ao início uma posição tão elevada que podia ferir todos os que seguiam a luz e o bem. Porém, ao final, ele perece, vítima de sua própria escuridão. O mal sucumbe inexoravelmente no momento em que supera por completo ao bem, por ter assim consumido a força à qual devia sua existência.

家人

37. CHIA JEN / A FAMÍLIA

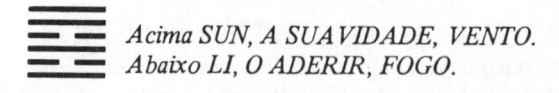

Acima SUN, A SUAVIDADE, VENTO.
Abaixo LI, O ADERIR, FOGO.

Este hexagrama representa as leis que regem a família. A linha forte ao alto representa o pai, a da primeira posição, o filho. A linha forte na quinta posição representa o marido, enquanto a linha maleável na segunda posição corresponde à esposa.

Por outro lado, as duas linhas fortes na quinta e terceira posições representam dois irmãos e as linhas maleáveis correlatas, na quarta e segunda posições, suas esposas. Deste modo todos os vínculos e relacionamentos existentes no interior da família encontram uma expressão adequada. Cada linha individual ocupa a posição que corresponde à sua natureza. O fato de uma linha forte ocupar a sexta posição, onde se poderia esperar uma linha maleável, indica de modo bastante claro a forte liderança que deve emanar do chefe da família. Ela deve ser considerada não em sua condição de sexta linha, mas enquanto linha mais elevada. A FAMÍLIA mostra as leis que vigoram no interior da casa e que, transferidas ao exterior, mantêm a ordem no estado e no mundo. A influência que emana do interior da família é representada pela imagem do vento gerado pelo fogo.

JULGAMENTO

A FAMÍLIA. A perseverança da mulher é favorável.

A família tem seus fundamentos no relacionamento entre marido e mulher. O laço que mantém a família unida é a fidelidade e a perseverança da mulher. A posição dela é no interior (segunda linha) e a posição dele, no exterior (quinta linha). O fato de o homem e a mulher ocuparem o lugar que lhes corresponde está de acordo com as grandes leis da natureza. Na família uma firme autoridade é necessária; isto é representado pelos pais. Quando o pai é realmente um pai e o filho um filho, quando o irmão mais velho preenche sua função como irmão mais velho, e o mais moço a que lhe é própria, quando o esposo é realmente esposo e a esposa uma esposa, então a família está em ordem. Quando a família está em ordem, todos os relacionamentos sociais da humanidade também estão em ordem.

Das cinco relações sociais, três são encontradas no interior da família: a relação entre pai e filho, que é a do amor; entre o marido e a mulher, que é a do recato; entre o irmão mais velho e o irmão mais moço, que é a da correção. O afetuoso respeito do filho é então transferido ao príncipe, como lealdade ao dever. A correção e o afeto existentes entre os irmãos são aplicados ao amigo como lealdade e aos superiores como deferência. A família é a célula que dá origem à sociedade, o solo nativo em que o exercício dos deveres morais é facilitado pela natural afeição. Nesse pequeno círculo são criados os princípios éticos que mais tarde serão ampliados às relações humanas em geral.

IMAGEM

O vento surge do fogo: a imagem da FAMÍLIA.
Assim, em suas palavras o homem superior possui conteúdo
e em seu modo de vida ele possui duração.

O calor gera força; isso representa o vento que é atiçado pelo fogo e dele surge. Isso indica uma influência que age do interior para o exterior. O mesmo é necessário para organizar a família. Aqui também a influência deve partir da própria pessoa para dirigir-se aos outros. Para poder exercer tal influência, as palavras precisam ter força, e só podem tê-la quando baseiam-se em algo verdadeiro, assim como a chama depende do combustível. As palavras exercem influência somente quando são objetivas e claramente referentes a circunstâncias definidas. Discursos e advertências genéricas não têm qualquer efeito. As palavras devem ainda estar apoiadas em todo um modo de vida, assim como o efeito do vento deriva de sua continuidade. Só uma conduta firme e conseqüente terá impacto sobre outros, fazendo com que se adaptem e se orientem por ela. Se a palavra e a conduta não estão em harmonia e não são conseqüentes, não terão efeito.

LINHAS

Nove na primeira posição significa:
Firme decisão dentro da família.
O arrependimento desaparece.

A família deve formar uma unidade bem definida, dentro da qual cada membro conheça seu lugar. As crianças devem ser acostumadas desde cedo a normas firmes, antes que sua vontade se volte para outras direções. Se a ordem é imposta tardiamente, quando já se foi demasiado indulgente com a criança, tem-se de enfrentar a resistência dos caprichos e das paixões que se desenvolveram, havendo, portanto, motivo para arrependimento. Se a ordem é imposta desde o começo, ainda assim podem surgir motivos para arrependimento. Isto é inevitável em se tratando do convívio social em termos gerais — entretanto ele logo desaparecerá, e tudo se solucionará. Pois não há nada que possa ser mais facilmente evitado e que seja mais difícil de ser levado a cabo que "quebrar a vontade" de uma criança.

O Seis na segunda posição significa:
Ela não deve seguir seus caprichos.
Deve cuidar dos alimentos no interior.
A perseverança traz boa fortuna.

A mulher deve sempre seguir a vontade do dono da casa, seja o pai, o esposo ou o filho mais velho. O lugar dela é dentro de casa. Ali, sem que precise sair em busca de outras responsabilidades, tem grandes e importantes deveres. Ela deve cuidar da alimentação de seus familiares, assim como das oferendas para os rituais. Com isso a mulher se torna o centro da vida social e religiosa da família. Sua perseverança nessa posição traz boa fortuna para toda a casa.

Aplicado às circunstâncias gerais o texto aconselha a não se procurar nada por meio da força, mas restringir-se aos deveres imediatos.

Nove na terceira posição significa:
Quando os ânimos na família se inflamam,
uma severidade excessiva causa arrependimento.
Apesar disso, boa fortuna.
Quando a mulher e a criança brincam e riem,
isso conduz, ao final, à humilhação.

Na família deve prevalecer um justo equilíbrio entre o rigor e a indulgência. Uma severidade excessiva contra os que nos são mais próximos leva ao arrependimento. O mais aconselhável é se fixar limites firmes dentro dos quais se permita aos indivíduos completa liberdade de movimento. Porém, em casos de dúvida, é preferível um excesso de rigor. Este, apesar dos erros que ocasionalmente possa acarretar, preserva ainda a disciplina na família, enquanto a fraqueza excessiva conduz à humilhação.

Seis na quarta posição significa:
Ela é a riqueza da casa.
Grande boa fortuna.

O bem-estar da família depende da dona da casa. O bem-estar prevalece quando as despesas e a receita são proporcionais. Isso traz grande boa fortuna. Aplicada à esfera da vida pública, essa linha se referiria ao leal administrador, cujas iniciativas propiciam o bem-estar geral.

O Nove na quinta posição significa:
Como um rei ele se aproxima de sua família.
Não tema.
Boa fortuna.

O rei é o símbolo de um homem paternal e interiormente rico. Ele não age infundindo temor, mas, ao contrário, toda a família pode confiar nele porque o amor rege seu relacionamento.[46] Seu caráter por si só exerce a influência correta.

Nove na sexta posição significa:
Seu trabalho exige respeito.
Ao final vem a boa fortuna.

A ordem da família baseia-se, em última instância, na pessoa do dono da casa. Quando ele cultiva sua personalidade de modo a que sua influência se deva à força da verdade interior, tudo corre bem na família. Aquele que ocupa a posição de direção deve assumir ele próprio as responsabilidades.

38. K'UEI / OPOSIÇÃO

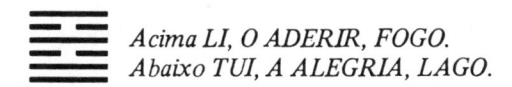

Acima LI, O ADERIR, FOGO.
Abaixo TUI, A ALEGRIA, LAGO.

Este hexagrama se compõe do trigrama superior Li, a chama que arde tendendo para o alto, e do trigrama Tui, o lago, que flui para baixo. Estes movimentos são antagônicos. Além disso, Li é a segunda filha e Tui, a filha mais moça. Apesar de habitarem a mesma casa, pertencem a homens diferentes; por isso suas vontades divergem e buscam objetivos em direções opostas.

JULGAMENTO

OPOSIÇÃO. Em pequenas coisas, boa fortuna.

Quando as pessoas vivem em oposição e distanciadas umas das outras, não podem levar a cabo um grande empreendimento em comum. Seus pontos de vista divergem demais. Em tais circunstâncias, é sobretudo importante que não se proceda de maneira brusca, pois isto só agravaria a oposição. A ação deve se restringir a uma influência gradual em aspectos menores. Aqui, ainda se pode esperar um sucesso, pois trata-se de uma situação em que a oposição não exclui por completo a possibilidade de um entendimento.

Em geral a oposição aparece como um obstáculo, mas quando ela representa polaridades contrárias no interior de um todo que as engloba, tem uma função benéfica e importante.

As oposições entre o céu e a terra, o espírito e a natureza, entre o homem e a mulher, promovem a criação e a multiplicação da vida quando se descobre serem as

---
[46] Comparar a: "O medo não existe no amor".

diferenças complementares entre si. No plano das coisas visíveis, a oposição possibilita a diferenciação em categorias, pela qual se estabelece a ordem no mundo.

IMAGEM

Acima o fogo, abaixo o lago: a imagem da OPOSIÇÃO.
Assim, o homem superior mantém sua individualidade
em meio à comunidade.

Os dois elementos, fogo e água, mesmo quando estão juntos, nunca se misturam, porém, conservam sua natureza própria. Do mesmo modo, o homem superior também nunca se deixa levar à vulgaridade em virtude do convívio e de interesses comuns com pessoas de índole diversa da sua. Apesar de toda a proximidade, ele sempre preservará sua individualidade.

LINHAS

Nove na primeira posição significa:
O arrependimento desaparece.
Se você perde seu cavalo, não corra atrás dele.
Ele voltará por si mesmo.
Quando você encontrar pessoas más,
acautele-se contra erros.

Mesmo em épocas de oposição é possível agir de modo a evitar erros, de forma que o arrependimento desapareça. Quando a oposição surge, não se deve tentar forçar a união; procedendo assim o resultado seria, sem dúvida, o contrário, tal como um cavalo se afasta cada vez mais quando é perseguido. Se o cavalo é nosso, podemos deixá-lo seguir tranqüilamente, pois voltará sozinho. Do mesmo modo, quando um homem ligado a nós se afasta como conseqüência de um mal-entendido, voltará espontaneamente se o deixarmos agir em liberdade. Por outro lado, devemos ser cautelosos quando pessoas maldosas que não pertencem ao nosso meio forçam sua presença — também como conseqüência de um mal-entendido. O importante aqui é evitar erros: não se deve pretender afastá-los com violência, pois isso intensificaria ainda mais a hostilidade. Ao contrário, é necessário simplesmente tolerá-los, pois com o tempo se retirarão por sua própria iniciativa.

O Nove na segunda posição significa:
Ele encontra seu senhor numa rua estreita.
Nenhuma culpa.

Em virtude de desentendimentos tornou-se impossível a pessoas cujas naturezas se correspondem aproximarem-se da maneira correta. Neste caso, um encontro casual, em condições informais, também é aceitável, desde que haja uma afinidade interna.

Seis na terceira posição significa:
Alguém vê a carroça sendo arrastada para trás,
os bois detidos,
cortados o cabelo e o nariz de um homem.
Nenhum bom começo, mas um bom final.

Às vezes parece que tudo está contra um homem. Ele se vê barrado e detido em seu progresso, sente-se insultado e ferido.[47] Mas ele não deve se deixar confundir. Apesar de toda a oposição, é preciso que se mantenha firmemente unido àquele

---

[47] Cortar os cabelos e o nariz era um castigo grave e degradante.

com quem possui afinidade. Apesar do mau começo, ao final tudo acabará bem.

>   Nove na quarta posição significa:
>   Isolado através da oposição.
>   Ele encontra um homem que lhe é semelhante em natureza,
>   com o qual pode estabelecer um relacionamento leal.
>   Apesar do perigo, nenhuma culpa.

Quando um homem se encontra em companhia de alguém de quem se vê separado por uma oposição interna, isso o conduz ao isolamento. Mas se nesta situação ele encontra um homem que em sua essência, em suas bases, lhe corresponde, em quem pode depositar total confiança, ele supera todo o perigo do isolamento. Sua vontade será bem sucedida e ele livra-se de erros.

>   ○ Seis na quinta posição significa:
>   O arrependimento desaparece.
>   O companheiro abre seu caminho, rompendo o que o envolve.
>   Se fôssemos a seu encontro,
>   como poderia isso ser um erro?

Um homem leal é encontrado, mas a princípio não é reconhecido como tal devido ao isolamento reinante. Mas ele abre seu caminho, rompendo o que o envolve e separa. Quando um companheiro se revela em toda sua essência, é nosso dever ir ao seu encontro e colaborarmos com ele.

>   Nove na sexta posição significa:
>   Isolado em virtude da oposição,
>   vemos nosso companheiro como um porco enlameado,
>   como uma carroça cheia de diabos.
>   Primeiro distendemos o arco em sua direção,
>   depois deixamos o arco de lado.
>   Ele não é um ladrão, no momento devido irá cortejar.
>   Enquanto se segue adiante a chuva cai;
>   depois vem a boa fortuna.

Aqui há isolamento em virtude de desentendimentos. Ele é provocado por condições internas e não por circunstâncias externas. Um homem desconfia de seus melhores amigos, considerando-os impuros como porcos enlameados e perigosos como uma carroça cheia de diabos. Ele se coloca na defensiva. Mas, ao final, reconhece seu erro, deixa o arco de lado e percebe que o outro vem com as melhores intenções, buscando uma estreita união. Assim a tensão se dissolve. A união põe fim ao antagonismo, assim como a chuva provoca o alívio da atmosfera sufocante que precede a tempestade. Tudo vai bem, pois a oposição, ao atingir sua culminância, transforma-se no seu contrário.

39. CHIEN / OBSTRUÇÃO

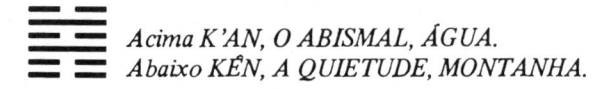

Acima K'AN, O ABISMAL, ÁGUA.
Abaixo KÊN, A QUIETUDE, MONTANHA.

Este hexagrama representa um abismo perigoso adiante e uma montanha íngreme e inacessível à retaguarda. Está-se cercado de obstáculos. Porém, no atributo da montanha, a quietude, está implícita uma indicação de como se pode superá-los. O hexagrama representa obstáculos que aparecem no decorrer do tempo, mas que podem e devem ser superados. Por isso todo o texto se dirige à sua superação.

JULGAMENTO

OBSTRUÇÃO. O sudoeste é favorável.
O nordeste não é favorável.
É favorável ver o grande homem.
A perseverança traz boa fortuna.

O sudoeste é a região da retirada; o nordeste, a região do avanço. Trata-se aqui de uma situação na qual alguém está diante de obstruções que não podem ser superadas diretamente. Neste caso, o sábio é parar diante do perigo e retirar-se. Essa, entretanto, é apenas uma preparação para a superação dos obstáculos. É necessário unir-se a amigos que compartilham do mesmo modo de pensar e colocar-se sob a direção de um homem à altura da situação. Assim se conseguirá remover as obstruções. Isto requer a capacidade de perseverar justo quando se tem de fazer algo que aparentemente desvia da meta. Esta inabalável firmeza interior traz ao final boa fortuna. Um impedimento temporário pode ser importante para o fortalecimento do caráter. Este é o valor da adversidade.

IMAGEM

A água acima da montanha: a imagem da OBSTRUÇÃO.
Assim, o homem superior volta-se sobre si mesmo
e cultiva seu caráter.

Dificuldades e obstáculos provocam e sugerem uma interiorização. Enquanto o homem inferior culpa ao mundo e incrimina o destino, o homem superior procura o erro em si mesmo. Em virtude dessa introspecção, o impedimento externo torna-se para ele uma oportunidade de enriquecimento e aprendizagem.

LINHAS

Seis na primeira posição significa:
Seguir conduz à obstrução.
Ao voltar se encontra o louvor.

Quando se encontra uma obstrução, o importante é refletir quanto ao melhor meio de lidar com ela. Quando um perigo ameaça, não se deve avançar às cegas, o que só conduziria a confusões. A atitude correta consiste em recuar temporariamente, não para desistir da luta, e sim para esperar o momento próprio à ação.

> Seis na segunda posição significa:
> O servidor de um rei encontra obstrução sobre obstrução,
> mas não é por culpa sua.

Em geral é preferível desviar-se da obstrução, tentando superá-la pelo caminho de menor resistência. Há, entretanto, condições que exigem que se vá ao encontro do obstáculo, mesmo que dificuldades sobrevenham uma após a outra — é quando o dever o impõe. Neste caso não se é livre para escolher segundo uma vontade própria, mas se é forçado a enfrentar o perigo em defesa de uma causa superior. Pode-se então proceder desta maneira com plena tranqüilidade, pois não é por erro próprio que a pessoa se encontra nessa situação difícil.

> Nove na terceira posição significa:
> Seguir conduz a obstruções.
> Assim sendo, ele volta.

Enquanto a linha anterior se refere a um funcionário que, para cumprir seu dever, é forçado a seguir no caminho do perigo, esta linha alude ao homem que deve agir como pai de família ou como chefe de seu clã. Seria inútil que ele se precipitasse irresponsavelmente no perigo, pois aqueles que estão sob seus cuidados não teriam condições de prosseguir sozinhos. Se, ao contrário, recuar e retornar aos seus, eles o saudarão com grande alegria.

> Seis na quarta posição significa:
> Prosseguir conduz a obstruções.
> Voltar conduz à união.

Aqui se descreve também uma situação que não se pode enfrentar sozinho. Neste caso, o caminho direto não é o mais curto. Se alguém quisesse avançar por suas próprias forças sem os devidos preparativos, não encontraria o apoio necessário. Compreenderia, então, já tarde demais, que enganou-se em seus cálculos. As condições com as quais esperava poder contar se mostram insuficientes. Neste caso é preferível primeiro manter certa reserva, até se conseguir reunir companheiros de confiança e com cujo apoio se possa superar as obstruções.

> O Nove na quinta posição significa:
> No meio das maiores obstruções chegam amigos.

Aqui surge o homem que é chamado a ajudar durante uma emergência. Ele não deve tentar evitar as obstruções, mesmo que estas se acumulem perigosamente diante dele. Mas como um tal homem realmente possui uma vocação superior, o poder de seu espírito é forte o suficiente para atrair auxiliares. Ele, por sua vez, tem condições de organizá-los de modo a que, graças à cooperação de todos num esforço conjunto, o obstáculo possa vir a ser superado.

> Seis na sexta posição significa:
> Seguir conduz a obstruções,
> voltar conduz à grande boa fortuna.
> É favorável ver o grande homem.

O texto aqui se refere a um homem que já deixou para trás o mundo e seus tumultos. Quando surge a época dos obstáculos, poderia parecer mais simples para ele abandonar o mundo e refugiar-se no além. Mas este caminho lhe está fechado. Ele não deve atingir a salvação sozinho, deixando o mundo entregue à adversidade. O dever o chama mais uma vez ao tumulto do mundo. Em virtude de sua experiência e liberdade interior, ele tem a possibilidade de criar algo grandioso e maduro que traga boa fortuna. É, portanto, favorável ver o grande homem com cuja colaboração se poderá realizar a obra da salvação.

解

40. HSIEH / LIBERAÇÃO

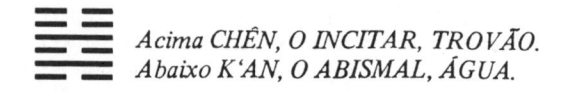

Acima CHÊN, O INCITAR, TROVÃO.
Abaixo K'AN, O ABISMAL, ÁGUA.

Aqui o movimento sai da esfera do perigo. O impedimento é removido e as dificuldades estão sendo solucionadas. A liberação ainda não foi concluída; está nos primórdios, e o hexagrama representa suas diferentes etapas.

JULGAMENTO

LIBERAÇÃO. O sudoeste é favorável.
Quando não resta nada a que se deva ir,
o regresso traz a boa fortuna.
Se ainda há algo a que se deva ir,
apressar-se traz boa fortuna.

Esta é uma época em que as tensões e as complicações começam a ceder. Em tais períodos é necessário retornar o quanto antes às condições normais — este é o significado do sudoeste. Tais épocas de mudança repentina são muito importantes. Assim como a chuva provoca um alívio nas tensões atmosféricas e faz com que todos os brotos se entreabram, assim também o período da liberação traz um alívio ao que estava sendo oprimido, e um estímulo à vida. Mas uma coisa é muito importante: nessas épocas não se deve levar o triunfo a extremos. É conveniente não se procurar avançar mais do que o necessário. A boa fortuna aqui consiste em voltar à normalidade da vida assim que se alcança a liberação. Caso ainda restem resíduos por eliminar, é recomendável providenciá-lo o mais rapidamente possível, para que tudo seja esclarecido e encerrado sem demora.

IMAGEM

O trovão e a chuva surgem: a imagem da LIBERAÇÃO.
Assim, o homem superior perdoa os erros
e desculpa as faltas.

A tempestade purifica a atmosfera. O homem superior procede de modo semelhante ao tratar dos erros e falhas humanas que provocam estados de tensão. Ele promove a liberação através do esclarecimento. Mas quando as faltas vêm à tona, não se detém insistindo nelas. Ao contrário, procura relevar as falhas e as transgressões não intencionais, assim como o som do trovão extingue-se ao longe. Ele perdoa as culpas e as transgressões deliberadas, assim como a água a tudo purifica.

LINHAS

Seis na primeira posição significa:
Sem culpa.

A situação aqui não requer muitas palavras. O impedimento passou, a liberação é chegada. A recuperação deve se fazer na tranqüilidade e quietude. Essa é a atitude correta no período que se segue à recuperação de dificuldades.

O Nove na segunda posição significa:
Matam-se três raposas no campo
e recebe-se uma flecha amarela.
A perseverança traz boa fortuna.

O simbolismo aqui usa a imagem de uma caçada. O caçador abate três raposas astutas e recebe como prêmio uma flecha amarela. Os obstáculos na vida pública são as raposas impostoras que procuram influenciar o governante através da adulação. Elas devem ser eliminadas para que a liberação possa ocorrer. Mas a luta não deve ser conduzida com armas erradas. A cor amarela indica a medida justa que se deve aplicar no combate ao inimigo, a flecha indica o rumo direto. Quando alguém se dedica de todo coração à tarefa da liberação, sua retidão gera uma força interior capaz da atuar como uma arma contra toda a falsidade e contra toda a vileza.

Seis na terceira posição significa:
Se alguém leva um fardo às costas
e ao mesmo tempo viaja numa carruagem,
atrai com isso a aproximação de ladrões.
A perseverança conduz à humilhação.

Isto se refere a um homem que saiu de circunstâncias de pobreza e alcançou uma posição cômoda, livre de necessidades. Se, então, como um novo rico, ele se torna indulgente para com um conforto que na verdade não corresponde à sua natureza, ele atrairá desse modo os ladrões. Caso prossiga nessa atitude, encontrará sem dúvida razões para se envergonhar.

Confúcio comenta a respeito dessa linha: "Carregar um fardo às costas é tarefa de um homem comum. A carruagem é o meio de transporte dos nobres. Quando um homem comum usa algo que é próprio aos nobres, atrai com isso os ladrões. Quando um homem é insolente para com seus superiores e severo para com os subalternos, atrai ladrões ao roubo. Uma jovem usando jóias suntuosas é uma tentação a que lhe roubem a virtude".

Nove na quarta posição significa:
Liberte-se de seu dedo maior do pé.
Virá então o companheiro
e nele você poderá confiar.

Em épocas de paralisação, pode acontecer de homens vulgares ligarem-se a um homem superior e, com a convivência diária, tornarem-se íntimos e indispensáveis, assim como o dedo maior é indispensável ao pé, facilitando-lhe o caminhar. Mas quando aproxima-se o momento da liberação com seu chamado à ação, o homem deve libertar-se de tais companhias casuais, com as quais não tem conecções internas.

Se não o fizer, os amigos que compartilham de seus ideais, aqueles em quem realmente pode confiar e com os quais poderia realizar algo, desconfiarão dele e se manterão afastados.

> O Seis na quinta posição significa:
> Caso somente o homem superior possa liberar-se,
> isso traz boa fortuna.
> Assim ele demonstra ao homem inferior sua seriedade.

Épocas de liberação exigem resoluções internas. Não se podem afastar os homens inferiores através de proibições ou de meios externos. Para que possamos nos livrar, devemos primeiramente liberar-nos por completo deles interiormente, pois então perceberão por si mesmos que estamos tomando as coisas a sério, e se retirarão.

> Seis na sexta posição significa:
> O príncipe atira num falcão
> que está pousado sobre uma alta muralha.
> Ele o mata.
> Tudo é favorável.

Um falcão sobre uma muralha alta é a imagem de um poderoso homem inferior numa posição elevada, impedindo a liberação. Ele não cede a influências internas, pois está enrigecido em sua maldade. Ele tem de ser eliminado pela força e isso requer meios apropriados.

Confúcio comenta a respeito dessa linha: "O falcão é o objetivo da caça. O arco e a flecha são os instrumentos e os meios. O arqueiro é o homem que deve utilizar corretamente os meios para atingir o objetivo. O homem superior contém os meios em sua própria pessoa. Ele espera o momento apropriado, e então age. Por que não haveria de sair tudo bem? Ele age, e é livre. Portanto, é necessário apenas que siga adiante e abata sua presa. Assim faz aquele que atua após ter preparado os meios".

41. SUN / DIMINUIÇÃO

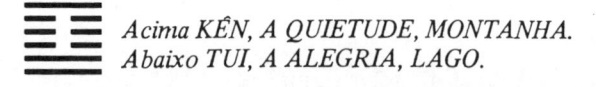

Acima KÊN, A QUIETUDE, MONTANHA.
Abaixo TUI, A ALEGRIA, LAGO.

Este hexagrama representa uma diminuição do trigrama inferior em benefício do trigrama superior, pois a terceira linha, originalmente forte, moveu-se para o alto e seu lugar foi ocupado pela linha de cima, originalmente fraca.[48] Assim sendo, o que

---

[48] O hexagrama 41, DIMINUIÇÃO, é considerado como sendo decorrente de modificações ocorridas no hexagrama 11, PAZ, cuja terceira linha, uma linha forte, teria ascendido à sexta posição, enquanto que a sua sexta linha, uma linha maleável, teria descido para ocupar a terceira posição, que se tornara vaga. Com isso se formaria o hexagrama 41. Um processo análogo ocorre como o hexagrama seguinte, 42, AUMENTO, em relação ao hexagrama 12, ESTAGNAÇÃO. *(Nota da tradução brasileira.)*

está abaixo está diminuído em favor do que está acima. Isso significa pura e simples diminuição. Quando se reduzem os fundamentos de uma construção e se fortalecem as paredes superiores, toda a estrutura perde sua estabilidade. Do mesmo modo uma diminuição no bem-estar do povo em favor do governo representa uma pura e simples diminuição. E todo o tema do hexagrama visa a indicar como esse deslocamento de bens pode ocorrer sem que se esgotem as fontes de riqueza da nação e de suas classes mais desfavorecidas.

JULGAMENTO

DIMINUIÇÃO unida à veracidade
promove suprema boa fortuna, livre de culpa.
Nisso se pode perseverar.
É favorável empreender algo.
Como levá-lo a cabo?
Podem-se utilizar duas pequenas tigelas para o sacrifício.

A diminuição não significa necessariamente algo mau. Aumento e diminuição vêm em seu tempo próprio. É necessário então adaptar-se às condições do momento, e não pretender encobrir a pobreza com uma aparência vazia. Quando uma época de escassos recursos vem despertar uma verdade interna, não há motivo algum para que o homem se envergonhe pela simplicidade. Pois é justamente a simplicidade que então pode prover a força necessária a novos empreendimentos. Não é motivo para preocupação caso a beleza exterior de uma civilização, ou mesmo a elaboração das formalidades religiosas, tenham que sofrer em virtude da simplicidade. A força do conteúdo compensará a limitação da aparência. Deve-se recorrer à força interior para suprir a carência externa. Assim o poder do conteúdo compensará a simplicidade da forma. Diante de Deus não há sentido para uma aparência falsa. Os sentimentos do coração podem manifestar-se até mesmo com escassos recursos.[49]

IMAGEM

Na base da montanha está o lago: a imagem da DIMINUIÇÃO.
Assim, o homem superior controla sua ira
e refreia seus instintos.

O lago na base da montanha evapora. Assim, ele diminui em favor da montanha, a qual se enriquece graças à sua umidade. A montanha é o símbolo da força voluntariosa que, enrijecida, pode transformar-se em ira. O lago é o símbolo da alegria descontrolada que pode desenvolver-se em instinto passional, e consumir as energias vitais. Por isso a diminuição é necessária; a ira deve ser diminuída através da tranqüilidade, os instintos controlados por meio de restrições. Essa diminuição nas forças psíquicas inferiores conduz a um enriquecimento dos aspectos superiores da alma.

LINHAS

Nove na primeira posição significa:
Acudir com rapidez após a conclusão
de suas próprias tarefas não implica em culpa.
Mas deve-se refletir
até que ponto se pode diminuir os outros.

Um homem demonstra bondade e abnegação se, após concluir suas tarefas mais urgentes, põe sua força a serviço de outros, e sem vangloriar-se ou fazer alarde procura ajudar com presteza em tudo o que for necessário. Porém, o homem que ocupa

---

[49] Comparar com o óbolo da viúva no Evangelho de São Lucas.

uma posição elevada e é ajudado desta maneira deve pesar até onde pode aceitar tal ajuda, sem com isso causar significativos prejuízos ao servidor ou amigo solícito. Só quando existe tal sensibilidade pode alguém se dar incondicionalmente e sem vacilar.

>Nove na segunda posição significa:
>A perseverança é favorável.
>Empreender algo traz infortúnio.
>Sem diminuir a si próprio
>se pode aumentar os outros.

Para que se possa servir aos outros é necessário um elevado grau de autoconhecimento e uma seriedade vigorosa, livre de toda complacência. Aquele que se anula para seguir a vontade de um superior diminui sua própria posição, sem com isso dar ao outro qualquer benefício duradouro. Isto está errado. Uma pessoa pode prestar um serviço de valor duradouro aos outros, quando o realiza sem renegar seus próprios princípios.

>☐ Seis na terceira posição significa:
>Quando três pessoas viajam juntas,
>esse número diminui em um.
>Quando uma pessoa viaja só,
>encontra um companheiro.

Quando três pessoas se reúnem, a inveja pode surgir. Então uma tem que se retirar. Uma aliança mais íntima só é possível entre duas pessoas. Mas quando um homem está só, certamente encontrará um companheiro que o complemente.

>Seis na quarta posição significa:
>Quando alguém diminui suas falhas,
>faz com que o outro aproxime-se rapidamente
>e se alegre.
>Nenhuma culpa.

Muitas vezes os defeitos de uma pessoa impedem que homens bem intencionados dela se aproximem. Essas falhas são algumas vezes agravadas pelo seu meio ambiente. Mas se humildemente decide corrigir-se, libera assim seus amigos bem intencionados de uma pressão interna. Isso lhes possibilita aproximarem-se rapidamente, para mútua alegria.

>○ Seis na quinta posição significa:
>Alguém sem dúvida o aumenta.
>Dez pares de tartarugas não podem se opor a isso.
>Suprema boa fortuna.

Para aquele que está predestinado à boa fortuna, ela, infalível, chegará. Todos os oráculos, como por exemplo os obtidos pela leitura dos cascos de tartaruga, coincidirão favoravelmente. Ele nada precisa temer, pois sua boa fortuna obedece a um desígnio superior.

>☐ Nove na sexta posição significa:
>Quando se é aumentado sem que os outros
>sejam por isso diminuídos, não há culpa.
>A perseverança traz boa fortuna.
>É favorável empreender algo.
>Auxiliares são encontrados,
>mas não se dispõe de morada própria.

. Há pessoas que beneficiam o mundo inteiro. Sempre que seu poder aumenta, todos são beneficiados, e por isso um tal fortalecimento nunca implica em diminuição para os outros. Graças à perseverança e ao esforço de seu trabalho, um homem alcança o sucesso e encontra os auxiliares de que necessita. Mas o que ele realiza não traz apenas um benefício particular limitado, porém é útil e acessível a todos.

42. I / AUMENTO

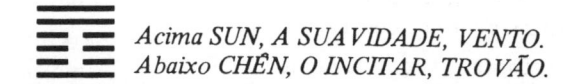

Acima SUN, A SUAVIDADE, VENTO.
Abaixo CHÊN, O INCITAR, TROVÃO.

A idéia de aumento é sugerida pelo fato de a linha inferior forte do trigrama superior ter mergulhado, colocando-se embaixo do trigrama inferior.[50] Esta concepção de aumento exprime também uma idéia fundamental no Livro das Mutações. Governar na verdade significa servir. Um sacrifício do superior visando a um aumento do inferior é considerado um simples aumento. Isso indica o único espírito capaz de ajudar o mundo.

JULGAMENTO

AUMENTO. É favorável empreender algo.
É favorável atravessar a grande água.

·O sacrifício por parte dos que estão situados ao alto em benefício dos que estão em posições inferiores desperta no povo um sentimento de alegria e gratidão, que é de suma importância para o bem comum. Quando as pessoas amam a seus governantes, tornam-se capazes de realizar com sucesso até mesmo coisas difíceis e perigosas. Em tais épocas de progresso, em que o desenvolvimento se realiza com sucesso, o trabalho é necessário para que as possibilidades do momento sejam utilizadas. Este período é semelhante a um casamento entre o céu e a terra, quando a terra participa da força criadora do céu, dando forma e concretude aos seres vivos. A época do aumento não é permanente e por isso deve ser aproveitada enquanto perdura.

IMAGEM

Vento e trovão: a imagem do AUMENTO.
Assim o homem superior:
quando vê o bem, o imita.
Quando tem falhas, as descarta.

---

[50] O hexagrama 42, AUMENTO, é considerado como sendo decorrente de modificações ocorridas no hexagrama 12, ESTAGNAÇÃO, cuja quarta linha, uma linha forte, teria descido para ocupar a primeira posição, enquanto que a primeira linha, uma linha maleável, teria ascendido para ocupar a quarta posição, que se tornara vaga. Com isso se formaria o hexagrama 42. Um processo análogo ocorre com o hexagrama anterior, 41, DIMINUIÇÃO, em relação ao hexagrama 11, PAZ. *(Nota da tradução brasileira.)*

Ao observar como o trovão e o vento aumentam e fortalecem um ao outro, o homem pode aprender o sentido do autodesenvolvimento, do auto-aprimoramento. Quando alguém descobre algo de bom nos outros, deve imitá-lo, integrando a si, desse modo, todo o bem sobre a terra. Quando percebe algo de mau em si mesmo, deve descartá-lo. Assim se libertará do mal. Esta mudança ética é o mais importante aumento da personalidade.

LINHAS

☐ Nove na primeira posição significa:
É favorável executar grandes obras.
Sublime boa fortuna.
Nenhuma culpa.

Quando um homem recebe uma grande ajuda vinda do alto, deverá fazer uso desse aumento de força para realizar uma obra igualmente grande. Em outras circunstâncias ele não teria nem a força necessária para assumir as responsabilidades implicadas num tal projeto. Libertando-se do egoísmo, a grande boa fortuna será alcançada, e com isso se estará, assim, isento de culpa.

○ Seis na segunda posição significa:
Alguém sem dúvida o aumenta.
Dez pares de tartarugas não podem se opor a isso.
Contínua perseverança traz boa fortuna.
O rei o apresenta diante de Deus.
Boa fortuna.

O verdadeiro aumento ocorre quando o homem cria interiormente as condições propícias à sua manifestação, isto é, quando cultiva a receptividade e o amor ao bem. Dessa forma, aquilo pelo que ele anseia vem ao seu encontro com a inevitabilidade das leis naturais. Estando assim o aumento em harmonia com as leis supremas do universo, não pode ser impedido por nenhum conjunto de circunstâncias ocasionais. Tudo depende de ele não se tornar negligente em virtude da boa fortuna. O homem deve conquistá-la através de seu poder interno e da constância. Isso o torna relevante diante de Deus e dos homens, possibilitando-lhe realizar algo pelo bem do mundo.

Seis na terceira posição significa:
Alguém é enriquecido em virtude de acontecimentos desafortunados.
Nenhuma culpa caso você seja sincero,
caso siga pelo caminho do meio,
e informe ao príncipe, apresentando-lhe um selo.[51]

Uma época de bênçãos e enriquecimentos tem efeitos tão poderosos que mesmo os acontecimentos normalmente desafortunados tornam-se benéficos àqueles a quem afetam. Estando tais pessoas isentas de erro e agindo de acordo com a verdade, adquirem uma autoridade interior capaz de influir como se estivesse sancionada por um documento selado.

☐ Seis na quarta posição significa:
Se você segue pelo caminho do meio
e informa ao príncipe, ele o seguirá.

---

[51] O selo real pelo qual os mensageiros do Imperador se identificavam, na China Antiga. *(Nota da tradução brasileira.)*

É favorável ser utilizado
na mudança da capital

É importante que haja mediadores entre os governantes e os governados. Essa função supõe um espírito desinteressado, especialmente em épocas de aumento, uma vez que o benefício enviado pelo governante deve ser distribuído ao povo. Desse benefício, nada deve ser retido de forma egoísta; é necessário que seja entregue àqueles aos quais foi destinado. Esse mediador pode exercer uma influência benéfica sobre o governante. Seu papel é de essencial importância nos períodos em que são decididos empreendimentos cruciais para o futuro, o que exige a concordância de todos os interessados.

O Nove na quinta posição significa:
Se você tem na verdade um coração bondoso, não pergunte.
Sublime boa fortuna.
A bondade será realmente reconhecida como virtude sua.

A verdadeira bondade não é calculista nem se preocupa com gratidão ou mérito, porém age em virtude de uma necessidade interior. Um tal coração verdadeiramente bondoso já se sente recompensado ao ser reconhecido. Assim sua influência benéfica se estende sem impedimentos.

Nove na sexta posição significa:
Ele não traz aumento a ninguém.
Na verdade alguém vem a golpeá-lo.
Ele não mantém seu coração constantemente firme.
Infortúnio.

Isto significa que as pessoas em posições elevadas devem, através de uma renúncia, aumentar aquelas que estão em posições inferiores. Negligenciando este dever e não ajudando a ninguém, se perde a estimulante influência dos outros e logo se estará isolado. Deste modo o homem atrai ataques à sua própria pessoa. Uma atitude que não permaneça em constante harmonia com as exigências do tempo trará necessariamente consigo o infortúnio.

Confúcio comenta a respeito desta linha: "O homem superior tranqüiliza sua própria pessoa antes de se pôr em movimento; concentra-se interiormente antes de falar; consolida seus relacionamentos antes de solicitar alguma coisa. Atendendo a esses três requisitos, o homem superior se coloca em plena segurança. Mas, quando um homem é brusco em seus movimentos, os outros não cooperam. Se é agitado em suas palavras, não desperta ressonância nos outros. Quando solicita um favor sem ter antes estabelecido vínculos não será atendido. Quando ninguém permanece a seu lado, aqueles que podem lhe causar danos se aproximam".

43. KUAI / IRROMPER (A DETERMINAÇÃO)

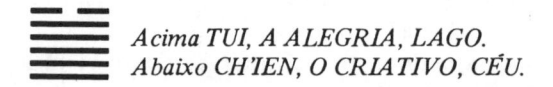

Acima TUI, A ALEGRIA, LAGO.
Abaixo CH'IEN, O CRIATIVO, CÉU.

Este hexagrama significa por um lado uma abertura de caminho após uma prolongada tensão, como o irromper de um rio através de seus diques, ou como a descarga de uma chuva torrencial. Por outro lado, aplicado às condições humanas, significa a época em que os homens inferiores começam a desaparecer. Sua influência decresce e uma ação decidida abre caminho para novas condições. Este hexagrama é atribuído ao terceiro mês (abril-maio).[52]

JULGAMENTO

IRROMPER. Deve-se dar a conhecer o assunto
na corte do rei com determinação.
Deve ser exposto com veracidade. Perigo.
É preciso notificar sua própria cidade.
Não é favorável recorrer às armas.
É favorável empreender algo.

Ainda que um só homem inferior ocupe uma posição influente numa cidade, ele poderá oprimir os homens superiores. Ainda que uma só paixão subsista no coração, poderá ela obscurecer a razão. Paixão e razão não podem coexistir, portanto uma luta sem tréguas é necessária para que o bem prevaleça. Num combate tenaz do bem contra o mal há, porém, regras precisas que devem ser respeitadas para que se possa alcançar o sucesso:

1) A determinação deve basear-se numa união da força com a amabilidade.

2) Não é possível um compromisso com o mal; ele deve ser abertamente desacreditado, sejam quais forem as circunstâncias. Nem se deve procurar encobrir suas próprias faltas e paixões.

3) A luta não deve ser conduzida diretamente através da violência. Quando o mal é denunciado e acusado, tende a reagir recorrendo às armas. Se lhe fazemos o favor de responder golpe por golpe, ao final sairemos perdendo, pois seremos envolvidos por ódio e paixão. Por isso é necessário começarmos por nós mesmos, evitando cometer os erros que censuramos. Não encontrando adversário, as armas do mal perdem naturalmente seu caráter cortante. Do mesmo modo não devemos combater diretamente nossos próprios defeitos. Enquanto insistirmos em desafiá-los, permane-

---

[52] Cf. nota 14 (hexagrama 11, PAZ). *(Nota da tradução brasileira.)*

cerão sempre vitoriosos.

4) A melhor maneira de combater o mal é procurar progredir com energia na direção do bem.

IMAGEM

O lago elevou-se aos céus: a imagem do IRROMPER.
Assim o homem superior distribui riquezas
para os que estão abaixo
e evita acomodar-se à sua virtude.

Quando a água do lago elevou-se até aos céus, há que se temer o desencadeamento de uma chuva torrencial. Tomando isto como uma advertência, o homem superior prevê a tempo um colapso violento. Aquele que acumulasse riquezas para si só, sem pensar nos outros, sofreria, certamente, um desastre. Pois a todo acumular se segue um ciclo de dispersão. Por isso o homem superior procura distribuir enquanto está recolhendo. Na formação de seu caráter, ele também evita se deixar enrijecer em atitudes obstinadas, procurando permanecer receptivo, graças a uma rigorosa e constante análise de si mesmo.

LINHAS

Nove na primeira posição significa:
Poderoso nos dedos dos pés, que avançam.
Se um homem segue adiante, sem estar à altura da tarefa,
cometerá um erro.

Em épocas de avanço resoluto, o início é particularmente difícil. Há um entusiasmo para avançar com decisão, mas a resistência é ainda demasiado forte. É necessário, então, avaliar sua própria força e prosseguir, apenas, até onde há certeza de sucesso. Lançar-se adiante cegamente é um erro, em particular no começo, quando um revés inesperado pode ter as mais desastrosas conseqüências.

Nove na segunda posição significa:
Um grito de alarme.
Armas ao entardecer e ao anoitecer.
Não tema coisa alguma.

Estar preparado é tudo que importa. A decisão exige cautela. Quando se é cauteloso e atento não há razão para assustar-se ou perturbar-se. Mantendo-se alerta antes do perigo surgir se estará preparado para enfrentá-lo, e portanto não há nada a temer. O homem superior permanece em guarda contra o que ainda não pode ver, e atento àquilo que ainda não pode ouvir. Por isso ele vive em meio a dificuldades, como se não fossem dificuldades. Quando um homem cultiva seu caráter, os outros submetem-se a ele espontaneamente. Quando a razão triunfa, as paixões por si mesmas se recolhem. Manter a seriedade e não esquecer sua armadura — eis o caminho certo para a segurança.

Nove na terceira posição significa:
Ser poderoso na face traz infortúnio.
O homem superior está firmemente decidido.
Ele caminha sozinho e é surpreendido pela chuva.
Molha-se, e pessoas murmuram contra ele.
Nenhuma culpa.

Aqui um homem se encontra numa situação ambígua. Enquanto todos estão empenhados na luta decidida contra os homens inferiores, somente ele mantém um certo relacionamento com um homem inferior. Caso tente se mostrar forte exteriormente, enfrentando-o antes do momento próprio, colocará em risco toda a situação. O homem inferior então se adiantaria, tomando medidas preventivas. A tarefa do homem superior aqui é muito difícil. Ele precisará estar internamente muito firme para que, mesmo permanecendo associado ao homem inferior, possa evitar participar de suas vilezas. Isso fará com que seja, sem dúvida, mal interpretado. Julgarão que ele pertence à facção do homem inferior. Ficará então sozinho, pois ninguém o compreenderá. Seu relacionamento com o homem inferior o torna indigno aos olhos da multidão que, revoltada, o recrimina e acusa. Mas ele suporta o desprezo, não comete erro algum, pois permanece fiel à sua consciência.

> Nove na quarta posição significa:
> Não há pele nas coxas
> e torna-se difícil caminhar.
> Se nos deixássemos conduzir como uma ovelha,
> o arrependimento desapareceria.
> Porém, quando ouvimos estas palavras
> não lhes damos crédito.

Em virtude de uma inquietação interna, um homem não consegue permanecer em seu lugar próprio. Quer avançar de qualquer maneira, mas encontra obstáculos insuperáveis. Surge, então, um conflito interior, resultante do desejo obstinado de impor sua própria vontade. Tudo iria bem, se ele desistisse de sua atitude obstinada. Mas este conselho, como tantos outros bons conselhos, será ignorado. Porque a obstinação faz com que, apesar de se ter ouvidos, não se possa ouvir.

> ○ Nove na quinta posição significa:
> Ao lidar com a erva daninha
> é preciso uma firme decisão.
> Caminhando pelo meio
> se permanece livre de culpa.

Ervas daninhas renascem sempre, e são difíceis de exterminar. Assim também a luta contra um homem inferior numa posição elevada exige uma firme decisão. Como se está associado a ele, há perigo de se desistir da luta considerada perdida. Mas isso não deve acontecer. É preciso seguir com decisão, sem se deixar desviar do caminho. Só assim se permanecerá livre de culpa.

> □ Seis na sexta posição significa:
> Nenhum chamado.
> Ao final chega o infortúnio.

A vitória parece conquistada. Resta apenas um remanescente do mal e este é o momento de erradicá-lo de forma definitiva. Tudo parece muito fácil. Mas nisso, justamente, reside o perigo. Caso não se esteja alerta, o mal poderá escapar, ocultando-se. Uma vez tendo escapado, dessas sementes restantes surgirão novos infortúnios, pois o mal não desaparece facilmente. O mesmo acontece com as falhas de caráter. Para erradicá-las é preciso um trabalho firme e profundo. Se o homem, por negligência, deixasse que alguma falha subsistisse, isso acarretaria novos infortúnios.

姤

44. KOU / VIR AO ENCONTRO

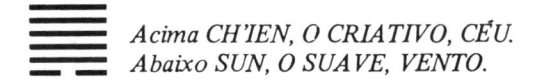

Acima CH'IEN, O CRIATIVO, CÉU.
Abaixo SUN, O SUAVE, VENTO.

Este hexagrama indica uma situação em que o princípio obscuro, após ter sido eliminado, ressurge furtiva e inesperadamente no interior, abaixo. O princípio feminino, por sua própria iniciativa, vai ao encontro do masculino. Esta é uma situação perigosa e desfavorável, cujas possíveis conseqüências devem ser compreendidas e prevenidas a tempo.

Este hexagrama está associado ao quinto mês (junho-julho),[53] pois com o solstício de verão o princípio obscuro gradualmente ascende outra vez.

JULGAMENTO

VIR AO ENCONTRO. A jovem é poderosa.
Não se deve desposá-la.

A ascensão de elementos inferiores é aqui representada por uma jovem insolente que facilmente se entrega para alcançar o poder. Isso não seria possível se o forte e luminoso não tivesse também por sua vez vindo a seu encontro. As coisas vulgares aqui parecem tão inócuas e convidativas que o homem busca nelas um deleite. Parecem tão diminutas e débeis que ele julga poder se distrair com elas impunemente.

O inferior ascende apenas porque o homem superior o considera inofensivo e lhe concede poder. Caso lhe fosse oferecida resistência desde o início, nunca chegaria a ter influência.

Mas a época de VIR AO ENCONTRO tem também um outro significado que deve ser considerado. Ainda que, em geral, o fraco não deva vir ao encontro do forte, em certas ocasiões isso pode ser de grande importância. Quando céu e terra vêm ao encontro um do outro, todas as criaturas prosperam. Quando o príncipe e seu ajudante chegam a um mútuo encontro, o mundo alcança a ordem. Aqueles que são predestinados à união, entre os quais há um mútuo depender, devem vir um ao encontro do outro. Mas nesse movimento de vir ao encontro se deve estar livre de intenções não reveladas, desonestas, pois do contrário isso causaria malefícios.

IMAGEM

O vento embaixo do céu: a imagem de VIR AO ENCONTRO.
Assim age o príncipe ao difundir suas ordens,
proclamando-as aos quatro ventos.

[53] Cf. nota 14 (hexagrama 11, PAZ). *(Nota da tradução brasileira.)*

A situação aqui é semelhante à do hexagrama 20, CONTEMPLAÇÃO, em que o vento sopra sobre a terra, enquanto aqui sopra embaixo do céu. Em ambos os casos ele alcança todas as direções. Lá o vento estava embaixo, sobre a terra, simbolizando o governante tomando consciência das condições vigentes em seu reino. Aqui o vento sopra de cima, simbolizando a influência exercida pelo dirigente através de suas ordens. O céu está afastado das coisas da terra, porém as movimenta através do vento. O governante está afastado do povo, porém o movimenta através de suas ordens e decretos.

LINHAS

☐ Seis na primeira posição significa:
É necessário deter com um freio de bronze.
A perseverança traz boa fortuna.
Caso se deixe seguir seu curso, sofrer-se-á infortúnio.
Mesmo o porco magro pode mais tarde
vir a causar estragos.

Quando um elemento inferior surge numa intromissão indevida, é necessário contê-lo de imediato e com energia. Barrando-o com firmeza evitam-se efeitos prejudiciais no futuro. Caso se deixe seguir seu curso, sem dúvida o resultado será o infortúnio. A insignificância do que se intromete não é razão para subestimá-lo. Enquanto um porco é ainda pequeno e magro, não pode causar grandes estragos, mas depois que ele se alimentar e se fortalecer sua verdadeira natureza se revelará, a menos que já tenha sido contida.

○ Nove na segunda posição significa:
Há um peixe no tanque. Nenhuma culpa.
Não é favorável aos hóspedes.

O elemento inferior não sofre violência, porém é mantido sob suave controle. Nesse caso nenhum mal há que se deva temer. Mas é preciso ter cuidado para que não entre em contato com estranhos porque, uma vez solto, daria vazão incontrolável às suas tendências destrutivas.

Nove na terceira posição significa:
Não há pele em suas coxas
e torna-se difícil caminhar.
Caso se permaneça atento ao perigo
não se cometerá grandes erros.

Alguém está tentando se envolver com os maus elementos que se oferecem. Esta é uma situação muito perigosa. Felizmente as circunstâncias o impedem. Ele gostaria de fazê-lo mas não pode. Isso gera uma dolorosa indecisão no comportamento. Mas caso ele consiga ver com clareza os perigos que a situação encerra, poderá pelo menos evitar maiores erros.

Nove na quarta posição significa:
Não há peixe no tanque.
Isso leva ao infortúnio.

Pessoas insignificantes devem ser toleradas de modo a que permaneçam bem dispostas para conosco. Assim poderemos contar com elas quando o necessitarmos. Caso nos afastemos e recusemos fazer concessões, nos voltarão as costas, e não estarão disponíveis quando delas necessitarmos. Mas isso ocorreria por nossa própria culpa.

O Nove na quinta posição significa:
Um melão coberto com folhas de chorão:
linhas escondidas.
Então algo lhe cai do céu.

O melão, assim como o peixe, é um símbolo do princípio obscuro. É doce, mas estraga com facilidade; por isso, em geral protegem-no cobrindo com folhas de chorão. Isso indica a situação de um homem elevado e forte, seguro de si, que protege com tolerância os subalternos que estão sob sua responsabilidade. Ele possui em seu interior as linhas firmes da ordem e da beleza, mas não as ostenta. Ele não molesta seus subordinados com ostentações ou advertências cansativas. Ao contrário, os deixa em completa liberdade, confiando firmemente no poder transformador de uma personalidade forte e íntegra. E, atentem! O destino é favorável. Os homens inferiores respondem à sua influência e caem em suas mãos como frutos maduros.

Nove na sexta posição significa:
Ele vai ao encontro arremetendo com os chifres.
Humilhação.
Nenhuma culpa.

Para um homem que se retirou do mundo, o tumulto da vida social muitas vezes se torna insuportável. Há pessoas que num digno sentimento de amor-próprio se mantêm afastadas de tudo o que é baixo, rechaçando-o bruscamente sempre que o encontram. Essas pessoas são criticadas como orgulhosas e inacessíveis, mas como não estão mais presas ao dever de agir no mundo, isso não tem grande importância. Sabem tolerar com tranqüilidade a antipatia das massas.

45. TS'UI / REUNIÃO

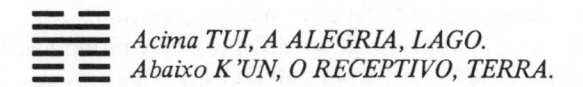

Acima TUI, A ALEGRIA, LAGO.
Abaixo K'UN, O RECEPTIVO, TERRA.

Este hexagrama está relacionado tanto por sua forma como por seu significado com o hexagrama 8, Pi, SOLIDARIEDADE. Lá, a água está sobre a terra, aqui o lago está sobre a terra. Uma vez que o lago é o lugar em que as águas se acumulam, a idéia de reunião, nesse hexagrama, se expressa de modo mais acentuado. Essa mesma idéia básica surge também do fato de serem duas linhas fortes (na quarta e quinta posições) que aqui geram a REUNIÃO, enquanto no hexagrama 8 há apenas uma linha forte na quinta posição, em meio às linhas fracas.

JULGAMENTO

REUNIÃO. Sucesso.
O rei se aproxima de seu templo.

É favorável ver o grande homem.
Isso traz sucesso. A perseverança é favorável.
Oferecer grandes sacrifícios traz boa fortuna.
É favorável empreender algo.

A reunião de pessoas em grandes comunidades pode ser um fato natural, como no caso de uma família, ou algo artificial, como no caso de um estado. A família reúne-se em torno do pai, como chefe. A continuidade desta reunião é alcançada através de sacrifícios aos antepassados, celebrações em que todo o clã se reúne. Os antepassados, graças à memória coletiva de seus descendentes vivos, se integram tão profundamente na vida espiritual da família que ela então não se deixa dispersar nem dissolver.

Onde é preciso reunir pessoas, forças religiosas tornam-se necessárias. Mas é também preciso que haja um líder humano como centro da reunião. Para poder reunir os outros, esse líder deve primeiro concentrar-se, integrando-se em si mesmo. Só reunindo forças morais se pode unificar o mundo. Esses grandes períodos de unificação deixarão um legado de importantes realizações. Este é o sentido de oferecer grandes sacrifícios. No âmbito social a época da REUNIÃO exige grandes empreendimentos.

IMAGEM

O lago sobre a terra: a imagem da REUNIÃO.
O homem superior renova suas armas
para enfrentar o imprevisto.

Quando a água se acumula no lago até ultrapassar o nível da terra, há risco de um rompimento. Deve-se tomar precauções para evitá-lo. Do mesmo modo, quando um grande número de homens se reúne, desentendimentos tendem a surgir; onde acumulam-se muitos bens, roubos tendem a ocorrer. Por isso na época da REUNIÃO é preciso armar-se a tempo, para defender-se do inesperado. Os infortúnios humanos muitas vezes resultam de acontecimentos inesperados, contra os quais não foram tomadas precauções. Podem-se evitá-los mantendo-se prevenido.

LINHAS

Seis na primeira posição significa:
Se você é sincero, mas não até ao fim,
algumas vezes há confusão, em outras, reunião.
Se você chama, após um gesto de mão, você poderá rir outra vez.
Não lamente nada. Ir não envolve culpa.

A situação aqui é a seguinte: um homem quer se reunir a um líder a quem admira. Mas ele se encontra em meio a um grupo numeroso pelo qual se deixa influenciar e por isso fica indeciso. Com isso, não encontra um centro firme em torno do qual possa se reunir. Mas caso essa carência seja expressa num pedido de ajuda, o líder, com um gesto apenas, fará desaparecer toda angústia. Por isso é necessário não se deixar confundir. Reunir-se a este líder é, sem dúvida, correto.

Seis na segunda posição significa:
Deixar-se levar traz boa fortuna
e mantém livre de culpa.
Quando se é sincero
é favorável oferecer mesmo uma pequena oferenda.

Em épocas de REUNIÃO não se devem escolher caminhos de forma arbitrária. Há forças secretas atuando de modo a reunir aqueles que se correspondem. É preciso deixar-se conduzir por esta atração; não há erro nenhum nisso. Quando existem afinidades profundas, não são necessários grandes preparativos ou formalidades. Há, então, entre as pessoas, uma compreensão mútua natural, assim como a Divindade aceita de bom grado uma pequena oferenda se vinda do coração.

> Seis na terceira posição significa:
> Reunião entre suspiros. Nada que favoreça.
> Ir não envolve culpa.
> Pequena humilhação.

Muitas vezes um homem busca unir-se a outros, mas as pessoas em seu redor formaram já um grupo entre si, e ele permanece isolado. A situação como um todo parece insustentável. Ele deve decidir-se então pelo caminho do progresso, aliando-se de maneira decidida àquele que está mais próximo do centro do grupo, e que poderá ajudá-lo a conseguir ingresso neste círculo fechado. Isso não é um erro, mesmo que, a princípio, sua condição de estranho seja de certo modo humilhante.

> O Nove na quarta posição significa:
> Grande boa fortuna!
> Nenhuma culpa.

Aqui descreve-se um homem que reúne outros em torno de si, em nome de seu governante. Como ele não busca vantagens para si, mas trabalha desinteressadamente em favor da união de todos, seu trabalho é coroado de êxito e tudo se resolve de maneira adequada.

> O Nove na quinta posição significa:
> Se aquele que reúne ocupa uma posição de autoridade,
> não há culpa.
> Caso ainda não haja uma verdadeira adesão
> por parte de alguns, será necessária
> uma elevada e constante perseverança.
> Então, o arrependimento desaparece.

É sempre benéfico para um homem quando as pessoas se reúnem em torno dele de maneira natural e espontânea. Isso lhe confere uma certa influência, que lhe pode ser muito útil. Mas é possível também que muitos se aproximem atraídos não por um sentimento de confiança, mas por sua posição influente. Isso é, sem dúvida, lamentável. O único recurso para se lidar com tais pessoas consiste em procurar conquistar-lhes a confiança graças ao exemplo de uma firme e constante lealdade ao dever. Assim, aos poucos, a desconfiança secreta vai sendo vencida e desaparecem os motivos pelos quais se lamentava.

> Seis na sexta posição significa:
> Lamentos e suspiros, torrentes de lágrimas.
> Nenhuma culpa.

Pode ocorrer que um homem procure reunir-se a outros, e suas boas intenções sejam mal interpretadas. Ele então se entristece e lamenta. Mas este é o caminho certo. Pois com isso é possível que o erro de julgamento seja percebido e a reunião tão desejada e tão dolorosamente perdida ao final se realize.

46. SHÊNG / ASCENSÃO

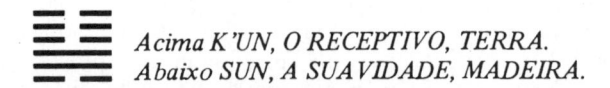

Acima K'UN, O RECEPTIVO, TERRA.
Abaixo SUN, A SUAVIDADE, MADEIRA.

O trigrama inferior Sun representa a madeira; o trigrama superior K'un significa a terra. Isso sugere a idéia da madeira que cresce no interior da terra. Ao contrário do PROGRESSO, hexagrama 35, a ASCENSÃO aqui está associada ao esforço, assim como a planta necessita de energia para crescer através da terra. Por isso, apesar de estar relacionada ao sucesso, este hexagrama está associado ao esforço da vontade. O hexagrama PROGRESSO enfatiza mais o expandir, enquanto que o presente hexagrama indica uma ascensão direta do anonimato e de uma condição inferior ao poder e à influência.

JULGAMENTO

A ASCENSÃO tem sublime sucesso.
É preciso ver o grande homem.
Não tema!
A partida rumo ao sul traz boa fortuna.

A ascensão dos elementos capazes não encontra obstáculos, sendo por isso seguida de grande sucesso. O que possibilita a ascensão não é a violência, mas a modéstia e a adaptabilidade. Graças às condições favoráveis do momento, o homem avança. Ele deve ir ao encontro de pessoas influentes. Não há o que temer pois o êxito está assegurado. É preciso apenas começar a trabalhar, pois a atividade (esse o significado do sul) traz boa fortuna.

IMAGEM

A madeira cresce no interior da terra:
a imagem da ASCENSÃO.
Assim, o homem superior, com abnegação, reúne
pequenas coisas para alcançar o que é sublime e grande.

A madeira cresce no interior da terra sem se deter e sem se apressar, contornando, graças à sua adaptabilidade, todos os obstáculos. Assim também, o homem superior, com espírito abnegado, é incansável em seu progresso.

LINHAS

☐ Seis na primeira posição significa:
A ascensão que encontra confiança traz grande boa fortuna.

Esta é a condição inicial de ascensão. Assim como a madeira extrai abaixo, pelas raízes, a força de seu crescimento, assim também a força necessária à ascensão tem sua origem numa posição humilde e anônima. Mas há uma afinidade essencial com os governantes acima, e essa empatia gera a confiança necessária para a realização de algo.

> Nove na segunda posição significa:
> Quando se é sincero
> é favorável trazer mesmo uma pequena oferenda.
> Nenhuma culpa.

Aqui se pressupõe a presença de um homem forte. Há uma certa incompatibilidade entre ele e seu meio ambiente, por ser rude e pouco afeito aos formalismos. Mas como é sincero e íntegro, encontra apoio e não chega a ser prejudicado por sua falta de polidez. Aqui a sinceridade é decorrente de sólidas qualidades de caráter, enquanto que na linha correspondente do hexagrama anterior ela era resultante de uma inata humildade interna.

> Nove na terceira posição significa:
> Ascendendo ao interior de uma cidade vazia.

Aqui desaparecem todos os obstáculos que vinham impedindo o avanço. Tudo se processa com incrível facilidade. Então, sem hesitar, ele segue adiante nesse caminho para usufruir do sucesso. A uma visão externa tudo parece estar em perfeita ordem. No entanto, o texto não faz qualquer menção à boa fortuna, o que poderia despertar dúvida quanto à duração de um tal sucesso livre de obstáculos. Mas não é sábio deixar-se envolver por tais apreensões, pois isso apenas inibiria a força. Ao contrário, deve-se aproveitar as condições favoráveis do momento.[54]

> Seis na quarta posição significa:
> O rei lhe oferece o monte Ch'i.
> Boa fortuna. Nenhuma culpa.

O monte Ch'i está situado no oeste da China, terra natal do Rei Wen, cujo filho, o Duque de Chou, acrescentou os comentários às linhas individuais.[55] O texto assim rememora o período de ascensão da dinastia Chou. Naquela época, o Rei Wen apresentou seus mais ilustres auxiliares ao deus da montanha de sua terra natal, e cada um deles teve direito a um lugar na sala dos antepassados, junto ao governante. Isso indica a etapa em que a ascensão alcança sua meta. O homem se torna célebre entre os deuses e os homens, é recebido entre aqueles que são o sustentáculo da vida espiritual da nação, conquistando, assim, importância imorredoura.

> O Seis na quinta posição significa:
> A perseverança traz boa fortuna.
> Ascendendo por degraus.

Para alguém que progride ininterruptamente é importante não se deixar embriagar com o êxito. É justo em meio aos grandes sucessos que se deve permanecer só-

---

[54] A idéia apresentada aqui, na conclusão do comentário, é equivalente ao Julgamento do hexagrama 55, ABUNDÂNCIA. *(Nota da tradução brasileira.)*

[55] Esta é a tese mantida pela tradição chinesa quanto à origem do texto das linhas. No entanto, ela é questionada mesmo por alguns autores chineses, como Shan-hua P'i Hsi-jui (1850-1908), além de autores japoneses como Itō Zenshō, em sua introdução à obra de seu pai, Ito Tōgai, sobre I Ching, Shūeki Kyōyoku, por Zenshō, publicada em 1771, e por Iulian Shchutskii, em *Researches on the I Ching* (Princeton University Press, Bollingen Series LXII 2, 1979). Essa questão é discutida em nosso prefácio, mais detalhadamente. *(Idem.)*

brio, sem tentar queimar etapas, prosseguindo de forma lenta, gradual, quase hesitante. Somente um tal progresso calmo e constante, livre de precipitação, conduz ao objetivo.

> Seis na sexta posição significa:
> Ascender em meio à escuridão.
> É favorável uma perseverança tenaz.

Quem avança às cegas demonstra estar seduzido pelo êxito. Conhece o progresso, mas não a retirada. Isso provoca exaustão. O importante neste caso é ter sempre em mente a necessidade de manter uma atitude conscienciosa e firme. Só assim é possível libertar-se de impulsos cegos que são sempre prejudiciais.

47. K'UN / OPRESSÃO (A EXAUSTÃO)

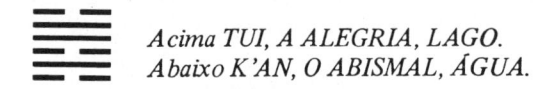

Acima TUI, A ALEGRIA, LAGO.
Abaixo K'AN, O ABISMAL, ÁGUA.

O lago está acima, a água, abaixo; o lago está vazio, seco. A idéia de exaustão é também sugerida por um outro aspecto: acima, uma linha obscura oprime duas linhas luminosas; abaixo, uma linha luminosa está aprisionada entre duas linhas obscuras. O trigrama superior pertence ao princípio da escuridão, enquanto o trigrama inferior pertence ao princípio da luz. Assim, em toda parte os homens inferiores limitam e oprimem os homens superiores.

JULGAMENTO

> A OPRESSÃO. Sucesso. Perseverança.
> O grande homem promove a boa fortuna.
> Nenhuma culpa.
> Quando ele tem algo a dizer, não lhe dão crédito.

Épocas de adversidade são o oposto do tempo do sucesso. No entanto, podem conduzir ao sucesso quando recaem sobre um homem correto. Uma pessoa forte, quando confrontada com a adversidade, permanece tranqüila e jovial apesar de todo o perigo, e essa calma jovialidade servirá de base para êxitos mais tarde. Esta estabilidade é mais poderosa que a sorte. Aquele cujo espírito se deixa quebrar pela opressão, não chegará ao sucesso. Mas quando a adversidade não consegue senão curvar um homem, nele é gerada uma força de reação que, com o tempo, se manifestará. Mas nenhum homem inferior é capaz disto. Só o homem superior promove a boa fortuna e permanece sem culpa. Não há dúvida que, por hora, lhe é impossível exercer influência no plano externo, pois suas palavras não têm efeito. Épocas de adversidade exigem, portanto, força interior e economia de palavras.

IMAGEM

Não há água no lago: a imagem da EXAUSTÃO.
Assim o homem superior arrisca sua vida
para seguir sua vontade.

Quando há um vazamento e a água flui embaixo, o lago acaba por secar, esgotando-se. Isto é uma fatalidade. Simboliza também um destino adverso na vida humana. Em tais épocas, não há nada que se possa fazer a não ser aceitar seu destino e permanecer fiel a si mesmo. Isso se refere aos níveis mais profundos de nosso próprio ser, onde somente se pode superar toda e qualquer fatalidade externa.

LINHAS

Seis na primeira posição significa:
Ele se senta, oprimido, debaixo de uma árvore seca
e mergulha num vale sombrio.
Durante três anos não vê nada.

Quando a adversidade recai sobre alguém, é de suma importância despertar forças e superar interiormente as dificuldades. Mas quando um homem é fraco, deixa-se vencer pelos problemas. Ao invés de prosseguir, ele se deixa ficar, sentado embaixo de uma árvore seca, mergulhando cada vez mais na escuridão e melancolia. Isto torna a situação cada vez mais sem esperanças. Essa atitude é decorrente de uma cegueira interior que deve ser superada a todo custo.

O Nove na segunda posição significa:
Ele se sente oprimido em meio a vinho e comida.
O homem de joelheiras vermelhas está chegando.
É favorável oferecer sacrifícios.
Partir traz infortúnio.
Nenhuma culpa.

Isso representa um estado de opressão interior. Exteriormente tudo vai bem; há comida e bebida. A rotina da vida, no entanto, provoca uma exaustão e parece não haver saída. Uma ajuda vem então do alto. Um príncipe – os príncipes na antiga China usavam joelheiras vermelhas – está à procura de auxiliares competentes. Mas há ainda obstáculos a superar. É, então, importante que eles sejam enfrentados no âmbito do invisível através de sacrifícios e orações. Partir sem se estar preparado poderia ser desastroso, ainda que não fosse eticamente errado. Aqui uma situação desagradável precisa ser superada através de um espírito paciente.

Seis na terceira posição significa:
Ele se deixa oprimir pela pedra
e se apóia em espinhos e cardos.
Ele entra em sua casa e não vê a esposa.
Infortúnio!

Isso mostra um homem inquieto e indeciso em épocas de adversidade. A princípio ele quer avançar, mas logo depara com obstáculos que, no entanto, implicariam em opressão apenas se enfrentados de maneira irrefletida. Ele arremete com a cabeça contra o muro e como resultado sente-se oprimido pelo muro. Apóia-se, então, em coisas que não têm estabilidade e são, portanto, perigosas para aqueles que nelas buscam apoio. Indeciso, ele caminha de volta à sua casa só para descobrir, em mais uma desilusão, que sua esposa não se encontra lá.

Confúcio comenta a respeito dessa linha: "Caso um homem se deixe oprimir por algo que não deveria oprimi-lo, seu nome sem dúvida cairá em desgraça. Caso ele se apóie em coisas sobre as quais não deveria apoiar-se, sua vida com certeza correrá perigo. Para aquele que se encontra em desgraça e perigo, a hora da morte está próxima. Como então poderá ainda ver a sua mulher?".

>   Nove na quarta posição significa:
>   Ele vem muito lentamente,
>   oprimido numa carroça de ouro.
>   Humilhação, mas ainda assim a meta é atingida.

Um homem abastado vê as necessidades das classes inferiores, e deseja ajudar. Mas ao invés de proceder com presteza e energia nas providências necessárias, ele toma a iniciativa de modo hesitante e com demasiada cautela. Encontra, então, obstáculos. Pessoas poderosas e ricas atraem-no a seu círculo. Ele se vê forçado a aceder e não pode se afastar. Isso o deixa numa posição incômoda. Mas o problema é passageiro. A força original de sua natureza o leva a superar o erro cometido, e o objetivo é alcançado.

>   O Nove na quinta posição significa:
>   Cortam seu nariz e seus pés.
>   A opressão vem de alguém com joelheiras púrpuras.
>   Lentamente chega a alegria.
>   É favorável oferecer sacrifícios e dádivas.

Alguém que se interessa pelo bem do povo sofre opressão tanto por parte dos que estão acima quanto dos que se encontram abaixo (este o sentido do nariz e dos pés cortados). Ele não encontra ajuda entre aqueles cujo dever seria cooperar no trabalho de salvação (os ministros usavam joelheiras púrpuras). Mas, pouco a pouco, as coisas vão melhorando. Até que isto se concretize ele deve se voltar para Deus, num intenso recolhimento interior, orar e oferecer sacrifícios em favor do bem comum.

>   Seis na sexta posição significa:
>   Ele é oprimido por trepadeiras.
>   Movimenta-se de modo inseguro e diz:
>   "O movimento traz remorso".
>   Caso sinta arrependimento por tal atitude
>   e comece a agir, terá boa fortuna.

Um homem se deixa oprimir por laços fáceis de cortar. A opressão está chegando ao fim. Mas ainda se está inseguro e sob a influência das condições anteriores; teme-se que qualquer movimento dê motivo a arrependimento. Mas logo que chegue a uma compreensão da situação, este estado mental será superado e com uma decisão firme a opressão será dominada.

井

48. CHING / O POÇO

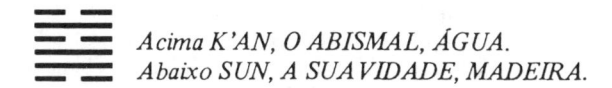

Acima K'AN, O ABISMAL, ÁGUA.
Abaixo SUN, A SUAVIDADE, MADEIRA.

A madeira está abaixo, a água, acima. A madeira desce ao interior da terra para extrair a água. Esta imagem refere-se a um tipo de poço utilizado na China antiga, que usava o sistema de eixo e balde. A madeira não representa os baldes, que na antiguidade eram feitos de barro, mas os eixos com os quais se retirava a água do poço. A imagem faz também alusão ao mundo vegetal que, por meio de suas fibras, extrai a água da terra. O poço do qual se retira a água sugere, também, a idéia de uma inesgotável dádiva de alimento.

JULGAMENTO

O POÇO. Pode-se mudar uma cidade,
mas não se pode mudar um poço.
Este não diminui nem aumenta.
Eles vão e vêm, recolhendo do poço.
Quando se chega próximo ao nível da água, mas a corda
não vai até o fundo ou o balde se quebra,
isso traz infortúnio.

Na China antiga mudava-se, às vezes, a capital, ora buscando-se melhor localização, ora em virtude da mudança das dinastias. O estilo arquitetônico modificou-se no decorrer dos séculos, mas a forma do poço permaneceu a mesma, desde os tempos mais remotos até a atualidade. Assim, o poço é o símbolo daquela estrutura social que a humanidade desenvolveu de modo a atender às suas necessidades primordiais, e que independe de todas as formas políticas. As estruturas políticas mudam assim como as nações, mas a vida humana em suas necessidades permanece idêntica. Isto não se pode mudar. A vida é também inesgotável. Não diminui nem aumenta, e existe para todos.

Há, porém, dois pré-requisitos necessários a uma satisfatória organização social ou política da humanidade. É preciso ir aos fundamentos da vida. A mera ordenação superficial da vida, que deixa insatisfeitas as necessidades mais profundas e vitais, é, na verdade, inútil. É o mesmo que não realizar qualquer esforço de organização. A negligência — em virtude da qual o cântaro se quebra — é também desastrosa. Se, por exemplo, a defesa militar de um estado for levada a excessos, vindo a provocar guerras que aniquilem o poder da nação, isso seria correspondente à quebra do cântaro. Esse hexagrama também se aplica ao indivíduo. Apesar das diferenças em tendências e educação, os fundamentos da natureza humana são idênticos em todos os seres. E cada indivíduo, em sua formação, pode usufruir dessa fonte inesgotável, que é a centelha divina presente no interior da natureza humana. Mas aqui também dois perigos ameaçam. Primeiro o risco de, em sua educação, o homem não chegar às verdadeiras raízes da condição humana, ficando preso às convenções — uma formação parcial como esta é tão nociva quanto nenhuma formação. Ou, em segundo lugar, ele pode sofrer um súbito colapso em sua educação, desistindo do autodesenvolvimento.

IMAGEM

Água sobre a madeira: a imagem do POÇO.
Assim o homem superior incentiva o povo em seu trabalho,
exortando as pessoas a se ajudarem mutuamente.

O trigrama Sun, madeira, está abaixo; o trigrama K'an, água, está acima. A madeira traz a água para o alto. Em sua vida orgânica, a madeira reproduz o funcionamento do poço. Nessa atividade todas as partes da planta são beneficiadas. Assim também o homem superior organiza a sociedade humana de modo a que, tal como na estrutura orgânica das plantas, as partes cooperem para o benefício do todo.

LINHAS

Seis na primeira posição significa:
Não se bebe o barro do poço.
Nenhum animal vem a um poço velho.

Quando alguém vaga por uma região de depressões pantanosas, sua vida submerge no lodo. Tal pessoa perde todo significado para a humanidade. Aquele que assim se põe a perder não é mais procurado pelos outros. Ao final ninguém mais se importa com ele.

Nove na segunda posição significa:
Atira-se nos peixes à entrada do poço.
O cântaro está quebrado e vazando.

A água é limpa, mas não está sendo utilizada. Assim só os peixes vivem no poço e quem dele se aproxima o faz apenas para pescar. Mas o cântaro está quebrado e não se pode manter os peixes nele.

Isso descreve a situação de alguém que tem boas qualidades, mas as negligencia. Ninguém se preocupa com ele. Como conseqüência ele se corrompe interiormente. Associa-se a homens inferiores e já não pode mais realizar nada de valor.

Nove na terceira posição significa:
O poço foi limpo, mas não se bebe dele.
Este é o pesar de meu coração,
pois se poderia usufruir dele.
Caso o rei fosse lúcido, se poderia
compartilhar a boa fortuna.

Existe aqui um homem capaz. Ele é semelhante a um poço que foi limpo, e de cujas águas se pode beber. No entanto não está sendo utilizado. Essa é a tristeza daqueles que o conhecem. Seria desejável que o príncipe fosse posto a par do que ocorre, pois isso traria boa fortuna a todos.

Seis na quarta posição significa:
O poço está sendo revestido.
Nenhuma culpa.

Não se pode utilizar um poço enquanto ele está sendo revestido. Este trabalho, no entanto, não é em vão; graças a ele a água permanece límpida. Na vida também há períodos em que o homem precisa se reorganizar. Durante este tempo ele não pode fazer nada pelos outros. Mesmo assim seu trabalho é valioso. Desenvolvendo suas forças e habilidades através do aprimoramento interno, ele poderá realizar muito mais no futuro.

> O Nove na quinta posição significa:
> No poço há uma nascente límpida e fresca
> da qual se pode beber.

Um poço em cujo interior há uma fonte que verte a água da vida é, sem dúvida, um bom poço. Um homem que tenha virtudes semelhantes nasceu para ser salvador e líder da humanidade. Ele possui a água da vida. No entanto, o presságio "boa fortuna" é aqui omitido. O decisivo em relação a um poço é que sua água seja retirada. A melhor água permanece sendo apenas uma possibilidade de alívio para os seres humanos enquanto não for retirada. O mesmo ocorre em relação aos líderes da humanidade; o importante é que se beba de sua fonte, e que suas palavras sejam aplicadas à vida.

> Seis na sexta posição significa:
> Retira-se água do poço sem impedimentos.
> Pode-se confiar nele.
> Suprema boa fortuna!

O poço existe para todos. A ninguém é proibido retirar água. Não importa quantos venham, todos encontram o que necessitam, pois se pode confiar no poço. Nele há uma fonte que nunca seca. Por isso o poço representa uma grande boa fortuna para todo o país. O mesmo ocorre com o homem verdadeiramente grande, em sua inesgotável riqueza interior; quanto mais as pessoas vêm buscá-la, tanto mais ela se engrandece.

49. KO / REVOLUÇÃO [56]

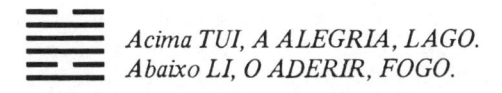

Acima TUI, A ALEGRIA, LAGO.
Abaixo LI, O ADERIR, FOGO.

O termo que designa este hexagrama tinha originalmente o sentido do pêlo de um animal, que muda no decorrer do ano. Seu significado foi então ampliado de modo a abranger as mudanças na vida política, as grandes revoluções ligadas à troca de governo.

---

[56] Ko significa também a mudança de pêlo dos animais. *(Nota da tradução brasileira.)*

Os dois trigramas que compõem este hexagrama são os mesmos do hexagrama K'uei, OPOSIÇÃO (38), as duas filhas menores, Li e Tui. Lá, porém, a mais velha das duas se encontrava acima, o que, basicamente, causava apenas um antagonismo de tendências. Aqui, a mais moça está acima e as influências se opõem, as forças se combatem como fogo e água (lago), cada qual tentando destruir a outra. Por isso a idéia de revolução.

JULGAMENTO

REVOLUÇÃO. Em seu dia próprio,
você verá que lhe darão crédito.
Supremo sucesso, propiciado pela perseverança.
O arrependimento desaparece.

Revoluções na vida política são extremamente graves. Deve-se recorrer a elas apenas em casos extremos, quando já não há mais nenhuma outra saída. Nem todos estão aptos a empreendê-la; somente aquele que goza da confiança do povo, e mesmo este apenas quando o faz no momento adequado. Ele deve então proceder da maneira correta, procurando dar alegria ao povo e orientando-o de modo a evitar excessos. Além disso é preciso estar isento de qualquer proposta egoísta, procurando verdadeiramente aliviar o sofrimento das massas. Só assim ele estará livre de motivos para arrependimento.

Os tempos mudam e, com eles, as exigências. Assim também passam as estações no decorrer do ano. O mesmo ocorre em termos de ciclos cósmicos, com a primavera e o outono na vida das pessoas e das nações impondo transformações sociais.

IMAGEM

Fogo no lago: a imagem da REVOLUÇÃO.
O homem superior organiza o calendário
e marca com clareza o período das estações.

O fogo abaixo e o lago acima combatem e destroem um ao outro. Assim também no decorrer do ano uma luta se realiza entre as forças da luz e da escuridão, resultando na mudança das estações. O homem pode chegar a exercer um domínio sobre essas mudanças na natureza quando, percebendo sua regularidade, divide o fluxo ininterrupto do tempo em períodos correspondentes. Deste modo, ordem e clareza surgem em meio à mudança aparentemente caótica das estações. Com isso, ele pode ajustar-se com antecipação às exigências das diferentes épocas.

LINHAS

Nove na primeira posição significa:
Envolvido em pele de vaca amarela.[57]

Mudanças devem ser realizadas somente quando já não resta qualquer outro recurso. Por isso é necessário uma extrema reserva ao início. Deve-se procurar manter a firmeza interior e a moderação (o amarelo é a cor do meio e a vaca, o símbolo da docilidade), evitando, por hora, tomar iniciativas, uma vez que qualquer ofensiva prematura terá más conseqüências.

Seis na segunda posição significa:
Quando chega o momento adequado, pode-se fazer a revolução.
Partir traz boa fortuna. Nenhuma culpa.

---

[57] Cf. nota 37 (hexagrama 30). *(Nota da tradução brasileira.)*

Quando se empregam todos os recursos na tentativa de realizar reformas e não se tem êxito, a revolução torna-se necessária. Porém, uma mudança tão radical exige cuidadosa preparação. É preciso que haja um homem com as qualidades necessárias e que conte com a confiança do povo. A ele então se pode recorrer. Isso traz boa fortuna, não sendo, pois, um erro. A primeira coisa a se considerar aqui é a atitude que se vai tomar em relação às novas condições que inevitavelmente surgirão. É preciso como que ir a seu encontro. Só assim se pode preparar seu advento.

> Nove na terceira posição significa:
> Partir traz infortúnio. A perseverança traz perigo.
> Depois de ouvir se repetir por três vezes o clamor da revolução ele pode aderir, pois lhe darão crédito.

Quando a mudança se torna necessária, há dois erros que se devem evitar. O primeiro consiste na pressa excessiva e desconsideração. Isso traz infortúnio. O segundo erro consiste em demasiada hesitação e conservadorismo, que são igualmente perigosos. Não se deve dar ouvidos a todo e qualquer apelo de mudança das condições existentes. Mas também não se devem ignorar queixas repetidas e bem fundamentadas. Após se ouvir por três vezes apelos para que sejam realizadas mudanças e se refletir o suficiente, pode-se então dar crédito às reivindicações, e atendê-las. Assim se conquistará a confiança de todos e se poderá alcançar o que se busca.

> Nove na quarta posição significa:
> O arrependimento desaparece. As pessoas confiam nele.
> Mudar a forma de governo traz boa fortuna.

As mudanças radicais exigem uma autoridade adequada. Para tanto, um homem deve aliar uma grande força interior a uma posição influente. Seus atos devem corresponder a uma verdade superior, não se originando em motivos arbitrários ou mesquinhos. Então virá a boa fortuna. Se uma revolução não se baseia numa verdade interior, será sempre nociva e não terá êxito. Pois ao final os homens apóiam apenas as iniciativas que instintivamente percebem serem justas.

> O Nove na quinta posição significa:
> O grande homem muda como um tigre.
> Mesmo antes de consultar o oráculo
> ele encontra a confiança do povo.

A pele do tigre com suas nítidas riscas negras ressaltando sobre o fundo amarelo forma um padrão que se reconhece à distância. O mesmo ocorre com a revolução empreendida por um grande homem; surgem grandes e claras linhas de orientação que todos podem compreender. Assim sendo, ele não necessita consultar o oráculo, uma vez que o povo o apóia espontaneamente.

> Seis na sexta posição significa:
> O homem superior muda como uma pantera.
> O homem inferior muda na face.
> Partir traz infortúnio.
> Permanecer perseverante traz boa fortuna.

Depois de resolvidos os grandes problemas básicos, são necessárias ainda certas modificações em detalhes e em precisão. Essas reformas podem ser comparadas com as manchas igualmente nítidas, porém menores, da pele da pantera. Como conseqüência, ocorre uma mudança entre os homens inferiores, que também procuram adequar-se à nova ordem. Essa mudança não é, na verdade, profunda, mas não se deveria esperar outra coisa. O homem deve conformar-se com o possível. Se se quisesse ir mais longe, buscando objetivos demasiado elevados, provocaria inquietude e infortúnio. Pois o que se deve aspirar de uma grande revolução são condições claras e seguras que garantam uma tranqüilidade para todos, de acordo com as possibilidades do momento.

50. TING / O CALDEIRÃO [58]

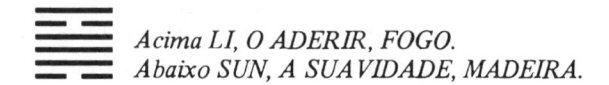

Acima LI, O ADERIR, FOGO.
Abaixo SUN, A SUAVIDADE, MADEIRA.

As linhas que compõem este hexagrama formam a imagem do caldeirão; abaixo estão as pernas sobre as quais está o bojo, em seguida as alças e acima as argolas usadas para carregá-lo. Esta imagem sugere também a idéia da alimentação. O caldeirão de bronze era o utensílio que continha os alimentos cozidos no templo dos ancestrais e nos banquetes. Cabia ao anfitrião servir os alimentos do TING nas tigelas dos convidados.

O hexagrama 48, O POÇO, também simboliza, ainda que num sentido secundário, a distribuição de alimento, porém, mais para o povo. O Ting, enquanto um utensílio pertencente a uma civilização refinada, sugere o cuidado e a alimentação dos homens capazes, o que resulta em benefício da nação. (Os quatro hexagramas que se referem à alimentação são: 5, 27, 48 e 50.)

Este hexagrama e o POÇO são os dois únicos no Livro das Mutações que representam objetos concretos feitos pelo homem. Mas aqui também a idéia possui ao mesmo tempo uma conotação abstrata. Sun, abaixo, é madeira e vento; Li, acima, é a chama. Reunidos, os trigramas representam a chama alimentada pela madeira e pelo vento, o que também sugere a idéia da preparação de alimentos.

JULGAMENTO

O CALDEIRÃO. Suprema boa fortuna. Sucesso.

O hexagrama O POÇO refere-se aos fundamentos sociais da vida em comunidade, os quais se assemelham à água que alimenta a madeira. O CALDEIRÃO representa a superestrutura cultural da sociedade. Aqui, é a madeira que serve de combustível à chama, ao espírito. Tudo o que é visível deve se expandir para além de si mesmo, até penetrar no âmbito do invisível. Desse modo alcança sua verdadeira consagração e clareza, enraizando-se firmemente na ordem cósmica.

---

[58] O "Ting" é um utensílio típico chinês, diferindo em forma e função de um caldeirão (o correspondente ao termo "Tiegel", usado por Wilhelm). Por isso, procurou-se manter, sempre que possível, o termo chinês. *(Nota da tradução brasileira.)*

Aqui a cultura atinge sua culminância na religião. O Ting serve para a oferenda de sacrifícios a Deus. Os mais elevados valores terrenos devem ser oferecidos em sacrifício a Deus. Mas o verdadeiro divino não se manifesta separado do humano. A suprema revelação de Deus encontra-se nos profetas e nos santos. Venerá-los é, na verdade, venerar a Deus. Os desígnios de Deus manifestados através deles devem ser aceitos com humildade. Assim o homem descobre uma luz interior e pode enfim compreender o mundo. Isso traz grande boa fortuna e sucesso.

IMAGEM

O fogo sobre a madeira: a imagem do CALDEIRÃO.
Assim o homem superior, corrigindo sua posição,
consolida seu destino.

O destino do fogo depende da madeira; enquanto houver madeira abaixo, o fogo arderá acima. O mesmo ocorre na vida humana. No homem também há um destino que dá força à sua vida e que se consolida quando o homem consegue posicionar corretamente a vida e o destino, harmonizando-os. Essas palavras contêm referências ao cultivo da vida tal como era transmitido pela tradição oral dos ensinamentos secretos do yoga[59] chinês.

LINHAS

Seis na primeira posição significa:
Um Ting com os pés para o alto, emborcado.
É favorável remover o conteúdo estagnado.
Uma concubina é aceita em virtude de seu filho.
Nenhuma culpa.

Não é um erro virar o Ting antes de utilizá-lo; ao contrário, deste modo removem-se os refugos. A posição de uma concubina é inferior, mas em virtude de seu filho ela é respeitada.

Estas duas metáforas expressam a idéia de que, numa cultura muito desenvolvida como a indicada neste hexagrama, toda pessoa de boa vontade pode, de alguma forma, ter êxito. Por mais humilde que seja sua posição, desde que esteja disposta a purificar-se, ela será aceita. Alcançará então uma posição em que seu trabalho se mostrará fecundo e ela encontrará, por isso, reconhecimento.

Nove na segunda posição significa:
Há alimento no Ting.
Meus companheiros têm inveja,
mas nada podem contra mim.
Boa fortuna.

Em épocas de grande desenvolvimento cultural é da máxima importância que se realize uma obra significativa. Se um homem se dedica inteiramente a uma obra dessa natureza, ainda que venha a ser objeto de inveja e má vontade, não correrá perigo. Quanto mais ele se limitar às suas positivas tarefas, tanto menos lhe poderão afetar os invejosos.

---

[59] O termo yoga aqui é usado por Wilhelm no sentido estrito de sua etimologia, não devendo ser confundido com as várias correntes do pensamento indiano que são habitualmente designadas por esse mesmo termo. "Yoga" vem da raiz sânscrita "yug", que se referia à canga usada para juntar a parelha de bois. "Yoga", portanto, significa um recurso ou meio de união, no caso a união do consciente com o inconsciente pretendida pelo esoterismo chinês. *(Nota da tradução brasileira.)*

Nove na terceira posição significa:
A alça do Ting está alterada.
Ele é impedido em suas atitudes.
A gordura do faisão não é comida.
Quando a chuva cair, o remorso desaparecerá.
A boa fortuna virá ao final.

A alça é o meio pelo qual se levanta o Ting. Se a alça está alterada, o Ting não pode ser erguido nem usado e os deliciosos alimentos que nele se encontram, como a gordura do faisão, infelizmente se desperdiçam.

Isso descreve alguém que, em meio a uma cultura muito desenvolvida, encontra-se numa posição em que não é notado nem reconhecido. Isso é um grande obstáculo à sua atuação. Todas as suas boas qualidades e dons espirituais são assim desperdiçados. Mas o que realmente lhe deve importar é a posse de tais riquezas espirituais, pois, então, cedo ou tarde virá o momento em que os obstáculos desaparecerão e tudo correrá bem. Assim como em outras passagens, a queda da chuva simboliza aqui o alívio de tensões.

Nove na quarta posição significa:
O Ting com as pernas quebradas.
A refeição do príncipe é derramada
e nódoas recaem sobre sua pessoa.
Infortúnio.

Um homem tem diante de si uma tarefa difícil e de responsabilidade para a qual não está preparado. Como, além disso, ele não se empenha de todo no que faz e permanece na companhia de homens inferiores, acaba por fracassar na execução dessa tarefa. Deste modo se expõe a críticas e desonra.

Confúcio comenta a respeito dessa linha: "Caráter fraco numa posição de destaque, pouco saber com grandes planos, força diminuta aliada à grande responsabilidade, raramente escaparão ao infortúnio".

O Seis na quinta posição significa:
O Ting tem alças amarelas e argolas de ouro.
A perseverança é favorável.

Aqui, numa posição de direção, há um homem que, por natureza, é acessível e modesto. Graças a essas qualidades ele consegue reunir auxiliares fortes e competentes que o complementam e ajudam em sua obra. Essa atitude requer uma constante abnegação, sendo por isso importante não se deixar desviar, mantendo-se firme e perseverante.

O Nove na sexta posição significa:
O Ting tem argolas de jade.
Grande boa fortuna!
Nada que não seja favorável.

Na linha precedente menciona-se argolas de ouro para ressaltar sua força. Aqui elas são de jade. O jade une à dureza um brilho suave. Para aquele que for receptivo, esse conselho poderá ser um poderoso estímulo. O texto aqui se refere ao sábio que aconselha. Ao fazê-lo, ele deve ser suave e puro, como o jade precioso. Assim seu trabalho merecerá as bênçãos da Divindade, que garantirá a boa fortuna, será um motivo de alegria para os homens e, portanto, tudo irá bem.

51. CHÊN / O INCITAR (COMOÇÃO, TROVÃO)

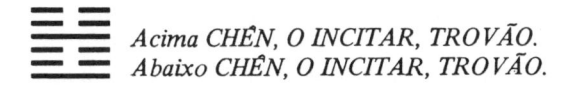

Acima CHÊN, O INCITAR, TROVÃO.
Abaixo CHÊN, O INCITAR, TROVÃO.

O hexagrama Chên representa o filho mais velho, aquele que se apodera do comando, enérgica e poderosamente. Uma linha yang surge abaixo de duas linhas yin e se eleva com vigor. Esse movimento é tão violento que provoca terror. Ele tem como símbolo o trovão que irrompe da terra, causando com seu impacto temor e tremor.

JULGAMENTO

A COMOÇÃO traz sucesso.
O choque vem: oh, oh!
Expressões de riso: ha, ha!
O choque gera pavor num raio de cem milhas
e ele não deixa cair a colher do cerimonial
de sacrifício, nem o cálice.

A comoção gerada pela manifestação de Deus nas profundezas da terra atemoriza o homem. Porém, esse temor diante de Deus é bom, pois júbilo e alegria podem vir em seguida. Quando um homem chega, em seu interior, à compreensão do que significa o temor e o tremor, ele está a salvo de qualquer medo provocado por condições externas. Mesmo quando o trovão eclode, espalhando terror num raio de cem milhas, ele permanece tranqüilo e reverente em espírito, não interrompendo o rito do sacrifício. Este é o espírito que deve animar os líderes e dirigentes da humanidade – uma profunda seriedade interior imune a todos os terrores vindos do exterior.

IMAGEM

Trovão repetido: a imagem da COMOÇÃO.
Sob temor e tremor, o homem superior retifica sua vida
e examina a si mesmo.

O choque provocado pelo contínuo trovejar causa medo e tremor. O homem superior permanece reverente diante da manifestação de Deus, corrige sua vida e examina seu coração, para que não abrigue qualquer secreta oposição à vontade de Deus. Assim a reverência é o fundamento da verdadeira cultura.

LINHAS

O Nove na primeira posição significa:
O choque vem: oh, oh!

> A seguir, expressões de riso: ha, ha!
> Boa fortuna!

O temor e o tremor provocados pelo choque fazem com que um homem, ao início, se veja em desvantagem diante dos demais. Mas isso é temporário. Uma vez superada a prova, há um alívio e, com isso, o próprio terror que sofreu ao início acaba por trazer a boa fortuna.

> Seis na segunda posição significa:
> O choque vem trazendo o perigo.
> Cem mil vezes você perde seus tesouros
> e tem de subir as nove colinas.
> Não os persiga.
> Após sete dias você haverá de recuperá-los.

Aqui se descreve uma situação na qual o choque põe em perigo um homem e lhe causa grandes perdas. A resistência seria contrária às tendências do momento, e assim sendo não teria sucesso. Portanto, ele deve simplesmente se retirar para alturas inacessíveis ao perigo que o ameaça. Deve aceitar a perda de propriedades sem se preocupar muito com isso. Quando passar o período dos abalos que lhe roubaram as posses, elas serão recuperadas sem que seja necessário sair em sua busca.

> Seis na terceira posição significa:
> O choque vem e provoca perplexidade.
> Caso o choque estimule a ação
> se permanecerá livre de culpa.

Há três tipos de comoção: do céu, que é o trovão, do destino e, finalmente, do coração.

Este hexagrama trata não tanto de um abalo interior, mas de um choque do destino. Nestas épocas de comoção, perde-se com facilidade a presença de espírito. Com isso, o homem tende a desperdiçar todas as oportunidades de ação, e com sua falta de iniciativa dá livre curso ao destino. Mas caso ele faça com que o impacto desses golpes do destino desperte uma mudança interior, então poderá superá-los sem grande esforço.

> Nove na quarta posição significa:
> A comoção chega ao pântano.

O sucesso da atividade interior depende, em parte, das circunstâncias. Se não há nem uma resistência que se possa combater com energia, nem uma desistência que possibilite a vitória, se tudo permanece denso e inerte como o lodo, o movimento se paralisa.

> Seis na quinta posição significa:
> A comoção vai e vem.
> Perigo.
> Porém, nada se perde,
> há apenas muito por realizar.

Não se trata aqui de um único impacto, mas de choques que se repetem sem dar tempo para retomar o fôlego. Mesmo assim, os choques não causam perdas. Aquele que procura manter-se no centro do movimento, evita que a fatalidade o arraste indefeso de um lado para outro.

Seis na sexta posição significa:
A comoção traz a ruína e
desperta um espreitar temeroso em redor de si.
Avançar traz infortúnio.
Se o choque ainda não atingiu o seu próprio corpo,
mas apenas o do vizinho,
não há nenhuma culpa.
Os companheiros têm assunto para conversa.

Quando o choque interior atinge sua culminância, priva o homem da serenidade e da clareza de visão. Num estado de choque não é possível agir com presença de espírito. A atitude correta, então, consiste em permanecer imóvel até que a tranqüilidade e a clareza se restabeleçam.

Mas isto só é possível enquanto o homem ainda não se deixou contaminar pela agitação, apesar de seus desastrosos efeitos serem já visíveis ao seu redor. Retirando-se a tempo, ele permanece livre de culpa e evita danos. Porém, seus companheiros, envolvidos pela agitação, já não aceitam advertências e, sem dúvida, se mostram desgostosos para com ele. Entretanto, isso não deve ser levado em consideração.

艮

52. KÊN / A QUIETUDE (MONTANHA)

Acima KÊN, A QUIETUDE, MONTANHA.
Abaixo KÊN, A QUIETUDE, MONTANHA.

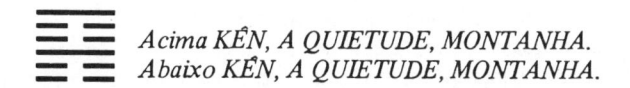

O símbolo desse hexagrama é a montanha, o filho mais moço do céu e da terra. O masculino está acima, pois essa é a tendência de sua natureza. O feminino está abaixo, na direção do seu movimento próprio. Assim, faz-se o repouso, pois o movimento chegou a seu término natural.

Quando aplicado ao homem, o tema do hexagrama consiste na busca da serenidade do coração. É muito difícil acalmar o coração. Enquanto o Budismo aspira à quietude através de uma extinção de todo movimento no Nirvana, o Livro das Mutações sustenta que a quietude é somente um estado de polaridade que tem como constante complemento o movimento.

Talvez as palavras do texto contenham indicações para a prática do yoga.[60]

JULGAMENTO

A QUIETUDE. Mantendo imóveis as costas,
ele não mais sente seu corpo.
Ele se dirige ao pátio e não vê sua gente.
Nenhuma culpa.

---
[60] Cf. nota 59 (hexagrama 50, Ting), sobre o conceito de yoga na China. *(Nota da tradução brasileira.)*

A verdadeira quietude consiste em manter-se imóvel quando chega o momento de se manter imóvel, e avançar quando chega o momento de avançar. Deste modo o repouso e o movimento permanecem em harmonia com as exigências do tempo, e a vida se ilumina.

O hexagrama representa o fim e o começo de todo movimento. As costas são mencionadas porque nelas se encontram todas as fibras nervosas mediadoras do movimento. Quando estes nervos dorsais são postos em repouso é como se o eu, com suas inquietudes, desaparecesse. Quando o homem alcança esta tranqüilidade interior, pode se dirigir ao mundo externo e já não verá mais nele a luta e o tumulto dos seres individuais. Tendo atingido a verdadeira paz, ele poderá, então, compreender as grandes leis do universo e agir em harmonia com elas. A ação que tem suas origens nesses níveis mais profundos não errará.

IMAGEM

Montanhas próximas umas das outras:
a imagem da QUIETUDE.
Assim, o homem superior não deixa seus pensamentos
irem além da situação em que se encontra.

O coração pensa[61] constantemente. Isso não se pode mudar. Mas os movimentos do coração — isto é, os pensamentos — devem se limitar à situação de fato, ao contexto atual da vida. Todo pensar que transcende o momento apenas faz sofrer o coração.

LINHAS

Seis na primeira posição significa:
Mantendo imóveis os dedos do pé.
Nenhuma culpa.
É favorável uma constante perseverança.

Manter imóvel os dedos do pé significa deter-se, antes mesmo de começar a se mover. O começo é o momento em que se cometem poucos erros. Ainda se está em harmonia com a inocência original. Vêem-se as coisas intuitivamente, tais como são, sem se deixar obscurecer por interesses e desejos. Aquele que se detém ao começo, enquanto ainda não se afastou da verdade, encontra o caminho correto. Porém, é necessária uma constante firmeza que evite deixar-se levar pela irresolução.

Seis na segunda posição significa:
Mantendo imóveis as pernas.
Ele não pode salvar aquele a quem segue.
Seu coração não está alegre.

A perna não pode se mover independentemente. Ela depende do movimento do corpo. Se o corpo está em vigoroso movimento e a perna, súbito, se detém, o impulso do corpo provoca a queda.

O mesmo ocorre com o homem que segue alguém de personalidade mais forte que a sua; ele é arrastado. Mesmo quando consegue se deter, percebendo que segue um caminho errôneo, não poderá reter o outro em seu vigoroso movimento. Quando o dirigente força o avanço, seu subalterno, por melhores que sejam suas intenções, não poderá salvá-lo.

---

[61] O conceito chinês de pensamento envolve o intelecto tanto quanto o coração, isto é, os sentimentos, os desejos, enfim todo o complexo da volição. O ideograma é composto de uma raiz referente à cabeça e outra referente ao coração. *(Nota da tradução brasileira.)*

Nove na terceira posição significa:
Mantendo imóvel o quadril.
Rigidez na região do osso sacro.
Perigo.
O coração sufoca.

Isso se refere a uma tranqüilidade forçada. Procura-se dominar a agitação do coração por meio da violência. Porém, o fogo, ao ser abafado, transforma-se numa fumaça acre que vai asfixiando à medida que se espalha.

Do mesmo modo, em exercícios de meditação e concentração não se deve procurar forçar resultados. Ao contrário, a quietude deve surgir espontaneamente, a partir de um recolhimento interior. Caso se procure impor a tranqüilidade através de uma rigidez artificial, a meditação poderá causar grandes perturbações.

Seis na quarta posição significa:
Mantendo imóvel o tronco.
Nenhuma culpa.

Como foi indicado no comentário do Julgamento, manter em repouso as costas significa esquecer o eu. A quietude chega, então, à sua culminância. Aqui esse estágio ainda não foi alcançado. Apesar de se ter conseguido acalmar o eu com seus pensamentos e impulsos, não se está totalmente livre de seu domínio. Porém, ainda assim a quietude do coração é uma função importante, e com o tempo conduz à completa eliminação dos impulsos egotistas. Apesar de o homem não se ter libertado dos perigos da dúvida e da inquietude, esse estado de ânimo não é um erro, pois conduz, ao final, a um nível mais elevado.

Seis na quinta posição significa:
Mantendo imóveis as mandíbulas.
As palavras estão em ordem.
O arrependimento desaparece.

Quando um homem se encontra numa situação perigosa para a qual não está preparado, tende muitas vezes a falar em excesso e se permitir brincadeiras inoportunas. Mas descuidos de linguagem conduzem, muitas vezes, a situações que mais tarde poderão ser motivo para arrependimento. No entanto, quando se é discreto ao falar, as palavras vão adquirindo uma precisão cada vez maior e desaparecem, então, todos os motivos de arrependimento.

O Nove na sexta posição significa:
Quietude magnânima.
Boa fortuna!

O esforço em busca da quietude atinge sua meta. A tranqüilidade aqui alcançada não se restringe a detalhes ou circunstâncias específicas. Há, isto sim, uma resignação em relação ao mundo como um todo, que traz paz e boa fortuna a todos os aspectos particulares da existência.

漸

53. CHIEN / DESENVOLVIMENTO (PROGRESSO GRADUAL)

☴ *Acima SUN, A SUAVIDADE, VENTO, MADEIRA.*
☶ *Abaixo KÊN, A QUIETUDE, MONTANHA.*

Este hexagrama se compõe de Sun (madeira, o penetrante) acima, isto é, no exterior, e Kên (a montanha, quietude) abaixo, isto é, no interior.[62] Uma árvore na montanha se desenvolve devagar, segundo as leis de sua natureza, e assim mantém-se firmemente enraizada. Isso sugere a idéia de um desenvolvimento que avança gradualmente, passo a passo. Os atributos dos trigramas também indicam o mesmo: a tranqüilidade interior que protege contra atitudes precipitadas e a penetração exterior que possibilita o desenvolvimento e o progresso.

JULGAMENTO
DESENVOLVIMENTO. A jovem é dada em casamento.
Boa fortuna! A perseverança é favorável.

Os acontecimentos que levam uma jovem a acompanhar um homem até o lar se desenvolvem lentamente. Várias formalidades devem ser cumpridas antes que se realize o casamento. Esse princípio de um desenvolvimento gradual pode ser aplicado também a outras circunstâncias, sempre que se trate de corretas relações de cooperação, como, por exemplo, ao se empregar um funcionário. Nesse caso também se deve deixar que o desenvolvimento siga o seu curso próprio. Uma ação precipitada não seria benéfica. Isso, enfim, é válido em relação a qualquer esforço para exercer influência sobre os outros. Para tanto, o importante é seguir o caminho correto, que é o do aprimoramento de sua própria personalidade. Nenhuma influência exercida por agitadores poderá ter efeitos duradouros.

Em relação à vida interior, o desenvolvimento deve seguir o mesmo curso, caso se queiram alcançar resultados duradouros.

A tranqüilidade interior deve exprimir-se exteriormente sob a forma de uma suavidade que sabe adaptar-se e que ao mesmo tempo é penetrante.

O próprio caráter gradual do desenvolvimento torna necessária a perseverança, pois só ela poderá garantir-lhe a eficácia.

---

[62] O trigrama básico inferior, isto é, aquele que é formado pelas linhas um, dois e três, é considerado interior. O trigrama básico superior, formado pelas linhas quatro, cinco e seis, é considerado exterior. *(Nota da tradução brasileira.)*

IMAGEM

Uma árvore na montanha:
a imagem do DESENVOLVIMENTO.

Assim, o homem superior mantém-se no caminho da dignidade e da virtude para que haja uma melhoria dos costumes.

A árvore sobre a montanha pode ser vista de longe, e seu crescimento exerce uma influência sobre a paisagem de toda a região. Ela não cresce rapidamente como as plantas do pântano, mas, ao contrário, tem um desenvolvimento gradual. Assim também se deve proceder para que se possa exercer uma influência sobre os homens. Nenhuma influência ou despertar repentino pode ter efeito duradouro. O progresso tem de ser gradual para que uma pessoa possa promover o desenvolvimento tanto da opinião pública quanto dos costumes do povo. É necessário que sua personalidade adquira influência e autoridade. Isto se consegue graças a um cuidadoso e constante esforço de aprimoramento moral.

LINHAS

Seis na primeira posição significa:
O ganso selvagem aproxima-se gradualmente da margem.
O jovem filho está em perigo.
Há comentários.
Nenhuma culpa.

Todas as linhas deste hexagrama representam etapas no vôo do ganso selvagem. Esta ave é o símbolo da fidelidade conjugal, pois acredita-se que após a morte de seu companheiro nunca mais se une a outro.

A primeira linha mostra a etapa inicial do vôo das aves aquáticas, partindo das águas rumo às alturas. A margem foi alcançada. Esta é a situação de um jovem solitário que procura seu caminho de vida. Como ninguém vem em seu auxílio, seus primeiros passos são lentos, hesitantes, e ele está cercado de perigos. Naturalmente ele é muito criticado. Mas são essas mesmas dificuldades que fazem com que ele não se precipite, e seu progresso tenha sucesso.

O Seis na segunda posição significa:
O ganso selvagem dirige-se gradualmente aos rochedos,
comendo e bebendo em paz e harmonia.
Boa fortuna.

O rochedo é um lugar seguro na margem. O desenvolvimento avançou mais um passo. A incerteza inicial foi superada, tendo-se alcançado uma posição segura que garante os recursos para se viver. Esse primeiro êxito abre possibilidades de atuação, desperta uma certa alegria e possibilita que se caminhe com tranqüilidade em direção ao futuro.

Diz-se que o ganso selvagem chama seus companheiros quando encontra comida; esse é o símbolo de paz e concórdia em meio à boa fortuna. Ele não deseja a felicidade só para si, mas está disposto a compartilhá-la com os outros.

Nove na terceira posição significa:
O ganso selvagem dirige-se pouco a pouco ao planalto.
O homem parte, e não regressa.
A mulher está grávida, mas não dá à luz.

Infortúnio!
É favorável prevenir-se contra ladrões.

O planalto é um local seco, impróprio ao ganso selvagem. Se ele vai para lá, é sinal que se extraviou, tendo ido longe demais. Isso contraria a lei de seu desenvolvimento.

O mesmo ocorre na vida humana. Quando o homem impede que as coisas se desenvolvam com tranqüilidade e toma a iniciativa, lançando-se de maneira precipitada à luta, o resultado será o infortúnio. Ele arrisca a própria vida e assim leva sua família à ruína. Porém, isso não é de todo necessário, é apenas a conseqüência de se ter transgredido a lei da evolução natural. Se ele não toma a iniciativa de provocar a luta, mas apenas limita-se a manter com energia a sua posição, repelindo ataques injustos, tudo correrá bem.

Seis na quarta posição significa:
O ganso selvagem dirige-se pouco a pouco à árvore.
Talvez encontre um galho plano.
Nenhuma culpa.

A árvore não é um lugar apropriado para um ganso selvagem. Mas se ele for inteligente, encontrará um galho plano e largo sobre o qual possa ficar de pé.

No decorrer de sua vida muitas vezes um homem se vê em situações que não lhe correspondem, nas quais dificilmente poderá evitar o perigo. É importante, então, ser sensível e flexível. Isso lhe possibilitará encontrar um lugar seguro em que possa viver, mesmo estando cercado por perigo.

O Nove na quinta posição significa:
O ganso selvagem dirige-se pouco a pouco ao cume.
Durante três anos a mulher não tem filhos.
Ao final nada poderá impedi-la.
Boa fortuna!

O cume é um lugar alto. O homem que se encontra numa posição elevada poderá facilmente ficar isolado. Ele não é compreendido por aqueles de quem mais depende: a mulher pelo seu marido, o funcionário pelo seu chefe. Isso decorre da intromissão de pessoas falsas. Como conseqüência, esses relacionamentos permanecem estéreis e nada se realiza. Mas à medida que o desenvolvimento prossegue, esses desentendimentos são superados e ao final a reconciliação se realiza.

Nove na sexta posição significa:
O ganso selvagem dirige-se, pouco a pouco, à altura das nuvens.
Suas penas podem ser usadas na dança sagrada.
Boa fortuna!

Aqui a vida chega a seu termo. A tarefa está concluída. O caminho se dirige às alturas, rumo ao céu, como o vôo dos gansos selvagens quando deixam para trás a terra. Lá, ao alto, eles voam, em ordem, mantendo uma rigorosa formação.

E quando suas penas caem, podem ser utilizadas como ornamento nas pantomimas das danças sagradas nos templos.

Assim a vida de um homem que alcança a plenitude é como uma luz brilhando sobre as pessoas na terra que, admirando-a, seguem-lhe o exemplo.

歸妹

54. KUEI MEI / A JOVEM QUE SE CASA

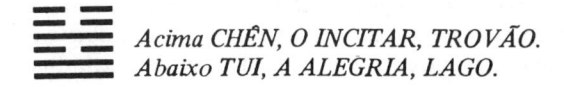

Acima CHÊN, O INCITAR, TROVÃO.
Abaixo TUI, A ALEGRIA, LAGO.

Acima está Chên, o filho mais velho; abaixo Tui, a filha mais moça. O homem toma a dianteira e a jovem o segue com alegria. Isso representa a entrada de uma jovem na casa de seu marido. Há, ao todo, quatro hexagramas que abordam a relação entre marido e mulher. Hsien, INFLUÊNCIA (31), fala da atração entre um jovem casal. O hexagrama Hêng, DURAÇÃO (32), trata do relacionamento permanente do casamento. O hexagrama Chien, DESENVOLVIMENTO (53), refere-se às demoradas formalidades que precedem um casamento adequado. E, por fim, Kuei Mei, A JOVEM QUE SE CASA, descreve uma jovem que segue um homem mais velho — e casa-se com ele.[63]

JULGAMENTO

A JOVEM QUE SE CASA. Empreendimentos trazem infortúnio.
Nada que seja favorável.

A jovem que é recebida numa família, mas não como esposa principal, deve comportar-se de modo particularmente cuidadoso e discreto. Não deve tentar suplantar a dona da casa, pois isso provocaria desordem e criaria uma situação insustentável.

O mesmo é válido para qualquer relacionamento informal entre pessoas. Enquanto os relacionamentos legalmente regulamentados estabelecem sólidas conexões entre deveres e direitos, aqueles que se baseiam em inclinações pessoais dependem, por completo, a longo prazo, de tato e discrição.

O afeto espontâneo, elemento essencial em qualquer convivência, é da maior importância em todos os relacionamentos no mundo. Assim, a união entre o céu e a

---

[63] Na China, a monogamia era a norma vigente. Cada homem tinha uma só esposa oficial. Esse casamento, atribuição mais das famílias que dos próprios participantes, realizava-se seguindo rigorosamente as formalidades prescritas. Porém, o marido conservava o direito de seguir suas inclinações pessoais. Era, inclusive, considerado um gentilíssimo dever de uma boa esposa ajudá-lo nesse sentido. Deste modo se desenvolvia um relacionamento belo e aberto. A jovem que ingressa na família pela escolha do marido se subordina modestamente à dona da casa, como se fora uma irmã mais moça. Trata-se, é claro, de uma questão muito difícil e delicada, que requer um extremo tato de ambas as partes. Porém, em circunstâncias favoráveis, isso soluciona um problema para o qual a cultura européia não encontrou resposta. É evidente que o ideal feminino na China é alcançado tão raramente quanto no Ocidente.

terra dá origem a toda a natureza. Entre os seres humanos também, a afeição espontânea é o fator aglutinador da união.

IMAGEM

O trovão sobre a terra: a imagem da JOVEM QUE SE CASA.
Assim o homem superior toma consciência do transitório
à luz da eternidade do fim.

O trovão agita as águas do lago e estas o seguem em ondas que brilham. Isso simboliza uma jovem que segue o homem de sua escolha. Porém, todo relacionamento entre pessoas corre o risco de se extraviar em virtude de erros que geram infindáveis desentendimentos e equívocos. Por isso, é necessário manter-se sempre consciente do fim. Quando os seres estão à deriva, ora aproximam-se ora afastam-se segundo as condições do momento. Quando, ao contrário, se tem um objetivo constante, é possível evitar as barreiras que enfrentam os relacionamentos mais íntimos.

LINHAS

Nove na primeira posição significa:
A jovem que se casa como concubina.
Um aleijado que pode andar.
Empreendimentos trazem boa fortuna.

Os príncipes da China antiga mantinham uma rigorosa hierarquia entre as damas da corte, que eram subordinadas à rainha, como as irmãs mais moças às mais velhas. Com freqüência essas jovens provinham da família da rainha que, ela própria, as encaminhava a seu marido.

Isso significa que uma jovem, ingressando numa família de comum acordo com a esposa, não estará situada no mesmo nível desta; deverá proceder com modéstia, mantendo-se num segundo plano. Porém, se ela souber integrar-se nesse contexto, poderá alcançar uma posição plenamente satisfatória e se sentirá protegida pelo amor de seu marido, a quem dará filhos.

O mesmo significado é encontrado no relacionamento entre funcionários. Às vezes um príncipe deposita sua confiança num homem que é seu amigo pessoal. Esse homem deve agir exteriormente com muito tato, mantendo-se em segundo plano, deixando-se preceder pelos ministros de estado. Mesmo quando limitado por sua posição como se fosse um aleijado, ele ainda poderá realizar algo graças à sua natureza bondosa.

Nove na segunda posição significa:
Alguém com uma só vista ainda pode ver.
A perseverança de uma pessoa solitária é favorável.

Aqui se indica a situação de uma jovem casada com um homem que a decepciona. Marido e mulher devem agir juntos como os dois olhos. A jovem foi deixada para trás, sozinha. O homem de sua escolha ou não lhe é mais fiel ou morreu. Mas ela não perde a luz interior de sua lealdade. Ainda que tenha perdido sua outra vista, ela se mantém fiel mesmo na solidão.

☐ Seis na terceira posição significa:
A jovem que se casa como escrava.
Ela se casa como concubina.

Uma jovem de posição inferior, não encontrando um marido, pode, em certas circunstâncias, ser ainda acolhida como concubina.

Esta situação se refere a alguém com um desejo excessivo de alegrias, que não pode alcançar pelos caminhos normais. Deste modo ela se coloca numa situação que não é de todo compatível com a sua própria dignidade. O texto não acrescenta qualquer julgamento ou advertência; apenas apresenta a situação tal como realmente é, para que cada um chegue por si mesmo à conclusão.

Nove na quarta posição significa:
A jovem que se casa prorroga o prazo.
Um casamento tardio virá no seu devido momento.

A jovem é virtuosa e não quer se perder. Por essa razão deixa passar a época habitual para o casamento. Mas isso não é prejudicial. Ela é recompensada pela sua pureza, encontrando, ainda que tardiamente, o marido predestinado.

O Seis na quinta posição significa:
O soberano I dá sua filha em casamento.
As vestes bordadas da princesa não eram tão suntuosas
como as da serva.
A lua, quase cheia, traz boa fortuna.

O soberano I é Tang, "aquele que consuma". Este governante decretou que as princesas imperiais deveriam subordinar-se a seus maridos do mesmo modo que as demais mulheres (cf. hexagrama 11, quinta posição). Um imperador não espera que um pretendente corteje sua filha. Ele providencia que o casamento se realize no momento que lhe parece adequado. Por isso, de acordo com a tradição, é correto nesse caso que a família da jovem tome a iniciativa.

Aqui uma jovem da aristocracia se casa com um homem de condição modesta e sabe adaptar-se de maneira harmoniosa à sua nova condição. Ela se liberta da vaidade dos adornos externos e, em sua vida conjugal, esquece a origem nobre, se subordinando a seu marido, assim como a lua ainda crescente não enfrenta o sol diretamente.

☐ Seis na sexta posição significa:
A mulher segura a cesta que, no entanto, não contém frutos.
O homem apunhala a ovelha, mas não corre sangue.
Nada é favorável.

Durante o sacrifício dedicado aos antepassados a mulher devia apresentar os frutos numa cesta, e o marido matar, com suas próprias mãos, o animal a ser oferecido. Aqui o ritual se realiza apenas na aparência. A mulher toma um cesto vazio e o marido apunhala uma ovelha já morta, apenas para cumprir as formalidades. Mas essa atitude de incredulidade e irreverência não traz nenhum bem ao casamento.

55. FÊNG / ABUNDÂNCIA (PLENITUDE)

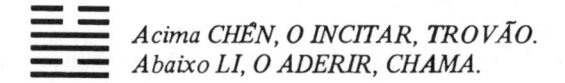

Acima CHÊN, O INCITAR, TROVÃO.
Abaixo LI, O ADERIR, CHAMA.

Chên é o movimento, Li, a chama, cujo atributo é a claridade. Clareza interna e movimento externo geram grandeza e abundância. Este hexagrama representa uma época de grande desenvolvimento cultural. Mas o próprio fato de se ter atingido a culminância implica na impossibilidade de permanência dessa condição excepcional de abundância.[64]

JULGAMENTO

A ABUNDÂNCIA tem sucesso.
O rei atinge a abundância.
Não fique triste.
Seja como o sol ao meio-dia.

Nem todo mortal está destinado a promover uma época de suprema grandeza e abundância. Só um líder nato é capaz disso, pois sua vontade é voltada para grandes metas. Uma tal época de abundância é, em geral, breve. Em virtude disso, o sábio poderia entristecer-se ao perceber a decadência que deverá se seguir. Mas essa tristeza não lhe é adequada. Só um homem interiormente livre de tristezas e preocupações pode promover uma época de abundância. Ele deve ser como o sol ao meio-dia, que ilumina e alegra a tudo que existe sob o céu.

IMAGEM

Trovão e relâmpago surgem: a imagem da ABUNDÂNCIA.
Assim o homem superior decide processos e executa as penas.

Esse hexagrama tem certa relação com o hexagrama 21, MORDER, onde também há trovão e relâmpago, porém, em ordem inversa. Enquanto lá as leis são estabelecidas, aqui elas são aplicadas e executadas. A clareza interior (Li) possibilita uma exata investigação dos fatos, enquanto a comoção exterior (Chên) garante a firme e precisa execução das penas.

---

[64] Aqui mais uma vez se aplica a idéia de que ciclos opostos se alternam ininterruptamente em todo o universo, noção essa que permeia todo o Livro das Mutações. Ao ser atingido um ápice num ciclo qualquer (yang ou yin), o movimento se inverte, com a gradual redução do que até então prevalecera, enquanto ao mesmo tempo ressurge o que até então minorava. *(Nota da tradução brasileira.)*

LINHAS

Nove na primeira posição significa:
Quando um homem encontra o governante que lhe é destinado, podem permanecer juntos dez dias e isso não será um erro.
Ir provoca o reconhecimento.

Para promover uma época de plenitude é necessário unir à clareza um enérgico movimento. Quando duas pessoas reúnem esse par de atributos, há entre elas uma correspondência, e mesmo que elas permaneçam juntas ao longo de todo um período, durante o ciclo da abundância, isso não representará um tempo demasiado, nem deve ser considerado um erro. Por isso, pode-se seguir adiante para agir; essa iniciativa encontrará reconhecimento.

Seis na segunda posição significa:
A cortina é tão densa
que se pode ver a estrela polar[65] ao meio-dia.
Seguir adiante provocará desconfiança e ódio.
Se o despertarem através da verdade,
a boa fortuna virá.

Muitas vezes, disputas e intrigas facciosas, de efeito semelhante ao obscurecimento causado por um eclipse solar, vêm se interpor entre um governante que busca realizar grandes tarefas e o homem que poderia levá-las a cabo. Então, no céu ao invés do sol se vê a estrela polar. A presença do governante é obscurecida por um grupo que usurpou o poder. Se, numa tal época, um homem quiser agir de maneira enérgica, encontrará apenas desconfiança e inveja, o que impossibilita qualquer movimento. O essencial, então, é manter-se interiormente fiel ao poder da verdade, pois ela é tão poderosa que, ao final, terminará por exercer uma invisível influência sobre o governante, e tudo acabará bem.

Nove na terceira posição significa:
O arbusto é tão denso
que se vêem pequenas estrelas ao meio-dia.
Ele quebra seu braço direito.
Nenhuma culpa.

Isto simboliza o obscurecimento progressivo do sol. Aqui o eclipse é total, e ao meio-dia podem-se ver até mesmo pequenas estrelas.

No âmbito das relações sociais isto significa que a figura do príncipe sofreu um tal obscurecimento que mesmo as pessoas mais insignificantes podem se sobressair. Com isso, um homem capaz, que poderia ser o braço direito do governante, fica impossibilitado de realizar qualquer coisa. É como se seu braço estivesse quebrado. Mas ele não tem culpa de estar assim impedido de agir.

Nove na quarta posição significa:
A cortina é tão densa que se pode ver a estrela polar ao meio-dia.
Ele encontra seu governante, o qual se lhe assemelha.
Boa fortuna!

Nesse ponto a escuridão já está em declínio e, por isso, aqueles que têm afinidade entre si podem se encontrar. Aqui também é necessário encontrar uma comple-

---

[65] Em alemão, "Polsterne" no plural, uma vez que a estrela polar, da constelação da Ursa Menor, é uma estrela dupla. *(Nota da tradução brasileira.)*

mentação; à alegria da ação deve-se aliar a necessária sabedoria. Então tudo correrá bem. O fator complementar postulado aqui tem um sentido oposto ao da primeira linha. Lá a sabedoria deveria procurar se unir à energia. Aqui a energia deve ser complementada pela sabedoria.

> O Seis na quinta posição significa:
> Linhas chegam, bênçãos e fama se aproximam.
> Boa fortuna.

O governante é modesto e escuta os conselhos dos homens capazes. Por isso acercam-se dele pessoas que lhe sugerem linhas de ação. Isso traz bênçãos, fama e boa fortuna tanto para ele como para seu povo.

> Seis na sexta posição significa:
> Sua casa encontra-se na abundância.
> Ele esconde sua família,
> espreita através do portão e já não percebe mais ninguém.
> Durante três anos ele não vê mais nada.
> Infortúnio!

Isso descreve um homem que, por sua arrogância e obstinação, atinge o oposto do que anseia. Ele procura abundância e esplendor para sua moradia. Deseja a todo custo ser o senhor absoluto em sua casa, mas isto o afasta de sua própria família a tal ponto que, ao final, ele se vê completamente só.

56. LÜ / O VIAJANTE

Acima LI, ADERIR, FOGO.
Abaixo KÊN, QUIETUDE, MONTANHA.

A montanha (Kên) mantém-se imóvel; acima, o fogo (Li) arde e não permanece no mesmo local. Por isso, os dois trigramas não ficam juntos. Terras estranhas e separação, eis o destino do viajante.

JULGAMENTO

O VIAJANTE. Sucesso através do que é pequeno.
A perseverança traz boa fortuna ao viajante.

Quando um homem está viajando e é, portanto, estrangeiro, deve evitar ser rude ou arrogante. Ele não dispõe de um grande círculo de relações e não deve, portanto, se vangloriar. É necessário ser cauteloso e reservado; desse modo evitará o mal. Se ele for atencioso com os outros, terá sucesso.

O viajante não tem morada fixa, seu lar é a estrada. Por isso ele deve procurar se manter íntegro e firme, detendo-se apenas em lugares apropriados e tendo contato somente com boas pessoas. Ele, então, encontrará boa fortuna e poderá seguir seu caminho sem problemas.

IMAGEM

Fogo sobre a montanha: a imagem do VIAJANTE.
Assim o homem superior é claro e cauteloso ao
aplicar castigos, e não prolonga os litígios.

Quando o capim sobre a montanha queima, faz-se uma intensa claridade. Porém, o fogo não se demora num só lugar, mas segue adiante em sua procura de novo combustível. Ele é um fenômeno de curta duração. Assim também devem ser as penalidades e os processos; algo passageiro, que não se prolonga indefinidamente. Prisões devem ser lugares em que as pessoas sejam recolhidas só temporariamente, como se fossem hóspedes. Não devem se converter em moradia.

LINHAS

Seis na primeira posição significa:
Se o viajante se ocupa de coisas banais,
atrai sobre si a desgraça.

Um viajante não deve se rebaixar ocupando-se com vulgaridades que encontra em seu caminho. Quanto mais humilde e indefesa for sua situação externa, tanto mais deve ele preservar sua dignidade interior. Pois um estrangeiro se engana ao julgar que, prestando-se a brincadeiras e ao ridículo, encontrará acolhida amigável. Isso só pode lhe acarretar desprezo e tratamento ofensivo.

Seis na segunda posição significa:
O viajante chega a uma hospedaria.
Traz consigo seus pertences.
Ele conquista a perseverança de um jovem servidor.

O viajante aqui descrito é modesto e reservado. Ele não se aliena de sua essência interior e por isso encontra um lugar onde pode repousar. No plano exterior ele não perde a simpatia das pessoas e por isso todos o ajudam na aquisição de bens. Encontra ainda um servidor fiel e de confiança com o qual pode contar, o que é de inestimável valor para um viajante.

Nove na terceira posição significa:
A hospedaria do viajante incendiou-se.
Ele perde a perseverança de seu jovem servidor.
Perigo.

Um estrangeiro violento, que não sabe se comportar, se intromete em assuntos e controvérsias que não lhe dizem respeito. Com isso, perde seu lugar de repouso. Trata a seu servidor de modo distante e arrogante, perdendo assim sua lealdade. Quando um estrangeiro já não tem mais ninguém em que possa confiar, sua situação torna-se muito perigosa.

Nove na quarta posição significa:
O viajante descansa num abrigo.
Ele obtém sua propriedade e um machado.
Meu coração não está contente.

Aqui se descreve um viajante que sabe comportar-se com moderação, apesar de seu temperamento forte e intempestivo. Por isso ele encontra, pelo menos, um abrigo onde pode permanecer. Consegue também adquirir bens, mas mesmo possuindo-os ele não está seguro. Ele precisa estar sempre alerta, pronto para defender-se recorrendo às armas. Por isso ele não se sente à vontade. Está sempre consciente de ser um estrangeiro numa terra estranha.

○ Seis na quinta posição significa:
Ele atira num faisão. Este cai à primeira flechada.
Ao final isso lhe traz elogios e um cargo.

Os estadistas que se encontravam de passagem num lugar tinham o hábito de se apresentar aos príncipes da região, oferecendo-lhes um faisão. Aqui o viajante deseja entrar para o serviço de um príncipe. Por esse motivo, ele atira num faisão, abatendo-o ao primeiro tiro. Com isso, encontra amigos que o elogiam e recomendam. Ao final o príncipe o acolhe e lhe confere um cargo.

Muitas vezes há circunstâncias que levam um homem a buscar moradia no estrangeiro. Se ele sabe como fazer frente à situação, apresentando-se da maneira correta, poderá formar um círculo de amigos e encontrar uma esfera de atividades mesmo num país estrangeiro.

Nove na sexta posição significa:
O ninho do pássaro é incendiado.
Primeiro o viajante ri,
mas depois há de lamentar-se e chorar.
Por um descuido perde sua vaca.
Infortúnio!

A imagem de um pássaro cujo ninho se queima indica a perda do lugar de repouso. Esse infortúnio poderá ocorrer a um pássaro se, durante a construção do seu ninho, for descuidado e imprudente. O mesmo pode ocorrer a um viajante. Caso ele se deixe levar por brincadeiras e risos, esquecendo-se de sua condição de viajante, mais tarde terá motivos para chorar e lamentar. Pois se, devido à imprudência, um homem perde sua vaca, isto é, a modéstia e a capacidade de adaptação, as conseqüências serão nocivas.

57. SUN / A SUAVIDADE (O PENETRANTE, VENTO)

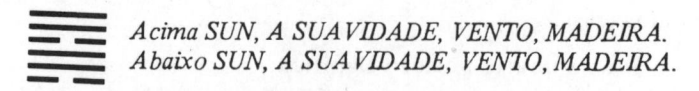

Acima SUN, A SUAVIDADE, VENTO, MADEIRA.
Abaixo SUN, A SUAVIDADE, VENTO, MADEIRA.

Sun é um dos oito hexagramas formados pela repetição de um mesmo trigrama.[66] Representa a filha mais velha e simboliza vento ou madeira. Tem como atributo a suavidade, que é penetrante como o vento ou como a madeira em suas raízes.

---

[66] Literalmente "hexagramas duplos". *(Nota da tradução brasileira.)*

O princípio da escuridão, em si mesmo estático e imóvel, é dissolvido pelo penetrante princípio luminoso ao qual, com suavidade, se subordina. Na natureza, é o vento que dispersa as nuvens acumuladas e deixa o céu claro e sereno. Na vida humana, é a penetrante clareza de julgamento que dissolve todas as sombrias intenções veladas. Na vida da comunidade, é a poderosa influência de uma eminente personalidade que desvela e dissolve as intrigas que se esquivavam da luz.

JULGAMENTO

A SUAVIDADE. Sucesso através do que é pequeno.
É favorável ter onde ir.
É favorável ver o grande homem.

A penetração produz efeitos graduais e imperceptíveis. Não se deve, portanto, proceder de modo violento e sim através de uma influência constante. Efeitos dessa ordem chamam menos a atenção que aqueles que se podem conseguir com um ataque de surpresa, porém são mais duradouros e completos. Para se poder agir deste modo, é preciso ter um objetivo claro e definido, pois é somente quando a influência penetrante age sempre na mesma direção que o objetivo pode ser alcançado.

Uma pequena força será capaz de realizar algo, caso se subordine a um homem superior que saiba criar ordem.

IMAGEM

Ventos que se sucedem:
a imagem da SUAVIDADE PENETRANTE.
Assim o homem superior transmite a todos suas ordens
e executa seus empreendimentos.

A qualidade penetrante do vento depende de sua constância. É isso que o torna tão poderoso. O tempo é o seu instrumento. Do mesmo modo, o pensamento do governante deve penetrar a alma do povo. Para isso é necessário também exercer uma influência contínua através de explicações e comandos. Só é possível que as ações se realizem de acordo com as ordens, quando estas chegam a penetrar a alma do povo. A ação repentina apenas assusta e provoca repulsa.

LINHAS

☐ Seis na primeira posição significa:
Ao avançar e ao retroceder,
é favorável a perseverança de um guerreiro.

A suavidade de caráter de um homem pode muitas vezes levá-lo à indecisão. Não se sentindo forte o suficiente para avançar resolutamente, surgem-lhe mil dúvidas. Todavia, ele não deseja a retirada, hesita e, em sua indecisão, ora avança, ora recua. Nesse caso é necessário tomar uma decisão com a firmeza de um guerreiro para que se possa cumprir com rigor o que a ordem exige. A disciplina decidida é preferível à indecisão complacente.

Nove na segunda posição significa:
Penetração sob a cama.
Sacerdotes e magos são utilizados em grande número.
Boa fortuna! Nenhuma culpa.

Às vezes se tem que lidar com inimigos ocultos, influências impalpáveis que se ocultam nos mais obscuros recantos. De seu esconderijo, procuram sugestionar as pessoas. Nestes casos, é necessário persegui-los até os seus esconderijos mais secretos, para que se possa, então, identificar a natureza das influências em questão. Essa é a tarefa dos sacerdotes. Eliminá-las é o encargo dos magos. O caráter anônimo dessa conspiração exige um empenho especialmente vigoroso e incansável que, porém, encontrará ampla recompensa. Pois uma vez trazidas à luz e identificadas, essas influências furtivas perdem seu poder sobre as pessoas.

>   Nove na terceira posição significa:
>   Penetração repetida.
>   Humilhação.

Uma reflexão penetrante não deve ser levada longe demais, sob pena de prejudicar a capacidade de decisão. Após analisar a fundo um assunto, é necessário tomar uma decisão e agir. A repetida reflexão acaba despertando novas dúvidas e assim conduz à humilhação, pois o homem se mostra incapaz de agir.

>   ☐ Seis na quarta posição significa:
>   O remorso desaparece.
>   Durante a caçada, três espécies de caça são capturadas.

Quando a posição de responsabilidade e a experiência acumulada levam um homem a combinar sua modéstia a uma ação enérgica, grande sucesso é alcançado. Os três tipos de caça destinavam-se às oferendas aos deuses, para servir aos convidados e para o consumo diário. Quando as presas eram adequadas a essas três finalidades, a caçada era considerada especialmente bem sucedida.

>   ○ Nove na quinta posição significa:
>   A perseverança traz boa fortuna.
>   O arrependimento desaparece.
>   Nada que não seja favorável.
>   Nenhum começo, porém um fim.
>   Antes da mudança três dias.
>   Depois da mudança três dias.
>   Boa fortuna!

Em contraste com o hexagrama 18, TRABALHO SOBRE O QUE SE DETERIOROU, onde se devia criar um ponto de partida totalmente novo, aqui trata-se apenas de reformas. O começo não foi bom, mas chega um momento em que se pode tomar um novo rumo. São necessárias mudanças e melhorias. Isso requer constância, isto é, um ânimo justo e firme. Assim haverá êxito e o remorso desaparecerá. Mas é importante ter em mente que tais melhorias exigem uma cuidadosa reflexão. Antes de se efetuar a mudança é necessária uma repetida reflexão. Após concluí-la deve-se, ainda, durante algum tempo, observar com atenção, verificando como essas melhorias funcionam quando postas em prática. Esse trabalho cuidadoso é acompanhado de boa fortuna.

>   Nove na sexta posição significa:
>   Penetração debaixo da cama.
>   Ele perde seus bens e seu machado.
>   A perseverança traz infortúnio.

A compreensão de um homem é suficientemente penetrante. Ele persegue as influências nocivas até os recantos mais secretos. Porém, já não tem mais forças para combatê-las com decisão. Nesse caso, qualquer tentativa de penetrar no domínio próprio das trevas só poderá ser prejudicial.

58. TUI / ALEGRIA (LAGO)

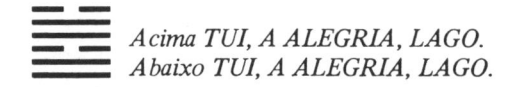

Acima TUI, A ALEGRIA, LAGO.
Abaixo TUI, A ALEGRIA, LAGO.

Tui, ALEGRIA, assim como Sun, SUAVIDADE (57), é um dos oito hexagramas formados pela repetição de um mesmo trigrama.[67] Tui significa a filha menor, tem como símbolo o lago sorridente e seu atributo é a alegria. Essa jovialidade não se origina, como poderia parecer, na maleabilidade de que é dotada a linha na última posição.[68] O atributo do princípio maleável ou obscuro não é a alegria e sim a melancolia. Todavia, a alegria é indicada pelo fato de haver duas linhas fortes no interior que se expressam no plano externo através da suavidade. A verdadeira alegria, portanto, baseia-se numa firmeza e força interior, expressando-se no plano externo através de suavidade e gentileza.

JULGAMENTO

A ALEGRIA. Sucesso.
A perseverança é favorável.

A alegria é um estado de ânimo contagiante e, por isso, promove o sucesso. Mas ela deve ter como base a constância, para que não degenere numa euforia descontrolada. A verdade e a força devem residir no coração, enquanto a suavidade deve se manifestar no relacionamento social. Desta forma adota-se a atitude correta em relação a Deus e aos homens, podendo-se chegar a realizar algo. Em certas circunstâncias, a intimidação sem a gentileza pode ter algum resultado, durante um tempo limitado, mas não para sempre. Quando, por outro lado, se conquista o coração dos homens através da amabilidade, estes são levados a aceitar toda sorte de dificuldades de boa vontade e, se necessário, enfrentarão até mesmo a morte sem recuar, tão grande é o poder da alegria sobre os homens.

---

[67] Literalmente "hexagramas duplos". *(Nota da tradução brasileira.)*

[68] Literalmente "linha superior". Essa formulação é problemática, pois omite a distinção entre a posição e a linha ocupante. Os hexagramas possuem seis posições com seis ocupantes que são, estes sim, linhas yang ou yin. As posições, por sua vez, têm uma carga própria yang ou yin, que independe das linhas ocupantes. Posições ímpares têm carga yang e posições pares têm carga yin. Assim, nos hexagramas, a carga própria yang ou yin da posição interage com o caráter yang ou yin do ocupante. *(Nota da tradução brasileira.)*

IMAGEM
Lagos que repousam um sobre o outro:
a imagem da ALEGRIA.
Assim o homem superior reúne-se a seus amigos
para debater e praticar.

Um lago evapora e, pouco a pouco, vai se esgotando. Mas quando dois lagos estão unidos, eles não secam tão facilmente, pois um alimenta o outro. O mesmo ocorre no campo do conhecimento. O saber deve ser uma força revigorante e vitalizadora. Isso só é possível quando há um intercâmbio estimulante com amigos afins, em cuja companhia se possa debater e procurar aplicar as verdades da vida. Desse modo, o conhecimento se amplia, incorporando múltiplas perspectivas, e se torna mais leve e jovial, enquanto que nos autodidatas tende a ser sempre um pouco pesado e unilateral.

LINHAS
Nove na primeira posição significa:
Alegria contente.
Boa fortuna!

Há uma alegria serena, silenciosa, que se cultiva no recolhimento, quando a mente nada mais deseja do exterior mas com tudo se contenta; essa alegria está livre de qualquer sentimento egoísta de simpatia ou antipatia. A boa fortuna consiste nessa liberdade, pois ela possui a tranqüila segurança de um coração interiormente fortalecido.

O Nove na segunda posição significa:
Alegria sincera.
Boa fortuna.
O arrependimento desaparece.

Com freqüência, uma pessoa se encontra em contato com homens inferiores em cuja companhia é atraída por prazeres impróprios a um homem superior. A participação em tais prazeres acarretaria, sem dúvida, arrependimento, pois um homem superior não pode encontrar real satisfação em prazeres indignos. Quando, reconhecendo isso, um homem não deixa que sua vontade se desvie e assim não encontra qualquer prazer em tais atitudes, então nem mesmo companhias questionáveis ousariam tentá-lo com prazeres indignos, pois ele não os usufruiria. Com isso, todas as causas de arrependimento são eliminadas.

☐ Seis na terceira posição significa:
Alegria que chega.
Infortúnio!

A verdadeira alegria deve brotar do interior. Mas quando uma pessoa está inteiramente vazia e entregue por completo ao mundo, suas fúteis alegrias vêm então do exterior. É o que muitas pessoas buscam como diversão. Pessoas interiormente instáveis que, por isso, têm necessidade de entretenimentos, sempre encontrarão oportunidade para se divertir. Elas atraem os prazeres externos em virtude do vazio de seu mundo interno. Com isso, perdem-se cada vez mais, o que naturalmente provoca o infortúnio.

Nove na quarta posição significa:
A alegria que avalia não está tranqüila.
Depois de se livrar dos erros,
um homem encontra a alegria.

Com freqüência o homem se encontra avaliando e julgando diferentes formas de prazer. Enquanto ainda não decidiu qual escolherá, se o mais elevado ou o mais vil, não terá paz em seu interior. Só quando ele reconhece claramente que paixão traz sofrimento é que poderá afastar-se dos prazeres inferiores e buscar os mais elevados. Uma vez consolidada essa decisão, ele encontra a verdadeira alegria e paz. O conflito interno é então superado.

O Nove na quinta posição significa:
Ser sincero para com influências destrutivas é perigoso.

Elementos perigosos aproximam-se mesmo dos melhores homens. Quando lhes é dado acesso, sua influência destrutiva passa a agir, lenta porém seguramente. Isso sem dúvida acarreta perigo. Porém, aquele que reconhece essa situação e compreende o perigo saberá proteger-se e estará a salvo.

☐ Seis na sexta posição significa:
Alegria sedutora.

Uma pessoa fútil atrai os prazeres dos divertimentos e sofrerá por isso. (Cf. seis na terceira posição.) Se um homem carece de firmeza interior, os prazeres do mundo aos quais não evitou exercem tal pressão, que vêm arrastá-lo. Não é mais uma questão de perigo, de boa fortuna ou infortúnio. Ele abdicou do comando de sua própria vida. Sua sorte depende agora do acaso e das influências externas.

59. HUAN / DISPERSÃO (DISSOLUÇÃO)

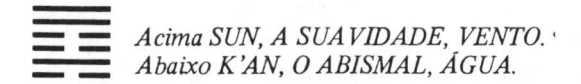

Acima SUN, A SUAVIDADE, VENTO.
Abaixo K'AN, O ABISMAL, ÁGUA.

O vento soprando sobre a água vem a dispersá-la e dissolvê-la em espuma e vapor. Isso sugere que a energia vital de um homem, quando está acumulada em seu interior (o que é indicado como sendo perigoso pelo atributo do trigrama inferior), poderá ser libertada pela suavidade que dissolve o bloqueio.

DISPERSÃO. Sucesso.
O rei aproxima-se de seu templo.
É favorável atravessar a grande água.
A perseverança é favorável.

O texto desse hexagrama assemelha-se ao do hexagrama Ts'ui, REUNIÃO (45). Lá trata-se da reunião dos elementos que se separaram, assim como a água se reúne sobre a terra, formando lagos. Aqui o tema é a dispersão e a dissolução do egoísmo que a tudo separa. O hexagrama DISPERSÃO mostra o caminho que, por assim dizer, conduz à reunião. Isso explica a semelhança dos dois textos.

Para superar o egoísmo que separa os homens é preciso recorrer a forças religiosas. O meio empregado pelos grandes governantes para unir os homens era a celebração comunitária das grandes festas de sacrifícios e ritos sagrados, que expressavam tanto a articulação social como a ligação existente entre a família e o estado.[69] A música sacra e o esplendor das cerimônias envolviam as pessoas numa intensa emoção conjunta, depertando-lhes a consciência para a origem comum de todos os seres. Assim, a desunião era superada e a intransigência, dissolvida. Outro recurso consiste em promover a cooperação entre as pessoas num grande empreendimento comunitário que funcione como um objetivo superior aos interesses individuais. A concentração conjunta nessa finalidade comum dissolve todas as barreiras que provocam isolamento, assim como num barco, atravessando uma correnteza, todos a bordo precisam se unir, trabalhando coordenadamente.

Porém, só um homem livre de todo e qualquer interesse pessoal, que seja constante em seu senso de justiça e firme em suas atitudes, será capaz de dissolver a rigidez do egoísmo.

IMAGEM

O vento sopra sobre as águas: a imagem da DISPERSÃO.
Assim, os reis da antiguidade ofereciam sacrifícios
ao Senhor, e construíam templos.

No outono e no inverno as águas começam a se congelar. Quando sopram as suaves brisas da primavera, a rigidez se dissolve e tudo o que se dispersara em blocos de gelo volta a se unir. O mesmo ocorre com as mentes das pessoas. A rigidez e o egoísmo endurecem o coração e essa rigidez leva o homem a se separar dos outros. O egoísmo e a cobiça isolam o homem. Por isso é necessário que uma emoção de devoção se apodere do coração dos homens. Eles precisam ser sacudidos por uma comoção religiosa diante da revelação da Eternidade, experimentando o tremor provocado pela intuição do Criador de todos os seres, e unindo-se através do poderoso sentimento de fraternidade experimentado durante o ritual de adoração da divindade.

LINHAS

Seis na primeira posição significa:
Ele traz ajuda com a força de um cavalo.

É importante que a desunião seja vencida logo ao início, antes mesmo que se instale; que as nuvens sejam dissipadas antes de se transformarem em tempestade e chuva.

Em tais épocas, quando estados de ânimo divergentes que permaneciam velados vêm a se manifestar provocando incompreensões mútuas, é necessário uma ação rápida e vigorosa para dissolver esses desentendimentos e desconfianças recíprocos.

☐ Nove na segunda posição significa:
Durante a dispersão ele corre em direção ao que lhe dá apoio.
O arrependimento desaparece.

---

[69] A noção de interligação entre a família e o estado aqui expressa é desenvolvida por Confúcio, que sustentava que, havendo paz na família, haveria paz na nação, pois aquela é a matriz a partir da qual esta surge. Tal convergência daria apoio à tese de influência direta do Livro das Mutações sobre Confúcio. *(Nota da tradução brasileira.)*

Quando um indivíduo descobre em si os primeiros sinais de alienação dos outros, de misantropia e mau humor, deve procurar dissolver esses obstáculos. Deve, o mais rápido possível, se pôr em marcha interiormente, rumo ao que lhe dá apoio. Tal apoio nunca é encontrado no ódio, mas sempre e somente num julgamento moderado e justo dos homens, aliado à benevolência. Quando se recupera essa visão desobstruída da humanidade, dissolvendo-se todo o mau humor irascível, desaparecem todos os motivos para arrependimento.

>   Seis na terceira posição significa:
>   Ele dissolve seu ego.
>   Nenhum arrependimento.

Em certas circunstâncias o trabalho de um homem pode se tornar tão árduo que não lhe permite mais pensar em si mesmo. Ele precisa deixar de lado qualquer desejo pessoal e dissolver tudo o que o ego reuniu em torno de si como barreira contra os outros. Somente com base em uma grande renúncia é possível reunir a força necessária para realizações importantes. Essa atitude é alcançada apenas quando o homem tem como meta uma tarefa elevada, que transcenda seus interesses próprios.

>   □ Seis na quarta posição significa:
>   Ele se separa de seu grupo.
>   Sublime boa fortuna!
>   Através da dispersão chega-se à acumulação.
>   Os homens comuns não pensam nisso.

Quando se trabalha numa tarefa que visa ao bem comum, deve-se pôr de lado todas as amizades pessoais. Só colocando-se acima dos interesses partidários se pode realizar uma obra decisiva. Aquele que tem a coragem de renunciar ao que lhe está próximo, conquista o que está distante. Mas para poder entender esse ponto de vista é preciso ter uma visão ampla das inter-relações da vida, a que só homens excepcionais conseguem.

>   ○ Nove na quinta posição significa:
>   Seus fortes gritos dissolvem como o suor.
>   Dispersão! Um rei permanece sem culpa.

Em épocas de dispersão e separação geral, uma grande idéia funciona como um núcleo em torno do qual se organiza a recuperação. A transpiração liberadora é sinal de que a fase crítica de uma doença está sendo deixada para trás; assim também uma grande e estimulante idéia pode ser a salvação em épocas de impasse. Os homens têm então um ponto de convergência em torno do qual podem se reunir: um governante capaz de dissolver os equívocos.

>   Nove na sexta posição significa:
>   Ele dissolve seu sangue.
>   Partir, manter-se afastado, sair não envolve culpa.

A dissolução do sangue significa a dispersão do que poderia gerar derramamento de sangue e ferimentos; o mesmo, portanto, que evitar o perigo. Mas a idéia expressa aqui não indica apenas que um homem evite o perigo, e sim que ele procure salvar os seus, ajudando-os a partir antes que o perigo surja, ou mantendo-os afastados de um perigo já existente, ou ainda auxiliando-os a encontrar uma saída para um perigo que já os ameaça. Desse modo ele faz o que é correto.

節

60. CHIEH / LIMITAÇÃO

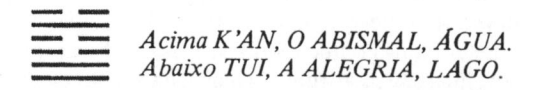

▤ *Acima K'AN, O ABISMAL, ÁGUA.*
Abaixo TUI, A ALEGRIA, LAGO.

O lago ocupa um espaço limitado. Quando recebe água demais, transborda. Por isso deve-se pôr limites à água. A imagem apresenta água abaixo e água acima, com o firmamento entre elas, servindo de limite.

A palavra chinesa para limitação refere-se, na realidade, aos nós que dividem um talo de bambu. Na vida diária, este termo significa a economia que fixa limites às despesas. Em relação à esfera moral, ela representa os limites firmes que o homem superior impõe às suas ações, os limites da lealdade e do desinteresse.

JULGAMENTO

LIMITAÇÃO. Sucesso.
Não se deve perseverar ao se exercer uma limitação amarga.

Limitações são penosas, mas eficazes. Vivendo de modo econômico em épocas normais, o homem está preparado para os períodos de carência. Sendo comedido ele evita humilhações. Limitações são também indispensáveis para a ordenação das circunstâncias do mundo. A natureza tem limites fixos para o verão e o inverno, para o dia e a noite, e são esses limites que dão sentido ao ano. Do mesmo modo a economia, ao fixar limites precisos para as despesas, garante a preservação dos bens, evitando que as pessoas sofram prejuízos.

Mas limitações devem ser aplicadas de forma equilibrada. Se um homem tenta impor restrições muito amargas à sua própria natureza, isso lhe será prejudicial. Se ele exagera ao impor limites aos outros, eles se rebelarão. Portanto, é necessário fixar limites até mesmo às limitações.

IMAGEM

Água sobre o lago: a imagem da LIMITAÇÃO.
Assim, o homem superior cria número e medida,
examina a natureza da virtude e da conduta correta.

O lago é limitado, a água, inesgotável. O lago só pode conter uma parcela restrita da quantidade indefinida de água existente no mundo. Nisso consiste sua particularidade. Do mesmo modo a vida humana adquire um significado quando o homem exerce um discernimento seletivo e estabelece limites. Aqui, portanto, a questão será definir com clareza essas distinções, que são como que a espinha dorsal da moralidade. Possibilidades ilimitadas não são próprias ao homem. Caso fossem disponíveis, levariam a vida humana a dissolver-se na indeterminação. Para que o homem se fortaleça, sua vida necessita de limites impostos pelo dever e aceitos voluntariamente. A pessoa humana só adquire relevância enquanto espírito[70] livre, quando se impõe limites e determina de forma espontânea o seu dever.

LINHAS

Nove na primeira posição significa:
Não ir além da porta e do pátio não implica em culpa.

Muitas vezes um homem gostaria de realizar algo, porém se vê diante de limitações intransponíveis. É necessário, então, que ele saiba discernir em que ponto deve parar. Se ele compreende isso claramente e respeita os limites que lhe foram impostos, poderá reunir a energia necessária para agir com firmeza, quando chegar o momento adequado. Durante a preparação de coisas importantes, a discrição é indispensável.

Confúcio comentando essa linha disse: "Quando surge a desordem, as palavras são o primeiro degrau. Se o príncipe não é discreto, ele perde seu vassalo. Se o vassalo não é discreto, ele perde sua vida. Se aquilo que está ainda germinando não for tratado com discrição, seu desenvolvimento será prejudicado. Por isso o homem superior é cuidadoso ao manter silêncio e não vai além do que deve".

Nove na segunda posição significa:
Não ir além do portão e do pátio traz infortúnio.

Quando chega o momento de agir é necessário se proceder com rapidez. A água, num lago, primeiro se acumula sem transbordar, mas quando ele estiver cheio, sem dúvida encontrará uma saída. O mesmo ocorre na vida humana. A hesitação é benéfica enquanto o momento de agir ainda não chegou, e nociva se prossegue após ele ocorrer. Uma vez que os obstáculos para a ação foram removidos e um homem, ansioso, ainda hesita, comete um erro que tende a provocar desastre, pois perde sua oportunidade.

Seis na terceira posição significa:
Aquele que não conhece limitação alguma
terá motivo para lamentar-se.
Nenhuma culpa.

Se um homem pensa apenas em prazeres e divertimentos, perde facilmente o sentido dos limites necessários. Entregando-se à dissipação ele terá que sofrer as conseqüências quando, então, lamentará seu infortúnio. Mas ele não deve procurar culpar os outros. Só quando um homem reconhece que é responsável por seus próprios erros é que se torna capaz de aprender com essas experiências dolorosas a evitar novas faltas.

Seis na quarta posição significa:
Limitação satisfeita.
Sucesso.

---

[70] Na edição alemã de 1980, utilizada para a presente tradução, o termo usado nesta passagem é "Gast", "hóspede", que parece-nos desprovido de sentido, considerando-se o contexto. Na primeira edição alemã, ao invés de "Gast" encontra-se o termo "Geist", "espírito", que, em virtude de sua pertinência foi inclusive utilizado nas traduções inglesa, francesa e chilena. Somente a tradução argentina mantém "hóspede". A opção pelo termo usado na primeira edição, longe de ser arbitrária, procura respeitar o significado que articula todo o texto da Imagem. *(Nota da tradução brasileira.)*

Toda limitação tem seu valor. Mas nos casos em que requer um esforço constante, acarreta um gasto excessivo de energia. Quando, porém, a limitação é algo natural (como por exemplo na tendência da água de fluir sempre e somente na direção dos declives), conduz necessariamente ao sucesso, porque neste caso há uma economia de energia. A energia que de outro modo seria consumida num combate inútil com o seu objetivo, aqui é aplicada em benefício do que se está executando. O sucesso é, portanto, certo.

O Nove na quinta posição significa:
Doce limitação traz boa fortuna.
Ir adiante traz estima.

Para ser eficaz, a limitação deve ser aplicada da forma correta. Se um homem procura impor restrições somente aos outros, enquanto ele próprio as evita, tais limitações tendem a causar ressentimentos e resistência. Quando, ao contrário, um homem numa posição de comando começa por impor limitações a si mesmo, exige pouco de seus companheiros e realiza algo com recursos modestos, o resultado será boa fortuna. Esse exemplo, onde quer que ocorra, propagará sua influência fazendo adeptos e seguidores. Por isso, tudo que se empreender terá sucesso.

Seis na sexta posição significa:
Limitação amarga.
A perseverança traz infortúnio.
O remorso desaparece.

Quando se impõem limitações demasiado severas, as pessoas não as suportam. Quanto mais se persistir nesse rigor, tanto pior, pois ao final uma reação é inevitável. Do mesmo modo o corpo torturado reagirá, vingando-se, quando submetido a um ascetismo excessivo. Porém, ainda que essa severidade impiedosa não deva ser aplicada constante e regularmente, podem haver épocas nas quais esse seja o único meio de se evitar culpas e remorso. Em tais situações, a intransigência em relação a si próprio é a única forma de salvar sua alma, que de outro modo sucumbiria à indecisão e à tentação.

61. CHUNG FU / VERDADE INTERIOR

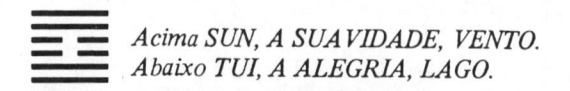

Acima SUN, A SUAVIDADE, VENTO.
Abaixo TUI, A ALEGRIA, LAGO.

O vento sopra sobre o lago e agita a superfície da água. Assim, do invisível manifestam-se efeitos visíveis. O hexagrama é composto de linhas firmes acima e abaixo, enquanto que no centro é aberto. Isso indica um coração livre de preconceito, e portanto, aberto à verdade. Por outro lado, ambos os trigramas têm uma linha firme no meio. Isso indica (pela influência que elas exercem) a força da verdade interior.

Os atributos dos trigramas são: acima suavidade, tolerância para com os inferiores; abaixo alegria em obedecer aos superiores. Tais condições criam a base de uma confiança mútua que possibilita o êxito.

O ideograma Fu (verdade) é, de fato, a representação da pata de uma ave sobre um filhote. Isso sugere a idéia de chocar. O ovo é oco. O poder vivificante do luminoso deve agir do exterior, mas é preciso que haja um núcleo de vida no interior para que esta possa ser despertada. Especulações muito amplas podem ser associadas a essas idéias.

JULGAMENTO

VERDADE INTERIOR. Porcos e peixes.
Boa fortuna!
É favorável atravessar a grande água.
A perseverança é favorável.

Porcos e peixes são os menos inteligentes entre os animais e, portanto, os mais difíceis de influenciar. É necessário que a força da verdade interior chegue a um grande desenvolvimento para que possa exercer influência sobre tais seres. Quando se tem que lidar com pessoas tão rebeldes e difíceis de influenciar quanto esses animais, todo o segredo do sucesso consiste em encontrar o modo correto de abordá-las. Em primeiro lugar, é preciso procurar se libertar de qualquer preconceito. Deve-se como que deixar que a psiquê do outro atue sobre si sem qualquer restrição. Assim se pode estabelecer um contato com o outro, compreendê-lo, e adquirir poder sobre ele.[71] Quando uma porta assim se abre, a força de sua personalidade vem a influenciá-lo.[72] Deste modo, não havendo mais obstáculos intransponíveis, pode-se empreender até mesmo as coisas mais perigosas, como atravessar a grande água, e se terá sucesso.

Mas é importante compreender as condições das quais depende a força da verdade interior. Essa força não é idêntica a uma simples intimidade ou a ligações secretas. Vínculos estreitos podem existir, também, entre ladrões; neste caso representam, sem dúvida, uma força que, porém, não é invencível, pois não conduz à boa fortuna. Toda associação baseada em interesses comuns mantém-se apenas até certo ponto. Onde cessa a comunhão de interesses, termina também a solidariedade e a mais íntima amizade, com freqüência, se transforma em ódio. Somente a aliança que tem seus fundamentos no que é correto e constante pode permanecer sólida e inquebrantável, superando toda adversidade.[73]

IMAGEM

Vento sobre o lago: a imagem da VERDADE INTERIOR.
Assim o homem superior debate questões penais
de modo a retardar as execuções.

O vento agita a água porque é capaz de penetrá-la. Assim, o homem superior, quando precisa julgar os erros dos homens, procura penetrar suas mentes com compreensão, para poder chegar a uma visão benevolente das circunstâncias. Na China antiga toda a administração da justiça era guiada por esse princípio. A profunda com-

---

[71] O poder que então se adquire é o poder resultante de compreendermos ao outro, no seu modo próprio de ser e pensar. Nada tem a ver com formas de dominação. *(Nota da tradução brasileira.)*

[72] Complementando a frase anterior, essa influência é a amistosa modificação que seres obstinados realizam quando se sentem compreendidos e amados. *(Idem.)*

[73] Só perdura e se consolida o que está de acordo com as leis celestiais. *(Idem.)*

preensão, que sabe perdoar, era considerada a forma suprema de justiça. Esse sistema não era ineficaz, pois visava a criar uma impressão moral tão forte, que não houvesse motivo para se temer um abuso dessa clemência. Ela não tinha sua origem na fraqueza e sim numa visão superior.

LINHAS

Nove na primeira posição significa:
Estar preparado traz boa fortuna.
Se há desígnios secretos, isso é inquietante.

A força da verdade interior depende principalmente do preparo e da firmeza interior. Dessa perspectiva surge a conduta correta frente ao mundo externo. Se um homem procura cultivar relações secretas de caráter particular, isso o privará de sua independência interna. Quanto mais ele depositar sua confiança no apoio dos outros, tanto mais inquieto e ansioso irá se tornar, sem saber se essas ligações secretas são, na verdade, sólidas. Desse modo ele perde a paz e a força da verdade interna.

Nove na segunda posição significa:
Um grou canta na sombra. Sua cria responde.
Tenho uma boa taça. Quero compartilhá-la com você.

Isso se refere à influência involuntária que a natureza interna de um homem exerce sobre as pessoas que lhe são semelhantes em espírito. O grou não precisa aparecer sobre uma alta colina. Mesmo que ele esteja escondido quando canta, sua cria escuta, reconhece-o, e responde. Onde há um ânimo alegre, sempre aparecerá um companheiro para compartilhar uma taça de vinho. Esse é o eco que uma empatia espiritual desperta nos homens. Quando um sentimento é expresso com sinceridade e pureza, quando um ato é a manifestação clara do que se sente e pensa, exercem uma influência misteriosa que se propaga mesmo à distância. A princípio ela atua sobre aqueles que lhe são internamente receptivos. Mas essa influência se amplia cada vez mais. É no ser mesmo de uma pessoa que estão as raízes da influência que ela exerce. Quando essa essência se manifesta de maneira autêntica e vigorosa em palavras e atos, grande é a sua influência. Esse efeito é apenas o reflexo daquilo que emana do próprio coração. A intenção de influenciar por si só já destrói a possibilidade de fazê-lo.

Confúcio comenta a respeito dessa linha: "O homem superior permanece em seu aposento. Quando ele se expressa adequadamente, em palavras, encontra aprovação mesmo a uma distância superior a mil milhas. Quanto mais da parte daqueles que estão próximos! Se o homem superior permanece em seu aposento e não se expressa adequadamente em palavras, encontra oposição mesmo a uma distância superior a mil milhas. Quanto mais da parte daqueles que estão próximos! As palavras brotam do interior de uma pessoa e exercem influência sobre os outros. As ações surgem próximo à pessoa e tornam-se visíveis à distância. Palavras e atos são como os gonzos das portas e a mola da besta do homem superior. Movendo-se, geram a honra ou a desgraça. Através de suas palavras e atos o homem superior move o céu e a terra. Não é então necessário ser cauteloso?".

☐ Seis na terceira posição significa:
Ele encontra um companheiro.
Às vezes toca o tambor, às vezes pára.
Às vezes chora, às vezes canta.

Aqui a fonte da energia de um homem não reside nele próprio, mas em seu relacionamento com as outras pessoas. Por maior que seja sua intimidade com essas pessoas, se seu centro de equilíbrio interior depende delas, ele será arrastado, sem que o possa evitar, ora à alegria, ora à tristeza. Às vezes estará no mais alto céu, depois mergulhará num desespero mortal; esse é o destino daqueles que dependem de uma concordância com as pessoas a quem amam. Aqui apenas se expressa a lei segundo a qual é assim que as coisas se passam. Deixe-se a critério do interessado avaliar se essa condição será considerada uma aflição ou a suprema felicidade do amor.

☐ Seis na quarta posição significa:
A lua, quase cheia.
O cavalo da parelha se extravia.
Nenhuma culpa.

Para que possa intensificar o poder da verdade interior, um homem deve sempre se voltar ao seu superior. Com ele poderá obter um esclarecimento, assim como a lua recebe luz do sol. Todavia, isso requer uma certa humildade, semelhante à da lua antes de estar cheia. Quando, no plenilúnio, ela se põe em direta oposição ao sol, inicia-se o minguante. Assim como por um lado o homem deve ser humilde e reverente para com a fonte de luz que lhe possibilita a compreensão, por outro lado deve também renunciar ao partidarismo ao lidar com pessoas. Somente seguindo seu caminho como um cavalo, que corre em linha reta sem olhar o companheiro de parelha, poderá ele conservar a liberdade interior que o ajudará a avançar.

O Nove na quinta posição significa:
Ele possui a verdade que a tudo interliga.
Nenhuma culpa.

Aqui se descreve o governante que mantém a todos unidos em virtude da força de sua personalidade. Ele só governará adequadamente quando o poder de sua personalidade for tão amplo a ponto de poder influir sobre todos os que estão sob seu domínio. A força de sugestão deve emanar do governante, interligando e mantendo o povo em firme união. Sem essa força central toda união externa é ilusória e no momento decisivo se romperá.

Nove na sexta posição significa:
O canto do galo eleva-se até ao céu.
A perseverança traz infortúnio.

Pode-se confiar no galo. Ele sempre canta ao amanhecer. Porém, não pode voar, por si só, até ao céu. Ele apenas canta. Do mesmo modo, um homem pretende despertar a fé confiando só em palavras. Poderá, ocasionalmente, consegui-lo, mas se persistir nessa atitude, as conseqüências serão negativas.

小過

62. HSIAO KUO / A PREPONDERÂNCIA DO PEQUENO

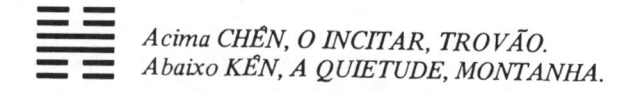

☰☰ *Acima CHÊN, O INCITAR, TROVÃO.*
☰☰ *Abaixo KÊN, A QUIETUDE, MONTANHA.*

No hexagrama 28, PREPONDERÂNCIA DO GRANDE, as linhas fortes predominam e encontram-se no interior, encerradas entre duas linhas fracas, uma ao início e outra ao final. No presente hexagrama, são as linhas fracas que predominam, embora aqui também elas estejam no exterior e as linhas fortes permaneçam no interior. Nisso justamente consiste o caráter excepcional da situação indicada pelo hexagrama. Quando as linhas fortes estão no exterior, têm-se o hexagrama I, A NUTRIÇÃO (27), e o Chung Fu, VERDADE INTERIOR (61). Nenhum deles se refere a uma situação de exceção. Quando as linhas fortes estão em maioria no interior do hexagrama, elas impõem sua vontade. Isso dá origem a lutas e a condições excepcionais em geral. Mas no presente hexagrama é o elemento fraco que, por força das circunstâncias, terá de servir de mediador com o mundo externo. Quando um homem ocupa uma posição de autoridade para a qual ele é por natureza realmente inadequado, uma extraordinária prudência é necessária.

JULGAMENTO

A PREPONDERÂNCIA DO PEQUENO. Sucesso.
A perseverança é favorável.
Pequenas coisas podem ser realizadas,
grandes coisas não devem ser feitas.
O pássaro, voando, traz a mensagem:
não é aconselhável o esforço em direção ao alto,
é aconselhável permanecer embaixo.
Grande boa fortuna!

Uma extraordinária modéstia e um espírito consciencioso, sem dúvida, serão recompensados pelo sucesso. Todavia, para que o homem não se desperdice, é importante que essas qualidades não se transformem em formalismo vazio e subserviência, mas que sejam sempre acompanhadas por uma íntegra dignidade em seu comportamento pessoal. É necessário que se compreendam as exigências do momento para que se possa encontrar a adequada solução para as carências e danos que um tal período implica. De qualquer modo não se deve esperar grandes sucessos, pois falta a força necessária para tanto. Por isso é tão importante a mensagem de não alimentar aspirações muito altas e sim de limitar-se a metas humildes. A estrutura do hexagrama sugere a idéia de que essa mensagem é trazida por um pássaro. No hexagrama Ta Kuo,

PREPONDERÂNCIA DO GRANDE (28), as quatro linhas fortes, pesadas, no interior, apoiadas em duas linhas fracas no exterior, sugerem a imagem de uma viga-mestra cedendo. Aqui as linhas fracas de sustentação estão ambas no exterior e em maioria. Isso sugere a imagem de um pássaro voando nas alturas. Mas um pássaro não deve se superestimar tentando voar em direção ao sol; ele deve descer para a terra onde está o seu ninho. Assim, ele transmite a mensagem anunciada pelo hexagrama.

IMAGEM

Trovão sobre a montanha: a imagem da PREPONDERÂNCIA DO PEQUENO.
Assim o homem superior em sua conduta
faz com que prepondere o respeito.
Em casos de luto ele faz com que
o fator preponderante seja a tristeza.
Em suas despesas, faz com que prepondere a parcimônia.

O trovão na montanha é diferente de quando ocorre na planície. Na montanha o trovão parece estar muito mais próximo, enquanto que fora das regiões montanhosas é menos audível que numa tempestade comum. Assim o homem superior extrai, dessa imagem, um imperativo: ele deve, em todos os momentos, fixar sua atenção mais detalhada e diretamente sobre o dever do que o homem comum, mesmo que isso possa fazer a sua conduta parecer mesquinha aos olhos do mundo. Ele é especialmente consciencioso em seus atos. Em caso de luto, a emoção significa mais para ele do que as formalidades externas do cerimonial. Em seus gastos pessoais ele é muito simples e despretensioso. Tudo isso faz com que frente ao homem do povo ele se sobressaia como alguém excepcional. Mas o significado essencial de sua atitude reside no fato de que em assuntos externos ele está ao lado dos humildes.

LINHAS

Seis na primeira posição significa:
Em seu vôo o pássaro encontra o infortúnio.

Um pássaro deve permanecer no ninho até emplumar-se. Se ele tenta voar prematuramente, atrai sobre si o infortúnio. Medidas extraordinárias só devem ser tomadas quando já não há outra solução. Ao início deve-se recorrer aos meios tradicionais e utilizá-los enquanto for possível, pois de outro modo se provocaria uma exaustão, esgotando-se as forças sem realizar coisa alguma.

O Seis na segunda posição significa:
Ela passa por sua ancestral e encontra sua ancestral.
Ele não chega até ao príncipe e encontra o funcionário.
Nenhuma culpa.

São citadas aqui duas situações excepcionais: no templo dos ancestrais, onde as gerações se alternavam, o neto colocava-se ao lado do avô, tendo, portanto, relações mais próximas com ele. Essa linha se refere à esposa do neto, que durante o sacrifício passa diante do avô e segue em direção à avó. Porém, essa conduta fora do comum é uma expressão de sua modéstia. Ela ousa se aproximar da avó por se sentir mais ligada a ela em virtude de serem do mesmo sexo. Por isso o desvio das normas aqui não deve ser considerado um erro.

O outro símbolo se refere a um funcionário que, de acordo com as regras, solicita em primeiro lugar uma audiência com o príncipe. Se ele não o consegue, não tenta forçar nada e, consciencioso, cumpre seu dever tomando seu lugar entre os demais funcionários. Em épocas de exceção essa extraordinária discrição não é um erro. (Como regra, cada funcionário deveria primeiramente ter uma audiência com o príncipe, que o designaria ao cargo. Aqui é o ministro quem o indica.)

> Nove na terceira posição significa:
> Se ele não tiver uma extraordinária cautela
> alguém pode vir por detrás e golpeá-lo.
> Infortúnio.

Há épocas em que uma extraordinária precaução é absolutamente necessária. Mas é justo nessas situações que muitas vezes surgem pessoas íntegras e fortes que, conscientes de estarem em seus direitos, recusam-se a tomar precauções, pois consideram isso uma atitude mesquinha. Preferem seguir seus caminhos, orgulhosos e despreocupados. Mas essa autoconfiança os engana. Há perigos espreitando-os, para os quais não estão preparados.

Porém, tal ameaça não é inevitável; pode-se escapar caso se compreenda que esse período exige uma atenção especial às coisas pequenas e insignificantes.

> Nove na quarta posição significa:
> Nenhuma culpa. Sem ultrapassá-lo, ele o encontra.
> Ir adiante traz perigo. Deve-se ficar em guarda.
> Não atue. Seja constantemente perseverante.

A rigidez do caráter é temperada pela suavidade da posição,[74] e com isso nenhum erro é cometido. A situação aqui exige extrema cautela. Não se deve tomar nenhuma iniciativa em busca de sua meta. Se o homem insistir em seguir adiante, procurando forçar o caminho para seu objetivo, correrá perigo. Por isso, é preciso se pôr em guarda, não atuar, mas permanecer interiormente perseverante.

> O Seis na quinta posição significa:
> Nuvens densas. Nenhuma chuva vem da nossa região oeste.
> O príncipe atira e atinge aquilo que está na caverna.

Tratando-se aqui de uma posição elevada, a imagem do pássaro voando foi substituída por nuvens que passam no céu. Mas ainda que densas, elas passam pelo céu, porém não trazem chuva alguma. Assim, também em épocas excepcionais é possível qua haja um governante nato, predestinado a trazer ordem ao mundo, mas que se veja impossibilitado de realizar qualquer coisa e beneficiar seu povo por se encontrar só, sem dispor de auxiliares. Em tais épocas devem-se procurar companheiros com cuja ajuda se possam realizar os objetivos propostos. Mas é preciso humildemente procurar esses auxiliares nos esconderijos para os quais se retiraram. Não é a fama nem a reputação que são importantes, mas as suas efetivas realizações.

Com essa atitude modesta encontra-se o homem certo e se pode levar a cabo a extraordinária obra, apesar de todas as dificuldades.

> Seis na sexta posição significa:
> Cruzando com ele sem ir a seu encontro.
> O pássaro em seu vôo o abandona.
> Infortúnio!
> Isso significa infelicidade e prejuízos.

---

[74] A rigidez do caráter se refere à condição yang da linha, enquanto que a suavidade da posição se refere à condição yin da quarta posição, como posição par. Cf. nota 65 (hexagrama 58, ALEGRIA). *(Nota da tradução brasileira.)*

Quando se atira demasiado para o alto, o alvo não será atingido. Se o pássaro não retorna ao seu ninho, porém voa cada vez mais para o alto, acaba por cair na rede do caçador. Aquele que não sabe se conter durante o período em que a tendência a pequenas coisas é preponderante e que, irrequieto, insiste em forçar seu caminho para adiante cada vez mais, atrai sobre si o infortúnio tanto da parte dos deuses como dos homens. Isso ocorre porque ele se afastou da ordem da natureza.

63. CHI CHI / APÓS A CONCLUSÃO[75]

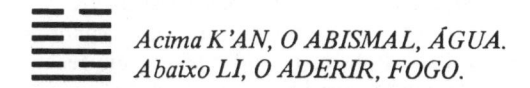

Acima K'AN, O ABISMAL, ÁGUA.
Abaixo LI, O ADERIR, FOGO.

Esse hexagrama é um desenvolvimento do hexagrama T'ai, PAZ (11). A transição da desordem à ordem completou-se, e agora todas as coisas se encontram em seus devidos lugares, até mesmo em detalhes. As linhas fortes estão nas posições fortes, as linhas fracas, nas posições fracas.[76] Esse é um aspecto muito favorável e, no entanto, é ao mesmo tempo um motivo para preocupação. Pois é exatamente quando se alcança o equilíbrio perfeito que qualquer movimento pode levar à desordem. A linha forte que se dirigiu para o alto, conseguindo assim a completa ordem nos detalhes, é seguida por outras; cada uma dessas linhas se move de acordo com a sua natureza e, de repente, reaparece o hexagrama P'i, ESTAGNAÇÃO (12). Portanto, o presente hexagrama indica as condições de uma época de apogeu, a qual requer a mais extrema cautela.

JULGAMENTO

Sucesso em pequenas coisas. A perseverança é favorável.
Ao começo, boa fortuna; ao final, desordem.

A transição do antigo ciclo para o novo já se realizou. Em princípio tudo está em ordem, com apenas alguns detalhes nos quais o êxito ainda não foi obtido. Em relação a isso, porém, deve-se ter o cuidado de manter a atitude correta. Tudo parece prosseguir no rumo certo de maneira tão natural que o homem facilmente é tentado a relaxar em seu esforço, deixando que as coisas sigam seu próprio curso, sem se preo-

---

[75] O sentido do termo "conclusão", "Vollendung", neste hexagrama, é não apenas "término", mas também "atingir a plenitude" e "completar, totalizar". Esses conteúdos são importantes para a compreensão de algumas passagens tanto nos textos referentes ao hexagrama como um todo, quanto em trechos relativos à linhas, onde expressões tais como "período após a conclusão" supõem o sentido de período após se ter alcançado o completar ou totalizar de algo, numa culminância. Para maior esclarecimento, v. também a nota do comentário ao final do hexagrama 64, ANTES DA CONCLUSÃO. *(Nota da tradução brasileira.)*

[76] Cf. nota 68 (hexagrama 58, ALEGRIA). *(Idem.)*

cupar com detalhes. Porém, essa indiferença é a raiz de todos os males, acarretando, como conseqüência necessária, os sinais de decadência. Aqui se enuncia a regra que, em geral, determina a história. Mas essa regra não é uma lei inexorável. Aquele que a compreende poderá evitar seus efeitos graças a uma incessante perseverança e cautela.

IMAGEM

Água sobre fogo: a imagem da condição de APÓS A CONCLUSÃO.
Assim, o homem superior reflete sobre o infortúnio
e previne-se antecipadamente contra ele.

Quando uma chaleira com água se encontra sobre o fogo, os dois elementos interagem e assim gera-se energia (a produção do vapor). Porém, a tensão que isso produz exige cautela. Se a água ferve e transborda, o fogo se apaga e a energia é perdida. Se o calor for demasiado, a água evapora.

Os elementos que aqui se encontram em interação gerando energia são, por natureza, hostis um ao outro. Só a máxima cautela pode evitar danos. Na vida também há situações em que todas as forças estão em equilíbrio, interagindo em harmonia. Tudo então parece estar em ordem. Em tais períodos só o sábio reconhece os sinais que pressagiam o perigo e sabe como evitá-lo, providenciando, em tempo, medidas preventivas.

LINHAS

Nove na primeira posição significa:
Ele freia suas rodas.
Sua cauda mergulha na água.
Nenhuma culpa.

Nos períodos após uma grande transição tudo pressiona para adiante, em direção ao desenvolvimento e ao progresso. Mas esse ímpeto de avanço, quando ainda se está no começo, não é benéfico, excedendo-se à meta, conduz sem dúvida a perdas e colapso. Por isso um homem de caráter forte não se deixa envolver pela agitação geral e se detém a tempo. Mesmo assim, ele ainda pode ser afetado pelas conseqüências desastrosas da pressão geral. Mas seria, então, atingido apenas nas costas, assim como uma raposa que, tendo cruzado a água, deixa que ao final da travessia sua cauda se molhe. Isso não acarreta danos sérios, pois sua conduta foi correta.

O Seis na segunda posição significa:
A mulher perde a cortina de sua carruagem.
Não corra atrás dela;
no sétimo dia você a receberá de volta.

Quando uma mulher viajava em carruagem, uma cortina a resguardava dos olhares curiosos. Seria considerado contrário aos bons costumes seguir viagem caso essa cortina se perdesse. Aplicado à vida pública, isso significa que um homem que deseja realizar algo não recebe de parte das autoridades competentes a confiança de que necessita para sua proteção pessoal. Especialmente no período após conclusões é possível que aqueles que alcançaram o poder tornem-se arrogantes e presunçosos, não mais procurando promover novos talentos.

Em geral isso tem como conseqüência o arrivismo. Um homem em quem seus superiores não depositam confiança tenta conquistá-la por todos os modos e meios e procura chamar a atenção sobre si. Esse procedimento indigno é desaconselhado.

"Não o procure." Ele não deve se rebaixar diante do mundo, mas esperar com tranqüilidade, desenvolvendo seu valor através do esforço próprio. Os ciclos mudam. Transcorridas as seis etapas do hexagrama, uma nova era surgirá. O que pertence a um homem não pode ser perdido para sempre. O que lhe pertence retornará naturalmente. Ele precisa apenas saber esperar.

> Nove na terceira posição significa:
> O Ilustre Ancestral castiga a terra do diabo.
> Depois de três anos ele a conquista.
> Não se devem empregar homens inferiores.

O "Ilustre Ancestral" é o título dinástico do Imperador Wu Ting, da dinastia Yin. Depois de ter posto em ordem o seu reino com pulso firme, manteve prolongadas guerras coloniais procurando subjugar os Hunos, que ocupavam as terras na fronteira norte, e que representavam uma constante ameaça de invasão.

A situação aqui descrita é a seguinte: na época após a conclusão, um novo poder se impõe e tudo dentro do país é posto em ordem. Então, a seguir, é quase inevitável a vinda de um período de lutas visando a uma expansão colonial. Em geral, isso resulta em guerras de longa duração. Por isso uma correta política de colonização é de extrema importância. Territórios conquistados com tamanho sacrifício não devem ser encarados como um asilo para quem, tendo se tornado de algum modo indesejável em sua própria terra, servisse, no entanto, para as colônias. Tal atitude arruína já de início qualquer possibilidade de sucesso. Isso é válido tanto em assuntos de pequenas proporções como em problemas de maior dimensão. Não são apenas os países em expansão que praticam uma política colonial. O desejo impetuoso de se expandir, o qual traz consigo tantos perigos, é parte de qualquer empreendimento ambicioso.

> Seis na quarta posição significa:
> As melhores roupas viram farrapos.
> Seja cauteloso durante todo o dia.

Em épocas de florescimento cultural convulsões ocasionais tendem a ocorrer, trazendo à tona males latentes na sociedade, o que, ao início, causa grande agitação. Entretanto, como a situação, em termos gerais, é favorável, esses males podem ser reparados com facilidade e mantidos fora do alcance do público. Então tudo é esquecido e uma paz superficial volta a reinar. Porém, para o homem que sabe discernir, tais ocorrências são graves indícios, aos quais ele não negligencia. Esse é o único meio de se evitar conseqüências nefastas.

> Nove na quinta posição significa:
> O vizinho do leste que sacrifica um boi
> não consegue uma felicidade tão verdadeira
> quanto o vizinho do oeste com sua pequena oferenda.

A atmosfera espiritual que prevalece no período após a conclusão influencia também as atitudes religiosas. Nos cultos ao divino, a simplicidade das antigas formas é substituída por ritos cada vez mais elaborados e por uma pompa externa cada vez maior. Mas essa ostentação carece de seriedade interior. A arbitrariedade humana toma o lugar da obediência consciente à vontade divina. Mas enquanto o homem vê o que está diante de seus olhos, Deus vê o coração. Por isso um culto grandioso, porém desprovido de emoção, não recebe tantas bênçãos quanto um sacrifício simples, porém oferecido com verdadeira devoção.

Seis na sexta posição significa:
Ele mergulha a cabeça na água.
Perigo.

Aqui, na conclusão, outra advertência é acrescentada. Depois de haver cruzado as águas, uma pessoa só mergulhará sua cabeça se for tão imprudente a ponto de voltar atrás. Na medida em que continua seguindo adiante, sem olhar para trás, escapará a esse perigo. Mas há um certo fascínio em parar e olhar o que passou, contemplando o perigo que já foi superado. Porém, essa fútil auto-admiração traz infortúnio, expondo o homem a riscos. Ele acabará sendo vítima desse perigo, a menos que finalmente se decida a seguir adiante sem se deter.

64. WEI CHI / ANTES DA CONCLUSÃO[77]

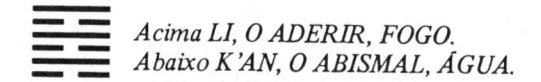

Acima LI, O ADERIR, FOGO.
Abaixo K'AN, O ABISMAL, ÁGUA.

Esse hexagrama indica o período em que a transição da desordem à ordem ainda não se completou. A transição já está, sem dúvida, preparada, uma vez que todas as linhas do trigrama superior encontram-se em relação com as do trigrama inferior.[78] Mas elas ainda não se encontram em seus devidos lugares. Enquanto o hexagrama anterior assemelha-se ao outono, que realiza a transição do verão para o inverno, este hexagrama é como a primavera, que conduz da estagnação do inverno à fertilidade do verão. O Livro das Mutações termina, então, com essa perspectiva cheia de esperança.

JULGAMENTO

ANTES DA CONCLUSÃO. Sucesso.
Porém, se a pequena raposa,
quase ao completar a travessia,
deixa sua cauda cair na água,
nada será favorável.

As condições são difíceis. A tarefa é grande e cheia de responsabilidade. Consiste em nada menos que conduzir o mundo da confusão de volta à ordem. Mesmo assim é uma tarefa que promete sucesso, já que existe um objetivo capaz de reunir as forças divergentes. Porém, ao início é necessário caminhar com toda cautela, como uma velha raposa andando sobre o gelo. Na China, a cautela da raposa ao cruzar o

---

[77] Sobre o sentido do termo "CONCLUSÃO", v. nota 75 (hexagrama 63, APÓS A CONCLUSÃO). *(Nota da tradução brasileira).*

[78] Sobre o sentido da relação de correspondência entre as linhas, consultar o item 6 do capítulo "A estrutura dos Hexagramas", no Livro Segundo. *(Idem).*

gelo é proverbial. Seus ouvidos estão sempre atentos ao menor estalo de gelo partindo-se, enquanto procura, cuidadosa e intensamente, os lugares mais seguros. Uma jovem raposa que ainda desconhece essa prudência avança audaciosa e pode cair n'água pouco antes de completar a travessia, molhando assim sua cauda. Então, é claro, todo esse esforço terá sido inútil. Por isso, no período que precede a conclusão os pré-requisitos do sucesso são reflexão e cautela.

IMAGEM

Fogo sobre a água: a imagem das condições ANTES DA CONCLUSÃO.
Assim, o homem superior é cauteloso ao diferenciar as coisas, para que cada uma ocupe o lugar que lhe é próprio.

Quando o fogo, que por sua natureza queima para o alto, está acima, e a água, cujo movimento natural é descendente, está embaixo, seus efeitos divergem e não se relacionam. Para que se possa obter um resultado, é necessário primeiro analisar a natureza das forças em questão, e qual a posição que lhes corresponde. Se essas forças forem exercidas a partir do local adequado, produzirão os efeitos desejados, e a "conclusão" será alcançada. Porém, para que o homem possa manejar corretamente as forças externas, é necessário, antes de tudo, que ele próprio chegue ao ponto de vista acertado, pois só a partir desse posicionamento poderá agir da forma certa.

LINHAS

Seis na primeira posição significa:
Ele mergulha sua cauda na água.
Humilhante.

Em épocas de desordem o homem é tentado a pressionar, procurando adiantar-se de modo a realizar algo que seja visível. Mas esse entusiasmo não conduz senão a fracassos e humilhação, pois ainda não é chegado o momento de agir. Nessas épocas é prudente se procurar manter uma atitude reservada, evitando-se, assim, a humilhação do fracasso.

Nove na segunda posição significa:
Ele freia suas rodas.
A perseverança traz boa fortuna.

Aqui também o momento para agir ainda não chegou. Mas a paciência que se requer não é a de uma espera indolente, inconsciente, do amanhã. Caso se mantenha essa atitude, não se chegará a qualquer êxito. Ao contrário, o homem deve procurar desenvolver em si mesmo a força que lhe possibilitará ir adiante. É como se, para completar a travessia, fosse necessário um veículo que, no momento, ainda se deveria manter freado. A paciência, no sentido mais elevado, significa frear a força. Por isso o homem não deve se deixar adormecer, perdendo de vista o objetivo. Se ele se mantiver forte e constante em sua decisão, tudo ao final acabará bem.

Seis na terceira posição significa:
Atacar antes da conclusão traz infortúnio.
É favorável cruzar a grande água.

O momento da transição chegou, mas não se dispõe da força necessária para completar a travessia. Tentar forçá-la seria desastroso, pois a queda seria então inevitável. O que se deve fazer? É preciso criar novas condições, recorrer à energia de auxiliares competentes e, com essa cooperação, dar o passo decisivo — cruzar a grande água. Então será possível concluí-la.

>Nove na quarta posição significa:
>A perseverança traz boa fortuna.
>O arrependimento desaparece.
>Comoção, para castigar a terra do diabo.
>Durante três anos grandes reinos serão dados como recompensa.

Este é o momento da luta. A travessia deve ser completada. Fortalecer sua decisão traz boa fortuna. Num período tão grave de lutas é necessário silenciar toda e qualquer dúvida que possa surgir. Trata-se de um combate feroz para subjugar e castigar a terra do diabo, as forças da decadência. Mas a luta tem também sua recompensa. Agora é o momento de consolidar as bases de um poder e domínio para o futuro.

>O Seis na quinta posição significa:
>A perseverança traz boa fortuna.
>Nenhum arrependimento.
>A luz do homem superior é verdadeira.
>Boa fortuna.

A vitória foi conquistada. O poder da constância não fracassou. Tudo correu bem. As dúvidas foram superadas. O sucesso justificou a ação. A luz de uma personalidade superior brilha novamente; sua influência se faz sentir entre aqueles que crêem nela e se reúnem à sua volta. Um novo tempo começou e com ele a boa fortuna. Assim como o sol brilha com redobrada beleza após a chuva, ou como a floresta cresce ainda mais verdejante após as cinzas de um incêndio, assim também a nova era parece mais gloriosa pelo contraste com a miséria do período que passou.

>Nove na sexta posição significa:
>Bebe-se vinho em plena confiança.
>Nenhuma culpa.
>Mas se ele molha sua cabeça,
>perderá essa confiança.

Antes da conclusão, no despertar da nova era, um homem se reúne com seus amigos numa atmosfera de confiança mútua e, enquanto transcorre o tempo da espera, eles bebem vinho. Como se está já no limiar da nova era, isso não é motivo de culpa. Mas é necessário cuidar para manter-se dentro dos limites adequados. Se numa exaltação de alegria ele se exceder na bebida, perderá, por sua falta de moderação, as condições favoráveis do momento.

Nota: O hexagrama APÓS A CONCLUSÃO representa a transição gradual de uma época de desenvolvimento e apogeu cultural para uma época de estagnação. O hexagrama ANTES DA CONCLUSÃO representa a transição do caos à ordem. Surgindo ao final do Livro das Mutações, este hexagrama mostra que todo término dá lugar a um novo início; assim transmite ao homem esperança. O Livro das Mutações é um livro do futuro.

LIVRO SEGUNDO
O MATERIAL

INTRODUÇÃO

O texto apresentado na primeira parte (Livro Primeiro) constitui o núcleo essencial do Livro das Mutações. Lá a principal preocupação era trazer à luz o que se pode chamar o aspecto espiritual do livro, a sabedoria, muitas vezes oculta sob formas estranhas. Nosso comentário resume o que os filósofos mais notáveis da China pensaram e disseram no decorrer dos séculos, em relação aos hexagramas e às linhas. Entretanto, o leitor deve ter sido freqüentemente assediado pela pergunta: Por que tudo isso é assim? Por que essas imagens, muitas vezes tão inesperadas, estão ligadas aos hexagramas e às linhas? De que profundezas da mente elas emergem? Trata-se de imagens puramente arbitrárias ou obedecem a determinadas leis? E mais ainda, por que tal imagem aparece vinculada em específico a determinada idéia e não a outra? Não seria um simples capricho a procura de profundos pensamentos filosóficos onde aparentemente nada existe além de um jogo de grotescas fantasias da imaginação?

A segunda parte do livro (Livros Segundo e Terceiro) procura responder, na medida do possível, a essas perguntas. Visa a explicitar o material do qual surge esse universo de idéias, apresentar o corpo ao qual esse espírito está ligado. Então se poderá perceber como, de fato, existe um vínculo secreto e que mesmo imagens aparentemente arbitrárias baseiam-se de algum modo na estrutura dos hexagramas. Basta, para isso, que se aprofunde o suficiente a sua compreensão. Os comentários mais antigos que, em geral, associam interpretações técnicas sobre as estruturas dos hexagramas com análises filosóficas, remontam ao próprio Confúcio, ou pelo menos a seu círculo de discípulos. O seu conteúdo filosófico já foi utilizado no Livro Primeiro. Aqui, esses comentários são retomados junto com o texto, sem o qual seriam incompreensíveis, explorando-se agora seu aspecto técnico. Isso é absolutamente indispensável para a plena compreensão do Livro e nenhum comentário chinês prescinde desse aspecto técnico. Pareceu-me, entretanto, indicado separá-lo do aspecto filosófico, para não confundir demais o leitor ocidental com questões pouco habituais. Não lamento as repetições inevitáveis que esse método impôs. O I Ching é uma obra cuja maturidade é fruto de um crescimento orgânico realizado durante milênios. É, por isso, um livro que para ser assimilado exige uma longa reflexão e meditação. À medida que se realizem, essas aparentes repetições vêm abrir novas perspectivas. O material apresentado nesta segunda parte consiste principalmente do que se conhece como "As Dez Asas". Essas Dez Asas ou exposições contêm, de fato, o que há de mais antigo em termos de literatura de exegese do Livro das Mutações.

O primeiro desses Comentários (Primeira e Segunda Asas) é intitulado T'uan Chuan. T'uan significa literalmente a cabeça do porco oferecida nos rituais de sacrifício. Devido à similitude fonética, o termo adquiriu também o sentido de "decisão". Os julgamentos em cada um dos hexagramas eram chamados T'uan, "decisão", ou Tz'u, "julgamento", ou ainda, Hsi Tz'u, "julgamento anexo". Esses "julgamentos" ou "decisões" são atribuídos ao Rei Wên de Chou (aproximadamente 1150 a.C.), cuja condição de autor desses textos em geral não é posta em dúvida.[1] O T'uan Chuan, ou "Comentário sobre a Decisão", fornece explicações precisas sobre esses "julgamentos", tomando como base a estrutura e outros elementos dos hexagramas. Esses comentários são atribuídos pelos chineses a Confúcio. É um trabalho minucioso de grande valor e que muito elucida a organização interna dos hexagramas do I Ching. Não vejo por que duvidar que seja ele o autor, uma vez que é fato notório a familiaridade de Confúcio com o Livro das Mutações, e que as concepções expressas nesses comentários em nada divergem de sua idéias. O T'uan Chuan compõe-se de duas partes (correspondentes às partes I e II do texto do Livro das Mutações), que formam as duas primeiras Asas ou exposições. Na presente tradução esses comentários foram separados e colocados junto ao hexagrama ao qual se referem.[2]

A Terceira e Quarta Asas são formadas pelo chamado Hsiang Chuan, "Comentário sobre as Imagens". Esse comentário é também dividido em duas partes, assim como o texto. Em sua forma atual consiste das chamadas "Grandes Imagens", que se refere às imagens associadas aos dois trigramas básicos[3] que compõem os hexagramas. Dessa análise dos trigramas básicos o comentário deduz o significado do hexagrama como um todo e infere conclusões aplicáveis à vida humana.

Toda a esfera de idéias contida nesse comentário aproxima-se muito do Ta Hsueh, estando assim em ligação muito estreita com Confúcio.

Além das "Grandes Imagens", esse comentário contém as "Pequenas Imagens"; são referências muito breves às palavras do Duque de Chou a respeito das linhas. Entretanto, essas referências não tratam em absoluto de imagens. Foi, decerto, em virtude de algum engano ou talvez por uma casualidade que esse comentário tenha sido concluído no comentário sobre as Imagens. As "Pequenas Imagens" contêm apenas indicações muito breves, geralmente em rima. É possível que sejam frases de caráter mnemônico extraídas de algum outro comentário mais detalhado. São, sem dúvida, muito antigas e de origem confucionistas. Mas prefiro não formular um julgamento definitivo sobre o grau exato de ligação que têm com o próprio Confúcio.

---

[1] Isso não é exato. Já desde há muito que alguns autores têm questionado essa afirmação da tradição. Ito Zenshō, o grande especialista japonês de I Ching do século XVIII, julgava que essa autoria tivesse sido criada pelos confucionistas do período Han. P'i Hsi-Jui (1850-1908) também levantou dúvidas sobre Wên e Chou como autores dos textos do Julgamento e das linhas, e, por fim, I. K. Shchutskii nega qualquer validade a essa hipótese. (Nota da tradução brasileira.)

[2] James Legge sustenta que uma verdadeira compreensão do I Ching só se torna possível quando se separam os comentários do texto (The Sacred Books of the East, XVI: The Yi King. 2ª ed. Oxford, 1899). Por isso ele separa cuidadosamente os antigos comentários do texto, mas os faz acompanhar dos comentários do período Sung (960-1279 d.C.). Legge não diz qual a razão pela qual considera o período Sung mais ligado ao texto original que Confúcio (551-479 a.C.). Ele apenas segue com meticulosa literalidade a edição intitulada Chou I Che Chung do período de K'ang Hsi (1662-1722), também usada por mim. A versão é muito inferior às outras traduções de Legge. Por exemplo, ele não se dá ao trabalho de traduzir os nomes dos hexagramas — uma tarefa sem dúvida nada fácil, mas ao mesmo tempo, e por isso mesmo, muito importante. Além disso ocorrem outros indiscutíveis erros de julgamento.

[3] Os trigramas formados pelas linhas um, dois e três ou quatro, cinco e seis são chamados trigramas básicos. Além deles há os chamados trigramas nucleares, formados pelas linhas dois, três e quatro ou pelas linhas três, quatro e cinco. (Nota da tradução brasileira.)

Esses comentários também foram divididos e distribuídos junto aos hexagramas correspondentes.

A Quinta e Sexta Asas formam um tratado no qual há muitos pontos obscuros. Essas Asas são chamadas Hsi Tz'u ou Ta Chuan e dividem-se também em duas partes. O título Ta Chuan é mencionado por Ssu-ma Ch'ien[4] e significa "O Grande Comentário", "O Grande Tratado". Sobre o título Hsi Tz'u, "Julgamentos Anexos", Chu Hsi afirma: "Os julgamentos anexos foram compostos pelo Rei Wên e pelo Duque de Chou, por eles anexados aos hexagramas e às linhas formando, atualmente, o texto do livro. O 'Comentário aos Julgamentos Anexos' consiste das explicações de Confúcio sobre os mesmos e serve de introdução geral ao texto completo da obra".

Percebe-se logo a falta de clareza dessa definição. Se os "julgamentos anexos" são realmente as observações do Rei Wên e do Duque de Chou sobre os hexagramas e as linhas, se esperaria dos "Comentários sobre os Julgamentos Anexos" uma discussão destes, e não um tratado sobre a obra em geral. Mas já há um comentário a respeito dos julgamentos dos hexagramas, isto é, a respeito do texto do Rei Wên. Por outro lado, falta um comentário detalhado sobre as observações do Duque de Chou a respeito das diferentes linhas. Tudo o que se tem são frases breves que aparecem sob o título, obviamente incorreto, de "Pequenas Imagens". Existem, é verdade, fragmentos de um tal comentário, ou melhor ainda, de um certo número de tais comentários. Alguns desses fragmentos — referentes aos dois primeiros hexagramas — estão incluídos no Wên Yen (Comentário sobre as Palavras do Texto), sobre o qual ainda se discutirá adiante. Explicações referentes às diferentes linhas aparecem dispersas em diversas passagens do "Comentário sobre os Julgamentos Anexos". É muito provável que duas obras diferentes hoje apareçam sob o título Hsi Tz'u Chuan: primeiro, uma coleção de tratados sobre o Livro das Mutações em geral, constituindo provavelmente o que Ssu-ma Ch'ien chamava "O Grande Comentário" (Ta Chuan); segundo, encontram-se dispersos dentro deste texto e dispostos de acordo com certos pontos de vista os fragmentos de um comentário sobre os julgamentos anexos às linhas. Existem muitos indícios de que esses fragmentos têm origem na mesma fonte que a coleção de comentários, conhecida como Wên Yan (Comentário sobre as Palavras do Texto).

É evidente que os tratados conhecidos como Hsi Tz'u ou Ta Chuan não foram redigidos por Confúcio, pois neles encontram-se diversas passagens atribuídas ao Mestre.[5] Esses tratados contêm um significativo acervo de tradições da escola confucionista, procedente de diferentes épocas.

A Sétima Asa, ou Wên Yen (Comentário sobre as Palavras do Texto), é uma obra muito importante. Compõe-se dos remanescentes de um comentário, ou melhor, de toda uma série de comentários sobre o Livro das Mutações. Contém um material valiosíssimo procedente da escola confucionista. Infelizmente não vai além do segundo hexagrama, K'un.

---

[4] Considerado o maior historiador chinês da antigüidade (145-86 a.C.). *(Nota da tradução brasileira.)*

[5] Esse comentário, além disso, situa a origem do Livro das Mutações na "média antigüidade". Isso se refere a uma classificação dos períodos históricos, segundo a qual a época dos "Anais da Primavera e Outono" (722-481 a.C.), que se conclui com Confúcio, era considerada como "antiguidade recente". É óbvio que semelhante cronologia não pode ter sido utilizada pelo próprio Confúcio.

Esse tratado contém ao todo quatro comentários diferentes sobre o hexagrama Ch'ien, o Criativo. Na presente tradução (na qual o texto do Wên Yen está distribuído entre os hexagramas Ch'ien e K'un) esses comentários foram denominados a, b, c, d. O comentário "a" desta série pertence ao mesmo estrato que os fragmentos de comentários dispersos no Hsi Tz'u Chuan. Reproduzem o texto e acrescentam a pergunta: "Que significa isso?". Algo semelhante ocorre ao comentário Kung Yang sobre o Ch'un Ch'iu. Os comentários "b" e "c" contêm breves observações sobre as diferentes linhas, segundo o estilo das "Pequenas Imagens". O comentário "d", assim como o "a", trata do julgamento do hexagrama como um todo e das diferentes linhas, porém o faz de modo mais livre. No Wên Yen resta apenas um comentário sobre o hexagrama K'un. Esse texto assemelha-se ao comentário "a", apesar de estar relacionado a um estrato diverso. (O texto é colocado após as explicações do Mestre.[6] Esse mesmo estrato está representado também no Hsi Tz'u Chuan.)

A Oitava Asa, Shuo Kua, "Discussão dos Trigramas", contém um material de grande antigüidade, destinado à explicação dos trigramas fundamentais. Provavelmente inclui vários fragmentos anteriores a Confúcio, comentados por ele ou por sua escola.

A Nona Asa, Hsu Kua, "Seqüência ou Ordem dos Hexagramas", apresenta uma explicação pouco convincente sobre a atual disposição em seqüência dos 64 hexagramas. O único interesse dessa explicação está nas curiosas interpretações que às vezes são dadas aos nomes dos hexagramas e que, sem dúvida, baseiam-se em tradições antigas.

Esse comentário que, sem dúvida, nada tem a ver com Confúcio, foi também dividido e distribuído entre os diversos hexagramas, com o título "A Seqüência"[7]

A Décima e última Asa, Tsa Kua ou "Coletânea de Indicações",[8] é formada de definições dos hexagramas em versos de caráter mnemônico, em geral dispostos em pares opostos, diferindo, porém, essencialmente da seqüência do atual Livro das Mutações. Estas definições também foram divididas e distribuídas entre os diferentes hexagramas, sob o título "Coletânea de Indicações"............

As páginas que se seguem apresentam primeiro a tradução dos dois tratados — Shuo Kua, Discussão dos Trigramas, e Hsi Tz'u Chuan, Comentário sobre os Julgamentos Anexos, mais corretamente denominado Ta Chuan, o Grande Comentário. Em seguida, há algumas considerações sobre a estrutura dos hexagramas, procedentes de diversas fontes, e que são importantes para a compreensão da segunda parte.

[6] Confúcio. *(Nota da tradução brasileira.)*

[7] V. Livro Terceiro. *(Idem.)*

[8] "Vermischte Zeichen". O termo "Zeichen" foi usado por Wilhelm no sentido de "signo" para traduzir "Kua", termo chinês que designava tanto os hexagramas quanto os trigramas. Porém, aqui, "Zeichen" não poderia estar sendo usado nesse mesmo sentido, pois a Décima Asa consiste de um breve texto, em verso, que visa a definir cada um dos hexagramas. "Hexagrammes mélangés", como quer a tradução francesa, ou "Signos Entreverados", como sustenta a tradução argentina, ainda que possíveis e mesmo razoavelmente literais, são traduções que não têm qualquer ligação com o propósito e sentido do texto ao qual se referem. Os hexagramas não estão sendo mesclados ou misturados, e sim apenas definidos. Talvez essa opção tenha se baseado no fato de esses textos serem, em geral, dispostos em pares. No entanto, o conteúdo de cada verso não menciona nem alude a qualquer outro hexagrama que não o que está sendo tratado. Não há qualquer relacionamento, comparação ou coisa semelhante, no texto, que justifique considerá-lo como uma forma qualquer de interligação dos hexagramas. No Livro Terceiro a tradução francesa, ao invés de "Hexagrammes mélangés", usa a expressão "La connexion des hexagrammes entre eux", o que, além de não ter qualquer ligação com o texto, ainda oferece uma perigosa oportunidade de confusão com a Nona Asa que, esta sim, trata da interligação existente entre os hexagramas na seqüência em que são apresentados nas edições clássicas do I Ching. Quanto ao hábito de se dispor esses textos em pares, nem se conhece sua ori-

SHUO KUA
DISCUSSÃO DOS TRIGRAMAS

CAPÍTULO I

1 — Os santos sábios da antigüidade compuseram o Livro das Mutações da seguinte maneira: para ajudar de modo misterioso os Deuses Luminosos, eles inventaram o oráculo de caules de milefólio. Ao céu atribuíram o número três e à terra, o número dois; a partir daí calcularam todos os demais números.

Contemplaram as mutações na escuridão e na luz e de acordo com elas estabeleceram os hexagramas. Provocaram movimentos no firme e no maleável, dando origem, assim, às diferentes linhas. Colocaram-se em harmonia com o Tao e a Vida estabelecendo, de acordo com isso, a ordem do que é correto. Refletindo sobre a ordem do mundo externo até as últimas conseqüências e explorando a lei de sua própria natureza interna em seu núcleo mais profundo chegaram à compreensão do destino.

Esta primeira seção se refere ao Livro das Mutações como um todo e aos princípios em que se baseia. O objetivo original dos hexagramas era a consulta do destino. Mas como os seres divinos não expressam em forma direta seu saber, foi necessário encontrar um meio através do qual pudessem se fazer entender. Foram três os meios de expressão de que, desde os primórdios da existência, a inteligência supra-humana se valeu: homens, animais e plantas nos quais a vida pulsa. A eles veio se reunir, como um quarto fator mediador, o acaso. A própria ausência de significado imediato que o caracteriza permite a expressão de um sentido mais profundo. O oráculo surgiu dessa utilização do acaso. O Livro das Mutações teve sua origem na prática oracular em que são usados caules de milefólio manipulados por homens capazes de estabe-

gem (pode ser até mesmo uma disposição tardia ou espúria), nem lhe pode ser atribuído um significado maior que o do próprio conteúdo do texto. Se, portanto, o texto em cada verso se restringe a uma definição muito sucinta do hexagrama em pauta e se deve haver uma ligação entre o título e o conteúdo do texto, então é necessário buscar um outro significado para a expressão "Vermischte Zeichen", que não aquele que é mais literal e menos significativo. A tradução inglesa pode servir de indicação para uma solução ao usar a expressão "Miscellaneous Notes"; "vermischte" também significa "o que se encontra numa miscelânea", e "Zeichen", além de "signo", significa também "indicação", "sinal". Ora, em sua extrema brevidade, o texto não é senão uma indicação do sentido do hexagrama. Como são vários versos, representariam uma coletânea. O título se refere a todo o conjunto dos versos que Wilhelm dividiu e fez acompanhar dos respectivos hexagramas. Por tudo isso, optamos por "Coletânea de Indicações". *(Nota da tradução brasileira.)*

lecer a mediação entre o plano humano e o sobre-humano.[1]

A linguagem estabelecida para a comunicação com as inteligências supra-humanas baseia-se nos números e seu simbolismo. Os princípios fundamentais do mundo são o céu e a terra, o espírito e a matéria. A terra é o princípio derivado, por isso lhe é atribuído o número dois.

O céu é a unidade última que, porém, inclui em si a terra. Por isso lhe é atribuído o número três. O número um não poderia expressá-lo pois, não contendo em si qualquer diversidade, é demasiado abstrato e imóvel. Segundo essa concepção os números ímpares foram atribuídos ao mundo celeste e os números pares, ao mundo terrestre.

Os hexagramas, em sua composição de seis linhas, são, pode-se dizer, representações de condições reais do mundo e das combinações do poder luminoso, celeste, e do poder obscuro, terreno, que ocorrem nessas situações. Porém, no interior desses hexagramas há sempre a possibilidade de mutação e reagrupamento das linhas. Assim como as situações do mundo estão em contínua mutação, assim também os hexagramas mudam, criando novas composições em lugar das anteriores. O processo de mutação manifesta-se nas linhas móveis, resultando, ao final, na formação de um novo hexagrama.

Mas além de sua utilização como oráculo, o Livro das Mutações possibilita também a compreensão intuitiva das condições do mundo e um aprofundamento até os níveis mais essenciais da natureza e do espírito. Os hexagramas apresentam imagens completas das condições e relacionamentos do mundo como um todo. As diferentes linhas tratam das mutações que ocorrem em situações específicas no interior dessas condições gerais. O Livro das Mutações está em harmonia com o Tao e a Vida (Tao, a lei natural, e Te, a lei moral). Por isso, o livro pode estabelecer as normas quanto ao que é próprio e adequado a cada homem. Mergulhando até as profundezas das derradeiras origens tanto no plano da experiência externa (natureza) quanto no da interna (espírito), o homem pode chegar à descoberta do Destino, do sentido último do mundo tal como este realmente é, tal como veio a ser, em virtude de uma decisão criadora (Ming). Ambos os caminhos conduzem à mesma meta. (Cf. o primeiro capítulo de Lao-Tse.)

> 2 — Os santos sábios da antiguidade compuseram o Livro das Mutações da seguinte maneira: tinham como meta seguir a ordem da lei interna e do destino. Constataram, então, o Tao do céu e o chamaram de o obscuro e o luminoso. Constataram o Tao da terra e o chamaram de o maleável e o rígido. Constataram o Tao dos homens e o chamaram: o amor e a justiça. Combinaram esses três poderes fundamentais e os duplicaram. Por isso, no Livro das Mutações cada signo é formado por seis linhas. As posições das linhas são divididas em obscuras e luminosas. O maleável e o rígido alternam-se como ocupantes dessas posições. Por isso o Livro das Mutações tem seis posições que formam as figuras lineares.

---

[1] A noção desses dois planos apresenta significativas semelhanças com os conceitos de consciente e inconsciente na psicologia analítica. O uso do termo supra-humano indica o caráter supra-individual, cósmico (ou coletivo) da concepção chinesa de inconsciente. Com isso, a função oracular consistiria na busca de um contato do consciente com os conteúdos do inconsciente, aproximando-se, portanto, da função da interpretação na prática terapêutica. *(Nota da tradução brasileira.)*

Essa seção trata dos elementos de cada hexagrama e suas relações com o curso do mundo. Assim como no céu o anoitecer e o amanhecer formam o dia pela alternância da escuridão e da luz (Yin e Yang), assim também as posições pares e ímpares em cada hexagrama são designadas como obscuras e luminosas. As posições 1, 3 e 5 são luminosas e as posições 2, 4 e 6 são obscuras. Como, por outro lado, todos os seres sobre a terra são formados de elementos firmes e maleáveis, as diferentes linhas são também firmes (isto é, inteiras) ou maleáveis (partidas). Esses dois poderes fundamentais no céu e na terra correspondem no homem às polaridades de amor e justiça. O amor corresponde ao princípio luminoso, a justiça, ao princípio obscuro. Como são aspectos subjetivos e não objetivos, esses atributos humanos não estão representados em específico nem nas posições nem nas linhas dos hexagramas. Entretanto, a tríade dos princípios universais está expressa no hexagrama como um todo, assim como em seus componentes. Essa tríade se divide em: sujeito (homem), objeto dotado de forma (terra) e conteúdo (céu). A posição inferior num trigrama corresponde à terra, a do meio, ao homem, a superior, ao céu. De acordo com o princípio da bipolaridade do universo, os conjuntos originais, compostos de três linhas (trigramas), foram duplicados. Nos hexagramas assim formados há, por isso, duas posições para cada elemento: a terra, o homem e o céu. As duas posições inferiores são atribuídas à terra, a terceira e a quarta, ao homem, as duas superiores, ao céu.

Essa concepção do universo forma um todo que se completa e conclui em si mesmo. Parece estar diretamente ligada ao Chung Yung ("A Doutrina do Meio"). Considerando-se seu conteúdo de idéias, pode-se concluir que este primeiro capítulo faz parte do conjunto de ensaios sobre o significado e estrutura dos hexagramas intitulado "Julgamentos Anexos" (Ta Chuan ou Hsi Tz'u Chuan), não tendo, portanto, vínculo direto com o que se segue.

CAPÍTULO II

3 — Céu e Terra determinam a direção. Montanha e Lago unem sua forças. Trovão e Vento estimulam-se um ao outro. Água e Fogo não se combatem. Assim, os oito trigramas se interligam.

O registro do que ocorre e segue rumo ao passado depende do movimento progressivo. O conhecimento do que acontecerá depende do movimento retroativo. Por isso há, no Livro das Mutações, algarismos em ordem decrescente.

Aqui, numa expressão provavelmente muito antiga, os oito trigramas primordiais são enunciados numa seqüência de pares que, de acordo com a tradição, remonta a Fu Hsi. Isso significa que essa ordenação existia já na época da compilação do Livro das Mutações, durante a dinastia Chou. Esse arranjo é denominado "Seqüência do Céu Anterior" ou "Seqüência Primordial",[2] "Ordenação Primordial". Os diferentes trigramas são relacionados aos pontos cardeais da seguinte forma (deve-se notar que os chineses situam o sul ao alto).[3]

---

[2] Literalmente, "seqüência que antecede ao mundo". *(Nota da tradução brasileira.)*

[3] Na Seqüência do Céu Anterior, assim como na Seqüência do Céu Posterior, os trigramas devem ser vistos a partir do centro. *(Idem.)*

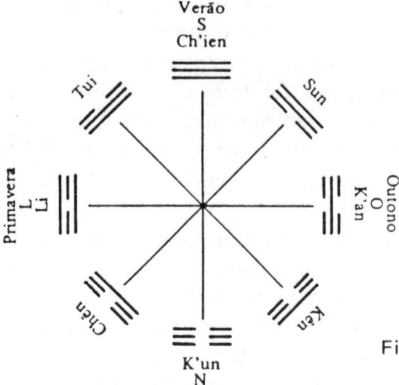

Fig. 1. Seqüência do Céu Anterior ou Seqüência Primordial[4].

Ch'ien, céu e K'un, terra, determinam o eixo norte-sul. Segue-se então o eixo Kên, montanha, e Tui, lago. Suas forças se interligam, uma vez que o vento sopra da montanha em direção ao lago e as nuvens e a névoa dirigem-se do lago à montanha. Chên, trovão, e Sun, vento, surgem fortalecendo um ao outro. Li, fogo, e K'an, água, são opostos inconciliáveis no mundo dos fenômenos. Entretanto, nos relacionamentos primordiais[4] seus efeitos não entram em conflito mas, ao contrário, mantêm um ao outro em equilíbrio.

Quando os trigramas se interligam, isto é, quando estão em atividade, observa-se um duplo movimento. O primeiro é o movimento habitual, progressivo, no sentido dos ponteiros do relógio; acumula e se expande com o decorrer do tempo e determina os acontecimentos que seguem rumo ao passado. O segundo é o movimento oposto, retroativo, que se dobra e contrai no decurso do tempo; é através dele que as sementes do porvir vêm a tomar forma. A compreensão desse movimento possibilita o conhecimento do futuro. Isto pode ser expresso na seguinte imagem: caso se compreenda como uma árvore está contida no interior de uma semente, se poderá também compreender o futuro desdobramento da semente em árvore.

> 4 — O trovão provoca o movimento, o vento gera a dispersão, a chuva gera umidade, o sol gera o calor, a Quietude gera imobilização, a Alegria gera o contentamento, o Criativo gera o domínio, o Receptivo gera o abrigo.

Aqui novamente são apresentadas as forças simbolizadas pelos oito trigramas primordiais em termos de seus efeitos sobre a natureza. Os quatro primeiros trigramas são designados por suas imagens, os quatro últimos, por seus nomes. Isso porque só os quatro primeiros designam, em suas imagens, as forças da natureza em atividade no curso do tempo, enquanto os quatro últimos indicam as condições que surgem no decorrer do ano.

Assim se tem primeiro uma linha de movimento progressivo (ascendente), na qual manifestam-se os efeitos das forças do ano anterior. De acordo com a seção 3, seguindo-se esta linha chega-se ao conhecimento do passado, pois este subsiste como causa latente nos efeitos que gerou. No segundo conjunto, quando os trigramas são nomeados não através das imagens (fenômenos), mas de acordo com seus atributos, há um movimento retroativo, um salto de Li, que se encontra a leste, de volta a Kên, no noroeste. Desenvolvem-se, nessa linha, as forças do ano que está por ini-

[4] Uma vez que antecedem ao mundo. *(Nota da tradução brasileira.)*

ciar. Seguindo-se essa linha chega-se ao conhecimento do futuro que, em suas causas, está sendo preparado como efeito, como sementes que, concentradas em si mesmas, preparam-se para o crescimento.

Dentro da Seqüência Primordial essas forças agem em pares de opostos. O trovão, a força eletricamente carregada, desperta as sementes do ano anterior; sua contraparte, o vento, dissolve a rigidez do gelo do inverno. A chuva umedece as sementes, possibilitando-lhes o germinar; sua contraparte, o sol, provê o calor necessário. Por isso a expressão: "Água e fogo não se combatem". Em seguida entram em jogo as forças retroativas. A Quietude bloqueia qualquer nova expansão: começa a germinação. Sua contraparte, a Alegria, gera o contentamento da colheita. Finalmente entram em jogo as duas forças diretrizes: o Criativo, que representa a grande lei da existência, e o Receptivo, que indica o abrigo no seio materno, ao qual tudo retorna após o ciclo da vida se ter completado.

Assim como no ciclo do ano, também na vida humana existem essas linhas de forças ascendentes e retroativas, das quais se podem deduzir o passado e o futuro.

> 5 — Deus se manifesta no signo do Incitar; ele faz com que todas as coisas se completem no signo da Suavidade; ele leva as criaturas a se perceberem umas às outras no signo do Aderir (a luz); ele faz com que elas se ajudem no signo do Receptivo. Ele infunde-lhes o contentamento no signo da Alegria; ele luta no signo do Criativo, se esforça no signo do Abismal e conduz à plenitude no signo da Quietude.

Aqui se apresenta a seqüência dos oito trigramas de acordo com o arranjo atribuído ao Rei Wên, e que é denominada a "Seqüência do Céu Posterior", ou "Ordem Interna do Mundo".[5] Os trigramas aqui são retirados de seu agrupamento em pares de opostos e apresentados segundo a seqüência temporal em que se manifestam no plano fenomênico durante o ciclo do ano. Assim sendo, a ordenação dos trigramas sofre modificações essenciais. Estabeleceram-se correlações entre os pontos cardeais e as estações do ano. A ordem é a seguinte:

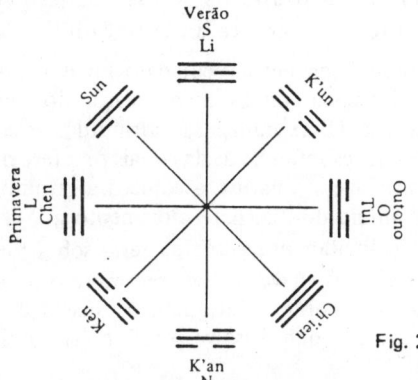

Fig. 2. Seqüência do Céu Posterior ou Ordem Interna do Mundo.

---

[5] O termo "innerweltliche Ordnung" foi traduzido por "Ordem Interna do Mundo", pois este arranjo dos trigramas expressa a ordem que o mundo, ao surgir, traz em si, como leis intrínsecas. Por isso o arranjo da "Seqüência Primordial" é também denominado "Seqüência do Céu Anterior", isto é, do todo em si mesmo, antes de surgir o mundo, ou ainda, literalmente, "Seqüência que antecede ao Mundo". (Nota da tradução brasileira.)

O ano começa a revelar a atividade criadora de Deus no trigrama Chên, o Incitar, que está a leste e significa a primavera. A passagem que se seguirá conterá explicações mais detalhadas sobre como essa atividade de Deus se realiza na natureza.

É muito provável que a seção 5 expresse um provérbio enigmático de origem muito remota, que receberá, no trecho a seguir, uma interpretação de cunho sem dúvida confucionista.

> Todos os seres surgem no trigrama do Incitar, que se encontra a leste.
>
> Eles chegam à plenitude no trigrama da Suavidade, que se encontra a sudeste. A plenitude significa que todos os seres tornam-se puros e realizados.
>
> O Aderir é a luminosidade, na qual os seres percebem-se uns aos outros. É o trigrama do sul. O fato de os santos e sábios voltarem-se para o sul quando escutavam o sentido do universo significa que governavam voltados para a luz.[6] Eles sem dúvida inspiravam-se nesse trigrama.
>
> O Receptivo significa a terra. Ele cuida para que todos os seres tenham alimento. Por isso se diz: "Ele (Deus) os leva a ajudarem-se uns aos outros no trigrama do Receptivo".
>
> A Alegria é o auge do outono, que proporciona contentamento a todos os seres. Por isso se diz: "Ele lhes dá contentamento no trigrama da Alegria".
>
> "Ele luta no trigrama do Criativo". O Criativo é o trigrama do noroeste. Isso indica que aqui o obscuro e o luminoso incitam-se um ao outro.
>
> O Abismal significa água. É o trigrama do norte, do esforço a que todos os seres estão sujeitos. Por isso se diz: "Ele se esforça no trigrama do Abismal".
>
> A Quietude é o trigrama do nordeste, onde consuma-se o começo e o fim de todos os seres. Por isso se diz: "Ele os conduz à plenitude no trigrama da Quietude".

Aqui se ressalta a correspondência entre o curso do ano e o curso do dia. Aquilo que, no trecho anterior, se descrevia como a manifestação do divino, agora é expresso em sua atuação na natureza. Os trigramas são atribuídos às estações do ano e aos pontos cardeais, através de breves referências das quais se infere o esquema acima (fig. 2). Com o despertar da primavera a natureza começa a germinar e brotar. Isso corresponde ao amanhecer, ao início do dia. Este movimento que arranca da inércia é atribuído ao trigrama Chên, o Incitar, que surge da terra sob a forma do trovão e da força elétrica.[7] Sopram, então, as suaves brisas, renova-se o mundo das plantas, cobre-se a terra de verde. Isso corresponde ao trigrama da Suavidade, do Penetrante. Sun tem como imagem tanto o vento que dissolve o rígido gelo do inverno, como a

---

[6] Na antiguidade, quando os governantes chineses davam audiências, sentavam-se voltados para o sul, região de Li, o Fogo, o Sol, a Luz. Por isso também havia o hábito de se realizar o ritual da consulta oracular com o consulente sentado voltado para o sul. *(Nota da tradução brasileira)*.

[7] O trovão é associado a um movimento que surge da terra e não do céu, pois se pensa naquilo que, enquanto sinal das chuvas da primavera, ele indica: o início do ciclo de crescimento das sementes. *(Idem.)*

madeira que cresce organicamente. Esse trigrama tende a fazer com que as coisas fluam rumo às suas formas, que se desenvolvam e cresçam de modo a realizar o que se prefigurava na semente.

Chega-se, então, à culminância do ano, ao pleno verão, ao meio-dia. Este é o ponto do trigrama Li, o Aderir, a Luz. Aqui os seres percebem-se uns aos outros. A vida orgânica vegetativa passa ao estado de consciência psíquica. Aqui há também uma imagem da sociedade humana na qual o dirigente, voltado para a luz, governa o mundo. Convém notar que o trigrama Li ocupa a posição sul, que na Seqüência Primordial era ocupada pelo trigrama Ch'ien, o Criativo. Li consiste essencialmente na linha superior e inferior de Ch'ien, que incorporou a si a linha central de K'un. Para uma compreensão completa, deve-se visualizar a Ordem Interna do Mundo como translúcida, quando, então, através dela, brilharia a Ordem Primordial. Assim, quando se chega ao trigrama Li, encontra-se também o dirigente Ch'ien, que governa voltado para o sul.

Segue-se o amadurecimento dos frutos do campo, dádiva de K'un, a Terra, o Receptivo. É a época da colheita, do trabalho comunitário. E então, assim como a noite segue-se ao dia, vem o pleno outono, no trigrama da Alegria, Tui, conduzindo o ano à maturidade e ao contentamento. A seguir vem a estação severa, que exige provas do que foi realizado. Há uma atmosfera de julgamento. Os pensamentos retornam da terra para o céu, para o Criativo, Ch'ien. Trava-se uma luta. É justamente quando o Criativo está alcançando o domínio que o poder obscuro de Yin adquire sua maior capacidade de influência externa. Por isso o obscuro e o luminoso agora incitam-se um ao outro. Não pode haver dúvida quanto ao resultado dessa luta, pois é apenas a conclusão decorrente de causas já existentes que foram julgadas pelo Criativo.

Depois chega o inverno no trigrama do Abismal, K'an, situado ao norte, lugar do Receptivo na Ordem Primordial. K'an tem como símbolo o desfiladeiro. É o momento do trabalho de guardar a colheita no celeiro. Assim como a água não poupa esforços, dirigindo-se sempre aos lugares mais profundos (e por isso todas as coisas acompanham seu fluir), assim o inverno no curso do ano e a meia-noite no curso do dia representam o momento da concentração.

O trigrama Kên, a Quietude, cujo símbolo é a montanha, tem um significado misterioso. Aqui, na semente, no mais profundo recolhimento e silêncio, o fim de todas as coisas une-se a um novo começo. A morte e a vida, o perecer e o ressuscitar — esses são os pensamentos que despertam a transição do ano que passa ao novo ano que chega.

Assim fecha-se o círculo. Como o dia ou o ano na natureza, cada vida, e mais ainda, cada ciclo de experiências, instaura uma continuidade que liga o antigo ao novo. A partir dessa perspectiva pode-se compreender por que em vários dos sessenta e quatro hexagramas o sudoeste representa o período de trabalho e companheirismo, enquanto o nordeste corresponde ao período de solidão, quando o antigo termina e o novo principia.

> 6 — Há um espírito misterioso presente em todos os seres, e que atua através deles. Entre tudo que movimenta as coisas, nada é mais veloz que o trovão. Entre tudo que curva as coisas, nada é mais rápido que o vento. Entre tudo que aquece as coisas, nada resseca mais que o fogo. Entre tudo que alegra as coisas, nada traz mais contentamento que o lago. Entre tudo que umedece as coisas, nada é mais úmido que a água. Entre tudo que dá início e fim às coisas, nada é mais glorioso que a quietude.

Por isso a água e o fogo se complementam, o trovão e o vento não atrapalham um ao outro, as forças da montanha e do lago atuam convergindo. Somente assim é possível a modificação e a transformação. Somente assim os seres podem alcançar a perfeição.

Aqui descreve-se apenas a atividade dos seis trigramas derivados.[8] Essa é a ação do princípio espiritual que não é uma coisa entre as outras, mas a força que se manifesta através de diferentes efeitos — do trovão, do vento, etc. Os dois trigramas originários, o Criativo e o Receptivo, não são mencionados, pois enquanto céu e terra eles são diretas expressões do próprio espírito no interior do qual, pela influência das forças derivadas, o mundo visível surge e se modifica. Cada uma dessa forças atua numa determinada direção, mas há movimento e mutação apenas porque essas forças não se anulam uma à outra mas, agindo como pares complementares de opostos, impulsionam a dinâmica cíclica da qual depende a vida do mundo.

CAPÍTULO III

O terceiro capítulo trata separadamente de cada um dos oito trigramas e apresenta os símbolos aos quais estão associados. Este capítulo é importante, uma vez que, em diversas ocasiões, as palavras do texto das diferentes linhas de cada hexagrama serão explicadas com base nessas associações simbólicas. O conhecimento dessas associações é importante como um instrumento para a compreensão da estrutura do Livro das Mutações.

7 — Os Atributos.
O Criativo é forte. O Receptivo é maleável. O Incitar significa movimento. A suavidade é penetrante. O Abismal é perigoso. O Aderir significa dependência. A Quietude significa imobilidade. A Alegria significa contentamento.

8 — Os Animais Simbólicos.
O Criativo atua no cavalo; o Receptivo, na vaca; o Incitar, no dragão; a Suavidade, no galo; o Abismal, no porco; o Aderir, no faisão; a Quietude, no cão; a Alegria, na ovelha.

O Criativo é simbolizado pelo cavalo[9] que corre veloz e incansável; o Receptivo, pela vaca em sua mansidão. O Incitar tem como imagem o trovão, é simbolizado

---

[8] São considerados trigramas derivados os três filhos, Chên, K'an e Kên, e as três filhas, Sun, Li e Tui, por serem resultantes da influência do Pai, Ch'ien, sobre a Mãe, K'un (os filhos), e da influência da Mãe, K'un, sobre o Pai, Ch'ien (as filhas). Assim, os filhos ligam-se em especial à Mãe e as filhas, ao Pai; por isso as linhas Yin, femininas, são majoritárias nos trigramas dos filhos, enquanto predominam as linhas Yang nas filhas. Há um significativo paralelismo com a interpretação freudiana do problema da sexualidade infantil. Na seção 10 essa derivação será mais demoradamente estudada. *(Nota da tradução brasileira.)*

[9] Há variações no Livro das Mutações quanto a essas associações. Em certas passagens o Criativo é simbolizado pelo dragão; o Receptivo, pela égua; e o Aderir, pela vaca.

pelo dragão que, irrompendo das profundezas,[10] ascende ao céu nas tempestades — isso corresponde à única linha forte que pressiona em direção ao alto sob duas linhas maleáveis. A Suavidade, o Penetrante, tem como símbolo o galo, guardião do tempo, cujo canto corta o silêncio e se propaga como o vento, que é parte da imagem da Suavidade. O Abismal é representado pela água. Entre os animais domésticos é o porco que vive na lama e na água. O Aderir, a Claridade, em seu trigrama Li, possuía originalmente a imagem de um pássaro de fogo, semelhante a um faisão. A Quietude, Kên, tem como símbolo o cão, guardião fiel, enquanto que a Alegria está ligada à ovelha, considerada como animal do oeste[11]; os dois traços da linha partida ao alto indicam os chifres da ovelha.

9 — As Partes do Corpo.

O Criativo manifesta-se na cabeça; o Receptivo, no ventre; o Incitar, no pé; a Suavidade, nas coxas; o Abismal, no ouvido; o Aderir (o resplendor), no olho; a Quietude, na mão; a Alegria, na boca.

A cabeça governa o corpo inteiro. O ventre serve à conservação, o pé calca o chão e se move, a mão segura. Os músculos das coxas, encobertos, ramificam-se para baixo, a boca abre-se de forma visível, para o alto. O ouvido é oco por fora, o olho é oco por dentro. Esses são todos os pares de opostos que correspondem aos trigramas.

10 — A Família dos Trigramas

O Criativo é o céu, e por isso é chamado o pai. O Receptivo é a terra, e por isso é chamado a mãe.

No trigrama do Incitar o feminino procura pela primeira vez o poder do masculino e recebe um filho.[12] Por isso, o Incitar chama-se filho mais velho.

No trigrama da Suavidade o masculino procura pela primeira vez o poder do feminino e recebe uma filha; por isso, a Suavidade chama-se filha mais velha.

No Abismal o feminino procura pela segunda vez o masculino e recebe um filho; por isso, ele se chama o filho do meio.

No Aderir o masculino procura o feminino pela segunda vez e recebe uma filha; por isso, ela se chama a filha do meio.

Na Quietude ela procura o masculino pela terceira vez e recebe um filho; por isso, ele se chama o filho mais moço.

Na Alegria ele procura o feminino pela terceira vez e recebe uma filha; ela, então se chama a filha mais moça.

---

[10] Sobre a relação da origem do trovão com a terra, v. nota 7 (seção 5 — "Incitar"). *(Nota da tradução brasileira.)*

[11] O trigrama Tui, a Alegria, está situado a oeste na Seqüência do Céu Posterior. *(Idem.)*

[12] A idéia de "receber um filho" ou "uma filha" indica que os trigramas dos filhos surgem quando o trigrama da mãe acolhe uma linha vinda do pai, isto é, uma linha Yang, seja na primeira, segunda ou terceira posição. Os trigramas das filhas surgem quando ao contrário, Ch'ien, o pai, recebe uma linha vinda da mãe, uma linha Yin, seja na primeira, segunda ou terceira posição. *(Idem.)*

Nos filhos, em virtude dessa derivação, a substância procede da mãe — por isso as duas linhas femininas —, enquanto que a linha dominante e determinante vem do pai. O oposto ocorre no caso das filhas. Na progênie, o sexo é sempre oposto ao de quem "procura".

Aqui pode-se notar uma diferença entre a Ordem Interna e a Ordem Primordial quanto ao sexo dos trigramas derivados. Na Ordem Primordial a linha inferior sempre determina o sexo e os filhos então são:

1) Chên, o Incitar:

2) Li, o Aderir (o sol):

3) Tui, a Alegria:

No esquema da Ordem Primordial (fig. 1), eles estão todos dispostos a leste. As filhas são:

1) Sun, a Suavidade:

2) K'an, o Abismal:

3) Kên, a Quietude:

Estes trigramas, por sua vez, estão dispostos a oeste. Portanto, na Ordem Interna, só Chên e Sun não se modificam quanto ao sexo. O esquema (fig. 2) mostra os três filhos à esquerda de Ch'ien, do Criativo, enquanto K'un tem as duas filhas mais velhas à sua direita e a filha mais moça à sua esquerda, entre ela própria, K'un, e Ch'ien.

11 — Simbolismo Adicional.

O Criativo é o céu, é redondo, o príncipe, o pai, jade, metal, frio, gelo, o vermelho profundo, o bom cavalo, um cavalo velho, um cavalo magro, um cavalo selvagem, os frutos das árvores.

A maioria desses símbolos explicam-se por si mesmos. O jade é o símbolo da pureza imaculada e da firmeza; do mesmo modo o metal. O frio e o gelo resultam da posição do trigrama, situado a noroeste. O vermelho profundo é a cor intensificada do luminoso (no texto ele próprio[13], a cor do Criativo é o azul-noite, que corresponde à cor do céu). Os vários cavalos indicam o poder, a duração, a firmeza, a força (o cavalo "selvagem" é um animal mítico com dentes de serra, capaz de despedaçar até mesmo um tigre). O fruto é o símbolo da duração da mudança.

Os comentários posteriores acrescentam: "é reto, é o dragão, é roupa de cima, a palavra".

[13] Wilhelm distingue aqui o texto do I Ching propriamente dito, isto é, o Julgamento atribuído ao Rei Wên e o Julgamento das linhas, atribuído ao Duque de Chou, das Dez Asas, comentários que distam pelo menos 600 anos dos textos de Wên e Chou. Essa distinção é também sustentada por Legge e em especial enfatizada por Iulian K. Shchutskii (*Researches on the I Ching.* Princeton University Press, 1979), que mostra como grande parte dos especialistas chineses, atribuindo uma autoridade excessiva a esses comentários, vem interpretando o texto via comentários, esquecendo as significativas diferenças entre eles existentes. Segundo Shchutskii, com isso muito se adicionou ao texto de conteúdos originalmente inexistentes no mesmo. *(Nota da tradução brasileira.)*

O Receptivo é a terra, a mãe, um tecido, o caldeirão, a frugalidade, a superfície plana, é a vaca com um bezerro, uma grande carroça, a forma, a multiplicidade, o tronco. Entre os tipos de solo, é a terra negra.

Os primeiros símbolos não exigem maiores explicações. O tecido é algo que se estende; a vida cobre a terra como se fora uma vestimenta. No caldeirão cozinham-se os alimentos até que estejam prontos; a terra é, portanto, o grande crisol da vida. A frugalidade é uma qualidade fundamental da natureza. A superfície plana indica a imparcialidade da terra, que não tem preferências nem repulsas. A vaca com o bezerro é o símbolo da fertilidade; a grande carroça simboliza a terra carregando todas as coisas. Forma e ornamento são o oposto do conteúdo, que é expressão do Criativo. A multiplicidade é o oposto da unidade de Ch'ien. É do tronco que brotam os galhos, assim como toda a vida brota da terra. O negro é a escuridão em seu grau mais intenso[14].

O Incitar é o trovão, o dragão, o amarelo escuro, é estender, uma grande estrada, é o filho mais velho, é decisão e veemência, o bambu verde, o junco e a cana. Entre os cavalos significa os que relincham bem, os que têm patas traseiras brancas, os que galopam, os que têm uma estrela na testa.

Entre as plantas úteis significa as leguminosas. Finalmente é o forte, o que cresce em abundância.

O amarelo escuro representa uma fusão da escuridão do céu com a terra amarela. O estender — talvez se deva ler "o florescer" — refere-se ao exuberante crescimento que ocorre na primavera e cobre a terra de plantas. A grande estrada indica o caminho que conduz todas as coisas à vida, na primavera. O bambu, o junco e a cana são plantas de crescimento particularmente rápido. O relinchar dos cavalos indica seu parentesco com o trovão. As patas traseiras brancas, vistas à distância, parecem brilhar quando o animal corre. O galope é a marcha mais rápida. As leguminosas, ao germinarem, trazem consigo a vagem.

A Suavidade é a madeira, o vento, a filha mais velha, o fio condutor, o trabalho; é o branco, o longo, as alturas, é o avanço e o recuo, o indeciso, o odor.

Entre os homens refere-se aos grisalhos, os de testa larga, os que têm muito branco nos olhos, os que estão próximo aos lucros, de modo que obtêm três vezes mais no mercado.

Finalmente, é o signo da veemência.

Os primeiros significados não exigem maiores explicações. O fio condutor pertence a esse trigrama na medida em que se refere à difusão de ordens que se espalham como o vento. O branco é a cor do princípio Yin. O Yin encontra-se aqui ao começo, na posição inferior. A madeira cresce alongando-se, o vento sobe a grandes alturas. O progresso e o retrocesso se referem à natureza mutável do vento; assim, a indecisão e o odor que o vento propaga fazem parte desse mesmo contexto. Nos homens grisalhos, com cabelos ralos, o branco predomina. Aqueles que têm muito branco nos olhos são arrogantes e veementes. Também o são aqueles que têm ambição de lucros com o que, ao final, o trigrama se converte em seu oposto e representa a violência, isto é, Chên.

---

[14] No texto do I Ching, a cor atribuída ao Receptivo é o amarelo e seu animal é a égua.

O Abismal é a água, fossos, a emboscada, é o que se dobra e desdobra, o arco e a roda.

Entre os homens refere-se aos melancólicos, aos que sofrem do coração, aos que padecem de dor de ouvido.

É o signo do sangue, é vermelho.

Entre os cavalos representa os que têm um belo quarto traseiro, os que têm uma coragem selvagem, aqueles cuja cabeça pende, os que têm cascos finos, os que tropeçam.

Entre as carroças representa as que têm muitos defeitos.

É a penetração, é a lua.

Significa os ladrões.

Entre as diversas espécies de madeira, significa as firmes e com muitos sulcos.[15]

Os primeiros atributos, mais uma vez, explicam-se por si mesmos. O dobrar e o desdobrar são implícitos à trajetória tortuosa da água; isso conduz à idéia do curvo, do arco e da roda. A melancolia é expressa pela linha forte encerrada entre duas linhas fracas; por isso também a doença do coração. O trigrama significa o esforço assim como o ouvido. As dores de ouvido foram deduzidas dessa dificuldade de escutar.

O sangue é o líquido do corpo, por isso a cor de K'an é o vermelho, se bem que de um tom mais claro que o vermelho de Ch'ien, o Criativo. Devido à sua propriedade penetrante, quando referindo-se a uma carroça, representa um veículo com rachaduras que, no entanto, ainda é usado para carga. A penetração é sugerida pela linha central penetrante, encravada entre duas linhas fracas. Como seu elemento é a água, representa a lua que, por isso, aparece como masculina. Aqueles que penetram secretamente num lugar e se retiram de maneira furtiva são os ladrões. Os sulcos da madeira também estão ligados ao atributo da penetração.

O Aderir é o fogo, o sol, o raio, a filha do meio. Significa armaduras e elmos, lanças e armas. Entre os homens, refere-se aos que têm o ventre dilatado.

É o signo do seco. Significa o jaboti, o caranguejo, o caracol, o molusco, a tartaruga.

Entre as árvores refere-se às que secam na parte superior do tronco.

Quando os símbolos não são compreensíveis em si mesmos, são sugeridos pelo significado do fogo, do calor e da seca como também pelo próprio caráter do trigrama: sólido e firme por fora, oco e maleável por dentro. Esse aspecto explica a ligação com as armas, com o ventre dilatado, os animais que têm casco e as árvores ocas que começam a secar acima.

A Quietude é a montanha, uma via de contorno, as pequenas pedras, as portas e aberturas, frutas e sementes; significa os eunucos e os vigias, os dedos, o cão, o rato e as diversas espécies de pássaros de bico preto.

[15] O termo "Mark" significa sulco, mas também "medula", sendo este segundo termo usado pelas traduções inglesa e argentina. Apesar do caráter de interioridade sugerido por "medula", "sulco" parece-nos mais de acordo com o atributo de penetração, inclusive considerando-se o comentário sobre "rachaduras" em relação a outro símbolo desse trigrama, a carroça. *(Nota da tradução brasileira.)*

Entre as árvores significa as que são firmes e nodosas.

A via de contorno é sugerida pelos caminhos das montanhas, do mesmo modo que as pedras. O portal é indicado pela forma do trigrama ☵ . As frutas e as sementes são a ligação entre o fim e o começo das plantas. Os eunucos são os guardiões das portas, os guardas vigiam as estradas; ambos protegem e vigiam. Os dedos servem para segurar. O cão toma conta, o rato rói, os pássaros de bico preto bicam as coisas com facilidade. Os troncos nodosos são os mais resistentes.

 A Alegria é o lago, a filha mais moça, uma feiticeira, é a boca e a língua. Significa estragar e partir-se, cair e entreabrir-se.

 Entre os tipos de solo refere-se às terras duras e com alto teor de sal.

 É a concubina, é a ovelha.

A feiticeira é uma mulher que fala. O trigrama da Alegria é aberto acima, por isso a boca e a língua. Está situado a oeste e assim associado à idéia do outono, destruição; por isso estragar e romper-se, a queda e o entreabrir dos frutos maduros. Nos locais em que lagos secaram a terra é dura e com alto teor de sal. A concubina se deduz da idéia da filha mais moça. A ovelha, fraca exteriormente e teimosa em seu interior, é evocada pela forma do trigrama, como já foi indicado acima. A ovelha e a cabra são consideradas na China como animais praticamente idênticos e têm o mesmo nome.

TA CHUAN

O GRANDE TRATADO (O GRANDE COMENTÁRIO)

(Também denominado Hsi Tz'u Chuan, Comentário aos Julgamentos Anexos.)

PRIMEIRA PARTE

A — Os Fundamentos

CAPÍTULO I

As Mutações no Universo e no Livro das Mutações

1 — O céu é alto, a terra, baixa, assim o Criativo e o Receptivo se determinam. As posições inferiores e superiores se estabelecem de acordo com essa diferença entre o baixo e o alto.

O movimento e o repouso têm suas leis definidas de acordo com as quais distinguem-se as linhas firmes e maleáveis. Os acontecimentos seguem seus rumos próprios, cada qual segundo a sua natureza. As coisas distinguem-se umas das outras de acordo com classes específicas. Desse modo têm origem a boa fortuna e o infortúnio. Os fenômenos surgem no céu, as formas surgem na terra. Assim a mutação e a transformação se manifestam.

O Livro das Mutações faz uma distinção entre três diferentes espécies de mutação: a não-mutação, a mutação cíclica e a mutação não recorrente. O imutável é, por assim dizer, o fundo indispensável sobre o qual a mutação torna-se possível. Toda mutação supõe um ponto constante que lhe sirva de referencial. Sem isso não poderá haver uma ordem definida e tudo se dissolveria num movimento caótico. Esse ponto de referência precisa ser estabelecido, o que exige em cada ocasião uma opção e decisão. Ele instaura um sistema de coordenadas no qual tudo o mais pode ser encaixado. Por este motivo, no começo do mundo, assim como no começo do pensamento, há a decisão, a determinação do ponto de referência. Teoricamente qualquer ponto referencial é possível, mas a experiência demonstra que desde o despertar de nossa consciência já nos encontramos inseridos em sistemas já estabelecidos de relacionamento tão poderosos que tendem a prevalecer. O problema consiste agora em escolher seu próprio ponto de referência de modo a que coincida com o ponto de referência do vir a ser cósmico. Pois só assim se poderia evitar que o mundo criado por nossa própria decisão se destruísse por entrar em conflito com as estruturas de relacionamento dominantes. Essa decisão pressupõe evidentemente a convicção de que o mundo, em última instância, é um sistema de referências integradas, um cosmos, não um caos. Essa convicção é o fundamento da filosofia Chinesa — como de toda filosofia em geral. Esse derradeiro ponto de referência de toda mutação é então a não-mutação.

O I Ching toma como fundamento desse sistema de relações a distinção entre o céu e a terra. O céu é o mundo superior, luminoso, que, apesar de incorpóreo, rege e determina com firmeza tudo o que ocorre. Diante dele está a terra, o mundo inferior, obscuro, corpóreo, que, em seus movimentos, depende dos fenômenos celestes. Essa distinção entre alto e baixo estabelece, de certa forma, uma diferenciação de valores, em decorrência da qual um desses princípios é exaltado e honrado enquanto o outro é considerado menos valioso e inferior.[1] Esses dois princípios fundamentais de toda a existência são então simbolizados pelos dois hexagramas básicos do Livro das Mutações, o Criativo e o Receptivo. Em última instância, não se pode afirmar que se trate de um dualismo, pois esses dois princípios estão ligados por uma relação unívoca. Não se combatem entre si, mas se complementam. A diferença de nível cria, de certa forma, como que um "declive" que permite o movimento e a manifestação viva da energia.

Estando o alto e o baixo associados às noções de valor, isso conduz à diferenciação entre o superior e o inferior. Isso é expresso de forma simbólica nos hexagramas do Livro das Mutações, nos quais há posições altas e baixas, superiores e inferiores. Cada hexagrama é composto de seis posições, sendo as ímpares superiores e as pares, comuns ou inferiores.

Há ainda uma outra diferença vinculada a esta primeira: no céu prevalecem o movimento e a mutação contínua; na terra o que se percebe são estados fixos e aparentemente duradouros. Quando se observa com atenção, se vê que isso é mera aparência. Para a visão de mundo do Livro das Mutações, nada está em repouso; o repouso é apenas uma condição intermediária do movimento ou um movimento latente. Há, entretanto, pontos nos quais o movimento torna-se visível. Isto é simbolizado pelo fato de a estrutura dos hexagramas conter linhas firmes e maleáveis. O firme, o forte, é considerado o princípio do movimento, enquanto o maleável, o princípio do repouso. A linha firme é representada por um traço inteiro, correspondente ao princípio luminoso, e a linha maleável é representada por um traço partido, correspondente ao princípio obscuro.

Combinando-se o caráter da linha (firme ou maleável) com o caráter da posição (superior ou inferior), chega-se a uma multiplicidade de situações possíveis. Isso serve para simbolizar um terceiro conjunto de acontecimentos no universo. Há estados de equilíbrio nos quais prevalece uma certa harmonia e circunstâncias em que o equilíbrio é perturbado, preponderando então a confusão. Isso tem origem num sistema de organização que abrange todo o universo. Quando, de acordo com essa ordem, cada coisa se encontra no seu devido lugar, a harmonia se estabelece. Pode-se constatar essa tendência à ordem na natureza. As posições de certa forma atraem aquilo que lhes é semelhante para que surja a harmonia. Porém, uma tendência paralela atua igualmente. As coisas não são determinadas apenas pela tendência à ordem; elas se movem também em virtude de forças que, de algum modo, lhes são aplicadas de forma mecânica, do exterior. Por isso o estado de equilíbrio não é possível em todas as circunstâncias, pois podem ocorrer desvios que provoquem confusão e desordem. No âmbito humano, a condição de harmonia gera a boa fortuna e a desarmonia, o infortúnio. Esses conjuntos de ocorrências podem ser representados por combina-

---

[1] Essa afirmação de Wilhelm não encontra justificativas no texto do I Ching e contradiz inclusive uma das noções básicas de sua visão do universo — a complementaridade dos contrários. A necessidade da dedução por ele inferida nessa frase é ocidental e nunca chinesa (no sentido estrito da China tal como é concebida no Livro das Mutações). Essa distorção ocorrerá inclusive em outras passagens das interpretações de Wilhelm de trechos que são, por isso, analisados segundo uma perspectiva que é estranha ao seu próprio contexto. Essa questão é tratada com mais detalhe em nosso prefácio. *(Nota da tradução brasileira.)*

ções de linhas e posições, tal como foi indicado anteriormente.

Há ainda uma outra lei que deve ser considerada. No céu, os fenômenos adquirem uma forma em virtude do movimento do sol, da lua e das estrelas. Esses fenômenos seguem leis definidas. Em conecção com eles, formam-se configurações na terra, que obedecem a leis idênticas. Com isso os fenômenos na terra — o florescer e o frutificar, o crescimento e o declínio — podem ser calculados, caso se compreendam as leis do tempo. Caso se conheçam as leis da mutação, poder-se-á calculá-la com antecedência, obtendo-se, assim, liberdade de ação. Mudanças são imperceptíveis tendências à divergência que, ao atingirem determinado ponto, tornam-se visíveis, provocando transformações.

Para o pensamento chinês estas são as leis imutáveis, segundo as quais as mutações se processam. O I Ching procura demonstrar essas leis através das leis de mutação que operam no interior dos diferentes hexagramas. Quando o homem chega a reproduzir de forma completa essas leis, ele alcança uma visão satisfatória dos acontecimentos, pode entender o passado e o futuro e aplicar esse conhecimento às suas ações.

2 — Por isso os oito trigramas sucedem-se por períodos, quando o firme e o maleável substituem um ao outro.

Aqui se explica a mutação cíclica. Ela consiste numa rotação de fenômenos que se sucedem uns aos outros, até que se chega de volta ao ponto de partida. Como exemplos desse movimento têm-se o curso do dia, do ano e os fenômenos que, durante esses ciclos, manifestam-se nos seres vivos. A mutação cíclica é a mudança periódica que se produz no mundo orgânico, enquanto que a mutação em seqüência significa a mudança contínua, irreversível, dos fenômenos provocados pela causalidade.

O firme e o maleável sucedem-se uns aos outros no interior dos oito trigramas. Assim, o firme se modifica, como que se funde, tornando-se maleável; o maleável muda, se reúne, tornando-se firme. Desta forma os oito trigramas se convertem uns nos outros numa seqüência, e a alternância regular dos fenômenos, no decorrer do ano, se processa. O mesmo ocorre em todos os ciclos, inclusive no ciclo da vida. Assim, ao dia e à noite, ao verão e ao inverno, correspondem, no ciclo vital, a vida e a morte. Para que se possa compreender melhor a natureza da mutação cíclica e sua alternância nos trigramas, repete-se aqui a Seqüência Primordial (fig. 3). Há duas direções de movimento: a progressiva, crescente, e a retroativa, decrescente. A primeira parte do ponto mais profundo, K'un, o Receptivo, terra; a segunda parte do ponto culminante, Ch'ien, o Criativo, céu.

I	Norte	Nordeste	Leste	Sudeste
	☷	☳	☲	☱
	K'un	Chên 1a	Li 2a	Tui 3a

II	Sul	Sudoeste	Oeste	Noroeste
	☰	☴	☵	☶
	Ch'ien	Sun 1b	K'an 2b	Kên 3b

Fig. 3

3 — As coisas são incitadas pelo trovão e pelo raio; são fertilizadas pelo vento e pela chuva; o sol e a lua seguem seu curso cíclico e às vezes faz calor, às vezes faz frio.

Aqui se tem a seqüência dos trigramas no curso do ano, de modo a que cada um deles seja a causa do seguinte. A energia criadora, Chên, o Incitar, cuja imagem é o trovão, agita-se nas profundezas da terra. À medida que surge essa força elétrica, formam-se centros de ativação que vêm eclodir em raios. O raio é Li, o Aderir, fogo. Por isso o trovão é aqui considerado anterior ao raio. O trovão é, por assim dizer, a energia que incita o raio, não é apenas o ruído. O movimento então se desloca: instala-se o oposto do trovão, o vento, Sun. O vento traz a chuva, K'an. Há um novo deslocamento. Os trigramas Li e K'an, que antes atuavam em sua forma secundária como raio e chuva, manifestam-se agora em sua forma primária como sol, o astro do dia, e lua, o astro da noite. Em seu movimento cíclico, eles produzem o calor e o frio. Quando o sol atinge o zênite, surge o calor, simbolizado pelo trigrama do sudeste, Tui, o lago, a Alegria. Quando a lua chega ao alto do céu surge o frio, simbolizado pelo trigrama do noroeste, Kên, a montanha, Quietude. Portanto, a seqüência é a seguinte (cf. fig. 3):

1a — 2a   1b — 2b
   2a — 3a   2b — 3b

Assim, 2a (Li) e 2b (K'an) são mencionados duas vezes; em sua forma secundária (raio-chuva) e em sua forma primária (sol-lua).

4 — O caminho do Criativo produz o masculino. O caminho do Receptivo produz o feminino.

Começa a surgir aqui a mutação não recorrente, manifesta na sucessão das gerações, um movimento progressivo que nunca retorna a seu ponto de partida. Isso mostra como o Livro das Mutações permanece estritamente ligado à vida. Segundo os conceitos ocidentais, a mutação não recorrente corresponderia à esfera em que a causalidade mecânica faz valer seus direitos. O Livro das Mutações vê a mutação seqüencial como a sucessão das gerações, ou seja, algo ainda orgânico.

Ao se integrarem, como princípio, à manifestação da vida, o Criativo e o Receptivo tomam forma corpórea; o primeiro no sexo masculino e o segundo, no sexo feminino. Assim o Criativo está presente na linha inferior de cada um dos filhos (Chên, Li e Tui na Seqüência Primordial) e o Receptivo, na linha inferior de cada uma das filhas (Sun, K'an e Kên na Seqüência Primordial). Na Seqüência Primordial, o fator determinante do sexo é a primeira linha na qual então manifestam-se o Criativo e o Receptivo, gerando os filhos e as filhas[2].

5 — O Criativo conhece os grandes começos. O Receptivo completa as coisas concluídas.

Aqui prosseguem as considerações sobre os princípios do Criativo e do Receptivo. O Criativo produz as sementes invisíveis de todo vir a ser. Estas sementes são, a princípio, puramente espirituais; por isso, sobre elas não é possível se exercer qualquer ação ou procedimento; nesse âmbito é o conhecimento que age de forma criadora. Enquanto o Criativo atua no mundo do invisível, tendo como campo o espírito

---

[2] Essa determinação dos sexos se altera quando os trigramas são considerados segundo a Seqüência da Ordem Interna do Mundo. Cf. Shuo Kua, Discussão dos Trigramas, Cap. III, seç. 10, "A Família dos Trigramas". *(Nota da tradução brasileira.)*

e o tempo, o Receptivo opera sobre a matéria distribuída no espaço, e completa as coisas concluídas e concretizadas. Aqui acompanha-se o processo de geração e procriação até suas últimas profundezas metafísicas[3].

6 — O Criativo conhece através do fácil. O receptivo é capaz de agir através do simples.

O Criativo é, em sua essência, movimento. Através do movimento ele consegue com facilidade unir o que está dividido. Ele, portanto, está livre do esforço, pois atua sobre o infinitesimal, orientando o movimento a partir desse estado mínimo. Como a direção do movimento é determinada ainda no estado germinal do vir a ser, tudo o mais se desenvolve com facilidade, de forma espontânea, segundo as leis de sua própria natureza.

O Receptivo é, em sua essência, repouso. Através do repouso o mais simples torna-se possível no âmbito do espaço. Essa simplicidade que surge da pura receptividade torna-se o germe de toda multiplicidade existente no espaço.

7 — Aquilo que é fácil, é fácil de conhecer. Aquilo que é simples, é simples de seguir. Aquele que é fácil de conhecer, conquistará a fidelidade. Aquele que é fácil de seguir, conseguirá encargos. Aquele que possui a adesão, poderá perdurar por longo tempo; aquele que possui tarefas, poderá tornar-se grande. A duração é a propensão do sábio; a grandeza é o campo de ação do sábio.

Essa passagem indica como o fácil e o simples exercem seus efeitos na vida humana. O fácil é facilmente compreendido, por isso o seu poder de sugestão. Aquele cujos pensamentos são claros e fáceis de entender conquista a adesão dos homens porque corporifica em si o amor. Deste modo ele se liberta do caos dos conflitos e das desarmonias. Como o movimento interior está em harmonia com o meio ambiente, pode produzir seus efeitos sem ser perturbado e pode durar por um longo período. Essa consistência e capacidade de duração constituem a atitude interior do sábio.

O mesmo ocorre no campo da ação. Aquilo que é simples pode ser com facilidade imitado. Por conseqüência, os outros se prontificam a empregar sua força na mesma direção, pois todos fazem com prazer o que lhes é fácil, uma vez que isso é simples. Como resultado, as energias se acumulam e o simples se desenvolve de forma natural no múltiplo. Assim ele cresce e finalmente se cumpre a missão do sábio de conduzir as multidões à realização de grandes obras.

8 — Através do fácil e do simples pode-se apreender as leis do mundo inteiro. Na compreensão das leis de todo o mundo está a perfeição.

Aqui se demonstra como os princípios fundamentais expostos acima são aplicados no Livro das Mutações. O fácil e o simples são simbolizados por uma mínima mutação nas linhas. As linhas partidas tornam-se inteiras graças a um movimento fácil no qual as extremidades separadas se ligam; as linhas inteiras tornam-se partidas através de uma simples divisão ao centro. Deste modo, essas fáceis e simples mudanças reproduzem as leis que regem todos os processos sob o céu. Assim, a perfeição é alcançada.

Com isso, a natureza da mutação é definida como uma mutação das menores partes. Este é o quarto significado da palavra I, a qual, na verdade, tem apenas uma leve conexão com o significado "Mutação".

---

[3] Aqui os princípios do Criativo e do Receptivo estão muito próximos aos conceitos gregos do Logos e Eros, respectivamente.

CAPÍTULO II

Sobre a composição e uso do Livro das Mutações

1 — Os santos sábios formaram os hexagramas para que se pudessem perceber neles os fenômenos. Eles acrescentaram os julgamentos para indicar a boa fortuna e o infortúnio.

Os hexagramas do Livro das Mutações são reproduções dos fenômenos que se manifestam na terra. Em suas inter-relações eles evidenciam as inter-relações de todos os eventos no universo. Os hexagramas eram então representações de idéias. Porém, essas imagens ou fenômenos revelavam apenas o fatual. Faltava ainda extrair deles um conselho, de modo a se poder determinar se uma específica linha de conduta inferida da imagem era favorável ou prejudicial, se deveria ser adotada ou evitada. Até esse ponto o fundamento do Livro das Mutações existia já na época do Rei Wên. Os hexagramas eram, por assim dizer, imagens oraculares, que mostravam o que se poderia esperar que ocorresse em determinadas circunstâncias. O Rei Wên e seu filho acrescentaram, então, as interpretações. A partir delas se poderia verificar se o curso de ação indicado pelas imagens acarretaria boa fortuna ou infortúnio. Isso marca o início da liberdade de escolha. A partir de então essa representação dos acontecimentos indicava não apenas o que se poderia esperar que ocorresse, mas também a que tudo isso conduziria. Tendo diante de si todo o complexo dos acontecimentos sob a forma de imagem, se poderia seguir os rumos que pressagiam boa fortuna e evitar os que conduzem ao infortúnio, antes que o decorrer dos acontecimentos se iniciasse.

2 — À medida que as linhas firmes e maleáveis deslocam uma à outra, surgem a mutação e a transformação.

Esse texto explicita com maior detalhe até que ponto os eventos do mundo estão representados no Livro das Mutações. Os hexagramas se compõem de linhas firmes e maleáveis. Em determinadas circunstâncias essas linhas mudam; as firmes tornam-se flexíveis e as maleáveis se enrijecem. Assim se reproduz a alternância dos fenômenos no universo.

3 — Assim sendo, a boa fortuna e o infortúnio são imagens de ganho ou perda; arrependimento e humilhação são imagens da tristeza ou cautela.

Quando uma linha está em harmonia com as leis universais, conduz à realização do que se visava. Isso está indicado na expressão aposta: "boa fortuna". Quando uma linha de conduta se opõe às leis do universo, conduz necessariamente à perda. Isso se expressa no julgamento: "infortúnio". Porém, há também rumos de ação que não conduzem direto a um objetivo e que podem ser considerados como desvios de direção. Mas se alguém, numa linha de conduta errada, se arrepende a tempo, poderá ainda evitar o infortúnio e, recuando, alcançar a boa fortuna. Essa situação é indicada pelo julgamento: "arrependimento". Esse julgamento contém, portanto, uma exortação ao remorso e à mudança de atitude. Por outro lado, uma linha de conduta pode ter sido correta ao início mas, se o homem se torna indiferente e arrogante, sem que o perceba será arrastado da "boa fortuna" ao "infortúnio". Isso se expressa no julgamento "humilhação". Esse julgamento contém, portanto, uma advertência, uma exortação à precaução, a se deter quando no caminho errado e voltar atrás em busca da boa fortuna.

4 — Mudança e transformação são imagens do progresso e retrocesso. O firme e o maleável são imagens do dia e da noite.

Os movimentos das seis linhas contêm os caminhos dos três poderes primordiais.

Mudança é a conversão de uma linha maleável numa linha firme. Isso significa progresso. Transformação é a conversão de uma linha firme numa linha maleável. Isso significa retrocesso. As linhas firmes representam o luminoso, as linhas maleáveis representam o obscuro[4]. As seis linhas de cada hexagrama são repartidas entre os três poderes primordiais: céu, terra e homem. As duas posições inferiores pertencem à terra; as duas posições centrais, ao homem; e as duas superiores, ao céu.

Esse parágrafo mostra até que ponto o Livro das Mutações reproduz as condições do universo.

5 — Assim sendo, é à ordem das mutações que o homem superior se dedica e através dela encontra a tranqüilidade. É no julgamento das linhas que o homem superior encontra alegria e sobre o que, também, ele medita.

Deste ponto em diante mostra-se o uso correto do Livro das Mutações. O I Ching é uma reprodução de todas as condições possíveis no universo e mostra, nos julgamentos, a linha de conduta correta. Portanto, para o homem, a questão passa a ser como dar à sua vida uma forma que corresponda a essas idéias, de modo a que a própria vida se torne uma reprodução da mutação. Não se trata aqui de um idealismo no sentido de uma imposição artificial e exterior de uma rígida imagem abstrata a uma vida que lhe fosse estranha e distinta. Ao contrário, o Livro das Mutações, abrangendo o significado essencial das diferentes situações da vida, dá ao homem condições de plasmar para si uma vida significativa, realizando, em cada caso, segundo uma perfeita ordem e seqüência, aquilo que a situação exige. Deste modo ele estará à altura de qualquer situação, pois saberá aceitar o seu significado sem resistência, alcançando, assim, a paz da alma. Desta maneira se põe ordem às ações; ao mesmo tempo, a mente se satisfaz pois, ao meditar sobre os julgamentos das diferentes linhas, se perceberá intuitivamente as inter-relações existentes no universo.

6 — Por isso o homem superior contempla essas imagens em épocas de repouso e medita sobre os julgamentos. Quando ele empreende algo, considera as mutações e medita sobre o oráculo. Por isso ele recebe as bênçãos do céu. "Boa fortuna! Nada que não seja favorável."

Aqui as épocas de repouso e de ação são mencionadas. Durante os períodos de repouso se obtêm experiências e sabedoria de vida, meditando sobre as imagens e os julgamentos do Livro. Durante os períodos de ação se recorre ao oráculo por meio das mudanças ocorridas nos hexagramas como resultado da manipulação das varetas de caule de milefólio. Obtêm-se, assim, os conselhos pelos quais a conduta deve se orientar.

---

[4] É importante notar que os termos Yang e Yin, que posteriormente serão tão difundidos no pensamento chinês, não são utilizados aqui. Isso é uma possível indicação da antiguidade do texto.

B – Argumentos

CAPÍTULO III

Sobre as palavras atribuídas aos hexagramas e às linhas

1 — As decisões se referem às imagens. Os julgamentos das linhas se referem às mudanças.

As Decisões (Julgamentos) atribuídas pelo Rei Wên aos hexagramas se referem, em cada caso, à situação como um todo, retratada por aquele hexagrama. Os Julgamentos acrescentados às diferentes linhas pelo Duque de Chou se referem às modificações que ocorrem no interior dessa situação global. Na consulta oracular esses Julgamentos sobre as linhas só são considerados quando as linhas em questão "se movem", isto é, quando são representadas por um nove ou por um seis. (Para maiores detalhes, consultar o capítulo referente ao oráculo.)

2 — "Boa fortuna" e "infortúnio" referem-se a ganho ou perda; "arrependimento" ou "humilhação" referem-se a imperfeições menores. "Nenhuma culpa" significa que se está em condições de corrigir seus erros de modo conveniente.

Essa passagem é um desenvolvimento da seção 3 do capítulo anterior. Quando as palavras e as ações são corretas, isso implica em "ganho"; quando são incorretas, isso implica em "perda". Os pequenos desvios do caminho correto são chamados imperfeições. Quando não se sabe o que é correto e, por um descuido, se comete uma falha, isso é um erro[5]. Quando se percebe essas pequenas faltas e se deseja corrigi-las, surge o arrependimento. Quando não se percebe essas pequenas imperfeições ou, tendo a oportunidade de corrigi-las, não se é capaz ou não se deseja fazê-lo, isso leva à humilhação. Os erros são como rasgos numa vestimenta; se a roupa está rasgada e lhe é posto um remendo, ela fica inteira outra vez. Se um homem comete erros e os corrige, retornando ao caminho correto, nenhuma culpa permanecerá nele.

3 — Por isso a classificação daquilo que é eminente e do que é vulgar se baseia nas diferentes posições; o equilíbrio entre o grande e o pequeno se fundamenta no hexagrama como um todo, e a distinção entre a boa fortuna e o infortúnio se baseia nos julgamentos.

As seis posições de um hexagrama diferenciam-se da seguinte maneira: a primeira, a mais baixa, e a última, a mais alta, estão, por assim dizer, fora da situação. Entre as duas, a mais baixa é a posição vulgar, por não ter ainda ingressado na situação. A posição mais alta é a eminente, refere-se ao sábio que transcendeu as questões relativas ao mundo ou, em certas circunstâncias, pode corresponder a um homem ilustre, porém ainda sem poder. Entre as posições internas, a segunda e a quarta são atribuídas aos funcionários, aos filhos ou às mulheres. Entre as duas, a quarta é a mais elevada e a segunda, por isso, lhe é inferior. A terceira e a quinta são posições de autoridade; a terceira por ser o ponto culminante do trigrama inferior, a quinta por ser a posição do dirigente do hexagrama.

"Grande" e "pequeno" significam, respectivamente, as linhas firmes e maleáveis. Elas encontram seu equilíbrio no hexagrama considerado como um todo. Tanto as grandes quanto as pequenas podem ser favoráveis e significar boa fortuna,

---

[5] Aqui se comentam as expressões "ausência de erro" ou "implica em erro", usadas em vários trechos do texto do I Ching. *(Nota da tradução brasileira.)*

desde que ocupem posições que lhes sejam adequadas. Não se pode determinar, em abstrato, quais são essas posições; elas são relativas à estrutura do hexagrama como um todo. A situação pode, muitas vezes, ser de tal ordem, que a maleabilidade seja aconselhável; num tal caso, uma linha maleável numa posição maleável será particularmente favorável, enquanto que uma linha firme numa posição firme pode ser desfavorável. Em muitas ocasiões a força é necessária e então uma posição firme é mais vantajosa para uma linha maleável. Em outros casos, a situação pode exigir a coincidência do caráter com a posição[6]. Resumindo, a adequação dos diferentes elementos é determinada pelo hexagrama em questão ou, em última análise, pela situação que o hexagrama reproduz. Por isso os Julgamentos são acrescentados, para indicar a boa fortuna ou o infortúnio que advêm da situação.

4 — A preocupação com o arrependimento e a humilhação depende dos limites. O impulso para evitar erros depende do arrependimento.

O arrependimento e a humilhação são resultantes de desvios do caminho correto e, conseqüentemente, sempre exigem uma mudança de atitude. Podem-se evitar ambos prevenindo-se a tempo. O ponto em que a preocupação deve intervir para evitar o arrependimento e a humilhação é quando se chega ao limite em que o bem e o mal começam a germinar na mente sem terem ainda passado ao plano da expressão. Caso, nesse momento, se tome a iniciativa de orientar o movimento, desde a sua fase germinal rumo ao bem, se evitará o arrependimento e a humilhação. Se, entretanto, uma falha já foi cometida, o arrependimento é a força psicológica que conduz à reparação e à regeneração.

5 — Por isso, há o pequeno e o grande entre os hexagramas e, como conseqüência, os julgamentos falam de perigo ou segurança. Os Julgamentos indicam, em cada caso, o rumo da evolução.

Entre as situações reproduzidas pelos hexagramas, há algumas que se expandem e tendem a ascender, e outras que se retraem e tendem a descer. De acordo com isso, em alguns períodos deve-se contar com o perigo e em outros pode-se esperar segurança e tranqüilidade. É muito importante para que possa haver uma adaptação plena à situação dada que, em cada caso, se reconheçam essas condições. Esta é também a função dos Julgamentos: indicar em cada caso a direção em que a situação irá se desenvolver.

---

[6] Essa passagem trabalha com a distinção posição-ocupante. Assim, num hexagrama haveria seis posições, cada uma delas possuiria um significado próprio que envolveria tanto o seu nível (o que é estudado nesse parágrafo) quanto sua posição par ou ímpar, uma vez que os números pares estão relacionados ao Criativo e os ímpares, ao Receptivo. O significado de cada uma das seis posições é obviamente o mesmo em qualquer hexagrama, pois os hexagramas diferem uns dos outros em virtude das diferenças nas linhas ocupantes. O caráter da linha ocupante interage com o caráter próprio da posição e assim surge o caráter de cada e todo hexagrama. *(Nota da tradução brasileira.)*

CAPÍTULO IV

Implicações mais profundas do Livro das Mutações

1 — O Livro das Mutações contém a medida do céu e da terra; por isso ele possibilita a compreensão do Tao do céu e da terra.

Este capítulo explicita as misteriosas conexões existentes entre as representações apresentadas no Livro das Mutações e a realidade. Como o livro fornece uma imagem completa do céu e da terra, um microcosmo que inclui todas as relações possíveis, ele habilita o homem a calcular os movimentos de todas as situações às quais essas representações se aplicam. Caso se indague até que ponto o Livro das Mutações pode ser uma tal representação do cosmos, deve-se responder que ele é obra de homens dotados de uma inteligência cósmica, que depositaram sua sabedoria nos símbolos deste livro. Esta obra contém, portanto, a medida do céu e da terra.

A próxima seção explica como o fato de o Livro das Mutações conter a medida, o padrão, do céu e da terra possibilita que, com sua ajuda, se investiguem as leis do universo. A seção 3 deduz da similitude das Mutações com o céu e a terra uma representação completa das tendências internas. E a seção 4, partindo do fato de o Livro das Mutações abranger todas as formas, mostra como se pode chegar, ao final, ao comando do destino.

2 — Olhando para o alto, contemplamos, com sua ajuda, os sinais no céu e os compreendemos; voltando o olhar para baixo, examinamos as linhas da terra e reconhecemos as circunstâncias do obscuro e do luminoso. Retrocedendo aos primórdios e acompanhando o curso das coisas até o fim, aprendemos os ensinamentos do nascimento e da morte. A união da semente e da força gera todas as coisas; a evasão da alma causa a mutação. Através disso podemos conhecer as condições dos espíritos que partem e dos que retornam.

O Livro das Mutações baseia-se nos dois poderes fundamentais do luminoso e do obscuro. Os hexagramas são construídos a partir destes elementos. As diferentes linhas estão em repouso ou em movimento. Quando em repouso, tais linhas são representadas pelo número sete, o firme, e pelo número oito, o maleável; elas, então, constroem os hexagramas. Quando estão em movimento, ou seja, as linhas representadas pelo número nove, o firme, e pelo número seis, o maleável, elas mais uma vez dissolvem o hexagrama e o transformam num outro. Esses são os processos que possibilitam uma visão dos segredos da vida.

Caso se apliquem esses princípios aos sinais no céu (o sol = a luz, a lua = escuridão) e às linhas na terra (os pontos cardeais), podem-se reconhecer as circunstâncias do obscuro e do luminoso, isto é, as leis que fundamentam o curso das estações do ano com seus ciclos alternantes e que condicionam o despertar e o retroceder da força da vida vegetativa. Deste modo se pode verificar, observando os primórdios e o término da vida, que o nascimento e a morte formam um único ciclo periódico. O nascimento é o surgir no mundo visível; a morte, o retorno às regiões do invisível. Nem um nem outro determinam um começo ou fim absolutos, do mesmo modo que na mutação dos fenômenos ao longo do ano. O mesmo ocorre com o homem. Assim como as linhas, quando em repouso, constroem o hexagrama e, quando entram em movimento, provocam a mutação, assim também a existência corpórea se constrói pela união das correntes de vida que "emanam" da semente (masculino) com o poder (feminino). Essa existência corpórea permanece relativamente estável enquanto as forças construtivas encontram-se no estado de repouso, de equilíbrio. Quando elas entram em movimento, inicia-se a desintegração. O elemento psíquico então escapa. Os aspectos superiores ascendem, os inferiores mergulham para a terra; o corpo se desintegra. As forças espirituais que realizam a construção e a desintegração da existência visível correspondem também ao princípio luminoso ou ao obscuro. Os espíritos luminosos (shên) saem; são também esses mesmos espíritos ativos que podem entrar em novas encarnações. Os espíritos obscuros (kuei) retornam à sua origem; são os que se retiram, que têm a tarefa de assimilar o que a vida produziu.

Nessa concepção de espíritos que partem ou regressam não há qualquer conotação de seres bons ou maus; apenas se distinguem as fases de expansão e retração do substrato de vitalidade. São o fluxo e o refluxo do grande oceano da vida.

> 3 — Ao tornar-se semelhante ao céu e à terra, o homem não entra em conflito com eles. Sua sabedoria abrange todas as coisas e seu Tao traz ordem ao mundo inteiro. Por isso ele não comete erros. Em toda parte ele age, mas por nada se deixa levar. Ele encontra alegria no céu e conhece o destino. Por isso é livre de preocupações. Está contente com sua situação e é autêntico em sua bondade. Por isso ele pode amar.

Aqui se indica como é possível chegar à completa realização das potencialidades inatas do ser humano com a ajuda dos princípios básicos do Livro das Mutações. Esse desdobramento baseia-se no fato de que o homem possui capacidades inatas semelhantes ao céu e à terra, de que ele é, enfim, um microcosmo. Ao reproduzir as leis do céu e da terra, O Livro das Mutações dá ao homem os meios para cultivar sua própria natureza de modo a que suas inatas potencialidades benéficas possam se manifestar em toda pureza. Nesse processo entram em jogo dois fatores: a sabedoria e a ação, o intelecto e a vontade. Se o intelecto e a vontade estão corretamente centrados, a vida afetiva também se harmoniza. Aqui há quatro proposições baseadas em: sabedoria e amor, justiça e costumes (Li), que sugerem uma relação com os quatro termos atribuídos ao hexagrama O CRIATIVO: "sublime sucesso, a perseverança é favorável". O efeito da sabedoria, do amor e da justiça é exposto na primeira frase. Sobre a base de uma sabedoria abrangente, podem-se formular e aplicar regulamentações inspiradas no amor ao mundo, visando ao melhor para todos e evitando que se cometam erros. Isto é favorável. A segunda frase descreve a sabedoria e o amor que a nada e a ninguém excluem; são regulados pelos costumes (Li), graças aos quais o homem não se deixa levar pelo que é impróprio ou unilateral, podendo assim alcançar o sucesso. A terceira frase descreve a harmonia interna, a perfeição da Sabedoria, que alegra-se com o céu, e compreende seus desígnios. Isso fornece o fundamento para a perseverança. E finalmente a última frase descreve o amor que, plenamente confiante, é capaz de se adaptar em todas as situações. Graças ao tesouro da bondade existente em seu interior, mostra-se benévolo para com todos os homens, alcançando, assim, o sublime, raiz de todo o bem.

> 4 — No Livro se encontram as formas e os domínios de todas as configurações no céu e na terra, de modo que nada lhe escapa. Nele todos os seres se completam e nenhum lhe falta. Por isso, por seu intermédio, podemos penetrar o Tao do dia e da noite, de modo a compreendê-lo. O espírito, portanto, não es-

tá vinculado a nenhum lugar em específico, nem o Livro das Mutações a qualquer forma em particular.

Aqui se indica como se pode alcançar o comando do destino através do Livro das Mutações. Seus princípios contêm as categorias de todas as coisas, literalmente, os padrões e os âmbitos próprios a todas as transformações. Essas categorias encontram-se na mente dos homens; tudo o que ocorre, tudo o que se transforma, obedece às leis prescritas pela mente humana. Só quando essas categorias entram em vigência, as coisas tornam-se coisas. Essas categorias estão expostas no Livro das Mutações. Por isso ele possibilita ao homem penetrar e compreender os movimentos do luminoso e do obscuro, da vida e da morte, dos deuses e dos demônios. Esse conhecimento possibilita o domínio do destino, para o qual se pode determinar uma forma quando se conhece suas leis. A razão pela qual se pode reagir diante do destino consiste no fato de a realidade ser sempre condicionada, estando limitada e determinada pelas condições espaço-temporais. Mas o espírito não está preso a essas determinações e, portanto, pode provocá-las na medida em que seus objetivos venham a exigi-lo.

O Livro das Mutações é tão vasto em sua esfera de aplicações, pois contém apenas essas relações puramente espirituais que, por serem tão abstratas, podem se expressar em qualquer estrutura da realidade. Elas contêm apenas o Tao no qual se fundamentam todos os eventos. Por isso todas as configurações casuais se formam de acordo com esse Tao. A aplicação consciente dessas possibilidades assegura um domínio sobre o destino.

CAPÍTULO V

O Tao em sua relação com o poder luminoso e com o poder obscuro

1 — É o Tao que faz surgir ora o obscuro, ora o luminoso.

O luminoso e o obscuro são os dois poderes primordiais, os mesmos que até agora foram denominados no texto como o firme e o maleável, ou o dia e a noite. O firme e o maleável são os termos usados para designar as linhas no Livro das Mutações, enquanto que o luminoso e o obscuro designam os dois poderes primordiais da natureza. Será discutida posteriormente a razão pela qual até aqui se usavam os termos "dia e noite" e, súbito, surgem agora os termos "luminoso e obscuro". É possível que se trate de um texto tardio. De qualquer forma, pode-se notar que, com o passar do tempo, o uso dessas expressões se torna cada vez mais freqüente.

Os termos Yin, o obscuro, e Yang, o luminoso, indicam a face sombria e a outra, a iluminada, de uma montanha ou rio. Yang representa o lado sul da montanha, por ser iluminado pelo sol. Mas, quando se trata de um rio, Yang representa o lado norte, pois nele se reflete a luz. O inverso ocorre em Yin. Esses termos pouco a pouco se estendem, passando a englobar as duas forças que, como polaridades básicas do universo, são denominadas positivas e negativas. É possível que esses termos, que acentuam o aspecto cíclico mais que a mutação, tenham dado origem à representação em forma circular do princípio primordial ☯, símbolo que mais tarde desempenhou um papel tão importante[7] no pensamento chinês.

---

[7] O Tao é o que move e mantém em interação essas forças. Como este "algo" significa apenas uma direção invisível e de todo incorpórea, os chineses escolheram para designá-lo a palavra Tao, cujo significado — caminho, curso —, mesmo não sendo algo em si, coordena todos os movimentos. Quanto à questão da tradução da palavra Tao por "sentido", consultar a introdução à minha tradução de Lao-Tse.

2 — Como aquele que continua, é o bem. Como aquele que completa, é a essência.

Os poderes primordiais nunca se detêm, pois o ciclo do devir prossegue sem se interromper. Isso porque entre os dois poderes primordiais surge um contínuo estado de tensão, uma diferença de nível que os mantém em movimento, levando-os a se unirem. Com isso eles estão sempre gerando um ao outro, sem cessar. O Tao provoca esse movimento sem, entretanto, que ele próprio se manifeste. Essa propriedade do Tao de manter o universo através de uma constante recriação do estado de tensão entre essas polaridades é descrita como o bem[8]. (Lao-Tse, capítulo 8.)

O Tao, como o poder que completa as coisas, que lhes confere a individualidade e lhes dá um centro do qual podem se organizar, é chamado de a essência, aquilo que as coisas recebem em sua origem.[9]

3 — O homem bom o descobre e o denomina o bondoso. O homem sábio o descobre e o denomina o sábio. O povo o utiliza dia após dia e nada sabe sobre ele, pois o Tao do homem superior é raro.

O Tao se manifesta de forma diferente em cada indivíduo, de acordo com o que lhe é próprio. O homem de ação, para o qual a bondade e o amor humanitário têm um valor supremo, descobre o Tao dos processos cósmicos e o denomina a suprema bondade: "Deus é o amor". O homem contemplativo, para o qual a sabedoria tranqüila é o bem supremo, descobre o Tao do universo, e o denomina a suprema sabedoria. O vulgo vive dia após dia sendo continuamente sustentado e nutrido pelo Tao, mas nada sabe sobre ele, pois vê apenas o que tem diante dos olhos. Pois o caminho do homem superior, que vê não apenas as coisas mas antes o Tao das coisas, é raro. O Tao do universo é, na verdade, a bondade e a sabedoria, mas em sua essência última o Tao está também além da bondade e da sabedoria.

4 — O Tao manifesta-se[10] como bondade, mas oculta suas atividades. Vivifica todas as coisas, mas não compartilha das preocupações do santo sábio. Sua gloriosa natureza, seu vasto campo de ação são a realidade suprema entre tudo o que existe.

O movimento do interior para o exterior mostra o Tao em suas manifestações como a bondade suprema. Mas ao mesmo tempo ele permanece misterioso mesmo à luz do dia. O movimento do exterior para o interior oculta os resultados de sua ação. É como na primavera e no verão, quando as sementes começam a germinar e o fecundo poder vivificador da natureza se manifesta. Mas ao mesmo tempo está também em atividade aquele poder silencioso que oculta, no interior da semente, os resultados do crescimento e que prepara de modo misterioso o que surgirá no ano seguinte. Deste modo o Tao exerce uma ação inesgotável e eterna.

[8] Isso mostra como a perspectiva do Livro das Mutações se baseia nos princípios do mundo orgânico, no qual não há entropia.

[9] Esta é provavelmente a passagem sobre a qual Mensius fundou sua doutrina de que o bem é intrínseco à natureza humana.

[10] Nessa seção, assim como nas seguintes, o original alemão deixa implícito o sujeito (o Tao), pois em chinês essas seções estão encadeadas num texto contínuo. Quando, porém, são divididas, como o fez a tradução original, por força dos comentários, parece-nos recomendável que em alguns trechos se explicite a que o texto se refere. *(Nota da tradução brasileira.)*

Mas esta ação vivificante, à qual todos os seres devem sua existência, é algo puramente espontâneo. Não é como a preocupação consciente do homem em seu esforço interior em busca do bem.

5 — O Tao possui todas as coisas em plena abundância; este é o seu campo de ação. Renova todas as coisas todos os dias: este é o seu glorioso poder.

Não há nada que não pertença ao Tao, pois ele é onipresente. Tudo o que existe, existe nele e através dele. Mas não se trata de uma posse morta, já que graças a seu eterno poder ele renova continuamente todas as coisas e então, a cada dia, o mundo se torna tão glorioso como no primeiro dia da criação.

6 — Como criador de todas as criaturas, chama-se mutação.

O obscuro gera o luminoso e o luminoso gera o obscuro, numa alternância ininterrupta; mas o que gera essa alternância, a que toda a vida deve sua existência, é o Tao e sua lei de mutação.

7 — Como o que completa todas as imagens primordiais, chama-se o Criativo; como o que as representa, chama-se o Receptivo.

Essa passagem se baseia na concepção, também expressa pelo Tao Te Ching[11], de que, subjacente à realidade, há um universo de arquétipos dos quais as coisas concretas, no mundo material, são representações. O universo dos arquétipos (imagens primordiais) é o céu, o mundo das representações é a terra; lá a energia, aqui a matéria; lá o Criativo, aqui o Receptivo. Mas é o mesmo Tao que atua tanto no Criativo quanto no Receptivo.

8 — Como o Tao serve para investigar as leis do número e, deste modo, conhecer o futuro, chama-se a revelação. Como serve para infundir uma coesão orgânica às mutações, chama-se o operar.

O futuro também se desenvolve de acordo com leis fixas e segundo números calculáveis. O conhecimento desses números permite o cálculo de acontecimentos futuros com precisão rigorosa. O oráculo do Livro das Mutações baseia-se nesse princípio. Essa esfera do imutável constitui o universo do "daimoníaco"[12] no qual não há livre-arbítrio, onde tudo está prefixado. É o domínio de Yin. Mas além desse universo rígido do número, existem tendências vivas. As coisas se desenvolvem e se consolidam numa determinada direção, tornam-se rígidas e, em seguida, sobrevém o declínio; há, então, uma modificação, a coesão é restabelecida e o mundo volta a ser uno. O segredo do Tao neste mundo do mutável, na esfera do luminoso (o domínio de Yang), consiste em manter tão ativo o fluxo das mudanças que não haja estancamento e a coesão se conserve constante.

9 — Aquilo, no Tao, que não pode ser avaliado nem em termos do luminoso nem do obscuro chama-se o espírito.

---

[11] Cf. Richard Wilhelm. *Chinesische Lebensweisheit*. Darmstadt, 1922, p. 16 e segs.

[12] Termo cunhado a partir do grego "daimon", que significa gênio ou espírito que medeia entre o mortal e o imortal, levando aos deuses as preces dos homens e desvelando a esses os desígnios daqueles. Por estar em referência com o mundo dos deuses, do eterno, é aqui usado para designar a esfera do imutável. *(Nota da tradução brasileira.)*

Em sua alternância e em sua ação recíproca os dois poderes fundamentais servem para explicar todos os fenômenos no mundo. No entanto, algo sempre resta, uma razão última, que não pode ser explicada pela interação desses poderes. Este derradeiro significado do Tao é o espírito, o divino, o insondável, aquilo que se deve reverenciar no silêncio.

CAPÍTULO VI

O Tao aplicado ao Livro das Mutações

1 – O Livro das Mutações é vasto e grande. Quando se fala do longínquo, ele não conhece fronteiras. Quando se fala do que é próximo, ele permanece calmo e correto. Quando se fala do espaço entre o céu e a terra, ele abrange todas as coisas.

Aqui o Livro das Mutações é relacionado ao macrocosmo e ao microcosmo. Primeiro, indica-se a extensão de seu domínio no plano horizontal, sua vastidão. Suas leis regem o mais longínquo tanto quanto o mais próximo, assim como nas leis que se traz em seu próprio interior. Em seguida, indica-se a direção vertical, o espaço entre o céu e a terra, pois os destinos dos homens lhes vêm, por assim dizer, do alto, do céu.

2 – No estado de repouso o Criativo é uno e quando em movimento é reto; por isso produz o que é grande. No estado de repouso o Receptivo é fechado e quando em movimento se abre; por isso produz o que é vasto.

Aqui o Criativo significa o trigrama do Livro das Mutações e em especial a linha pela qual é simbolizado. Quando em repouso, é uma simples linha contínua: _____. Quando em movimento, se dirige para adiante em linha reta. O Receptivo é simbolizado por uma linha partida: __ __. Quando em repouso ela se fecha; quando em movimento, se abre. Assim, tudo o que é engendrado pelo Criativo é chamado grande, em virtude de sua natureza. O Criativo gera a qualidade. O que é produzido pelo Receptivo chama-se vasto e múltiplo, em virtude de sua forma. O Receptivo produz a quantidade.

3 – Pela sua amplitude e grandeza, o Livro corresponde ao céu e à terra. Por suas mutações e continuidade ele corresponde às quatro estações. Pelo significado do luminoso e do obscuro ele corresponde ao sol e à lua. Pela bondade no fácil e no simples ele corresponde ao supremo poder.

Aqui se expõem as correspondências existentes entre o Livro das Mutações e o universo. O Livro contém a multiplicidade espacial e a quantidade, assim como a terra. Ele contém a grandeza dinâmica e a qualidade, assim como o céu. Ele mostra mudanças e sistemas fechados, assim como o curso do ano nas quatro estações. No princípio luminoso ele revela o mesmo significado que fundamenta o sol. O luminoso é chamado Yang. O termo para sol é T'ai Yang, a Grande Luz. No princípio obscuro ele revela o mesmo significado que fundamenta a lua. O obscuro é chamado Yin. O termo para lua é T'ai Yin, a Grande Escuridão.

Foi exposto acima que a essência do Criativo encontra-se no fácil e que a essência do Receptivo encontra-se no simples, nas sementes do porvir, das quais tudo o que vem a ser se desenvolve espontaneamente. Esse modo de ser corresponde ao bem no Tao, a sua arte de dar prosseguimento à vida da maneira mais simples (cf. cap. V, seç. 2), equivalendo, por isso, ao supremo poder do Tao (cf. cap. V, seç. 4).

CAPÍTULO VII

Os efeitos do Livro das Mutações sobre o homem

> 1 — O Mestre disse: o Livro das Mutações não é supremo? Através dele os santos sábios elevaram sua natureza e ampliaram seu campo de ação.
> A sabedoria eleva. Os costumes (Li) tornam humilde. Os que se elevam refletem o céu. Os humildes seguem o exemplo da terra.

Essas palavras são expressamente atribuídas a Confúcio; pode-se concluir, então, que o texto ao qual pertencem não pode proceder, em sua totalidade, de Confúcio ele próprio,[13] mas deve ter sido composto por sua escola. Na verdade, em vários capítulos há comentários que apresentam muitas diferenças de perspectivas e que, é provável, devem remontar a épocas distintas.[14]

Aqui se indica como o Livro das Mutações, quando corretamente utilizado, conduz a uma harmonia com os princípios últimos do universo. Os sábios elevam sua natureza, absorvendo a sabedoria que esse livro encerra, e assim se põem em harmonia com o céu, que está ao alto. Por um lado, a mente chega a uma perspectiva mais elevada. Por outro, o campo de ação se amplia. Esse horizonte que a tudo abrange sugere a idéia dos costumes; o individual subordina-se à totalidade. Através dessa humilde subordinação os sábios harmonizam-se com a terra, que está abaixo. Assim, um indivíduo amplia seu campo de ação.

> 2 — O céu e a terra determinam o cenário em cujo interior as mutações se realizam. A natureza plena do homem, que perdura continuamente, é o portal do Tao e da justiça.

O céu é o cenário do mundo espiritual, a terra é o cenário do mundo corpóreo. Nesses mundos movem-se as coisas, que se desenvolvem e se transformam de acordo com as regras do Livro das Mutações. Do mesmo modo, a natureza do homem, em si mesma completa e duradoura, é o portal que as ações humanas atra-

---

[13] A questão da autoria de Confúcio do Ta Chuan, assim como das demais Asas, já há muito vem sendo questionada. Ou-Yang-Hsiu (1017-1072 d.C.) refutou abertamente essa autoria. I. K. Shchutskii, um dos grandes estudiosos, no nosso século, do problema da origem dos textos do I Ching, também nega uma relação direta desses tratados com Confúcio e estende ainda seu questionamento aos demais três supostos autores, Fu Hsi, Rei Wên e Duque de Chou. Um dos pontos em que se fundamentam todos os que têm levantado dúvidas sobre a tradição que atribui a Confúcio a autoria das Dez Asas é o uso da expressão (corrente nos textos de discípulos de Confúcio): "O Mestre disse...". É claro que o próprio Confúcio nunca a utilizaria. Essa é também a razão pela qual Wilhelm aqui deduz que, sendo esse trecho atribuído a Confúcio em virtude do uso dessa expressão, não pode ter sido por ele redigido. *(Nota da tradução brasileira.)*

[14] Ou-Yang-Hsiu (v. nota anterior) sustentava essa mesma tese, pois só assim se poderia, segundo ele, explicar freqüentes repetições e várias contradições flagrantes. Essas passagens são comparadas e analisadas por ele em sua obra *I T'ung Tzu-wen*. *(Idem.)*

vessam tanto no movimento de entrada quanto no movimento de saída.[15] Quando se está em harmonia com os ensinamentos do Livro das Mutações, essas ações correspondem ao Tao do universo e da justiça. O Tao que se manifesta como bondade corresponde ao princípio luminoso e a justiça, ao princípio obscuro; o primeiro corresponde à elevação da natureza humana e o segundo, à sua ampliação.

CAPÍTULO VIII

Sobre o uso das explicações adicionais

1 — Os santos sábios possuíam uma visão de conjunto de toda a confusa diversidade existente sob o céu. Contemplavam as formas e os fenômenos e criavam representações das coisas e seus atributos. Eles as chamavam: as imagens.

Aqui se indica como as imagens do Livro das Mutações surgiram das imagens primordiais, arquetípicas, que são o fundamento do mundo fenomênico.

2 — Os santos sábios eram capazes de abranger com sua visão todos os movimentos existentes sob o céu. Observavam o modo pelo qual os movimentos coincidiam e se interligavam de forma a seguirem seu curso de acordo com as leis eternas. Acrescentaram, então, julgamentos para distinguir a boa fortuna e o infortúnio que indicavam. E os chamaram os julgamentos.

No texto, o último termo ao invés de julgamentos é, na realidade, "linha". Na presente tradução adotou-se a correção feita por Hu Shih em sua "História da Filosofia Chinesa", uma vez que explicita com maior clareza o contraste entre Imagem e Julgamento, que se verifica também em outras passagens do Livro das Mutações.

3 — Eles falam das mais confusas diversidades, sem despertar aversão. Eles falam da maior mobilidade, sem causar confusão.
4 — Isso se deve ao fato de que eles observavam antes de falar, e deliberavam antes de se pôr em movimento. Pela observação e deliberação eles aperfeiçoavam as mutações e as transformações.

Essas duas seções apresentam outra vez o contraste entre a contemplação da imagem que fornece o conhecimento da diversidade das coisas e a discussão do julgamento que conduz ao conhecimento das direções do movimento. Aqui há comentários sobre a teoria do simples como raiz da diversidade da forma (de acordo com o Receptivo) e do fácil, raiz de todos os movimentos (de acordo com o Criativo), assim como no capítulo I (seç. 6 e segs.). As seções que se seguem (fragmentos de um detalhado comentário sobre as diferentes linhas) trazem exemplos disso.

5 — "Um grou canta na sombra. Sua cria responde. Tenho uma boa taça. Quero compartilhá-la com você." O Mestre[16]

---
[15] Respectivamente, impressão e expressão. *(Nota da tradução brasileira.)*
[16] Confúcio. *(Idem.)*

disse: O homem superior permanece em seu aposento. Quando ele se expressa adequadamente, em palavras, encontra aprovação mesmo a uma distância superior a mil milhas. Quanto mais da parte daqueles que lhe estão próximos! Se o homem superior permanece em seu aposento e não se expressa adequadamente em palavras, encontra oposição mesmo a uma distância superior a mil milhas. Quanto mais da parte daqueles que lhe estão próximos! As palavras brotam do interior de uma pessoa, e exercem influência sobre os outros. As ações surgem junto à pessoa e tornam-se visíveis à distância. Palavras e atos são como os gonzos das portas e a mola da besta do homem superior. Movendo-se, geram a honra ou a desgraça. Através de suas palavras e atos o homem superior move o céu e a terra. Não é então necessário ser cauteloso?

Cf. Livro Primeiro, hexagrama 61, Chung Fu, VERDADE INTERIOR, nove na segunda posição (comentário sobre a questão do falar).

6 – "Os homens em comunidade primeiro choram e se lamentam, mas depois riem."
O Mestre disse: A vida conduz o homem responsável por caminhos tortuosos e mutáveis. Muitas vezes o curso é bloqueado, em outras segue desimpedido. Ora pensamentos sublimes vertem-se livremente em palavras, ora o pesado fardo da sabedoria deve fechar-se no silêncio. Mas quando duas pessoas estão unidas no íntimo de seus corações, podem romper até mesmo a resistência do ferro e do bronze. E quando duas pessoas se compreendem plenamente no íntimo de seus corações, suas palavras tornam-se doces e fortes como a fragrância das orquídeas.

Cf. Livro Primeiro, hexagrama 13, Tung Jen, COMUNIDADE COM OS HOMENS, nove na quinta posição (comentário sobre a questão do falar).

7 – "Seis na primeira posição significa: Forrar com uma esteira de junco branco. Nenhuma culpa." O Mestre disse: Se alguém contenta-se simplesmente em colocar algo no chão, isto também é válido. Mas se ainda se forra com uma esteira de junco branco, que erro poderia haver? Esta é a extrema cautela. A esteira de junco branco em si é algo sem valor, porém pode ter um efeito muito importante. Quando se é tão cuidadoso em tudo o que se faz, se permanece livre de erros.

Cf. Livro Terceiro, hexagrama 28, Ta Kuo, A PREPONDERÂNCIA DO GRANDE, seis na primeira posição (comentário sobre a questão do agir).

8 – "Um homem superior de mérito e modesto leva tudo a bom termo. Boa fortuna."
O Mestre disse: A maior generosidade é a de um homem que não se vangloria de seus esforços e que não conta seus méritos como virtude. Isso significa que, apesar de todos os seus

méritos, ele se subordina aos outros. Nobre por natureza, reverente em sua conduta, o homem modesto impõe o mais profundo respeito, e por isso ele é capaz de manter a sua posição.

Cf. Livro Terceiro, hexagrama 15, Ch'ien, MODÉSTIA, nove na terceira posição (comentário sobre a questão do agir).

9 — "Dragão arrogante terá motivo de arrependimento." O Mestre disse: Aquele que é nobre e não ocupa o lugar que lhe corresponde, aquele que se encontra em posição elevada sem o apoio do povo, aquele que mantém os homens de valor como subalternos sem dar-lhes apoio, terá motivo de arrependimento tão logo se movimente.

Cf. Livro Terceiro, hexagrama 1, Ch'ien, O CRIATIVO, nove na sexta posição (comentário sobre a questão do agir). A citação que lá se faz do Wên Yen contém, palavra por palavra, essa passagem que, sem dúvida, foi extraída do mesmo texto.

10 — "Não ir além da porta e do pátio não é nenhuma culpa." O Mestre disse: As palavras são o primeiro degrau rumo ao início da desordem. Se o príncipe não é discreto, ele perde seu vassalo. Se o vassalo não é discreto, ele perde sua vida. Se aquilo que está ainda germinando não for tratado com discrição, seu desenvolvimento será prejudicado. Por isso o homem superior é cuidadoso ao manter silêncio e não vai além do que deve.

Cf. Livro Primeiro, hexagrama 60, Chieh, LIMITAÇÃO, nove na primeira posição (comentário sobre a questão do falar).

11 — O Mestre disse: Os autores do Livro das Mutações sabiam como eram os ladrões. O Livro das Mutações diz: "Se alguém leva um fardo às costas e ao mesmo tempo viaja numa carruagem, atrai com isso a aproximação dos ladrões". Carregar um fardo às costas é tarefa de um homem comum. A carruagem é o meio de transporte dos nobres. Quando um homem comum usa algo que é próprio aos nobres, atrai com isso os ladrões. Quando um homem é insolente para com seus superiores e severo para com os subalternos, provoca os ladrões a que o ataquem. A negligência ao guardar objetos atrai ladrões ao roubo. Uma jovem usando jóias suntuosas é uma tentação a que lhe roubem a virtude. O Livro das Mutações diz: "Se alguém leva um fardo às costas e ao mesmo tempo viaja numa carruagem, atrai com isso a aproximação dos ladrões", pois isso é um convite para os ladrões.

Cf. Livro Primeiro, hexagrama 40, Hsieh, LIBERAÇÃO, seis na terceira posição (comentário sobre a questão do agir).

CAPÍTULO IX

Sobre o Oráculo

1 — O céu é um, a terra é dois, o céu é três, a terra é quatro, o céu é cinco, a terra é seis, o céu é sete, a terra é oito, o céu é nove, a terra é dez.

Na forma tradicional de se organizar a distribuição dos textos, esta seção era colocada antes do capítulo X. Ela foi transposta para a atual posição por Ch'êng Tzu, no período Sung, e colocada junto à seção que se segue, a qual, por sua vez, originalmente estava situada após a seção 3. Estas duas seções sem dúvida devem estar juntas; no entanto, têm apenas uma conexão muito vaga com o que virá depois. Elas contêm especulações numerológicas análogas às existentes na seção intitulada Hung Fan no Livro da História. É provável que representem o começo das ligações entre a numerologia do Livro da História e a doutrina do Yin-Yang do Livro das Mutações, sincretismo que desempenhou um papel tão importante no pensamento chinês durante a dinastia Han. Para que se possa compreender esse sincretismo, sobre o qual aqui só se poderão tecer rápidas considerações, é necessário nos reportarmos ao diagrama conhecido como Ho T'u, o Mapa do Rio Amarelo que, segundo a tradição, teve sua origem com Fu Hsi. Esse mapa mostra o desenvolvimento a partir dos números pares e ímpares dos cinco estados da mutação (Wu Hsing, em geral erroneamente chamados "elementos").

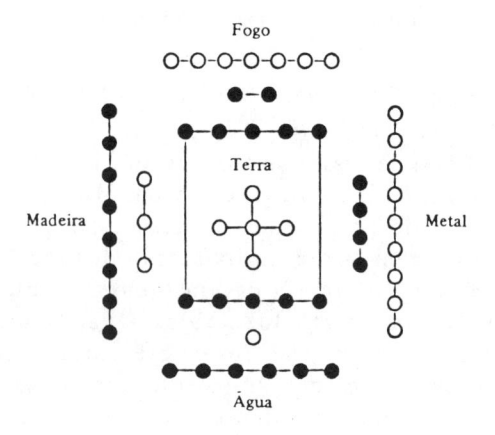

Fig. 4

A água, ao norte, originou-se da unidade do céu, cujo complemento é o seis da terra. O fogo, ao sul, surgiu do dois da terra, que tem seu complemento no sete do céu. A madeira, a leste, originou-se do três do céu, que encontra seu complemento no oito da terra. O metal, a oeste, surgiu do quatro da terra, cujo complemento é o nove do céu. Ao centro, a terra (T'u, o solo, a substância da terra, distinta de Ti, a terra enquanto corpo celeste) originou-se do cinco do céu, que tem seu complemento no dez da terra.

O outro diagrama, no qual os números voltam a se separar e combinam-se com os oito trigramas, é do Lo Shu (Escritura do Rio Lo).

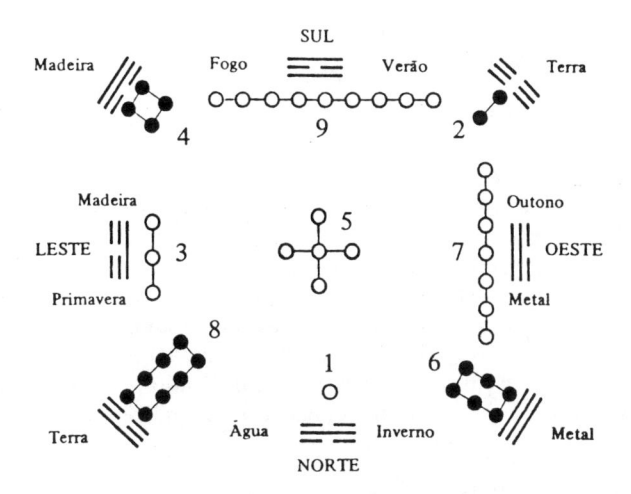

Fig. 5

2 — Há cinco números para o céu. Para a terra há também cinco números. Quando eles são distribuídos entre as cinco posições, cada um encontra seu complemento. A soma dos números do céu é vinte e cinco. A soma dos números da terra é trinta. A soma total dos números do céu e da terra é cinqüenta e cinco. É isso que complementa as mutações e as transformações, e o que põe em movimento os demônios e os deuses.

As notas anteriores esclarecem este parágrafo satisfatoriamente, não sendo necessárias outras explicações. Assim como o parágrafo anterior, este também pertence sem dúvida a um período mais recente.

3 — O número total é cinqüenta. Desses cinqüenta, quarenta e nove são utilizados, sendo divididos em duas partes para representar as forças primordiais. A seguir separa-se um para representar os três poderes. Conta-se de quatro em quatro para representar as estações. Coloca-se o restante de lado, para representar o mês adicional[17]. Em cada cinco anos há dois meses adicionais, por isso repete-se esta última operação, obtendo-se, assim, o total.

O processo da consulta oracular é aqui relacionado aos processos cósmicos. O procedimento ao se consultar o oráculo consiste no seguinte:

---

[17] O calendário lunar usado na China era ajustado a cada dois anos e meio pelo acréscimo de um mês adicional. Esse mês era interposto, em ordem consecutiva, entre o segundo e o décimo primeiro mês. *(Nota da tradução brasileira.)*

Tomam-se cinqüenta varetas de caule de milefólio[18], das quais utilizam-se somente quarenta e nove[19]. Essas quarenta e nove varetas são divididas em dois grupos. Retira-se uma vareta do grupo da direita e coloca-se entre os dedos anular e mínimo da mão esquerda. A seguir, contam-se as varetas do grupo da esquerda de quatro em quatro, colocando-se o restante (quatro ou menos) entre os dedos anular e médio também da mão esquerda. O mesmo se faz com o grupo da direita, colocando-se o restante entre o indicador e o dedo médio. Isso constitui uma mutação. Agora têm-se na mão esquerda cinco ou nove varetas.[20] Juntam-se, então, os dois grupos restantes[21], e repete-se mais duas vezes a mesma operação. Nessa segunda e terceira vez obtêm-se quatro ou oito varetas.[22] Consideram-se as cinco varetas obtidas na primeira operação e as quatro obtidas nas duas operações seguintes como uma unidade, com valor numérico três.[23] O nove obtido na primeira operação e o oito obtido na segunda ou terceira operação têm valor numérico dois. Se em três mutações consecutivas obtemos os valores $3 + 3 + 3 = 9$, o resultado é um Yang velho, uma linha firme móvel. Se em três mutações consecutivas obtemos os valores $2 + 2 + 2 = 6$, o resultado é um Yin velho, ou seja, uma linha maleável móvel. O sete é o Yang jovem, o oito é o Yin jovem; individualmente, como linhas, não são levadas em consideração.[24] (V. a seção sobre consulta oracular no Apêndice 1.)

> 4 – Os números que conduzem ao CRIATIVO somam um total de 216; os que levam ao RECEPTIVO somam 144, perfazendo, reunidos, um total de 360. Correspondem, pois, aos dias do ano.

[18] Na China as varetas usadas para a consulta ao I Ching eram, em geral, de caule de milefólio. Outros materiais, é claro, podem ser empregados, uma vez que o essencial é o número dessas varetas, podendo-se variar não só o material como a espessura (desde que dentro dos limites que o manuseio de quarenta e nove delas impõe) e o comprimento. As varetas chinesas variavam entre trinta e cinqüenta centímetros de comprimento. Uma recente edição japonesa do I Ching, que se faz acompanhar de um jogo de varetas, usa como material o bambu e mantém o comprimento de trinta e seis centímetros. *(Nota da tradução brasileira.)*

[19] Na realidade, para a consulta utilizam-se cinqüenta varetas. Uma, entretanto, é retirada ao início da consulta, sendo colocada adiante da área em que serão dispostos os grupos de varetas obtidos nas divisões. A manipulação, na divisão, vai se fazer, portanto, com quarenta e nove varetas, uma vez que a vareta separada inicialmente será mantida à parte de todas as operações. Ela faz parte da consulta, não sendo, portanto, prescindível (por isso o número inicial é cinqüenta e não quarenta e nove), e poderia inclusive ser interpretada como representando o aspecto transcendente de T'ai Chi, o Uno primordial. *(Idem.)*

[20] Essas são as duas únicas quantidades matematicamente possíveis de serem obtidas dos procedimentos descritos. *(Idem.)*

[21] As cinco ou nove varetas obtidas na primeira operação são postas à parte, temporariamente. *(Idem.)*

[22] As quais são também postas à parte, junto com as cinco ou nove iniciais. *(Idem.)*

[23] Existe uma tabela simplificada pela conversão do resultado da soma do total de varetas obtidas em cada três operações numa linha. Essa tabela é representada em nota adicional à seção sobre a consulta oracular no Apêndice I. *(Idem.)*

[24] Isto é, são consideradas apenas para o processo oracular. Para o estudo dos hexagramas (fora do contexto específico de uma consulta) todas as linhas são importantes. Por isso usa-se, antes das linhas, a numeração nove ou seis apenas para o uso oracular. *(Idem.)*

Quando o CRIATIVO se compõe de seis linhas Yang velhas, isto é, apenas de noves, o seguinte resultado é obtido na consulta oracular:

Número de varetas utilizadas: 49
Varetas deduzidas na obtenção da primeira linha: 5 + 4 + 4 = 13
36

A mesma operação repetida seis vezes, para a obtenção das seis linhas, tem como resultado: 36 X 6 = 216 varetas.

Quando o RECEPTIVO se compõe de seis linhas Yin velhas, isto é, obtendo-se apenas seis, chega-se ao seguinte resultado:
Número de varetas utilizadas: 49
Varetas deduzidas na obtenção da primeira linha: 9 + 8 + 8 = 25
24

A mesma operação repetida seis vezes, para a obtenção das seis linhas de um hexagrama, tem como resultado: 24 X 6 = 144 varetas.

Se, então, somamos os números obtidos para o CRIATIVO e para o RECEPTIVO, temos: 216 + 144 = 360, que corresponde ao número médio de dias do ano no calendário chinês.[25]

5 — Os números das varetas nas duas partes somam 11.520, que correspondem ao número das dez mil coisas.[26]

No livro das Mutações há um total de 192 linhas de cada espécie, o que soma 384 linhas (64 X 6), metade das quais Yang e metade Yin. Como indicamos na seção anterior, após a obtenção de cada linha Yang móvel têm-se, restantes, 36 varetas, de modo que ao todo temos: 192 X 36 = 6.912. Após a obtenção de cada linha Yin móvel têm-se, restantes, 24 varetas: 192 X 24 = 4.608. Somados os totais, chega-se, portanto, ao resultado: 6.912 + 4.608 = 11.520.

6 — Por isso são necessárias quatro operações para produzir uma mudança; dezoito mutações produzem um hexagrama.

Os termos "mutação" e "mudança" são utilizados aqui no mesmo sentido. Cada linha é composta, como vimos acima, de três "mudanças" ou "mutações". As quatro operações são: 1) Divisão das varetas em dois grupos. 2) Separação de uma das varetas do grupo da direita, que é colocada entre o dedo mínimo e o anular. 3) Contagem das varetas do grupo da esquerda de quatro em quatro, colocando o restante entre o anular e o dedo médio. 4) Contagem das varetas do grupo da direita de quatro em quatro, colocando-se o restante entre o indicador e o dedo médio. Através dessas quatro operações obtém-se uma "mudança" ou "mutação", isto é, o valor numérico dois ou três (v. acima). Repetindo essa mutação três vezes, obtemos o valor da linha: seis ou sete, oito ou nove. Seis linhas (3 mudanças X 6 = 18 mudanças) formam a estrutura do hexagrama.

7 — Os oito signos formam uma pequena conclusão.

---

[25] O ano chinês coincide basicamente com o ano metônico.

[26] "As dez mil coisas", expressão chinesa equivalente à multiplicidade. Em determinadas passagens, essa expressão aproxima-se da interpretação de Martin Heidegger do conceito grego de "ente" (ta onta), em contraposição a "ser" (to einai). *(Nota da tradução brasileira.)*

Os hexagramas se compõem de dois trigramas.[27] Os "oito signos" são os oito trigramas. Num hexagrama, o trigrama inferior[28] é chamado também de interno; o trigrama superior[29], de externo.

8 – Se continuamos e avançamos, acrescentando às situações as transições que lhes correspondem, esgotamos todas as possibilidades de situações sobre a terra.

Cada um dos sessenta e quatro hexagramas pode converter-se em outro através do movimento correspondente de uma ou de várias linhas. Ao todo se obtém um total de 64 × 64 = 4.096 diferentes estados de transição com os quais se pode representar qualquer situação.

9 – O Livro das Mutações revela o Tao e torna divina a natureza e a ação. Por isso, com sua ajuda podemos enfrentar tudo do modo correto; com sua ajuda podemos até mesmo cooperar com os próprios deuses.

Essa seção refere-se também ao Livro das Mutações como um todo. Sustenta que o Livro revela o Tao dos acontecimentos no universo, tornando a natureza e as ações do homem que a ele se confia misteriosamente semelhante aos deuses. O homem torna-se, então, capaz de enfrentar os acontecimentos de maneira correta, podendo até mesmo cooperar com os deuses na direção do mundo.

10 – O Mestre disse: Aquele que conhece o Tao das mutações e das transformações, conhece a ação dos deuses.

CAPÍTULO X

O quádruplo uso do Livro das Mutações

1 – O Livro das Mutações contém um quádruplo Tao dos santos e sábios. Ao falar, guie-se por seus julgamentos; ao agir, guie-se por suas mudanças; ao fazer objetos, guie-se por suas imagens; ao indagar o oráculo, guie-se por seus pronunciamentos.

---

[27] Essa seção trata apenas dos trigramas básicos, os quais representam duas etapas e, ao mesmo tempo, dois âmbitos num hexagrama, sendo por isso considerados, cada um deles, uma "pequena conclusão". No entanto, caso se prosseguisse na análise da estrutura dos hexagramas, se concluiria que eles se compõem de dois trigramas básicos, no interior dos quais encontram-se dois trigramas nucleares, o que perfaz um total de quatro trigramas participantes da formação dos hexagramas. Só que os trigramas nucleares são decorrentes e dependentes dos trigramas básicos, pois se compõem das linhas média e superior do trigrama básico inferior e das linhas inferior e média do trigrama básico superior. *(Nota da tradução brasileira.)*

[28] Referência ao trigrama básico formado pelas linhas um, dois e três. *(Idem.)*

[29] Referência ao trigrama básico formado pelas linhas quatro, cinco e seis. *(Idem.)*

2 — Por isso, o homem superior o consulta quando deve fazer ou realizar algo e o faz em palavras. O Livro recebe suas comunicações como um eco; para ele não há nada distante ou próximo, nada obscuro ou profundo; assim, o homem superior informa-se das coisas futuras. Se este livro não fosse o que há de mais espiritual sobre a terra, como poderia realizá-lo?

Aqui se descrevem as bases psicológicas do oráculo. Aquele que consulta o oráculo formula seus problemas com palavras precisas e, quer se trate de algo próximo ou distante, secreto ou profundo, recebe sempre como se fora um eco o oráculo adequado, o qual lhe possibilita conhecer o futuro. Está pressuposto, como postulado básico, que nesse processo se estabeleça uma relação entre o consciente e o supraconsciente.[30] O processo consciente conduz até a formulação da pergunta. O processo inconsciente começa a funcionar com a divisão das varetas, e quando se confronta o resultado obtido com o texto do Livro obtém-se o oráculo.

3 — Três e cinco operações são efetuadas para se obter uma mudança. Divisões e combinações de números são realizadas. Quando se percorre as mutações, elas completam as formas do céu e da terra. Ao elevar o número de mudanças ao máximo, elas determinam todas as imagens sobre a terra. Se isso não fosse o que há de mais mutável sobre a terra, como poderia realizá-lo?

Muitas coisas foram ditas sobre as divisões por 3 e 5 e o próprio Chu Hsi sustentava que esta passagem já não era mais compreensível. Mas basta tomar como base o capítulo IX, seção 3, do qual se tem aqui uma explicação mais detalhada, para que o texto evidencie uma coerência. As três "operações" são a divisão em dois grupos e o afastamento de uma vareta "para representar os três poderes".[31] A seguir, as varetas de cada grupo são contadas de quatro em quatro, porque "em cinco anos há 2 meses adicionais", e assim se obtêm 3 + 2 = 5 operações, que resultam numa mudança. Prossegue-se, assim, com as divisões e as reuniões, até "que se completem as formas do céu e da terra", isto é, até obtermos como resultado inicial um dos oito trigramas, ou uma "pequena conclusão". (Cf. cap. IX, seç. 7.) Continuando até alcançarmos a linha superior, a sexta, ao alto, obtemos uma imagem completa, formada em cada caso por dois trigramas.[32]

4 — As Mutações[33] não têm consciência nem ação. Quietas, não se movem. Mas quando estimuladas, penetram todas as situações sob o céu. Se não fossem o que há de mais divino sobre a terra, como poderiam realizá-lo?

Aqui é claramente expresso o que nos comentários à seção 2 se havia sugerido.

---

[30] O termo "supraconsciente" é usado por Wilhelm como sinônimo de "inconsciente". Assim, evita-se considerar o inconsciente como mero domínio instintivo, o que falsearia a concepção chinesa para a qual ele (o inconsciente) representa a suprema instância da psiquê. *(Nota da tradução brasileira.)*

[31] O céu, a terra e o homem. *(Idem.)*

[32] Cf. cap. IX, seç. 7, nota 33; nota 27. *(Idem.)*

[33] A designação "Ching", Livro ou Clássico, é um adendo tardio que remonta à organização confucionista dos textos tradicionais. *(Idem.)*

5 — Os santos e os sábios alcançaram todas as profundezas e todas as sementes por meio das Mutações.

6 — Só através do que é profundo pode-se chegar ao interior de todas as vontades existentes sobre a terra. Só através das sementes pode-se completar todas as coisas sobre a terra. Só através do divino pode-se apressar sem se precipitar e chegar à meta sem caminhar.

Aqui se indica que, mergulhando nas profundezas do inconsciente, o Livro das Mutações transcende tanto o espaço como o tempo. O espaço como princípio da diversidade e da confusão é superado pelo profundo, pelo simples. O tempo, como princípio da incerteza, é superado pelo fácil, pelo germinal.

7 — Quando o Mestre disse: "O Livro das Mutações contém o quádruplo Tao dos santos e dos sábios" — esse foi o significado de suas palavras.

Pode-se supor que a seção 1 baseia-se numa frase de Confúcio, que teria recebido uma elaboração um tanto retórica, sendo aqui outra vez sintetizada.

CAPÍTULO XI

Sobre as varetas de caule de milefólio, os hexagramas e as linhas

1 — O Mestre disse: Que fazem as Mutações? As Mutações desvelam coisas, completam os assuntos e abrangem todos os caminhos sobre a terra. Isso e nada mais elas fazem. Por isso, os santos e sábios as utilizavam para penetrar todas as vontades sobre a terra e para determinar todos os campos de ação sobre a terra e para resolver todas as dúvidas sobre a terra.

Aqui temos novamente uma frase do Mestre que serve de ponto de partida para uma reflexão na qual as idéias apresentadas serão desenvolvidas e interpretadas.

2 — Por isso a natureza dos caules de milefólio é redonda e espiritual. A natureza dos hexagramas é quadrada e sábia. O sentido das seis linhas muda de modo a fornecer informações.

Deste modo os santos e sábios purificaram seus corações, recolheram-se e ocultaram-se no mistério. Preocupavam-se com a boa fortuna e o infortúnio junto com os outros homens. Eram divinos e por isso conheciam o futuro; eram sábios e por isso preservavam o passado. Quem é capaz de tudo isso? Só o discernimento e a lucidez dos antigos, seu conhecimento e sabedoria, seu incansável poder divino.

A triplicidade mencionada na seção 1 é aqui desenvolvida. O aprofundamento que penetra todas as vontades é associado à espiritualidade dos caules de milefólio; eles são redondos pois simbolizam o céu e o espírito. O número que lhes serve de base é o sete; seu número total é 49 (7 x 7). Os hexagramas representam a terra; o número que lhes serve de base é o oito; seu número total é 64 (8 x 8), o total dos hexagramas. Servem para determinar o campo de ação. Finalmente, as diferentes linhas são móveis e mutáveis (seus números são 6 e 9), de modo a dar informações e resolver as dúvidas relativas a situações particulares.

Os santos e sábios possuíam este conhecimento. Recolhiam-se e em reclusão cultivavam seu espírito; por isso eram capazes de penetrar no modo de pensar dos homens (penetração), podendo, então, determinar a boa fortuna ou o infortúnio (o campo de ação) e conhecer o passado e o futuro (a resolução das dúvidas). E o conseguiam graças a seu conhecimento e sabedoria (determinação do campo de ação) e graças a seu divino poder (resolução das dúvidas). Essa divina força guerreira (em chinês Shên Wu) age sem esmorecer (essa é uma interpretação preferível a "sem matar").

> 3 — Por isso eles sondavam o sentido dos céus e compreendiam as circunstâncias dos homens. Eles inventaram, assim, essas coisas divinas como resposta às necessidades humanas. Os santos e os sábios jejuavam para que suas naturezas se tornassem límpidas e claras, semelhantes ao divino.

Como esses sábios conheciam igualmente as leis que regem o curso do universo e aquilo de que os homens carecem, inventaram o uso das varetas oraculares — essas são as "coisas divinas" —, de modo a preencher as necessidades dos homens. Por isso, concentravam-se em santa meditação, dando à sua natureza a força e a plenitude necessárias para atingir esse fim. Portanto, a compreensão do Livro das Mutações decorre também do vínculo de uma concentração e meditação.

> 4 — Por isso chamaram ao fechar dos portões o Receptivo, e ao abrir, o Criativo. À alternância entre o fechar e o abrir eles chamaram "a mutação". Ao incessante movimento de ir e vir eles chamaram "o penetrar". Àquilo que se manifesta visivelmente eles chamaram "a imagem", e ao que possui uma forma corpórea chamaram "coisa"[34]. Ao que foi estabelecido para o uso chamaram "lei". Ao que favorece o sair e o entrar, àquilo de que vivem todos os homens, eles chamaram "o divino".

Aqui se expõem as condições do Tao do céu e as circunstâncias dos homens tal como foram reconhecidas pelos santos e sábios. O fechar e o abrir dos portões significa a alternância entre o repouso e o movimento. Essas são também duas condições da prática do yoga, [35] passíveis de serem realizadas apenas através de um treinamento pessoal. A penetração é o estado em que se atinge o domínio soberano na esfera psíquica, podendo mover-se no tempo, para adiante e para trás. As próximas frases revelam como se origina o mundo material. Primeiro, há uma imagem preexistente, uma idéia que funciona como fundamento; em seguida, uma reprodução dessa imagem arquetípica toma forma como figura corpórea. O que regula esse processo é o divino. Encontram-se, em Lao-Tse, numerosas colocações paralelas a esta.

> 5 — Por isso existe nas Mutações o grande Começo primordial. Este gera as duas forças fundamentais. As duas forças fundamentais geram as quatro imagens. As quatro imagens geram os oito trigramas.

---

[34] O termo alemão "Ding", "coisa", foi traduzido para o inglês por "ferramenta", "instrumento" ("tool"). Apesar de não ser literal, essa tradução é interessante pois ressalta o caráter de operacionalidade do conceito chinês de coisa. Assim, o ser da coisa e o seu uso não seriam dissociados. Há uma significativa proximidade entre essa concepção chinesa e o conceito de Martin Heidegger sobre o que é o ser da coisa. *(Nota da tradução brasileira.)*

[35] V. nota 60 (hexagrama 52, A QUIETUDE, Livro Primeiro) sobre o sentido do termo yoga no pensamento chinês. *(Idem.)*

O grande. Começo Primordial (T'ai Chi) desempenha um papel importante na filosofia naturalista que mais tarde se desenvolverá na China. Originalmente Chi significava viga-mestra — um traço simples, simbolizando o estabelecimento de uma unidade: _____. Mas quando se estabelece a unidade, postula-se ao mesmo tempo a dualidade, pois surge um acima e um abaixo. O elemento condicionante passa a ser designado pela linha inteira, enquanto o elemento condicionado é representado por uma linha partida: __ __ . Essas são as duas forças ou polaridades fundamentais, mais tarde denominadas yang, o luminoso, e yin, o obscuro. Com sua duplicação surgem quatro imagens:

≡≡≡ o velho ou grande yang

≡ ≡ o velho ou grande yin

≡≡≡ o jovem ou pequeno yang

≡≡ o jovem ou pequeno yin

Essas imagens correspondem às quatro estações. Quando se acrescenta mais uma linha, surgem os oito trigramas:

≡≡≡Ch'ien   ≡ ≡K'un   ≡≡Chên   ≡≡Li

≡≡≡Tui   ≡≡≡Sun   ≡≡K'an   ≡ ≡Kên

Esse mesmo processo é mencionado no capítulo 42 de Lao-Tse.

6 — Os oito trigramas determinam a boa fortuna e o infortúnio. A boa fortuna e o infortúnio dão origem ao grande campo de ação.

O "grande campo de ação" são as regulamentações e regras instituídas pelos santos e sábios para possibilitar aos homens a boa fortuna e evitar-lhes o infortúnio.

7 — Por isso: não há imagens arquetípicas maiores que o céu e a terra. Não há nada que seja mais mutável ou possua maior coesão que as quatro estações. Entre as imagens suspensas no céu nenhuma é mais luminosa que o sol e a lua. Entre os que são veneráveis e se encontram em posição elevada, ninguém supera aquele que possui riquezas e fidalguia. Quanto à criação de objetos para o uso e instrumentos úteis para todo o mundo, ninguém é maior que os santos e os sábios. Para compreender a diversidade desordenada das coisas e explorar o que está oculto, para penetrar até as profundezas e influir sobre o longínquo, determinando assim a boa fortuna e o infortúnio sobre a terra, e consumando todos os esforços na terra, nada é superior ao oráculo.

Assim como no capítulo 25 de Lao-Tse, em que se fala dos quatro seres de maior grandeza do universo,[36] aqui se mencionam simultaneamente a grandeza da natureza e do mundo humano. As estações têm a máxima mobilidade e coerência; o sol e a lua, a máxima luminosidade. Sobre a terra, o ser mais elevado é o rei dos

---

[36] "Por isso o Tao é grande; o céu é grande; a terra é grande e o sábio é grande." *The Sacred Books of the East*, v. XXXIX, The Texts of Taoism, Parte I, The Tao Te Ching of Lao Tzu. Oxford University Press, 1891, p. 68. (Trad. de James Legge.) *(Nota da tradução brasileira.)*

homens, o sábio que ocupa o trono, aquele que, sendo ele próprio rico e nobre é ao mesmo tempo uma fonte de riqueza e nobreza. Auxiliando-o estão o sábio ativo, dirigente e inventivo, e o oráculo que, correspondendo às imagens luminosas do sol e da lua, esclarece e ilumina todas as situações sobre a terra.

> 8 — Por isso: o céu cria coisas divinas; o santo e o sábio as têm como modelo. O céu e a terra mudam e se transformam. O santo e o sábio os imitam. No céu há imagens suspensas que revelam a boa fortuna e o infortúnio; o santo e o sábio as reproduzem. O Rio Amarelo manifestou um mapa e o Rio Lo, uma escritura: os santos tomaram-nos como modelo.

Aqui se desenvolve o paralelismo entre os processos do macrocosmo e a ação dos santos e sábios. As coisas divinas criadas pelo céu e pela terra são, provavelmente, os fenômenos da natureza reproduzidos pelos santos nos oito trigramas. De acordo com outra interpretação, trata-se de tartarugas[37] e de caules de milefólio. As mudanças e transformações manifestas no dia e na noite e nas quatro estações são reproduzidas nas mutações das linhas. Os sinais no céu que expressam boa fortuna ou infortúnio são o sol, e a lua, as estrelas junto com os cometas, os eclipses e fenômenos semelhantes. Eles são reproduzidos nos julgamentos anexos sobre a boa fortuna ou o infortúnio.

A última frase dessa seção, que se refere a dois acontecimentos de caráter lendário ocorridos na época de Fu Hsi e de Yü, é um adendo tardio que teve efeitos desastrosos na exegese do Livro das Mutações. Os dois diagramas mencionados foram reproduzidos no comentário do capítulo IX, seção 1 (figuras 4 e 5). O caráter tardio desse acréscimo é demonstrado pelo fato de as seções 7, 8 e 9 do presente capítulo tratarem do triplo paralelismo existente entre a natureza e o mundo humano, o qual fora já mencionado na seção 1, e esse adendo representar uma ruptura nessa continuidade.

> 9 — Nas Mutações[38] há imagens que visam a revelar; há julgamentos anexos que visam a interpretar; determina-se a boa fortuna ou o infortúnio, visando a decidir.

O texto diz "quatro" imagens; trata-se de um erro trazido da seção 5. Como imagens, deve-se entender aqui os 8 trigramas, que revelam as situações em suas inter-relações. Isso corresponde às imagens arquetípicas do céu. Os julgamentos anexos (relativos às diferentes linhas) indicam as mudanças. Isso corresponde às mudanças das estações do ano. As decisões sobre boa fortuna ou infortúnio correspondem, então, aos sinais nos céus.

---

[37] Referência à prática oracular que usava para divinação cascos de tartaruga, que eram expostos ao fogo, interpretando-se em seguida as suas rachaduras. *(Nota da tradução brasileira.)*

[38] Isto é, no Livro das Mutações. O termo "Ching", "Livro ou Clássico", só foi adicionado ao título "I" no período confucionista, quando da edição dos célebres Seis Clássicos: Shih, Shu, Li, Yueh, Chunchiu e o I que, antes dessa edição, era conhecido com Chou I, isto é, o I (Mutações) da dinastia Chou, ou simplesmente I (Mutações). *(Idem.)*

CAPÍTULO XII

Síntese

1 — No livro das Mutações se diz: "Ele é abençoado pelo céu. Boa fortuna. Nada que não seja favorável".
O Mestre disse: Abençoar significa ajudar. O céu ajuda o homem de devoção; os homens ajudam quem é sincero. Aquele que caminha na verdade e pensa com devoção, reverenciando ainda aos homens dignos, é abençoado pelo céu. Ele encontra a boa fortuna e tudo lhe é favorável.

Esta é uma passagem que faz parte do corpo de comentários às diferentes linhas, do qual alguns fragmentos aparecem no capítulo VIII, seções 5-11. Trata-se de um desenvolvimento da conclusão do capítulo II, seção 6, que aqui se encontra então fora do contexto.

2 — O Mestre disse: "A escrita não pode expressar as palavras totalmente. As palavras não podem expressar os pensamentos totalmente".
Estamos, então, impossibilitados de ver os pensamentos dos santos e sábios?
O Mestre disse: "Os santos e sábios estabeleceram as imagens para dar expressão completa a seus pensamentos; eles estabeleceram os hexagramas para dar expressão completa ao verdadeiro e ao falso. Então eles acrescentaram julgamentos e assim puderam dar expressão completa às suas palavras". (Eles criaram a descontinuidade e a continuidade para manifestar de forma completa o benefício. Eles deram o impulso, puseram em movimento, para manifestar de forma completa o espírito.)

Essa seção apresenta, sob forma de diálogo no estilo do Lun Yü (Analectos), um julgamento sobre o modo de expressão do Livro das Mutações. O Mestre dissera que a escrita nunca expressa completamente as palavras, e que as palavras nunca expressam completamente os pensamentos. Um aluno pergunta, então, se nunca se pode ter uma visão clara dos pensamentos dos sábios, e o Mestre usa o Livro das Mutações para mostrar como isso pode ser feito. Os sábios estabeleceram as imagens e hexagramas de modo a revelar as situações, e então acrescentaram as palavras, para que, junto com as imagens, formassem uma expressão completa de seus pensamentos.

As duas últimas frases (entre parênteses) foram transpostas para este parágrafo de algum outro contexto, provavelmente devido à semelhança da construção gramatical. (Cf. segunda metade da seç. 4 e também a seç. 7.)

3 — O Criativo e o Receptivo são o verdadeiro segredo do Livro das Mutações. Como o Criativo e o Receptivo se apresentam de forma completa, as mutações também estão situadas entre eles. Se o Criativo e o Receptivo se apresentam de forma completa, as mutações também estão situadas entre eles. Se o Criativo e o Receptivo fossem destruídos, nada haveria em que se pudesse ver as mutações. E, se as mutações

já não fossem mais vistas, os efeitos do Criativo e do Receptivo também, pouco a pouco, cessariam.

As mutações são concebidas aqui como um processo natural, praticamente idêntico à vida. A vida depende da polaridade entre a atividade e a receptividade. Assim é mantida a tensão que, em cada ajustamento em busca de equilíbrio, se manifesta como a mutação, o processar-se da vida. Se esse estado de tensão, essa "diferença de nível", cessasse, não haveria mais nenhum padrão para a vida, que então não mais poderia se manifestar. Por outro lado essas oposições das polaridades, essas tensões, estão sendo constantemente geradas pelas mutações da vida. Se a vida cessasse de se manifestar, essas oposições se apagariam, em virtude de uma progressiva entropia, e o resultado seria a morte do mundo.

> 4 – Por isso: o que se encontra acima da forma chama-se "Tao"; o que se encontra no interior da forma chama-se "coisa".

Essa passagem evidencia a condição transcendente das formas que constituem o mundo visível. O Tao aqui significa uma enteléquia que a tudo abrange. Está além do universo espacial, mas atua sobre o que é visível – através de imagens, de idéias que lhe são inerentes, como se pode ver com maior precisão em outras passagens –, e as coisas então vêm a ser. A coisa é espacial, isto é, define-se por seus limites corpóreos. Mas não pode ser compreendida sem o conhecimento do Tao, que lhe serve de base.

Essa seção, assim como a seção 2, possui um acréscimo, reproduzido em sua maior parte, com uma ligeira variação, na última seção.

> (O que modifica as coisas e as adapta umas às outras chama-se a mutação; o que as estimula e põe em movimento chama-se continuidade. O que as eleva e apresenta a todos os homens sobre a terra chama-se o campo de ação.)

> 5 – Por isso, em relação às imagens: os santos e sábios eram capazes de abranger com sua visão toda a confusa diversidade existente sob o céu. Observaram as formas e os fenômenos e fizeram representações das coisas e seus atributos. A essas representações chamaram: as Imagens. Os santos e sábios eram capazes de abranger com sua visão todos os movimentos sob o céu. Observaram o modo como esses movimentos convergiam e se interligavam, de forma a poderem seguir seu curso de acordo com a ordem eterna. Acrescentaram, então, julgamentos, de modo a poderem distinguir a boa fortuna ou o infortúnio. E os chamaram: os Julgamentos.

Essa seção é uma repetição literal do capítulo VIII, seções 1 e 2.

> 6 – A exposição exaustiva da confusa diversidade existente sob o céu depende dos hexagramas. O impulso a todos os movimentos que se realizam sob o céu depende dos Julgamentos.

Há uma certa conexão entre essa passagem e a seção 3 do capítulo VIII, enquanto que a seção seguinte apresenta um paralelo à segunda metade da seção 4.

> 7 – A transformação e a adaptação das coisas umas com as outras dependem das mutações. O estimular e pôr em movi-

mento das mesmas dependem da continuidade. A espiritualidade e a clareza dependem do homem correto. A plenitude silenciosa, a confiança sem palavras, dependem da conduta virtuosa.

Aqui, na conclusão, é apresentada a correlação existente entre o Livro das Mutações e o homem. Só através de uma personalidade viva podem as palavras do Livro tomar vida plenamente, exercendo, então, sua influência sobre o mundo.

Nota: Isso parece se referir a um encadeamento de idéias que se encontram dispersas ao longo deste capítulo e do VIII. O problema é saber se, dada a falibilidade de nossos meios de compreensão, há alguma possibilidade de um contato para além dos limites do tempo; se uma época posterior pode compreender a uma anterior. Com base no Livro das Mutações, a resposta é afirmativa. É certo que a palavra e a escrita são transmissoras imperfeitas de pensamentos. Mas através das imagens — diríamos das "idéias" — e do estímulo que elas contêm é posta em movimento uma força espiritual cuja ação transcende os limites do tempo. Quando encontra o homem certo, aquele que, interiormente, se colocou em contato com o Tao, pode ser por ele de imediato acolhida, e redespertada à vida. Essa é a idéia de uma interligação sobrenatural entre os eleitos de todas as épocas.

SEGUNDA PARTE

CAPÍTULO I

Sobre os signos, as linhas, a criação e a ação

1 – Os oito trigramas estão ordenados de acordo com a conclusão[39]; eles contêm em si, portanto, as imagens. Eles são, em seguida, duplicados; portanto, contêm em si as linhas.

V. Primeira Parte, cap. II, seç. 2.[40] A seqüência dos trigramas ordenados de acordo com a conclusão é a seguinte: 1) Ch'ien, 2) Tui, 3) Li, 4) Chên, 5) Sun, 6) K'an, 7) Kên, 8) K'un. Os trigramas contêm apenas as imagens (idéias) daquilo que representam. As diferentes linhas só são levadas em consideração nos hexagramas, pois apenas nos hexagramas surge um todo orgânico, com as relações entre acima e abaixo, interno e externo, etc.

2 – O firme e o maleável deslocam um ao outro, e nisso está contida a mutação. Os julgamentos e suas instruções são acrescentados, e nisso está contido o movimento.

V. Primeira Parte, cap. II, seç. 2. Através da alternância das linhas firmes e maleáveis surge a mutação (assim como a transformação). Os julgamentos dão suas instruções através dos oráculos anexos: boa fortuna, infortúnio, etc.

3 – A boa fortuna e o infortúnio, o arrependimento e a humilhação surgem do movimento.

V. Primeira Parte, cap. II, seç. 3. A boa fortuna e o infortúnio, o arrependimento e a humilhação surgem apenas como resultado de uma conduta correspondente do homem.

4 – O firme e o maleável permanecem estáveis quando ocupam suas posições originais. Suas mudanças e continuidades devem corresponder ao tempo.

Quando as linhas firmes ocupam posições firmes e as linhas maleáveis ocupam posições maleáveis há um estado de equilíbrio. Porém, este estado abstrato de equilíbrio tem de ceder à modificação e reorganização, quando o momento o exige. O tempo, isto é, a situação global representada por um hexagrama desempenha um papel importante em relação às posições das diferentes linhas.

5 – A boa fortuna e o infortúnio exercem seu efeito através da perseverança. O Tao do céu e da terra torna-se visível através da perseverança. O Tao do sol e da lua torna-se luminoso através da perseverança. Todos os movimentos sob o céu tornam-se uniformes através da perseverança.

---

[39] Cf. nota 75 (hexagrama 63), após a conclusão, Livro Primeiro. *(Nota da tradução brasileira.)*

[40] No texto alemão, a referência remete à seção 1, o que é falho, pois a seqüência dos trigramas é discutida na seção 2 e não na seção 1. Esse lapso só foi corrigido pela tradução norte-americana; as demais o mantêm. *(Idem.)*

O segredo da ação reside na duração. A boa fortuna e o infortúnio prepararam-se lentamente. Só quando se segue um determinado rumo com constância podem os resultados das ações isoladas virem a se acumular, pouco a pouco, até que se manifestem como boa fortuna ou infortúnio. Do mesmo modo, o céu e a terra resultam de condições duradouras. É porque todas as forças claras e luminosas constantemente ascendem e tudo o que é sólido e turvo tende constantemente a descer, que o cosmos se separa do caos: acima o céu, abaixo a terra. O mesmo ocorre com o curso do sol e da lua: seus estados luminosos são resultantes de constantes movimentos e condições de equilíbrio. Assim, todo movimento e toda ação que se realizam de maneira contínua durante um longo período traçam cursos definidos, que posteriormente tornam-se leis. De acordo com essa colocação, as leis naturais não são abstrações que se fixam uma vez para sempre; são, isto sim, processos que se mantêm e que, quanto mais perduram, tanto mais claramente manifestam uma regularidade.

6 — O Criativo é decidido, e assim mostra o fácil[41] aos homens. O Receptivo é adaptável, e assim mostra o simples[41] aos homens.

Os dois princípios básicos movimentam-se de acordo com as exigências do tempo, de modo que estão em constante mutação. Mas a natureza de seus movimentos é em si uniforme e constante. O Criativo é sempre forte, decidido, real, e por isso não tem dificuldades. Ele permanece sempre fiel a si mesmo, e nisso está sua facilidade. As dificuldades sempre evidenciam falta de clareza e hesitação. Do mesmo modo o Receptivo é por natureza constantemente adaptável, seguindo a linha de menor resistência e, portanto, simples. As complicações só surgem de um conflito interno de motivos.

7 — As linhas o imitam. As imagens o reproduzem.

Aqui se dá uma definição literal das linhas e das imagens. "Linha" em chinês é "Hsiao". Para "imitar" também se usa "Hsiao" (apenas com uma grafia diferente). Em suas modificações, as linhas imitam o modo em que a boa fortuna e o infortúnio surgem num movimento, em virtude de sua duração. As imagens reproduzem a maneira na qual todas as modificações e inter-relações do firme e do maleável se dirigem ao fácil e simples.

8 — As linhas e as imagens movimentam-se no interior; a boa fortuna e o infortúnio manifestam-se no exterior. A obra e o campo de ação manifestam-se nas modificações; os sentimentos dos santos sábios manifestam-se nos julgamentos.

Os movimentos das linhas e imagens, assim como o movimento das sementes infinitesimais dos acontecimentos que as linhas e imagens simbolizam, são invisíveis, mas seus efeitos aparecem no mundo visível como boa fortuna e infortúnio. Do mesmo modo, as modificações referentes à obra e ao campo de ação são invisíveis, mas revelam-se através das palavras dos julgamentos.

9 — A grande virtude do céu e da terra é conceder a vida. O grande tesouro dos santos sábios é estar na posição correta.

---

[41] O termo I, Mutação, que designa este tratado provavelmente desde a época do Rei Wên, em torno de 1150 a.C., possui três distintos significados: mutação, invariabilidade, fácil e simples. São os dois aspectos desse último significado que o texto aqui utiliza. Esses significados do termo I são mencionados já em textos antigos como o Chou I Ch'ien--Tso-Tu. Essa questão é desenvolvida em nosso prefácio. *(Nota da tradução brasileira.)*

Como se conserva essa posição? Através dos homens.⁴² Como se reúnem os homens em torno de si? Através dos bens. A justiça consiste em conter o homem em seus erros através da regulamentação dos bens e da retificação dos julgamentos.

Aqui se apresenta a conexão entre os três poderes. O céu e a terra concedem a vida. O santo sábio possui a mesma intenção. Mas para poder exercê-la, ele precisa de uma posição de autoridade. Essa posição é conservada pelos homens que se reúnem à sua volta. Os homens são reunidos através dos bens. Os bens são administrados e protegidos contra erros através da justiça.

Essas idéias apresentam uma teoria de estado baseada em princípios cósmicos que corresponde às perspectivas da escola confucionista. Alguns comentaristas tendem a considerar esta seção como uma introdução ao próximo capítulo. Isso até certo ponto se justifica na medida em que o próximo capítulo procura dar uma visão global do desenvolvimento da história da civilização, tendo como base o Livro das Mutações.

CAPÍTULO II

História da Civilização

1 — Quando na mais remota antiguidade Pao Hi governava o mundo, ele levantou os olhos e contemplou as imagens no céu, e abaixou os olhos e contemplou os fenômenos na terra. Observou os sinais dos pássaros e dos animais, e sua adaptação às regiões. Ele procedia diretamente a partir de si mesmo, e indiretamente a partir das coisas. Inventou, assim, os oito trigramas, para entrar em contato com as virtudes dos deuses luminosos e para organizar as condições de todos os seres.

O Pai Hu T'ung descreve do seguinte modo a condição primitiva da sociedade humana:

No princípio não havia ainda nem ordem moral nem ordem social. Os homens conheciam apenas suas mães, não seus pais. Quando famintos, procuravam alimentos; quando saciados, jogavam fora os restos. Devoravam seus alimentos com pele e pêlos, bebiam sangue, cobriam-se de couro e de juncos. Chegou, então, Fu Hsi, levantou os olhos e contemplou as imagens no céu, abaixou os olhos e contemplou os eventos na terra. Ele uniu o homem à mulher, organizou os cinco estados de mutação e estabeleceu as leis da humanidade. Ele traçou os oito trigramas para governar o mundo.

O nome do mítico fundador da civilização era redigido de vários modos. Seu significado parece aludir a um caçador ou ao inventor do hábito de cozer os alimentos. Permanece em aberto a questão quanto a saber se apenas os 8 trigramas ou também os 64 hexagramas remontam a ele. Como ele próprio é um personagem mítico, pode--se deixar de lado essa discussão. É quase certo que os 64 hexagramas existiam já antes do Rei Wên.

---

42   A interpretação "bondade" em vez de "homens" na frase: "Como se conserva essa posição? Através dos homens" é refutada pelo sentido do contexto. *(Nota da tradução brasileira.)*

2 — Ele trançou cordas e as utilizou em redes e cestas para caça e pesca. Provavelmente inspirou-se para isso no hexagrama ADERIR.

Esse capítulo explica como todas as criações da civilização apareceram como reproduções de imagens ideais arquetípicas. Essa idéia encerra uma verdade superior. Todo invento surge primeiro como imagem na mente do inventor, antes de aparecer como "utensílio", como "objeto acabado". Partindo da escola representada por Hsi Tz'u, para a qual os 64 hexagramas misteriosamente apresentam imagens paralelas à natureza, aqui se procura deduzir as invenções humanas que conduziram ao desenvolvimento da civilização. Isso não deve ser interpretado no sentido de que os inventores tivessem simplesmente tomado os hexagramas do Livro e realizado a partir deles suas invenções, mas sim que as invenções tomaram forma na mente de seus autores a partir das tendências representadas nos hexagramas.

A rede é composta de malhas vazias por dentro, cercada de fios por fora. O hexagrama Li, O ADERIR (30), representa uma reunião de tais malhas. Além disso o ideograma significa "aderir" a algo, "ser apanhado por". Por exemplo, no Livro das Odes em vários trechos se diz que o ganso selvagem ou o faisão foram apanhados pela rede (Li).

3 — Quando desapareceu o clã de Pao Hsi, surgiu o clã do Divino Agricultor. Ele cortou um pedaço de madeira para fazer uma relha de arado, curvou um pedaço de madeira para fazer uma rabiça e ensinou ao mundo inteiro as vantagens de sulcar a terra com o arado. Provavelmente inspirou-se para isso no hexagrama AUMENTO.

O arado primitivo consistia de uma haste curva em cuja extremidade se fixava uma madeira pontiaguda para rasgar a terra. A vantagem desse método sobre a enxada era de permitir o emprego da tração animal, transferindo, assim, uma parte do trabalho para os bois.

O Hexagrama 1, O AUMENTO (42), é composto pelos trigramas Sun e Chên, ambos associados à madeira. Sun significa penetração, Chên significa movimento. Os trigramas nucleares são Kên e K'un, ambos associados à terra. Disso surgiu a idéia de construir um instrumento de madeira que penetrasse o solo e, movendo-se para diante, revolvesse a terra.

4 — Quando o sol encontrava-se na posição do meio-dia, ele organizou um mercado. Ele fez com que os homens da terra se reunissem e juntassem os produtos do solo. Trocavam-nos entre si e depois voltavam para casa; assim, cada coisa encontrava o seu lugar. Provavelmente inspirou-se para isso no hexagrama MORDER.

O hexagrama Shih Ho, MORDER (21), é composto de Li, o sol, acima, e de Chên, o movimento, abaixo. Chên também significa uma grande estrada, enquanto que o trigrama nuclear superior K'an significa a água corrente, e o inferior, Kên, as pequenas veredas. Há, portanto, um sentido de movimento sob o sol, e de confluência. Isso ainda não é suficiente para evocar a idéia de um mercado. Mas os termos Shih Ho, quando escritos de outro modo, podem significar também alimento e mercadoria, e assim surgiria a idéia do mercado. É evidente que em épocas anteriores esse hexagrama tinha como significado secundário a idéia de feira. (Cf. a explicação desse hexagrama no Livro Primeiro.)

> 5 — Quando o clã do Divino Agricultor se foi, surgiram os clãs do Imperador Amarelo, de Yao e de Shun. Eles trouxeram continuidade às modificações, de modo a que as pessoas não se aborrecessem. Eles eram divinos nas mudanças que promoviam, de modo que o povo ficava satisfeito. Quando uma mutação chegava ao fim, eles modificavam. (Através da modificação eles alcançaram a continuidade.) Através da continuidade eles alcançaram a duração. Por isso: "Eles foram abençoados pelo céu.
>
> Boa fortuna. Nada que não seja favorável".
>
> O Imperador Amarelo, Yao e Shun deixaram penduradas suas roupas de cima e de baixo e o mundo ficou em ordem. Provavelmente inspiraram-se para isso nos hexagramas do CRIATIVO e do RECEPTIVO.

Nessa seção deve-se distinguir dois diferentes estratos. O mais antigo parece ser o parágrafo da conclusão, no qual se descreve a introdução do vestuário. Chêng K'ang Ch'êng diz a esse respeito: "O céu é azul-escuro, a terra é amarela. Por isso eles fizeram as roupas de cima em azul-escuro e as de baixo em amarelo".

Deixarem as roupas penduradas veio mais tarde a ser interpretado como significando que o Imperador Amarelo, Yao e Shun sentaram-se tranqüilos, sem se moverem, e, em virtude dessa inação, as coisas se corrigiram espontaneamente. Partindo, então, do material já conhecido, acrescentou-se uma descrição de sua atividade civilizadora, e das bênçãos decorrentes. Por sua vez, a frase entre parênteses parece ser um acréscimo posterior. O significado da atividade dos três governantes é que eles com freqüência realizaram reformas em momentos oportunos.

> 6 — Eles escavavam troncos para construir embarcações e enrijeceram madeiras no fogo para fazer remos. A utilidade dos barcos e dos remos consistia em facilitar as comunicações. (Eles atingiram regiões distantes de modo a beneficiar o mundo.) Provavelmente inspiraram-se para isso no hexagrama DISPERSÃO.

A frase entre parênteses foi questionada por Chu Hsi. O hexagrama Huan, DISPERSÃO (59), é composto dos trigramas Sun, madeira, sobre K'an, água. Por isso se diz no Julgamento: "É favorável atravessar a grande água", e no comentário sobre a Decisão: "Confiar na madeira cria méritos". Aqui está representada uma embarcação como meio de comunicação através de rios e para viajar a locais distantes. Madeira sobre a água: este é o significado dos trigramas básicos. Os trigramas nucleares Kên e Chên significam os grandes e os pequenos caminhos.

7 — Eles amansaram o gado e atrelaram o cavalo. Assim, pesadas cargas puderam ser transportadas e regiões longínquas alcançadas, para benefício do mundo. Provavelmente inspiraram-se para isso no hexagrama a SEGUIR.

O hexagrama Sui, SEGUIR (17), é composto de Tui, a jovialidade, adiante e Chên, o movimento, atrás; representam o boi e o cavalo adiante e a carroça movendo-se atrás. Os bois eram utilizados em carroças pesadas, e cavalos, em carruagens ligeiras e veículos de guerra. Na China, nos períodos mais remotos da antiguidade, desconhecia-se o uso do cavalo como montaria.

8 — Ele introduziram portões duplos e guardas noturnos com matracas para enfrentar os ladrões. Provavelmente inspiraram-se para isso no hexagrama ENTUSIASMO.

O hexagrama Yü, ENTUSIASMO (16), é composto do trigrama Chên, movimento, acima e K'un, terra, abaixo. Os trigramas nucleares são K'an, perigo, e Kên, montanha. K'un simboliza uma porta fechada; Kên também significa uma porta, por isso os portões duplos. K'an significa ladrão. Para além dos portões, movimento, com madeira (Chên) nas mãos (Kên) serve como uma preparação (Yü também significa preparação).

9 — Eles partiram a madeira e com ela fizeram um pilão. Escavaram a terra para fazer um almofariz. O uso do pilão e do almofariz beneficiou toda a humanidade. Provavelmente inspiraram-se para isso no hexagrama A PREPONDERÂNCIA DO PEQUENO.

O hexagrama Hsiao Kuo, PREPONDERÂNCIA DO PEQUENO (62), é composto de Chên, movimento, madeira, acima e Kên, a imobilidade, pedra, abaixo. Kuo também significa transição. O almofariz era o substituto primitivo do moinho; significa a transição do hábito de comer ainda o próprio grão para a utilização do forno.

10 — Eles encordoaram um pedaço de madeira e fizeram um arco; enrijeceram outro pedaço de madeira no fogo para fazer

flechas. A utilidade do arco e da flecha consiste em manter o mundo atemorizado. Provavelmente inspiraram-se para isso no hexagrama OPOSIÇÃO.

O hexagrama K'uei, OPOSIÇÃO (38), é composto de Li, o Aderir, acima e Tui, a Alegria, abaixo. Os trigramas nucleares são K'an, perigo, e novamente Li. Todo o hexagrama indica luta. Li é o sol que de longe lança suas flechas. Li significa armas; K'an, o perigo. O perigo está cercado de armas, por isso não se está com medo.

11 – Nos tempos primitivos os homens moravam em cavernas, e viviam nas florestas. Os homens santos de épocas posteriores modificaram isso dando início às construções. Ao alto ficava a viga-mestra e, inclinado a partir dela, vinha o telhado para proteger do vento e da chuva. Provavelmente inspiraram-se para isso no hexagrama O PODER DO GRANDE.

O hexagrama Ta Chuang, PODER DO GRANDE (34), é composto de Chên, o trovão, acima; o trigrama nuclear superior [43], Tui, lago, encontra-se acima de Ch'ien, céu, que é o trigrama nuclear inferior.[44] O trigrama básico inferior também é Ch'ien, céu, a atmosfera. Assim, o hexagrama como um todo significa um céu, um espaço forte, protegido, tendo acima trovão e chuva. O trigrama Chên significa também madeira e, como filho mais velho, representa a viga-mestra ao alto. As duas linhas maleáveis acima são concebidas como o telhado inclinado.

12 – Nos tempos primitivos sepultavam os mortos cobrindo-os com uma espessa camada de galhos secos e deixando-os ao ar livre sobre a terra, sem túmulo e sem uma alameda de árvores. O período de luto não tinha uma duração definida. Os homens santos de épocas posteriores introduziram o uso de caixões e sarcófagos. Provavelmente inspiraram-se para isso no hexagrama PREPONDERÂNCIA DO GRANDE.

O hexagrama Ta Kuo, PREPONDERÂNCIA DO GRANDE (28), é composto do trigrama Tui, lago, acima e Sun, madeira, o penetrar, abaixo. Ao centro, formando os trigramas nucleares encontra-se repetido Ch'ien, o céu. O hexagrama deve ser considerado como um todo; as duas linhas Yin acima e abaixo significam a terra, dentro da qual está contido o caixão duplo, representado pelo céu. Entrando (Sun) assim em seu derradeiro repouso, os mortos alcançam a alegria (Tui). Aqui há uma ligação com o culto aos ancestrais.

[43] O trigrama nuclear superior é aquele formado pelas linhas três, quatro e cinco de um hexagrama. *(Nota da tradução brasileira.)*

[44] O trigrama nuclear inferior é aquele formado pelas linhas dois, três e quatro de um hexagrama. *(Idem.)*

13 — Nos tempos primitivos as pessoas davam nós em cordas para governar. Os homens santos de épocas posteriores introduziram o uso de documentos escritos para dirigir os vários funcionários e para supervisionar o povo. Provavelmente inspiraram-se para isso no hexagrama IRROMPER.

O hexagrama Kuai, IRROMPER (43), é composto de Tui, palavras, acima e Ch'ien, força, abaixo; significa a firmeza das palavras. O corte acima também indica a forma dos documentos mais antigos: gravados na madeira, consistiam de duas metades que encaixavam uma na outra quando reunidas. Em geral os escritos antigos eram gravados em tábuas de bambu aplainado. Aqui se enfatiza a importância do uso da escrita para a organização de uma comunidade de grandes proporções.

Nota: Em seus traços principais o esboço da história da civilização contido nesse capítulo coincide surpreendentemente com nossas próprias teses. A noção básica de que todas as instituições se fundamentam no desenvolvimento de idéias definidas é também, sem dúvida, correta. Nem sempre é fácil reconhecer essas noções entre os complexos de idéias apresentados nos hexagramas. Não é impossível também que no passado existissem certas conexões hoje esquecidas. Há indícios de que no período anterior à dinastia Chou os hexagramas possuíam significados diferentes dos que nos foram transmitidos pela tradição. É possível que este capítulo nos propicie uma visão desses significados mais antigos. Quando se compara os Julgamentos com as Imagens fica evidente que outra mudança de significado ocorreu numa época posterior.

CAPÍTULO III

Sobre a estrutura dos hexagramas

1 — Assim, o Livro das Mutações consiste de imagens. As imagens são reproduções.

Os hexagramas são reproduções de condições no céu e na terra. Por isso devem ser aplicados de modo produtivo; eles possuem como que uma força criadora no âmbito das idéias, como foi exposto acima.

2 — As decisões fornecem o material.

O Comentário sobre a Decisão ao qual provavelmente se está referindo aqui apresenta o material a partir do qual cada hexagrama, como um todo, é construído. Assim, ele descreve a totalidade da situação como tal, antes que ela se modifique. Naturalmente isto também é válido para o próprio Julgamento.

3 — As linhas são reproduções dos movimentos sobre a terra.

As linhas equivalem aqui aos Julgamentos a elas anexados; esses julgamentos entram em vigor quando as linhas se movem, isto é, quando são nove ou seis.[45] Elas refletem mudanças no interior de cada específica situação.

---

[45] Sobre as linhas móveis, v. apêndice sobre o uso oracular. *(Nota da tradução brasileira.)*

4 — Assim se originam a boa fortuna e o infortúnio, e surgem o arrependimento e a humilhação.

Este movimento revela a direção que os acontecimentos estão tomando e são acrescentadas advertências ou confirmações.

CAPÍTULO IV

Sobre a natureza dos trigramas

1 — Os trigramas luminosos possuem mais linhas obscuras, os trigramas obscuros possuem mais linhas luminosas.

Os trigramas "luminosos" são os três filhos: ☰☰ (Chên), ☰☰ (K'an) e ☰☰(Kên), todos compostos de duas linhas obscuras e uma linha luminosa. Os trigramas "obscuros" são as três filhas: ☰☰(Sun), ☰☰(Li) e ☰☰(Tui), todos compostos de duas linhas luminosas e uma linha obscura.

2 — Qual é a razão disso? Os trigramas luminosos são ímpares; os obscuros são pares.

Os trigramas luminosos se compõem das linhas 7 + 8 + 8 ou 7 + 6 + 8 ou 7 + 6 + 6 ou 9 + 8 + 8 ou 9 + 6 + 6 ou 9 + 6 + 8[46]. Usando os números apropriados, pode-se obter do mesmo modo o valor numérico dos trigramas obscuros. Assim, a soma dos valores das linhas nos trigramas luminosos sempre tem como resultado um número ímpar e a linha que representa o número ímpar[47] é, portanto, determinante do trigrama luminoso. No caso dos trigramas obscuros ocorre o inverso.

3 — Qual é sua natureza e qual sua essência? Os trigramas luminosos têm um governante e dois súditos. Esses trigramas revelam o caminho do homem superior. Os trigramas obscuros têm dois governantes e um súdito; este é o caminho do homem inferior.

Onde só um governa, existe unidade. Onde, ao contrário, um homem deve servir a dois senhores, nada de bom pode resultar. Esta verdade está aqui ligada um tanto acidentalmente à forma do trigrama.

CAPÍTULO V

Explicação de determinadas linhas do Livro das Mutações

1 — Nas Mutações[48] se diz: "Quando os pensamentos de um homem se agitam e oscilam de um lado a outro, só o seguem os amigos aos quais ele dirige seu pensamento consciente".

---

[46] Para maiores explicações sobre esses valores numéricos, v. apêndice sobre o uso oracular. *(Nota da tradução brasileira.)*

[47] Uma linha inteira, pois as linhas inteiras, representando o Criativo, o masculino, o Pai, estão associadas aos números ímpares, enquanto que as linhas partidas, representando o Receptivo, o feminino, a Mãe, estão associadas aos números pares, em virtude também da possibilidade de divisão perfeita dos mesmos. *(Idem.)*

[48] Isto é, no Livro das Mutações. O ideograma Ching, que significa Clássico ou Livro, só foi associado ao ideograma I, que significa Mutação, após o período confucionista. *(Idem.)*

O Mestre⁴⁹ disse: Que necessidade tem a natureza de pensamentos e preocupações? Na natureza todas as coisas retornam à origem comum e se distribuem pelos diferentes caminhos. Através de uma ação os frutos de uma centena de pensamentos se realizam. Que necessidade tem a natureza de pensamentos, de preocupações?

2 — Quando o sol se vai, a lua surge. Quando a lua se vai, o sol surge. O sol e a lua se alternam, e assim nasce a luz. Quando o frio se vai, surge o calor. Quando o calor se vai, surge o frio. O frio e o calor se alternam, e assim o ano se completa. O passado se contrai. O futuro se expande. A contração e a expansão agem, um sobre o outro, despertando, assim, o que favorece,⁵⁰

3 — A lagarta mede-palmos se contrai quando quer se expandir. Os dragões e as cobras hibernam para preservar a vida. Assim, a entrada de uma idéia em estado ainda germinal, na mente, promove a atividade desta última. Quando o homem torna fecunda⁵¹ sua atividade e traz paz à vida, sua natureza se eleva.

4 — O que quer que vá além disso, ultrapassa todo o conhecimento. Quando um homem apreende o divino e compreende as transformações, ele eleva sua natureza ao nível do miraculoso.

Nessa explicação do nove na quarta posição do hexagrama INFLUÊNCIA (31), Hsien (Livro Terceiro), é apresentada uma teoria sobre o poder do inconsciente. As influências conscientes são sempre limitadas, pois são provocadas por uma intenção. A natureza não conhece intenções, por isso tudo nela é tão grande. Os incontáveis caminhos da natureza conduzem a uma meta tão perfeita que tudo parece ter sido previamente planejado; isto se deve ao fato de existir uma unidade subjacente à natureza.

O texto, então, indica, em relação com o curso do dia e do ano, como o passado e o futuro fluem um para o outro; como a contração e a expansão são ambos movimentos através dos quais o passado prepara o futuro e o futuro expande o passado.

Nas duas seções seguintes a mesma idéia é aplicada ao homem. Através de uma extrema concentração ele pode intensificar e fortalecer seu ser interior de tal forma, que dele vêm a emanar misteriosas e autônomas correntes de poder. Assim, os efeitos que ele provoca originam-se em seu inconsciente, afetam de forma misteriosa o inconsciente dos outros e alcançam uma tal amplitude e profundidade de influência que transcendem a esfera individual, penetrando no âmbito dos fenômenos cósmicos.

5 — Nas Mutações se diz: "Ele se deixa oprimir pela pedra e se apóia em espinhos e cardos. Ele entra em sua casa e não vê a esposa. Infortúnio".

O Mestre disse: Caso um homem se deixe oprimir por algo que não deveria oprimi-lo, seu nome sem dúvida cairá em desgraça. Caso ele se apóie em coisas sobre as quais não deveria apoiar-se, sua vida com certeza correrá perigo. Para aquele que

---

[49] Confúcio. *(Nota da tradução brasileira.)*

[50] Isto é, o que favorece a manifestação do ser humano do ser mesmo de algo ou alguém. Cf. nota 2 (hexagrama 1, O CRIATIVO, Livro Primeiro). *(Idem.)*

[51] Tornar fecunda no sentido de propícia à expressão de seu próprio ser. Cf. nota anterior. *(Idem.)*

se encontra em desgraça e perigo, a hora da morte está próxima. Como então poderá ainda ver a sua mulher?

Este é um exemplo de sentença desfavorável. Cf. explicação do hexagrama 47, K'un, OPRESSÃO, seis na terceira posição (Livro Primeiro).

6 — Nas Mutações se diz: "O príncipe atira num falcão sobre um muro alto. Ele o mata. Tudo é favorável".

O Mestre disse: "O falcão é o objetivo da caça. O arco e a flecha são os intrumentos e os meios. O arqueiro é o homem que deve utilizar corretamente os meios para atingir o objetivo. O homem superior contém os meios em sua própria pessoa. Ele espera o momento apropriado e então age. Por que não haveria de sair tudo bem? Ele age e é livre. Portanto, é necessário apenas que siga adiante e abata sua presa. Assim faz aquele que atua após ter preparado os meios".

Este é um exemplo de linha favorável. Cf. explicação do hexagrama 40, Hsieh, LIBERAÇÃO, seis na sexta posição (Livro Primeiro).

7 — O Mestre disse: "O homem inferior não se envergonha da falta de gentileza e não teme a injustiça. Quando ele não vê nenhuma vantagem, não toma a iniciativa. Quando não é ameaçado, não melhora. Mas quando ele é corrigido nas pequenas coisas, é forçado a ser cuidadoso nas questões de maior vulto. Isso é um bem para o homem inferior". Eis o que o Livro das Mutações quer transmitir quando afirma: "Seus pés estão presos no cepo, de modo que os dedos desaparecem. Nenhuma culpa".

Aqui se tem um exemplo de uma linha que conduz ao bem através do arrependimento. Cf. explicação do hexagrama 21, Shih Ho, O MORDER, nove na primeira posição (Livro Primeiro).

8 — Se o bem não se acumula, não será suficiente para tornar um homem famoso. Se o mal não se acumula, não será suficiente para destruí-lo. O homem inferior julga, então, que o bem nas pequenas coisas não tem valor e por isso o negligencia. Ele julga que os males menores não o prejudicam e por isso não os evita. Assim acumulam-se as suas faltas até que já não se podem ocultar e sua culpa torna-se tão grande que já não pode ser expiada. No Livro das Mutações se diz: "O pescoço preso à canga de madeira, de modo que as orelhas desaparecem. Infortúnio".

Este é o exemplo de uma linha que mostra como o infortúnio se segue à humilhação. Cf. explicação do hexagrama 21, Shih Ho, O MORDER, nove na sexta posição (Livro Primeiro).

9 — O Mestre disse: "O perigo surge quando o homem sente-se seguro em sua posição. A ruína ameaça quando o homem procura preservar sua situação. A confusão aparece quando o homem põe tudo em ordem. Portanto, o homem superior não esquece o perigo quando está em segurança, não esquece a ruína quando está bem estabelecido, nem esquece a confusão

quando seus negócios estão em ordem. Deste modo ele assegura sua segurança pessoal e protege o reino". No Livro das Mutações se diz: "E se fracassasse, e se fracassasse? Deste modo ele a amarra a um feixe de brotos de amoreira".

Este é o exemplo de uma linha que mostra como se permanece sem culpa e assim se alcança o sucesso. Cf. explicação do hexagrama 12, P'i, ESTAGNAÇÃO, nove na quinta posição (Livro Primeiro).

10 — O Mestre disse: "Caráter fraco numa posição de destaque, pouco saber com grandes planos, força diminuta aliada a grande responsabilidade, raramente escaparão ao infortúnio". No Livro das Mutações se diz: "O Ting com as pernas quebradas. A refeição do príncipe é derramada, e nódoas recaem sobre sua pessoa. Infortúnio". Isso se refere a um homem que não está à altura de sua tarefa.

Este é um exemplo de uma linha que mostra que por não estar à altura da situação o homem encontra o infortúnio. Cf. explicação do hexagrama 50, O CALDEIRÃO, nove na quarta posição (Livro Primeiro).

11 — O Mestre disse: "Conhecer as sementes é sem dúvida uma faculdade divina. Em sua relação com seus dirigentes o homem superior não é um adulador. Na relação com seus subalternos não é arrogante, pois conhece as sementes. As sementes são os primórdios ainda imperceptíveis do movimento, o primeiro sinal de boa fortuna (ou de infortúnio). O homem superior percebe as sementes e age imediatamente. Ele não espera um dia inteiro". No Livro das Mutações se diz: "Firme como uma rocha. Nem um dia inteiro. A perseverança traz boa fortuna".
"Firme como uma rocha.
Para que um dia inteiro?
Pode-se saber o julgamento.
O homem superior conhece o oculto e o manifesto, conhece a fraqueza e também a força:
por isso as multidões erguem o olhar para ele."

Este é o exemplo de uma linha que mostra como se pode evitar o infortúnio graças a uma antevisão. Cf. explicação do seis na segunda posição do hexagrama 16, Yü, ENTUSIASMO (Livro Primeiro).

12 — O Mestre disse: Yen Hui, eis alguém que, sem dúvida, o alcançará. Se ele tem uma falta, jamais deixa de reconhecê-la. Quando a reconheceu, nunca comete o erro uma segunda vez. No Livro das Mutações se diz: "Retorno de uma curta distância. Não é necessário remorso. Grande boa fortuna!".

Este é o exemplo de uma linha que mostra como se pode aprender com a experiência. Yen Hui era o discípulo predileto de Confúcio. Dele se diz nos Analectos que nunca repetiu um erro. Cf. explicação do hexagrama 24, Fu, RETORNO, nove na primeira posição (Livro Terceiro).

13 — O Mestre disse: "O céu e a terra entram em contato e todas as coisas se definem e tomam forma. O masculino e o feminino intercambiam suas sementes, e todos os seres tomam forma e nascem". No Livro das Mutações se diz: "Quando três pessoas viajam juntas, esse número diminui em um. Quando uma pessoa viaja só, encontra um companheiro".

Este é o exemplo de uma linha que é favorável em virtude da unidade. Cf. explicação do hexagrama 41, Sun, DIMINUIÇÃO, seis na terceira posição (Livro Terceiro).

14 — O Mestre disse: "O homem superior tranqüiliza sua própria pessoa antes de se pôr em movimento; concentra-se interiormente antes de falar; consolida seus relacionamentos antes de solicitar alguma coisa. Atendendo a esses três requisitos, o homem superior se coloca em plena segurança. Mas, quando um homem é brusco em seus movimentos, os outros não cooperam. Se é agitado em suas palavras, não desperta ressonância nos outros. Quando solicita um favor sem ter antes estabelecido vínculos, não será atendido. Quando ninguém permanece a seu lado, aqueles que podem lhe causar danos se aproximam". No Livro das Mutações se diz: "Ele não traz aumento a ninguém. Na verdade alguém vem a golpeá-lo. Ele não mantém seu coração constantemente firme. Infortúnio".

Este é o exemplo de uma linha que mostra como tudo depende da preparação adequada. Cf. explicação do nove na sexta posição do hexagrama 42, I, AUMENTO (Livro Primeiro).

CAPÍTULO VI

Sobre a natureza do Livro das Mutações em geral

1 — O Mestre disse: O Criativo e o Receptivo são realmente o portal para as Mutações. O Criativo é o representante das coisas luminosas; o Receptivo, das obscuras. Ao unirem suas naturezas, o obscuro e o luminoso dão forma ao firme e ao maleável. Assim os relacionamentos do céu e da terra tomam forma e o homem se põe em contato com a natureza dos deuses luminosos.

De acordo com o que havia sido dito na Primeira Parte, seção 3, capítulo XII, aqui é exposto o método do Livro das Mutações. Os dois primeiros trigramas, o Criativo e o Receptivo, são apresentados como representantes das duas polaridades primordiais. O objetivo do texto é explicar que a matéria é produto da energia. O luminoso e o obscuro são energias. Da interação dessas forças nasce a matéria, isto é, o firme e o maleável. A matéria constitui a forma, a vida de todos os seres no céu e na terra, mas é sempre a energia que a mantém em movimento. O importante é manter a ligação com essas divinas forças de luz.

2 — Múltiplos são os nomes empregados, mas não são supérfluos. Se examinamos suas naturezas, nos vêm ao espírito pensamentos relativos ao declínio de uma era.

Os nomes dos sessenta e quatro hexagramas são diversos, mas todos se mantêm na esfera do necessário. Aqui se descrevem situações de fato, semelhantes àquelas que a vida apresenta. De um modo geral, a natureza dessas situações é tal que se evidencia a referência a uma era de decadência, e o objetivo é fornecer os meios para a reconstrução. É também ressaltado que o conjunto de idéias presente nos hexagramas provém de uma época que já estava às voltas com os fenômenos do ciclo do declínio.

3 — O Livro das Mutações esclarece o passado e explica o futuro. Desvela o que está escondido e abre o que é obscuro. Distingue as coisas por meio de nomes adequados. Quando então se acrescentam as palavras corretas e os julgamentos decisivos, tudo se completa.

A formulação do texto dessa seção, aliás como em todo esse capítulo, parece um tanto insegura. Entretanto, o sentido geral pode ser facilmente compreendido. Aqui outra vez são ressaltadas várias conotações do Livro das Mutações: as coisas escondidas são reveladas no tempo e no espaço, primeiro simbolicamente, através dos nomes e das referências, e, em seguida, de modo explícito, através dos julgamentos.

4 — Os nomes empregados parecem sem importância, mas grandes são suas possibilidades de aplicação. Seus significados são abrangentes; seus julgamentos, bem ordenados. As palavras são indiretas, mas atingem o objetivo. As coisas são abertamente expostas, mas contêm também um segredo mais profundo. É por isso que, em casos em que há dúvida, elas podem servir para orientar a conduta dos homens, mostrando o que decorre de se atingir ou perder a meta.

O conteúdo abstrato e alegórico dos hexagramas é aqui indicado. Os hexagramas permitem uma extensão geral a toda sorte de situações, pois apresentam apenas as leis concernentes a diferentes complexos de condições.

CAPÍTULO VII

A relação de certos hexagramas com a formação do caráter

1 — A difusão das Mutações se deu no período da antiguidade média. Aqueles que compuseram as Mutações tiveram muitas preocupações e sofrimentos.

Esta passagem refere-se ao rei Wên e seu filho, o Duque de Chou, pois ambos viveram períodos difíceis. O autor destas linhas sente-se ligado a eles nisso. Também ele nada mais pôde fazer do que preservar para a posteridade o esquema de organização de uma cultura agonizante.

2 — Assim o hexagrama A CONDUTA mostra o fundamento do caráter; o hexagrama MODÉSTIA mostra a utilização do ca-

ráter; o hexagrama RETORNO, o cerne do caráter. O hexagrama DURAÇÃO promove a firmeza do caráter; o hexagrama DIMINUIÇÃO, o cultivo do caráter; o hexagrama AUMENTO, a plenitude do caráter; o hexagrama OPRESSÃO, o teste do caráter; o hexagrama O POÇO, o solo do caráter; o hexagrama SUAVIDADE, o exercício do caráter.

3 — O hexagrama A CONDUTA é harmonioso e atinge seu objetivo. MODÉSTIA concede a honra e brilha. RETORNO é pequeno e, entretanto, distinto das coisas externas. DURAÇÃO mostra experiências diversas sem saciedade. DIMINUIÇÃO mostra primeiro o difícil e depois o fácil. AUMENTO mostra o crescimento da plenitude sem artifícios. OPRESSÃO conduz à perplexidade e, através dela, ao sucesso. O POÇO permanece em seu lugar e mesmo assim tem influência sobre as outras coisas. A SUAVIDADE permite avaliar as coisas, e permanecer oculto.

4 — A CONDUTA promove a conduta harmoniosa. MODÉSTIA serve para regular os costumes. RETORNO conduz ao autoconhecimento. DURAÇÃO promove a unidade de caráter. DIMINUIÇÃO mantém distante o que é nocivo. AUMENTO favorece aquilo que é útil. Através da OPRESSÃO se aprende a arrefecer seus rancores. O POÇO promove o discernimento quanto ao que é correto. Através da SUAVIDADE se pode levar em consideração circunstâncias excepcionais.

Nove hexagramas são utilizados aqui para representar o desenvolvimento do caráter. Primeiro se apresentam as relações dos hexagramas com o caráter, depois a matéria desses hexagramas e, por fim, seus efeitos. O movimento se realiza do interior para o exterior. Aquilo que se elabora no mais íntimo do coração torna-se visível no plano externo através de seus efeitos. Os nove hexagramas são:

1. Lü, A CONDUTA (10). Este hexagrama trata das regras da boa conduta; a sua prática é um pré-requisito para a formação do caráter. Essa boa conduta é harmoniosa — de acordo com o trigrama Tui, Alegria, que se encontra no interior — e assim atinge seu objetivo, mesmo quando em circunstâncias difíceis ("pisando sobre a cauda do tigre"). Assim ele promove essas formas harmoniosas que são o pré-requisito do comportamento externo.

2. Ch'ien, MODÉSTIA (15). Este hexagrama mostra a atitude necessária para que se possa empreender a formação do caráter. A MODÉSTIA (a montanha sob a terra) honra aos outros, e com isso é ela própria honrada. Ela regula de tal modo o relacionamento humano que a amizade vem a despertar a amizade. Ela acrescenta às formas externas o conteúdo do posicionamento correto.

3. Fu, RETORNO (24). Este hexagrama se caracteriza pelo fato de uma linha luminosa retornar, abaixo, e mover-se ascendendo. Significa a raiz e o cerne do caráter. O bem que surge abaixo é, a princípio, ainda um tanto insignificante, porém já forte o suficiente para, em seu caráter próprio, prevalecer, de maneira constante, sobre todas as tentações que estejam ao seu redor. No sentido de retorno, o hexagrama também sugere reformas duradouras em seguida aos erros cometidos, como também o auto-exame e o autoconhecimento que são para isso necessários.

4. Hêng, DURAÇÃO (32). Este hexagrama desperta a firmeza de caráter ao longo do tempo. Mostra o vento e o trovão constantemente unidos; portanto, há múltiplos movimentos e experiências dos quais derivam regras firmes e como resultado se chega a uma unificação do caráter.

5. Sun, DIMINUIÇÃO (41). Este hexagrama mostra uma diminuição na influência das faculdades inferiores, os instintos não dominados, em favor de uma vida superior, espiritual. Aqui se tem o verdadeiro cultivo do caráter. O hexagrama mostra primeiro o período difícil — o do domínio dos instintos — e, em seguida, a fase fácil, quando o caráter foi controlado; com isso os malefícios são afastados.

6. I, AUMENTO (42). Este hexagrama dá ao caráter a plenitude necessária. A simples ascese não é suficiente para formar um bom caráter; a grandeza também é necessária. O AUMENTO mostra um crescimento orgânico da personalidade, e que, não sendo artificial, favorece o que é útil.

7. K'un, OPRESSÃO (47). Este hexagrama conduz o caráter agora cultivado ao campo onde será posto à prova. Surgem dificuldades e obstáculos que precisam ser ultrapassados, mas que muitas vezes mostram-se insuperáveis. Aqui o homem se vê diante de limitações que não pode descartar e que só serão superadas quando forem aceitas. Reconhecendo o que deve ser aceito como destino, o homem deixa de odiar a adversidade. Pois de que lhe serviria arremeter contra o destino? Através desse arrefecimento do rancor o caráter é purificado, e eleva-se a um nível superior.

8. Ching, O POÇO (48). Este hexagrama representa a fonte que alimenta um poço; apesar de fixa num lugar, propicia bênçãos a uma ampla área ao seu redor e sua influência tem um longo alcance. Isso mostra o campo sobre o qual o caráter pode exercer sua ação. O hexagrama indica a influência profunda que emana de uma personalidade rica e generosa; essa influência não é diminuída pelo fato de aquele que a exerce manter-se num recolhimento. O hexagrama mostra o que é correto e assim possibilita sua realização.

9. Sun, A SUAVIDADE, O PENETRANTE (57). Este hexagrama concede a adequada flexibilidade ao caráter. O que se requer não é a rigidez que se aferra a princípios estabelecidos e que na verdade não é senão um mero pedantismo. É a mobilidade, isto sim, que é necessária. Com ela se poderá avaliar as coisas e perceber as necessidades do momento. Com isso, o homem aprende a levar em consideração as circunstâncias e a preservar tanto uma forte unidade de caráter quanto uma inteligente versatilidade.

CAPÍTULO VIII

Sobre o uso do Livro das Mutações

As Linhas

Da qual o homem não deve se manter distante.
Seu Tao está em perpétua mutação —
Modificação, movimento sem descanso
Fluindo através de seis posições vazias;
Subindo e descendo sem cessar.
O firme e o maleável mudam.
Não se pode contê-los numa regra;
Aqui só a mudança atua.

2 — Eles [52] entram e saem[53] de acordo com ritmos fixos. No interior ou no exterior, ensinam a cautela.

3 — Mostram também a preocupação e a pena, e suas causas. Se não tens um mestre, aproxima-te delas[54] como de teus pais.

4 — Toma primeiro as palavras,
Medita sobre seu significado.
Então, regras fixas se revelarão.
Mas se não és o homem certo,
O sentido não te será revelado.

Numa prosa um tanto rítmica e rimada, exorta-se aqui ao estudo assíduo do Livro das Mutações. O texto enfatiza usando termos elogiosos que a mudança contínua é a regra do livro. Concluindo, chama-se a atenção para o fato de que uma capacidade interior é essencial para a compreensão do livro, sem o que ele permanecerá fechado a sete chaves: se aquele que consulta o oráculo não está em contato com o Tao, não recebe uma resposta inteligível, uma vez que esta não seria de nenhuma valia.

CAPÍTULO IX

As Linhas (continuação)

1 — As Mutações são um livro no qual os hexagramas começam na primeira linha e são resumidos na última. As linhas constituem o material propriamente dito. As seis linhas são intercaladas de acordo com o significado que lhes corresponde no momento dado.

Aqui se discute a relação das linhas com o hexagrama como um todo. Os hexagramas são construídos de baixo para cima, com as linhas como material. Dentro deste contexto as linhas individuais têm o significado que lhes é atribuído por força de cada específica situação.

2 — A linha na primeira posição é difícil de compreender. A linha na última posição é fácil de compreender. Pois elas se encontram numa relação de causa e efeito. O julgamento a respeito da primeira linha pondera; na última tudo já chegou à conclusão.

Aqui, para começar se apresenta a relação de reciprocidade existente entre a linha na primeira posição e a da sexta posição. Ambas estão situadas de certa forma fora do hexagrama propriamente dito, e dos trigramas nucleares. Na primeira posição a ação está apenas começando a se desenvolver; na última ela se conclui.

3 — Mas quando se quer explorar as coisas em suas múltiplas gradações, assim como em suas intrínsecas qualidades, para distinguir o correto do incorreto, é preciso considerar as linhas

---

[52] O firme e o maleável. *(Nota da tradução brasileira.)*
[53] Das posições. *(Idem.)*
[54] As Mutações. *(Idem.)*

centrais, pois sem elas não se pode realizar, de forma completa, nada disso.

As múltiplas gradações das coisas resultam das múltiplas gradações das posições que elas ocupam. A qualidade inerente às coisas é seu caráter firme ou maleável. O correto e o incorreto se distinguem na medida em que as linhas ocupam ou não a posição que lhes é adequada face ao significado do momento.

> 4 — Sim, mesmo o que há de mais importante em relação à sobrevivência ou ao perecer, em relação à boa fortuna ou ao infortúnio, pode ser conhecido no decorrer do tempo. O sábio contempla o julgamento sobre a decisão, e pode assim chegar por si mesmo à maior parte da conclusão.

No Comentário sobre a Decisão os dirigentes dos hexagramas são sempre indicados. Refletindo sobre as relações existentes entre as demais linhas e estes dirigentes do hexagrama, se pode ter uma idéia aproximada de sua posição e significado no hexagrama como um todo.

> 5 — A segunda e quarta linhas são correspondentes em seu trabalho, mas se diferenciam por suas posições. Elas não coincidem em relação ao bem. A segunda é, em geral, elogiada, e a quarta usualmente traz uma advertência, por encontrar-se na proximidade do governante. O significado do maleável é de que não é favorável para ele estar afastado. Porém, o principal é permanecer sem culpa; sua expressão consiste em ser maleável e central.

A quinta posição é a do governante. A segunda e a quarta são as posições do funcionário. A segunda posição, que está em relação de correspondência com a quinta (ambas são posições centrais nos trigramas interno e externo, respectivamente), é o funcionário que cumpre sua tarefa longe da corte. A quarta posição é a do ministro. Por isso, as duas posições, ambas obscuras — ou seja, dependentes —, apesar de se corresponderem no que se refere ao trabalho, não são igualmente boas. A segunda, em geral, traz um julgamento favorável, a quarta encerra quase sempre uma advertência: por estar muito próxima ao príncipe, precisa duplicar sua cautela. Pois bem, não é próprio à natureza do maleável prosperar quando se encontra distante do firme; se esperaria, então, que a segunda posição fosse menos favorável que a quarta. No entanto, é preciso se considerar a importância do fato de sua posição ser central e por isso permanecer ela sem culpa.

> 6 — A terceira e a quinta posições se correspondem em seu trabalho, mas se diferenciam por suas posições. A terceira linha em geral tem infortúnio e a quinta usualmente tem mérito, pois estão escalonadas de acordo com a hierarquia. A mais fraca corre perigo, a mais forte é vitoriosa.

A quinta posição é a do governante. A terceira, como posição superior do trigrama interno, tem pelo menos um poder limitado. Mas ela não é central; ocupa uma posição insegura, na fronteira entre dois trigramas. Isso encerra um elemento de fraqueza, como também o nível inferior em que essa linha se encontra dentro da hierarquia do hexagrama. Esses dois fatores fazem com que, na maioria das vezes, a terceira linha esteja em perigo. A quinta linha, diretriz do hexagrama[55], encontra-se numa posição forte. Estes são todos elementos de força e prometem vitória.

CAPÍTULO X

As Linhas (continuação)

1 — As Mutações são um livro vasto e grande, no qual todas as coisas estão contidas de modo completo. Nele encontra-se o Tao do céu, o Tao da terra e o Tao do homem. Ele combina esses três poderes fundamentais e os duplica; por isso há seis linhas. As seis linhas nada mais são que os caminhos (Tao) dos três poderes fundamentais.

2 — O Caminho[56] possui mudanças e movimentos. Por isso, as linhas se chamam móveis.[57] Essas linhas têm gradações, por isso representam as coisas. As coisas são múltiplas e isso gera as características das linhas. Essas características das linhas nem sempre são correspondentes,[58] e assim surge a boa fortuna e o infortúnio.

As posições estão divididas, aqui, segundo os três poderes fundamentais. A primeira e a segunda linhas são as posições da terra, a terceira e quarta são as do homem, a quinta e a sexta posições são as do céu. Esta divisão é sustentada já desde o primeiro hexagrama, O CRIATIVO. De acordo com a adequação ou não das linhas aos diferentes níveis, se conclui seu significado de boa fortuna ou de infortúnio. O ideograma chinês para "linha" numa grafia diversa pode também significar "imitar". Por isso as linhas aqui são chamadas "móveis", isto é, orientadas no sentido do Tao. O ideograma de Hsiao consiste de dois pares de linhas cruzadas (✕), sugerindo o cruzar do yang e do yin.

CAPÍTULO XI

O valor da cautela como ensinamento do Livro das Mutações

As Mutações surgiram na época em que a casa Yin chegava a seu término, e o modelo da casa Chou estava em ascensão, ou seja, a época em que se confrontavam o Rei Wên e o tirano Chou Hsin. Por isso os julgamentos do livro tantas vezes advertem contra o perigo. Aquele que está consciente do perigo

---

[55] Em princípio, a quinta posição seria diretriz dos hexagramas. De fato, nem sempre isso ocorre, pois a distribuição dos fatores Yang e Yin dos ocupantes cria muitas vezes pressões excepcionais dentro do hexagrama, provocando um "deslocamento" da função de direção. *(Nota da tradução brasileira).*

[56] "Caminho" é um dos significados do termo Tao. *(Idem.)*

[57] Sobre a questão da mobilidade das linhas, v. apêndice sobre o uso oracular. *(Idem.)*

[58] Isto é, correspondentes ao significado do momento que o hexagrama como um todo expressa. *(Idem.)*

procura criar sua própria paz; aquele que o encara despreocupadamente causa sua própria queda. Grande é o Tao deste livro; não omite nenhuma das cem coisas. Preocupa-se com o começo e o fim e está contido nas palavras "sem culpa". Este é o Tao das Mutações.

O Rei Wen,[59] fundador da dinastia Chou, foi feito prisioneiro pelo último governante da dinastia Yin, o tirano Chou Hsin. Rei Wên teria composto os Julgamentos correspondentes aos diferentes hexagramas durante o período em que esteve no cativeiro. Em virtude do perigo da situação em que se encontrava, todos os julgamentos têm como ponto de partida uma cautela que procura permanecer livre de culpa, atingindo, assim, o sucesso.

CAPÍTULO XII

Síntese

1 — O Criativo é o que há de mais forte no mundo. A expressão de sua natureza é invariavelmente o fácil,[60] para poder assim dominar o que é perigoso. O Receptivo é o que há de mais abnegado no mundo. A expressão de sua natureza é invariavelmente o simples,[60] para poder assim dominar os obstáculos.

Os dois princípios centrais no Livro das Mutações, o Criativo e o Receptivo, são aqui mais uma vez apresentados em seus traços principais. O Criativo é representado pela força, para a qual tudo é fácil, mas que, no entanto, permanece consciente do perigo inerente à ação que, partindo de um âmbito mais elevado, dirige-se a uma esfera mais baixa; assim ele triunfa sobre esse perigo. O Receptivo é representado como o abnegado, que por isso age com toda simplicidade, mas que permanece consciente dos obstáculos inerentes a uma ação que parte de uma esfera mais baixa e se dirige ao alto; assim ele triunfa sobre esses obstáculos.

2 — Poder conservar uma tranqüila alegria no coração, e ainda assim estar apreensivo em pensamento: desse modo se pode determinar a boa fortuna ou o infortúnio na terra e concluir[61] tudo o que é difícil sobre a terra.

Junto à expressão "apreensivo em pensamento" há ainda no texto dois outros ideogramas que Chu Hsi acertadamente eliminou por considerá-los acréscimos posteriores. A tranqüila alegria no coração é própria ao Criativo. Estar apreensivo em pensamento é próprio ao Receptivo. Através da alegria tranqüila se chega a uma visão geral da boa fortuna e do infortúnio. Através da apreensão se chega à possibilidade de realizar a conclusão.[61]

3 — Portanto: as mudanças e as transformações referem-se à ação. As ações benéficas têm bons presságios. As imagens nos auxiliam a conhecer as coisas e o oráculo nos ajuda a conhecer o futuro.

[59] Wên não chegou a ser rei propriamente. O título lhe foi atribuído pelo filho, Duque de Chou, como homenagem póstuma. *(Nota da tradução brasileira.)*

[60] Sobre a relação entre as noções de "fácil e simples" e o conceito de mutação, v. nosso prefácio. *(Idem.)*

[61] Sobre a noção de "conclusão", v. nota 75 (hexagrama 63, Livro Primeiro). *(Idem.)*

As mudanças referem-se às ações. Por isso as imagens do Livro das Mutações são de tal ordem que possibilitam ao homem agir de acordo com as mutações e conhecer a realidade. (Cf. também o cap. II sobre a história da civilização, no qual se reporta as invenções às imagens.) Os acontecimentos se dirigem à boa fortuna e ao infortúnio, os quais estão expressos nos presságios. Na medida em que o Livro das Mutações interpreta esses presságios, o futuro se esclarece.

> 4 — O céu e a terra determinam as posições. Os santos e sábios preenchem as possibilidades das posições. Através dos pensamentos dos homens e dos pensamentos dos espíritos o povo se torna capaz de participar dessas possibilidades.

O céu e a terra determinam as posições, e conseqüentemente as possibilidades. Os santos realizam essas possibilidades, e através da cooperação entre os pensamentos dos espíritos e os pensamentos dos homens, no Livro das Mutações, torna-se possível estender as bênçãos da cultura também ao povo.

> 5 — Os oito trigramas mostram o caminho através de suas imagens: as palavras que acompanham as linhas e as decisões falam segundo as circunstâncias. Na medida em que o firme e o maleável estão intercalados, pode-se discernir a boa fortuna e o infortúnio.

> 6 — Mudanças e movimentos são julgados de acordo com a favorabilidade que propiciam. A boa fortuna e o infortúnio modificam-se de acordo com as condições. Por isso, o amor e o ódio se combatem um ao outro e disso resulta a boa fortuna ou o infortúnio. O distante e o próximo causam danos um ao outro e disso resulta o arrependimento e a humilhação. O verdadeiro e o falso influenciam um ao outro e disso resulta a utilidade ou o prejuízo. Em todas as situações do Livro das Mutações as coisas ocorrem assim: quando os elementos estreitamente relacionados não se harmonizam, a conseqüência é o infortúnio. Isso gera danos, remorso e humilhação.

O estreito relacionamento entre as linhas são as relações de correspondência e solidariedade[62]. De acordo com a atração ou repulsão existente entre as linhas resulta a boa fortuna ou o infortúnio em todos os diferentes níveis.

> 7 — As palavras daquele que planeja a revolta são confusas.[63] As palavras daquele que abriga dúvidas no íntimo de seu coração são dúbias. As palavras dos homens de boa fortuna são

---

[62] Essas relações são estudadas no capítulo seguinte, "A Estrutura dos Hexagramas", na seção 6. *(Nota da tradução brasileira.)*

[63] O termo "beschämt" usado aqui por Wilhelm também poderia significar "vergonhosas", pelo que optou à tradução argentina. Porém, o texto dessa seção está procurando ressaltar as características das palavras usadas pelos diferentes tipos de indivíduos mais que tecendo juízos críticos sobre os mesmos. Vergonhosas, inclusive, seriam não só as palavras daquele que planeja a revolta como também dos caluniadores que a seguir serão citados. Considerando-se ainda a influência da escola confucionista sobre o texto das Dez Asas e recordando-se a tese de Confúcio de que a harmonia supõe a precisão dos termos, há que se concluir pelo sentido de palavras "confusas" e não "vergonhosas". *(Idem.)*

poucas. Homens agitados usam muitas palavras. Os caluniadores dos homens de bem são tortuosos em suas palavras. As palavras daquele que perdeu seu ponto de vista são distorcidas.

Aqui se faz um resumo dos efeitos dos estados de ânimo sobre a expressão verbal. Fica claro que os autores do Livro das Mutações, que fazem um uso tão econômico das palavras, pertencem à categoria dos homens de boa fortuna.

A ESTRUTURA DOS HEXAGRAMAS

1. Considerações Gerais

O material apresentado até agora fornece a maior parte dos elementos necessários para a compreensão dos hexagramas. Aqui, porém, se expõe uma visão geral de suas estruturas. Isso possibilitará ao leitor perceber por que os hexagramas encerram precisamente o significado que lhes é atribuído, por que as linhas vêm acompanhadas de textos muitas vezes aparentemente fantásticos que expressam por meio de uma alegoria qual a posição que essa linha ocupa na situação global do hexagrama e, portanto, até que ponto ela significa boa fortuna ou infortúnio.

Essa infra-estrutura de exegese foi bastante desenvolvida pelos comentaristas chineses. Sobretudo desde o período Han quando a magia secreta dos "cinco estados de mutação" veio a se associar ao Livro das Mutações, essa obra foi cada vez mais sendo envolvida por mistério e finalmente por mais e mais charlatanice. Foi isso que deu ao livro sua reputação de profundidade e hermetismo. Julgando que se pode poupar o leitor de todos esses acréscimos, reproduzimos apenas aquilo que o próprio texto e os mais antigos comentários demonstram ser relevantes.

É evidente que numa obra como o Livro das Mutações sempre há um resíduo não-racional. Por que, num caso particular, se enfatiza um determinado aspecto e não outro, que seria igualmente possível, é uma questão tão inexplicável quanto o fato de bois terem chifres em vez de dentes incisivos superiores como os cavalos. Só é possível provar as inter-relações a partir dos limites estabelecidos por sua postulação; prosseguindo com a analogia, isso seria o mesmo que explicar até que ponto existe uma conexão orgânica entre o crescimento dos chifres e a ausência de dentes incisivos superiores.

2. Os Oito Trigramas e suas Aplicações

Como já foi ressaltado, deve-se sempre considerar os hexagramas como compostos de dois trigramas, e não de uma simples série de linhas individuais. Na interpretação dos hexagramas deve-se considerar os trigramas de acordo com os diversos aspectos que lhes são próprios: primeiro, de acordo com seus atributos; depois, de acordo com suas imagens; e, finalmente, segundo a posição que ocupam no contexto familiar (para isso leva-se em consideração apenas a Seqüência do Céu Posterior).

Ch'ien	o Criativo	é forte	céu	o pai
K'un	o Receptivo	é dedicado	terra	a mãe
Chên	o Incitar	é movimento	trovão, madeira	o filho mais velho
K'an	o Abismal	é perigo	água, nuvens	o filho do meio
Kên	a Quietude	é imobilidade	montanha	o filho mais moço
Sun	a Suavidade	é penetração	vento, madeira	a filha mais velha
Li	o Aderir	é luminoso ou condicionado	sol, fogo, relâmpago	a filha do meio
Tui	a Alegria	é jovialidade	lago	a filha mais moça

Esses significados gerais, principalmente quando se trata da interpretação das diferentes linhas, devem ser complementados pelo conjunto de símbolos e atributos, que à primeira vista parecem supérfluos, apresentados na "Discussão dos Trigramas" (cap. III).

É necessário também levar em consideração a posição dos trigramas um em relação ao outro. O trigrama inferior está abaixo, no interior, atrás. O trigrama superior está acima, no exterior, adiante. As linhas enfatizadas no trigrama superior são sempre caracterizadas como "indo"; aquelas que são enfatizadas no trigrama inferior, como "vindo".

A partir dessas caracterizações dos trigramas, já utilizadas no Comentário sobre a Decisão, foi construído mais tarde um sistema de transformação dos hexagramas uns nos outros, que ocasionou várias confusões. Como não é de maneira alguma indispensável para a explicação, esse sistema foi aqui por completo deixado de lado. Do mesmo modo também não se fez qualquer uso dos hexagramas "ocultos", isto é, a idéia de que, como base de cada hexagrama, encontra-se, no interior, oculto, seu oposto (por exemplo, no interior do hexagrama Ch'ien estaria contido K'un; no interior do hexagrama Chên estaria contido Sun, etc.).

Mas é absolutamente necessária a utilização dos chamados trigramas nucleares Hu Kua. Estes formam as quatro linhas centrais de cada hexagrama e se superpõem um ao outro, de modo que a linha média de um se encontra também situada no outro. Dois exemplos tornarão clara esta noção:

O hexagrama Li, o ADERIR (30), contém um complexo de trigramas nucleares consistindo das quatro linhas ☱☴. Os dois trigramas nucleares são: acima Tui, a Alegria (☱), e abaixo Sun, a Suavidade (☴).

O hexagrama Chung Fu, VERDADE INTERIOR (61), contém um complexo de trigramas nucleares consistindo das quatro linhas ☶☳. Os dois trigramas acima são: acima Kên, a Quietude (☶), e abaixo Chên, o Incitar (☳). A estrutura dos hexagramas revela, portanto, uma superposição, por etapas, de diferentes trigramas e suas influências:

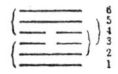

Assim, a primeira e a última linha fazem parte de um único trigrama (o trigrama básico inferior ou superior, respectivamente). A segunda e a quinta linha fazem parte, cada uma delas, de dois trigramas. A segunda linha participa do trigrama básico superior e do nuclear superior. A terceira e quarta linhas pertencem, cada uma delas, a três trigramas: ao trigrama básico superior e inferior respectivamente, e ambos os trigramas nucleares. Como resultado, a primeira e a última linha tendem, de certo modo, a se excluírem do contexto do hexagrama. Na segunda e quinta linha há um estado de equilíbrio em geral favorável, e nas duas linhas centrais há uma superposição de determinações[1] que só não perturba o equilíbrio em casos particularmente favoráveis. Essas relações coincidem de maneira exata com a avaliação das linhas nos julgamentos.

[1] Em virtude de tanto uma como outra pertencerem a ambos os trigramas nucleares. *(Nota da tradução brasileira.)*

3. O Tempo

A situação representada pelo hexagrama como um todo é chamada "o tempo". Este termo expressa diversos significados inteiramente diferentes, segundo o caráter dos diversos hexagramas. Nos hexagramas em que a situação, como um todo, refere-se a movimento, "o tempo" significa a diminuição ou o crescimento, o esvaziamento ou a plenitude produzidos por esse movimento. Os hexagramas desta espécie são, por exemplo, T'ai, PAZ (11), P'i, ESTAGNAÇÃO (12), Po, DESINTEGRAÇÃO (23), Fu, RETORNO (24).

O tempo significa também a ação, o processo que caracteriza um hexagrama, em Sung, CONFLITO (6), Shih, EXÉRCITO (7), Shih Ho, MORDER (21), e I, AS BORDAS DA BOCA (27).

O tempo representa a lei expressa através de um hexagrama, como em Lu, A CONDUTA (10), Ch'ien, MODÉSTIA (15), Hsien, INFLUÊNCIA (31), e Hêng, DURAÇÃO (32).

Finalmente, o tempo pode também significar a situação simbólica representada pelo hexagrama, como em Ching, O POÇO (48), e Ting, CALDEIRÃO (50).

Em todos os casos, o tempo de um hexagrama determina o sentido da situação como um todo, e com base nisso as diversas linhas recebem seu significado. Dependendo do tempo, uma única e mesma linha — por exemplo um seis na terceira posição — pode ser num caso favorável e, noutro, desfavorável.

4. As Posições

As diferentes posições ocupadas pelas linhas são classificadas como superiores e inferiores, de acordo com a altura em que se encontram. Em geral a linha mais baixa e a mais elevada não são levadas em consideração, enquanto que as quatro linhas centrais são ativas no interior do tempo. Entre elas, a quinta é a posição mais elevada do trigrama inferior, ocupa uma espécie de posição de transição; a segunda é o funcionário no interior do país, que mantém, no entanto, uma relação direta com o príncipe na quinta posição. Mas em certas circunstâncias, a quarta posição pode representar a esposa, e a segunda, o filho do homem representado na quinta posição. Em determinados casos, a segunda posição pode equivaler à mulher que dirige no plano interno, enquanto que a quinta posição seria o homem, cuja atividade se realizaria no plano externo. Em suma, ainda que as designações variem, as funções são sempre análogas.[2]

Do ponto de vista do tempo do hexagrama, a primeira posição e a sexta representam, em geral, o começo e o fim. Em certos casos, a primeira posição pode também equivaler a alguém que começa a agir no contexto do tempo sem ter entrado ainda no campo da ação, enquanto que a sexta linha pode significar alguém que já se retirou dos assuntos do tempo. Será, porém, o tempo expresso pelo hexagrama que determinará quais dessas posições exercerão uma atividade representativa, como, por exem-

---

[2] As funções são análogas em todos os hexagramas, pois derivam das posições. Por exemplo, qualquer que seja o hexagrama, a terceira posição sempre estará ao alto do trigrama inferior e em transição, pois nela se está realizando a passagem do trigrama básico inferior para o superior. Estas funções são constantes. As designações que são atribuídas às linhas variam, pois derivam da ocupante, que pode ser Yang ou Yin, da interação dessa linha com as características da posição que ocupa e, a partir daí, a interação do conjunto posição-ocupante com os demais conjuntos posições-ocupantes, bem como com os vários trigramas, básicos, nucleares e seus respectivos significados. *(Nota da tradução brasileira.)*

plo, a primeira posição no hexagrama Chun, DIFICULDADE INICIAL (3), no Ta Yu, GRANDES POSSES (14), ou, na última posição, no Kuan, CONTEMPLAÇÃO (20), no Ta Ch'u, O PODER DE DOMAR DO GRANDE (26), e no I, AUMENTO (42). Em todos esses casos as linhas em questão são diretrizes dos hexagramas. Por outro lado, pode também ocorrer que a quinta posição não seja diretriz, como no caso em que, segundo a situação indicada pelo hexagrama como um todo, nenhum príncipe aparece.

5. O Caráter das Linhas

O caráter das linhas é designado como firme ou maleável, como central e correto ou como não-central e incorreto. As linhas inteiras são firmes (ou rígidas) e as partidas são maleáveis (ou fracas). As linhas medianas dos dois trigramas básicos, a segunda e a quinta, são centrais, independentemente de suas outras qualidades. Uma linha é correta quando se encontra numa posição que lhe corresponde, isto é, uma linha firme ocupando a primeira, terceira ou quinta posição, ou uma linha maleável ocupando a segunda, quarta ou sexta posição. Tanto as linhas firmes como as maleáveis podem ser favoráveis ou desfavoráveis, de acordo com as exigências do tempo do hexagrama. Quando o tempo requer firmeza, as linhas firmes são favoráveis; quando o tempo exige maleabilidade, as linhas maleáveis são favoráveis. Isso é válido a um tal ponto que a correção pode nem sempre ser vantajosa. Se o tempo requer a maleabilidade, uma linha firme na terceira posição, apesar de ser em si mesma correta, é nociva, pois demonstra demasiada firmeza, enquanto que o contrário, uma linha maleável na terceira posição, pode ser favorável, por compensar a rigidez da posição com a maleabilidade de sua natureza. Na maioria dos casos, só a posição central é favorável, esteja ou não associada à correção. Em particular, um governante maleável pode estar numa posição muito favorável, especialmente quando apoiado por um funcionário forte e firme na segunda posição.

6. Relações das Linhas Entre Si
a) Correspondência

As linhas que ocupam posições análogas no trigrama[3] inferior e no trigrama superior têm, às vezes, uma relação particularmente estreita, a relação de correspondência. Essa correspondência se faz entre as seguintes posições (desde que a natureza de seus ocupantes seja diversa): a primeira linha corresponde à quarta; a segunda, à quinta; e a terceira, à sexta. Como regra geral, as linhas firmes correspondem apenas às maleáveis, e vice-versa. Entre as que se correspondem, as mais importantes são as duas linhas centrais na segunda e na quinta posição, que se encontram na relação correta de governante e funcionário, pai e filho, marido e mulher, etc. Um funcionário forte pode corresponder a um governante maleável, ou um funcionário maleável, a um governante forte. A primeira possibilidade ocorre em dezesseis hexagramas; em todos o resultado é favorável. É inteiramente favorável nos hexagramas 4, 7, 11, 14, 18, 19, 32, 34, 38, 40, 41, 46 e 50, e menos favorável, em virtude das condições do momento, nos hexagramas 26, 54 e 64. A relação de correspondência entre um funcionário fraco e um governante forte está longe de ser tão favorável. Sua ação é bastante desfavorável nos hexagramas 12, 13, 17, 20 e 31. Dificuldades surgem nos hexagramas 3, 33, 39 e 63, mas como esses problemas se devem às condições do momento, as relações elas próprias ainda podem ser consideradas corretas. Essas relações atuam favoravelmente nos hexagramas 8, 25, 37, 42, 45, 49 e 53.

---

[3] No trigrama básico inferior e superior, não nos nucleares. *(Nota da tradução brasileira.)*

Ocasionalmente pode haver uma correspondência entre a primeira e a quarta linhas. Ela é favorável quando uma linha maleável, ocupando a quarta posição, está numa relação de correspondência com uma linha inicial forte, porque isso significa que um funcionário obediente procura ajudantes fortes e capazes em nome de seu governante. (Cf. hexagramas 3, 22, 27 e 41.) Por outro lado, a correspondência entre uma quarta linha forte e uma linha inicial maleável indica uma tentação à intimidade com homens inferiores, o que deve ser evitado. (Cf. hexagramas 28, 40 e 50.) Uma relação entre a terceira e a sexta linhas raramente ocorre — quando muito consiste numa tentação —, pois o sábio de espírito elevado que renunciou ao mundo perderia sua pureza ao enredar-se com os assuntos mundanos, e um funcionário na terceira posição perderia sua lealdade se passasse adiante por cima de seu governante na quinta posição.

No caso de uma linha diretriz de um hexagrama, ocorrem correspondências que independem dessas considerações, e a boa fortuna ou o infortúnio nelas implicado é determinado pelo significado do tempo do hexagrama como um todo.

b) Solidariedade

Entre duas linhas vizinhas de natureza diferente pode ocorrer uma relação de solidariedade, que consiste por parte da linha inferior em "receber", e por parte da linha superior em "repousar sobre". Quanto à relação de solidariedade, a quarta e a quinta linhas (o ministro e o governante) são de primordial importância. Ao contrário da relação entre a segunda e a quinta linha, o mais favorável aqui é que um ministro maleável se reúna a um governante forte, pois nessa proximidade maior a reverência é muito importante. Nos dezesseis hexagramas nos quais ocorre uma tal solidariedade, ela é sempre mais ou menos auspiciosa; é muito benéfica nos hexagramas 8, 9, 20, 29, 37, 42, 48, 53, 57, 59, 60 e 61; é um tanto menos benéfica, sem ser porém desfavorável, nos hexagramas 3, 5, 39 e 63. E ao contrário, a solidariedade de uma linha forte, isto é, incorreta, na quarta posição, com um governante fraco é em geral desfavorável, como nos hexagramas 30, 32, 35, 50 e 51, e um pouco menos desfavorável nos hexagramas 14, 38, 40, 54, 56 e 62. Entretanto, seu efeito é favorável em alguns hexagramas nos quais a quarta linha forte é diretriz; isso ocorre nos hexagramas 16, 21, 34, 55 (aqui a linha é governante do trigrama superior) e 64.

Além disso, a solidariedade ocorre também entre a quinta e a sexta linha. Representa, então, um governante que se subordina a um sábio; neste caso, trata-se, em geral, de um governante modesto (a linha fraca na quinta posição) que reverencia ao sábio forte (a linha forte acima), como nos hexagramas 14, 26, 27 e 50. Isto é naturalmente muito favorável. Mas quando, ao contrário, uma linha forte ocupa a quinta posição e uma linha fraca ocupa a sexta, isto indica uma associação com elementos inferiores, sendo, portanto, indesejável, como nos hexagramas 28, 31, 43 e 58. O hexagrama 17, Sui, SEGUIR, é uma exceção a essa regra, pois o significado global do hexagrama pressupõe que o forte se situe sob o fraco.

As demais linhas, a primeira e a segunda, a segunda e a terceira, a terceira e a quarta, não se encontram numa correta relação de solidariedade. Quando essa relação ocorre, sempre significa um risco de partidarismo e deve ser evitada. Para uma linha fraca repousar sobre uma linha forte pode ser, às vezes, até mesmo um motivo de problemas.

Quando se trata de linhas que são diretrizes em seus hexagramas, a correspondência e a solidariedade são levadas em consideração, sejam quais forem as suas posições. Além dos exemplos citados acima, outros podem ainda ser mencionados. Em Yu, ENTUSIASMO (16), a quarta linha é diretriz governante; ela mantém uma relação de correspondência com a primeira linha e de solidariedade com a terceira. Em

Po, DESINTEGRAÇÃO (23), a linha superior é diretriz; a terceira lhe corresponde e a quinta lhe é solidária. As duas situações são benéficas. No hexagrama Fu, RETORNO (24), a linha inicial é diretriz; a segunda lhe é solidária, a quarta lhe é correspondente. Ambos os relacionamentos são favoráveis. Em Kuai, IRROMPER (43), a linha superior é diretriz, a terceira lhe corresponde e a quinta lhe é solidária. No hexagrama Kou, VIR AO ENCONTRO (44), a linha inicial é diretriz, a segunda lhe é solidária e a quarta lhe corresponde. Aqui a boa fortuna ou o infortúnio se determinam de acordo com a tendência indicada pelo significado do hexagrama.

7. As Linhas Diretrizes dos Hexagramas

Distinguem-se duas espécies de diretrizes: constituintes e governantes. A diretriz constituinte é a linha que confere ao hexagrama seu significado característico, não sendo levado em consideração, neste caso, se a linha indica ou não nobreza ou bondade de caráter. A linha fraca ao alto no hexagrama Kuai, IRROMPER (43), é um exemplo, pois o hexagrama é constituído a partir da idéia de se descartar de maneira decidida essa linha.

A linha governante sempre possui um caráter bom e se torna diretriz em virtude de sua posição e do sentido do tempo.[4] Em geral ocupa a quinta posição, mas ocasionalmente linhas em outras posições podem ser também diretrizes governantes.

Quando a diretriz constituinte é ao mesmo tempo governante, a linha é sem dúvida benéfica e ocupa uma posição apropriada ao tempo do hexagrama. Quando a diretriz constituinte não acumula a função de governante, isso indica sem margem de dúvida que seu caráter, assim como sua posição, não estão em acordo com as exigências do tempo.

A linha diretriz de um hexagrama pode sempre ser determinada a partir do Comentário sobre a Decisão. Quando a diretriz constituinte é também governante, o hexagrama possui um só regente; em caso contrário possui dois. Muitas vezes há duas linhas constituindo o significado do hexagrama, como por exemplo em Tun, A RETIRADA (33). As duas linhas fracas que avançam são ambas diretrizes, pois estão forçando o recuo das quatro linhas fortes. Se o hexagrama surge da interação das imagens dos dois trigramas básicos, são, então, governantes as duas linhas que caracterizam respectivamente um e outro.

A diretriz constituinte se encontra assinalada em cada hexagrama por um quadrado (□) e a diretriz governante, por um círculo (○). Quando ambas as funções coincidem, manteve-se apenas o círculo. No Livro Terceiro há uma interpretação detalhada da linha diretriz em cada hexagrama.

SOBRE A CONSULTA ORACULAR

1 – O Oráculo de Varetas de Caule de Milefólio

Consulta-se o oráculo com a ajuda de varetas de caule de milefólio.[5] Para a prática oracular são utilizadas 50 varetas. Ao iniciar a consulta, coloca-se uma vareta de lado, a qual permanece à parte das divisões que passam a se processar, até o final

---

[4] Sobre a idéia do tempo de um hexagrama, v. a seção 3 deste mesmo capítulo. *(Nota da tradução brasileira.)*

[5] Sobre o material usado para confecção das varetas, assim como suas dimensões, v. nota 18, da página 238. *(Nota da tradução brasileira.)*

da consulta. As 49 varetas restantes são repartidas em dois grupos. Tira-se uma vareta do grupo da direita, para colocá-la entre os dedos mínimo e anular da mão esquerda. Toma-se o grupo de varetas à esquerda na mão esquerda e com a mão direita se vai dividindo as varetas de 4 em 4, até que restem 4 varetas ou menos, que são, então, colocadas entre os dedos anular e médio da mão esquerda. A seguir divide-se o grupo da direita também de 4 em 4, colocando as restantes 4 ou menos entre o indicador e o dedo médio da mão esquerda. A soma das varetas que se encontram neste momento entre os dedos da mão esquerda será 9 ou 5. (As várias possibilidades são: 1 + 4 + 4 ou 1 + 3 + 1 ou 1 + 2 + 2 ou 1 + 1 + 3.) Como se pode verificar, é mais fácil obter o número 5 que o número 9.

Nessa primeira divisão das varetas, a primeira vareta que fora retirada do grupo da direita e colocada entre o dedo mínimo e o anular é desprezada como excedente, considerando-se, então: 9 = 8 e 5 = 4. O número 4 significa uma unidade completa à qual se atribui o valor numérico 3. Por outro lado, o número 8 significa uma dupla unidade à qual se atribui o valor numérico 2. Se na primeira contagem restarem 9 varetas, seu valor será 2. Se restarem 5, seu valor será 3. As varetas usadas para a obtenção desses valores são temporariamente postas de lado.

Reúnem-se, em seguida, as demais duas partes para serem outra vez repartidas.

Torna-se a retirar uma vareta do grupo da direita, colocando-a entre os dedos mínimo e anular da mão esquerda, e se procede à divisão de varetas tal como na vez anterior. Nesta segunda ocasião, a soma das restantes será 8 ou 4. As combinações possíveis são:

$$\left.\begin{array}{l}1 + 4 + 3\\ 1 + 3 + 4\end{array}\right\} = 8 \quad \text{ou} \quad \left.\begin{array}{l}1 + 1 + 2\\ 1 + 2 + 1\end{array}\right\} = 4$$

Assim sendo, agora as possibilidades de se obter 8 ou 4 são iguais. 8 vale 2 e 4 vale 3.

O mesmo procedimento das divisões anteriores é repetido uma terceira vez e se obterão outra vez 8 ou 4 varetas restantes.

Com o valor numérico das três somas das varetas restantes se forma uma linha.[6] Se a soma é 5 (= 4, valor numérico 3) + 4 (valor numérico 3) + 4 (valor numérico 3), o resultado será 9, o que equivale ao chamado Yang velho. Esta é uma linha positiva móvel, que, portanto, deve ser levada em consideração na interpretação das linhas. É indicada pelos símbolos —⊖— ou O .

---

[6] A conversão dos resultados numéricos obtidos através da divisão das varetas pode ser simplificada pela transposição direta do total de varetas restantes após cada série de três divisões pelas próprias linhas, tal como segue:

5 + 4 + 4	—o—	Linha Yang móvel (Yang velho)
9 + 8 + 8	—x—	Linha Yin móvel (Yin velho)
5 + 8 + 8 9 + 8 + 4 9 + 4 + 8	———	Linha Yang em repouso (Yang jovem)
5 + 4 + 8 5 + 8 + 4 9 + 4 + 4	— —	Linha Yin em repouso (Yin jovem)

(Nota da tradução brasileira.)

Se a soma obtida é 9 (= 8, valor numérico 2) + 8 (valor numérico 2) + 8 (valor numérico 2), o resultado será 6, o que equivale ao chamado Yin velho. Esta é uma linha negativa móvel, que, portanto, deve ser levada em consideração na interpretação das linhas. É indicada pelo símbolo —X— ou X. Se a soma é

$$\left. \begin{array}{r} 9\,(2) + 8\,(2) + 4\,(3) \\ \text{ou}\quad 5\,(3) + 8\,(2) + 8\,(2) \\ \text{ou}\quad 9\,(2) + 4\,(3) + 8\,(2) \end{array} \right\} = 7,$$

o resultado será o valor numérico 7, o que equivale ao chamado Yang jovem. Esta é uma linha positiva em repouso e, portanto, não deve ser considerada na interpretação das linhas. É representada por uma linha inteira: ──── . Se a soma é

$$\left. \begin{array}{r} 9\,(2) + 4\,(3) + 4\,(3) \\ \text{ou}\quad 5\,(3) + 4\,(3) + 8\,(2) \\ \text{ou}\quad 5\,(3) + 8\,(2) + 4\,(3) \end{array} \right\} = 8,$$

o resultado será o valor numérico 8, o que equivale ao chamado Yin jovem. Esta é uma linha negativa em repouso, que, portanto, não deve ser levada em consideração na interpretação das linhas. É representada por uma linha partida: ── ── .

Com esse processo sendo repetido seis vezes, se constrói um hexagrama em suas seis etapas. Quando se constrói uma hexagrama apenas com linhas em repouso, o oráculo leva em consideração apenas a idéia geral, tal como expressa no "Julgamento" do Rei Wên, no "Comentário sobre a Decisão" de Confúcio e no texto da Imagem.

Se no hexagrama assim obtido há uma ou mais linhas móveis deve-se levar em consideração também as palavras acrescentadas a esta (ou estas) linha pelo Duque de Chou; elas são introduzidas com a indicação "Nove na... posição")

Deste movimento, isto é, desta mutação[7] nas linhas, surge um novo hexagrama, cujo significado deve também ser considerado. Quando, por exemplo, se obtém o hexagrama 56, ☰☲ , com a quarta linha móvel, ☰⊖☲ , devem ser levados em consideração não só o texto e a Imagem referentes ao hexagrama, como um todo, mais o texto que acompanha a quarta linha, mas também o texto e a imagem referentes ao hexagrama 52 ☶☶ . O hexagrama 56 seria o ponto de partida de um desenvolvimento que conduz, através do 9 na quarta posição e do conselho que o acompanha, à situação final, que é o hexagrama 52. No segundo hexagrama o texto referente à linha móvel não é considerado.

2 — Oráculo de Moedas

Além do método de consulta oracular através das varetas de caule de milefólio, utiliza-se também um método abreviado que emprega moedas. Em geral, usam-se antigas moedas chinesas de bronze, que têm um orifício ao meio e uma inscrição gravada numa das faces. Tomam-se três moedas, que são lançadas juntas. A cada vez que são atiradas obtém-se uma linha. A face inscrita considera-se como Yin e seu valor é

---

[7] Através do movimento ou mutação de uma linha forte surge uma linha maleável, e através do de uma linha maleável surge uma linha forte.

2, enquanto que a face lisa considera-se como Yang e seu valor é 3. Disso resulta o caráter da linha. Quando as 3 moedas são todas Yang, a linha é um 9; se elas são todas Yin, a linha é um 6.

Duas linhas Yin e uma linha Yang formam um 7 e duas linhas Yang e uma linha Yin formam um 8. Para se encontrar o hexagrama no Livro das Mutações, procede-se do mesmo modo que no método de varetas.

Há ainda uma outra forma de oráculo com moedas, na qual, além dos hexagramas do I Ching, usam-se também os "cinco estados de mutação", os signos cíclicos, etc. Este método é utilizado por adivinhos chineses, porém sem recorrer ao texto dos hexagramas do I Ching. Diz-se que seria uma continuação do antigo oráculo que utilizava cascos de tartaruga e era consultado na antiguidade junto com o oráculo das varetas de caule de milefólio. Com o decorrer do tempo este método foi sendo pouco a pouco suplantado pelo I Ching, na forma mais racional que lhe foi dada por Confúcio.

Nota: O esquema para identificação dos hexagramas, bem como o índice dos mesmos e, ainda, sua distribuição nas oito casas encontram-se nas páginas 519 a 527.

LIVRO TERCEIRO
OS COMENTÁRIOS

PRIMEIRA PARTE

乾

1. CH'IEN / O CRIATIVO

Trigramas nucleares: Ch'ien e Ch'ien

O governante do hexagrama é o nove na quinta posição. O CRIATIVO designa o caminho do céu e a quinta posição é o símbolo do céu. Por outro lado, o CRIATIVO indica também o caminho do homem superior e a quinta posição, como governante, é a que lhe corresponde. O nove na quinta posição possui ainda os quatro atributos: a firmeza, a força, a moderação (posição central no trigrama superior) e a justiça (a correção, pois o elemento Yang encontra-se na posição Yang). Assim sendo, essa linha possui o caráter do céu em toda sua pureza.

Este hexagrama é atribuído ao quarto mês (maio-junho), momento de culminância do poder luminoso.

COLETÂNEA DE INDICAÇÕES[1]

O CRIATIVO é forte.

Força e firmeza formam o caráter desse hexagrama. Sua imagem é o céu repetido, isto é, duas rotações sucessivas, ou dois dias. O hexagrama é composto apenas por linhas positivas.

JULGAMENTO

O CRIATIVO promove sublime sucesso,
favorecendo[2] através da perseverança.

COMENTÁRIO SOBRE A DECISÃO

Nota: Este comentário, corretamente atribuído, sem dúvida, a Confúcio, explica tanto os nomes dos hexagramas como também as palavras que foram acrescentadas pelo Rei Wên a cada hexagrama como um todo (o Julgamento). Em ge-

---

[1] Cf. nota 8 (Introdução do Livro Segundo). *(Nota da tradução brasileira.)*
[2] As expressões "favorecer", "ser favorável", que aparecem em tantos hexagramas, têm o sentido estrito de "favorecer ou ser favorável à manifestação da natureza essencial, ou do ser mesmo de algo ou alguém". *(Idem.)*

ral o comentário esclarece em primeiro lugar o nome do hexagrama considerando seu caráter, sua imagem ou sua estrutura, de acordo com as exigências do momento. A seguir, o comentário elucida as palavras do Rei Wên, seja utilizando as fontes mencionadas, seja partindo da situação do "governante do hexagrama", seja partindo da modificação estrutural que deu origem ao hexagrama.

Omite-se a explicação dos nomes dos oito trigramas fundamentais, pois se presume que já sejam conhecidos.

No texto chinês as frases desse comentário são, na maior parte, em rima, provavelmente para facilitar a memorização. Essas rimas não foram conservadas na tradução, pois não têm relação com o significado do texto. Entretanto, é aconselhável ter presente esse detalhe, pois esclarece certas asperezas ocasionais de um estilo, que é por isso com freqüência forçado.

> Verdadeiramente grande é a sublime condição do Criativo: a ele todas as coisas devem sua origem. Esse poder permeia todo o céu[3].

O comentário aqui divide os dois pares de características mencionados no Julgamento em quatro diferentes atributos do poder do Criativo, cuja forma visível é o céu. O primeiro é o "sublime", que se constitui como causa originária de tudo o que existe, o atributo mais importante e de mais vasto alcance do Criativo. A palavra chinesa que o designa, "Yuan", significa literalmente "cabeça".

> As nuvens passam, a chuva atua, e todos os seres individuais fluem para suas formas próprias.

Aqui se explica a palavra "sucesso". O êxito da atividade criadora revela-se na irrigação, que faz com que todos os seres vivos germinem e brotem Enquanto o primeiro parágrafo trata da origem de todos os seres em geral, aqui fala-se das diferentes espécies individuais em suas formas particulares. Esses dois parágrafos exprimem as características de grandeza e sucesso tal como se manifestam na força criadora da natureza. Num sentido análogo, os atributos "sublime" e "sucesso" se expressam na forma do homem criativo, do santo e sábio que está em harmonia com a força geradora da divindade.

> É porque o homem santo possui uma visão muito clara do fim e do começo, assim como do modo com que as seis etapas se completam — cada qual no seu devido momento —, que ele as cavalga rumo ao céu como se fossem seis dragões.

O homem santo que compreende os mistérios da criação inerentes ao começo e ao fim, à vida e à morte, à dissolução e ao crescimento, e que compreende como estas polaridades opostas se condicionam mutuamente, transcende as limitações da transitoriedade. Para ele o significado do tempo consiste em possibilitar às etapas do crescimento se desdobrarem numa seqüência clara. Ele está atento a todos os momentos, e utiliza as seis etapas do crescimento como se estivesse montado em seis dragões — imagem atribuída às diferentes linhas —, nos quais sobe aos céus. Assim os atributos "sublime" e "sucesso" do Criativo manifestam-se no homem.

> O caminho do Criativo atua através da mutação e da transformação, de modo que cada coisa recebe sua natureza e destino verdadeiros, e permanece em acordo com a Grande Har-

---

[3] Esta passagem é reproduzida no comentário ao Julgamento do hexagrama 1, Livro Primeiro, porém com uma formulação um pouco diversa. O mesmo acontece com vários dos trechos que se seguem. *(Nota da tradução brasileira.)*

monia: eis o favorável e o perseverante.

Aqui se explicam os dois outros atributos, o "favorável" e o "perseverante", em relação à força criadora da natureza. O estado próprio ao Criativo não é o repouso, e sim o contínuo movimento e desenvolvimento. Através desta força todas as coisas pouco a pouco se modificam até que se transformam por completo em suas manifestações. Assim, em seu curso, as estações e todos os seres vivos se modificam e alternam. Deste modo, a cada coisa é dada a natureza que lhe corresponde e que, do ponto de vista divino, chama-se destino. Esta é a explicação do conceito "favorável". Na medida em que cada coisa encontra assim o que lhe é próprio, surge no mundo uma grande e duradoura harmonia, expressa pelo conceito da "perseverança" (duração e integridade).

> Ele se eleva acima da multidão de seres, e todas as terras se unem em paz.

Aqui se descreve a atitude criativa do homem santo, que torna possível a todos os seres alcançarem o seu lugar próprio. A paz se instaura na terra quando um tal homem ocupa a posição eminente de governante.

Essas explicações contêm um paralelismo nítido entre o Criativo na natureza e o Criativo no mundo dos homens. As afirmações sobre o Criativo na natureza baseiam-se na imagem do céu, simbolizado pelo hexagrama. O céu revela o movimento forte e incessante que por sua própria essência faz com que todas as coisas surjam no momento devido. As palavras referentes ao Criativo na humanidade se baseiam na posição do "governante do hexagrama", o nove na quinta posição. "O dragão voando nos céus" é a imagem do caráter sublime e do sucesso do governante sagrado. A posição eminente ocupada pelo homem santo, graças à qual o mundo alcança a paz, tem seu fundamento na frase: "É favorável ver o grande homem".

COMENTÁRIO SOBRE AS IMAGENS[4]

Nota: Este comentário parte da combinação dos dois trigramas e dela infere a situação retratada pelo hexagrama como um todo. A seguir, baseando-se nos atributos dos dois trigramas, aconselha a conduta correta no contexto do hexagrama.

IMAGEM

> O movimento do céu é poderoso.
> Assim o homem superior torna-se forte e incansável.

A repetição do trigrama Ch'ien, "O Criativo", sugere a imagem de um movimento poderoso e continuamente repetido. Indica também que a força aqui é obtida do próprio interior, e que as ações seguem-se umas às outras sem cessar.

---

[4] Hsiang Chuang: Terceira e Quarta Asas. O trecho desse texto conhecido como "As Grandes Imagens" já foi apresentado no Livro Primeiro sob o título "Imagem". A parte restante (As Pequenas Imagens), que trata do julgamento das linhas, aparece aqui com a indicação *b)*, enquanto que o próprio texto do julgamento das linhas, que fora também já apresentado no Livro Primeiro, é repetido aqui com a indicação *a)*. *(Nota da tradução brasileira.)*

LINHAS

Nove na primeira posição:
a) "Dragão oculto. Não atue."
b) "Dragão oculto. Não atue."
Pois o poder luminoso encontra-se ainda abaixo.

A posição inferior ainda está completamente embaixo da terra, por isso a idéia de algo oculto. Mas como a linha é inteira, a imagem escolhida é a do dragão, o símbolo da força luminosa.

Nove na segunda posição:
a) "Dragão aparecendo no campo."
É favorável procurar o grande homem.
b) "Dragão aparecendo no campo."
O caráter já exerce uma influência de grande alcance.

A segunda posição representa a superfície da terra, por isso a idéia do campo. O aparecimento no campo e o fato de procurar o grande homem são indicados pelo caráter influente da linha, uma vez que ela ocupa uma posição central (a segunda posição, no centro do trigrama inferior) e mantém ainda um vínculo com o governante do hexagrama através da posição que ocupa e da afinidade de suas essências.

Nove na terceira posição:
a) "O homem superior permanece criativamente ativo o dia todo."
Preocupações ainda o envolvem ao anoitecer.
Perigo. Nenhuma culpa.
b) "O homem superior é criativamente ativo o dia todo."
Ele vai e vem pelo caminho certo.

A terceira posição é em si mesma instável, por ser a transição do trigrama inferior para o superior. Portanto, com freqüência esta linha não é precisamente favorável. Mas neste caso devido ao caráter uniforme de todas as linhas, esta transição é um mero sinal da atividade incansável que vai e vem, no caminho que conduz à verdade. "Ir e vir" significa que se está apenas começando a adquirir firmeza moral.

Nove na quarta posição:
a) "Vôo hesitante sobre as profundezas.
Nenhuma culpa."
b) "Vôo hesitante sobre as profundezas."
O progresso não implica erro algum.

Alcançou-se aqui o limite máximo da esfera dos homens no hexagrama. Já não é mais possível um progresso num nível plano, na terra. Para poder continuar avançando é preciso ousar renunciar ao apoio do contato com o solo, e alçar-se ao espaço livre, à solidão. O indivíduo aqui é livre — exatamente em virtude das possibilidades inerentes à posição. Cada homem deve determinar seu próprio destino.

O Nove na quinta posição significa:
a) "Dragão voando nos céus.
É favorável ver o grande homem."

b) "Dragão voando nos céus."
Isso indica o grande homem em pleno trabalho.

O governante do hexagrama ocupa aqui a posição que é definidamente a do governante; por isso ele é simbolizado por um dragão voando nos céus.

Nove na sexta posição:
a) "Dragão arrogante terá motivo de arrependimento."
b) "Dragão arrogante terá motivo de arrependimento."
Pois o que está completo não pode perdurar.

De acordo com a lei da mutação, tudo aquilo que atinge o ponto culminante inverte seu movimento.

Quando todas as linhas são noves, isso significa:
a) "Aparece uma revoada de dragões sem cabeça. Boa fortuna."
b) "Todas as linhas são nove."
É próprio à essência do céu não aparecer como líder.

O Criativo cria todos os acontecimentos mas nunca aparece de forma manifesta; ele não sobressai no exterior como líder. A verdadeira força é a que, ágil porém oculta, trabalha sem aparecer.

Quando todas as linhas são noves, o hexagrama Ch'ien transforma-se em K'un, o RECEPTIVO — sendo inteiramente receptivo, não expressa qualquer proeminência.

COMENTÁRIO SOBRE AS PALAVRAS DO TEXTO (Wên Yen)

Nota: Esta Asa consiste de um conjunto de quatro comentários aos dois primeiros hexagramas do Livro das Mutações. Destes comentários, dois referem-se ao texto do hexagrama como um todo (o Julgamento), assim como ao T'uan Chuan (Comentário sobre a Decisão), enquanto que todos os quatro esclarecem as diferentes linhas.

A seqüência no texto original é a seguinte: a) 1–9; b) 1–7; c) 1–7; d) 1–12.[5] Para facilitar uma visão de conjunto e para evitar repetições desnecessárias, no texto que se segue os diferentes comentários pertencentes aos respectivos hexagramas foram ordenados em grupos, e podem ser identificados graças aos números e às letras que lhes foram atribuídos.

SOBRE O HEXAGRAMA COMO UM TODO

a) 1 — Entre todos os bens, o sublime é o mais elevado. O sucesso é a convergência de todo o belo. O favorável é a concordância de tudo o que é correto. A perseverança é o fundamento de todas as ações.

Aqui os quatro atributos básicos do hexagrama são relacionados às virtudes cardeais da ética chinesa:

---

[5] No texto alemão, ao invés de "d) 1-12" aparece "d) 1-13", o que é, sem dúvida, um lapso, pois existem somente 12 parágrafos, e não 13, na seqüência d). *(Nota da tradução brasileira.)*

Ao sublime corresponde o amor.
Ao sucesso correspondem os costumes.
Ao favorável corresponde a justiça.
À perseverança corresponde a sabedoria.

>   a) 2 — Por encarnar o amor, o homem superior é capaz de governar os homens. Por promover a cooperação entre tudo o que é belo, ele é capaz de unir a humanidade através dos costumes. Por favorecer a todos os seres, ele é capaz de conduzi-los à harmonia através da justiça. Por permanecer perseverante e firme, ele é capaz de levar a cabo todas as ações.

Os quatro atributos básicos do Criativo são, ao mesmo tempo, as qualidades necessárias a um líder e governante dos homens. Para governar e conduzir os homens é preciso antes de tudo amá-los. Sem o amor nada de duradouro poderá ser realizado a nível de governo. O poder que atua através do medo tem uma eficácia passageira e gera necessariamente uma resistência como reação.

Com base nessa concepção se infere que os costumes são um instrumento para a união dos homens. Pois nada une os homens de maneira mais firme do que sólidos costumes, observados em virtude de serem considerados por cada membro da comunidade como algo belo, pelo que vale a pena lutar. Torna-se fácil unir e organizar as massas quando se consegue estruturar um conjunto de costumes no interior do qual cada pessoa se sinta satisfeita. A vida social deve se basear no máximo possível de liberdade e benefícios para todos. Tais condições devem ser garantidas pela justiça, que restringirá a liberdade individual apenas no que for absolutamente indispensável para o bem-estar geral. E por fim, para alcançar os objetivos desejados, o quarto requisito é a sabedoria, que se revela na indicação dos caminhos firmes e duradouros que, em acordo com as leis cósmicas imutáveis, conduzem ao sucesso.

>   a) 3 — O homem superior atua de acordo com essas quatro virtudes. Por isso se afirma: o Criativo é sublime, tem sucesso, é favorável e perseverante.
>   d) 1 — O sublime do CRIATIVO decorre de que ele tudo inicia e obtém sucesso.
>   d) 2 — O favorável e a perseverança: por intermédio desses 2 fatores a natureza e a índole das coisas se realizam.

Aqui os atributos apresentam-se novamente em pares. A condição sublime do Criativo se baseia em seu caráter absoluto, no fato de ser a origem de tudo — não sendo condicionado por nada — e por ser o princípio ativo, isto é, ele em si mesmo é a causa primeira de tudo o mais. A favorabilidade e a perseverança, que significam o impulso vital e as leis invariáveis da natureza, evidenciam a causalidade do Criativo em sua eficácia. O impulso vital (aquilo que é favorável, correto, para cada ser) é o fundamento de sua natureza; e esta natureza age segundo leis invariáveis. Essa é a essência de todos os seres. No "Comentário sobre a Decisão" a natureza é reportada à sua origem no decreto divino. Aqui a natureza surge em seu modo de agir.

>   d) 3 — Por estabelecer o início, o Criativo é capaz de favorecer o mundo inteiro com a beleza. Sua verdadeira grandeza consiste em nada ser dito sobre os meios através dos quais ele favorece.

A respeito do Criativo se diz apenas que favorece através daquilo que lhe é eternamente próprio, isto é, de sua essência mais profunda. Essa essência não é definida com maior precisão; isso indica as infinitas possibilidades e aspectos de seus benefícios. O Receptivo oferece um contraste a isso, uma vez que lá se diz: "Ele propicia através da perseverança de uma égua". No mundo dos fenômenos, cada coisa tem sua específica natureza; este é o princípio da individuação. Ao mesmo tempo essa natureza específica fixa uma fronteira que separa cada ser individual de todos os outros.

>d) 4 — Como é grande o Criativo! Ele é firme e forte, moderado e correto, puro, sem mescla e espiritual.

Aqui os atributos do hexagrama como um todo são deduzidos da essência de seu governante, o nove na quinta posição. Isso é freqüente no Comentário sobre a Decisão, o T'uan Chuan, ao qual todo esse trecho se refere. A quinta linha é firme, pois ocupa uma posição ímpar e forte por ser inteira (forte significa movimento, firme significa repouso). Ela é moderada por estar ao centro do trigrama superior e correta por ocupar a posição que lhe corresponde (uma linha forte numa posição forte).

Nesses quatro atributos surgem outra vez os quatro atributos básicos do hexagrama. Eles estão presentes em sua forma pura, sem mesclas, espiritual, pois todo o hexagrama consiste apenas de linhas fortes.

>d) 5 — As seis linhas desvelam e desenvolvem o pensamento, de modo que a natureza do todo é esclarecida através de seus diferentes aspectos.

Em virtude da homogeneidade do hexagrama, as diferentes linhas se mantêm num relacionamento contínuo, que, à medida que elas avançam, esclarece ainda mais a idéia do todo. Nesse aspecto o hexagrama O CRIATIVO contrasta com o hexagrama O RECEPTIVO, no qual as diferentes linhas estão superpostas sem uma conexão interna. Esse aspecto se relaciona com o caráter temporal do CRIATIVO em contraste com o caráter espacial do RECEPTIVO.

>d) 6 — "Ele sobe, no momento adequado, rumo aos céus como que conduzido por seis dragões. As nuvens passam, a chuva cai". Tudo isso significa que o mundo alcança a paz, e indica como o faz.

Com essa observação final, o Comentário à Decisão, T'uan Chuan, refere-se a eventos históricos (o ordenamento do império).

LINHAS

Sobre o nove inicial:

>a) 4 — Nove na primeira posição: "Dragão oculto. Não atue". Que significa isso?

>O Mestre disse: Isso significa um homem que possui o caráter de um dragão, mas permanece oculto. Ele não se modifica por submissão ao mundo, nem procura obter renome. Ele se retira do mundo, mas isso não lhe causa tristeza. Ele não é reconhecido, mas isso não lhe causa tristeza. Se a sorte o acompanha, ele segue adiante com seus princípios; se a sorte não o acompanha, retira-se com seus princípios. Na verdade, não é possível desenraizá-lo! Ele é um dragão oculto.

>b) 1 — "Dragão oculto. Não atue."
>O motivo é que ele se encontra embaixo.

>c) 1 — "Dragão oculto. Não atue."

O poder do princípio luminoso ainda está encoberto e oculto.

d) 7 — O homem superior age de acordo com o caráter que nele se afeiçoou. Esta é uma conduta que se pode submeter à observação todos os dias.

Estar encoberto significa que ainda está oculto e não é reconhecido e que, se atuasse, ele por enquanto nada realizaria. Nesse caso o homem superior não atua.

Sobre o nove na segunda posição:

a) 5 — Nove na segunda posição:
"Dragão aparecendo no campo.
É favorável procurar o grande homem."
Que significa isso?

O Mestre disse: Isso significa um homem que tem o caráter de um dragão e é moderado e justo. Mesmo em suas palavras comuns, ele é digno de confiança. Mesmo em suas ações corriqueiras ele é cuidadoso. Ele descarta o que é falso e preserva sua integridade. Ele contribui para o progresso de sua época sem disso se vangloriar. Seu caráter é influente e transforma os homens.

No Livro das Mutações se diz:
"Dragão aparecendo no campo.
É favorável procurar o grande homem."
Isso se refere a alguém que possui as qualidades de um governante.

b) 2 — "Dragão aparecendo no campo."
O motivo é que ele, por enquanto, ainda não é necessário.

c) 2 — "Dragão aparecendo no campo."
Através dele o mundo inteiro alcança a beleza e a clareza.

d) 8 — O homem superior se instrui para reunir material; indaga para poder examiná-lo. Assim ele se torna magnânimo em sua natureza e amável em seus atos.

No Livro das Mutações se diz:
"Dragão aparecendo no campo.
É favorável procurar o grande homem."
Pois ele tem as qualidades de um governante.

Sobre o nove na terceira posição:

a) 6 — Nove na terceira posição:
"O homem superior é criativamente ativo o dia todo.
Preocupações ainda o envolvem ao anoitecer.
Perigo. Nenhuma culpa."
Que significa isso?

O Mestre disse: O homem superior aprimora seu caráter e trabalha em sua obra. Ele aperfeiçoa seu caráter através da lealdade e da fé. O que torna sua obra duradoura é seu empenho em que suas palavras repousem firmemente sobre a verdade. Ele sabe como se chega a isso e de fato o consegue; assim ele é capaz de plantar a semente correta. Ele sabe como deve completá-lo e assim o completa. Deste modo ele é capaz de torná-lo verdadeiramente duradouro. Por isso ele não se torna orgulhoso em sua posição superior, nem fica decepcionado numa posição inferior. Assim ele permanece criativamente ativo, e quando as circunstâncias o exigem, é cauteloso. Então, mesmo em circunstâncias perigosas nenhum erro é cometido.

b) 3 — "O homem superior é criativamente ativo o dia todo". Esta é a forma em que ele conduz seus empreendimentos.

c) 3 — "O homem superior é criativamente ativo o dia todo". Ele caminha com o tempo.

d) 9 — O nove na terceira posição evidencia uma dupla firmeza[6] e, apesar disso, não ocupa uma posição central. Por um lado ainda não se encontra acima, no céu, e por outro não está mais abaixo, no campo. Por isso é preciso estar criativamente ativo e, na medida em que as circunstâncias exigem, ser cauteloso. Então, apesar do perigo, não se comete erro algum.

Sobre o nove na quarta posição:

a) 7 — Nove na quarta posição:
"Vôo hesitante sobre as profundezas.
Nenhuma culpa."
Que significa isso?

O Mestre disse: Não há regra fixa para a ascensão e a queda. Deve-se apenas evitar fazer o mal. A perseverança constante não rege o progresso ou o retrocesso; só não se deve deixar afastar-se de sua essência. O homem superior estimula seu caráter e trabalha em sua obra, para que em tudo se realize no momento adequado. Por isso ele não comete erros.

b) 4 — "Vôo hesitante sobre as profundezas."
Ele experimenta suas forças.

c) 4 — "Vôo hesitante sobre as profundezas."
O caminho do Criativo está em vias de se transformar.

d) 10 — O nove na quarta posição é demasiado rígido e nada moderado. Ainda não está acima no céu, nem está mais no campo, abaixo, nem nas regiões intermediárias relativas ao plano humano. Por isso se diz: "Vôo hesitante". Hesitar significa que há liberdade de escolha e por isso não se cometem erros.

---

[6] O caráter firme da posição, que é ímpar e por isso yang, e o caráter firme da linha ocupante, que é também yang, inteira. *(Nota da tradução brasileira.)*

Sobre o nove na quinta posição:

a) 8 — Nove na quinta posição:
"Dragão voando nos céus.
É favorável ver o grande homem."
Que significa isso?

O Mestre disse: As coisas que se harmonizam em tom, vibram em conjunto. As coisas que entre si têm afinidade em suas essências mais íntimas atraem-se mutuamente. A água flui para o que é úmido, o fogo volta-se para o que é seco. As nuvens (o sopro da terra) seguem o tigre. Ergue-se, assim, o sábio, e todos os seres seguem-no com o olhar. O que nasce do céu tende para o que está acima; o que nasce da terra tende para o que está abaixo. Cada um segue o que lhe corresponde.

b) 5 — "Dragão voando nos céus."
Este é o modo supremo de governar.

c) 5 — "Dragão voando nos céus."
Esta é a posição apropriada ao caráter celestial.

d) 11 — O grande homem, em seu caráter, se põe em harmonia com o céu e a terra, em sua luminosidade, com o sol e a lua, em sua coerência, com as quatro estações, na boa fortuna e no infortúnio que gera, com os deuses e espíritos. Quando ele antecipa a ação do céu, o céu não o desmente. Quando ele segue o céu, adapta-se ao tempo do céu. Se nem o céu lhe oferece resistência, quanto menos o farão os homens, os deuses e os espíritos.

Sobre o nove acima:

a) 9 — Nove na sexta posição:
"Dragão arrogante terá motivo de arrependimento."
Que significa isso?

O Mestre disse: Aquele que é nobre e não ocupa o lugar que lhe corresponde, aquele que encontra-se em posição elevada sem o apoio do povo, aquele que mantém os homens de valor como subalternos sem dar-lhes apoio, terá motivo de arrependimento tão logo se movimente.

b) 6 — "Dragão arrogante terá motivo de arrependimento."
Tudo o que vai a extremos cai no infortúnio.

c) 6 — "Dragão arrogante terá motivo de arrependimento."
Com o decorrer do tempo ele se esgota.

d) 12 — A arrogância significa que ele sabe como avançar, mas não como retroceder; significa que ele conhece o existir mas não o perecer, que sabe alguma coisa sobre o lucro, porém nada sobre a perda.

Só o sábio sabe como avançar e retroceder, reter e renunciar, sem perder sua verdadeira essência. Só o sábio pode fazê-lo!

Sobre todas as linhas nove em mutação:

b) 7 — Quando o Criativo, o grande, está em mutação e todas as linhas são noves a ordem se estabelece no mundo.

c) 7 — Quando o Criativo, o grande, está em mutação e todas as linhas são noves percebe-se a lei dos céus.

Nota: O hexagrama O CRIATIVO ocupa uma posição particular pelo fato de ser composto unicamente por linhas firmes que mantêm uma certa relação umas com as outras. Formam uma seqüência de estágios, de modo que se pode observar um desenvolvimento genético processando-se no tempo. Por isso os julgamentos referentes às diferentes linhas neste hexagrama diferem daqueles que acompanham as linhas dos outros hexagramas. No caso do CRIATIVO não se pode estabelecer as relações de correspondência e solidariedade entre linhas firmes e maleáveis, como acontece com outros hexagramas. Aqui, o julgamento só leva em consideração a relação da posição com a linha que a ocupa.

É preciso notar uma diferença característica entre o trigrama superior e o inferior. O trigrama superior descreve o desenvolvimento da posição externa. A primeira e a quarta linhas constituem um começo. A primeira linha, bem abaixo, está dentro da região da terra (posições 1 e 2) e é designada como oculta, latente. A quarta linha, na posição mais baixa do trigrama superior, também indica um começo, ou seja, uma mudança de posicionamento. Em si mesmos os presságios para essa linha não são nada favoráveis. Sendo firme e estando numa posição maleável, a linha não concorda com o lugar que ocupa, o que poderia implicar num defeito qualquer. Mas como a essência do Criativo é a força, enfatiza-se expressamente que não há erro. A divergência entre o caráter e a posição da linha manifesta-se então na possibilidade de decisão, que ainda é incerta.

As linhas centrais dos trigramas básicos, a segunda e a quinta, são excepcionalmente favoráveis. A segunda é central, e como tal deve ser, de imediato, concebida como correta. Como está ainda no trigrama inferior, indica a essência interna do grande homem que já está se tornando conhecido ("no campo"), porém sem dispor de uma posição correspondente. Ele deve procurar "o grande homem" na quinta posição, ao qual está ligado por uma afinidade de caráter e que, como governante do todo, pode conceder-lhe a posição que lhe é apropriada. Esses presságios favoráveis aplicam-se em grau ainda maior à quinta linha. Enquanto a segunda indica um homem forte numa posição fraca e inferior, na quinta linha o caráter da ocupante e a posição concordam. Trata-se de uma linha forte, numa posição forte, na esfera do céu (quinta e sexta posições), e que também é governante do hexagrama. Representa o grande homem, a quem é favorável procurar. Por isso as duas linhas centrais são desprovidas de qualquer advertência. Elas são totalmente favoráveis.

Algo diferente ocorre com as duas linhas finais, a terceira e a sexta. Entre elas, a terceira está numa posição mais favorável. Não há dúvida que é demasiado forte para o lugar de transição (a força do caráter é intensificada pela força da posição), de modo que se devem temer erros. Mas como o hexagrama como um todo tem como tema a força criativa, o excesso de energia não é nocivo. No lugar de transição essa força pode ser aplicada a uma preparação interna que procure se adequar às novas condições. O mesmo não acontece na linha ao alto. Aqui se chega ao término de toda a situação. O caráter da linha é ainda forte, apesar de ocupar uma posição fraca. Essa divergência entre o querer e o poder conduz ao arrependimento, já que não há saída possível.

坤

2. K'UN / O RECEPTIVO

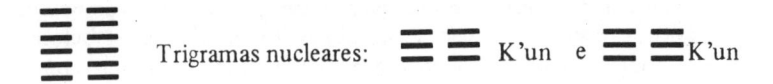

Trigramas nucleares: ☷ K'un e ☷ K'un

O governante do hexagrama é o seis na segunda posição. O hexagrama K'un, O RECEPTIVO, representa a natureza da terra; o número dois simboliza a terra. O RECEPTIVO indica também a natureza do homem que serve; a segunda é a sua posição. Além disso, o caráter quádruplo do Receptivo — "maleável", "dedicado", "moderado" (ou seja, central) e "correto" (o maleável ocupando uma posição maleável) — encontra sua plena expressão nesta linha. Por isso ela é governante do hexagrama. As afirmações do Julgamento referem-se todas à natureza do funcionário: "Se o homem superior empreender algo e tentar dirigir, ele se desviará. Porém, se ele seguir, encontrará orientação" e "é favorável encontrar amigos a oeste e ao sul, evitar amigos a leste e ao norte".

Este hexagrama é atribuído ao décimo mês (novembro-dezembro)[7], quando a força obscura na natureza conduz ao término do ano.

COLETÂNEA DE INDICAÇÕES

O RECEPTIVO é maleável.

JULGAMENTO

O RECEPTIVO traz sublime sucesso, propiciado através da perseverança de uma égua. Se o homem superior empreender algo e tentar dirigir, ele se desviará; porém, se ele seguir, encontrará orientação. É favorável encontrar amigos a oeste e ao sul, evitar amigos a leste e ao norte. Uma perseverança tranqüila traz boa fortuna.

COMENTÁRIO SOBRE A DECISÃO

Perfeita, em verdade, é a condição sublime do Receptivo. To-

---

[7] Cf. nota 14 (hexagrama 11, PAZ, Livro Primeiro). *(Nota dá tradução brasileira.)*

dos os seres lhe devem seu nascimento, porque ele recebe o elemento celestial com devoção.

Esta é a explicação da palavra "sublime" no Julgamento. A grandeza do Receptivo é definida como perfeita. Perfeito é aquilo que alcança o ideal. Isso significa que o Receptivo depende do Criativo. Enquanto o Criativo é o princípio gerador ao qual os seres devem seu começo, já que dele se origina a alma, o Receptivo é o que parteja, é o que acolhe em si a semente celestial e dá aos seres a forma corpórea.

> Em sua riqueza, o Receptivo é portador de todas as coisas. Sua essência está em harmonia com o ilimitado. Em sua amplitude ele abrange todas as coisas e em sua grandeza a tudo ilumina. Através dele todos os seres individuais alcançam o sucesso.

Essa é a explicação da palavra "sucesso" no Julgamento. Aqui também há o complemento que contrasta com o Criativo. Enquanto o Criativo protege as coisas, isto é, do alto ele "as cobre", o Receptivo as carrega, como fundamento que sempre subsiste. Sua essência é o ilimitado acordo com o Criativo. Esta é a causa de seu sucesso. Enquanto o movimento do Criativo dirige-se para adiante em linha reta e seu estado de repouso é a imobilidade, o repouso do Receptivo é o fechar-se e seu movimento, o abrir-se. No estado fechado, de repouso, ele abrange todas as coisas, como um imenso seio materno. No estado aberto, de movimento, ele dá entrada à luz celestial, com a qual a tudo ilumina. Esta é a fonte de seu sucesso, que se manifesta no sucesso dos seres. Enquanto o sucesso do Criativo consiste no fato de os seres individuais receberem suas formas específicas, o sucesso do Receptivo faz com que essas formas prosperem e se desdobrem.

> A égua faz parte das criaturas da terra; ela cavalga sobre a terra sem fronteiras. Maleável, dedicado, favorecendo através da perseverança: deste modo o homem superior tem uma direção para sua conduta.

Enquanto o símbolo do Criativo é o dragão que voa nos céus, o Receptivo é representado pela égua (a união da força e da devoção) que cavalga sobre a terra. A maleabilidade e a devoção não excluem a força, pois ela é necessária ao Receptivo para que possa ser o auxiliar do Criativo. Essa força está expressa nas palavras: "favorecendo através da perseverança", que aparece no comentário como modelo para a conduta do homem superior. (A pontuação do comentário difere da do Julgamento. Em virtude da rima, o comentário exige uma tradução literal — "favorecendo através da perseverança. Assim, o homem superior tem onde ir". Por outro lado, no Julgamento, a maioria dos comentaristas relaciona as últimas palavras com o que se segue, quando então se tem: "Se o homem superior empreender algo e tentar dirigir, ele se desviará..."[8]

> Tomar a dianteira traz confusão porque se perde o caminho. Seguir com devoção leva à conquista de sua posição permanente. Ele encontra amigos a oeste e ao sul, e assim prossegue junto com aqueles que lhe são semelhantes. Deve evitar amigos a leste e ao norte, de modo a alcançar finalmente a boa fortuna.

---

8 Ou seja, a afirmação "deste modo, o homem superior tem uma direção para sua conduta", com que se conclui o parágrafo precedente do comentário, e o início do parágrafo seguinte, "tomar a dianteira traz confusão porque se perde o caminho", no texto do Julgamento, formam, segundo a maioria dos comentaristas, uma única frase que aqui se encontraria dividida. *(Nota da tradução brasileira.)*

Se o Receptivo quisesse tomar a dianteira por sua própria iniciativa, se desviaria de sua natural essência, e perderia o caminho. Entregando-se ao Criativo e seguindo-o, ele alcança sua posição própria e permanente.

De acordo com a disposição na seqüência atribuída ao Rei Wên,[9] o oeste e o sul são as regiões ocupadas pelos trigramas femininos. K'un está aqui no meio das filhas. Por outro lado, a leste e ao norte estão situados os trigramas masculinos (Ch'ien e os filhos), de modo que nesta região o Receptivo está só. Porém, é exatamente o fato de estar sozinho com o Criativo que resulta em boa fortuna. Assim a terra deve estar sozinha com o céu, o funcionário deve servir somente ao governante, a esposa deve ligar-se apenas ao marido.

A boa fortuna do repouso e da perseverança depende de se estar em acordo com a natureza ilimitada da terra.

A terra está em repouso. Ela não age por si mesma, mas permanece sempre receptiva às influências do céu. Assim, sua vida torna-se inesgotável e eterna. O homem também pode alcançar a eternidade desde que não se vanglorie, pretendendo realizar tudo sozinho, por meio de suas próprias forças, mas tranqüilo e constante, saiba manter-se receptivo aos impulsos que a ele emanam das profundezas das forças criativas.

IMAGEM

A condição da terra é a devoção receptiva.

Assim o homem superior, com sua grandeza de caráter, sustenta o mundo externo.

O céu se movimenta através do poder. Por isso se diz a seu respeito: "ele se move". A terra completa através da forma. Por isso ela é chamada: "a condição". A terra aqui está repetida[10] indicando assim sua solidez, a qual é necessária para que possa entregar-se, sem perder sua essência. Assim também o homem deve possuir força interior, um caráter sólido, e amplitude de visão para que possa suportar o mundo sem ser por ele influenciado.

LINHAS

Seis na primeira posição significa.[11]

a) "Quando se caminha pela geada, o gelo sólido não estará longe."

b) Quando o poder obscuro começa a tornar-se rígido e prossegue nessa tendência, chega-se ao gelo sólido.

---

[9] Seqüencia do Céu Posterior. Seu esquema encontra-se no cap. II, seç. 5 do Shuo Kua, Discussão dos Trigramas, Livro Segundo. *(Nota da tradução brasileira.)*

[10] O trigrama K'un, terra, se repete nas posições básicas, como trigrama inferior e superior. *(Idem.)*

[11] Outra versão seria:
Quando se caminha sobre a geada,
o poder obscuro começa a se tornar rígido.
Se isso continua, chega-se ao gelo sólido.

A primeira linha contém uma advertência para que não se menospreze a importância atribuída ao mal quando este se encontra em seus primórdios; pois entregue a si mesmo o mal aumenta tão inevitavelmente quanto o gelo do inverno segue-se à geada do outono.

O Seis na segunda posição:

a) Reto, quadrado, grande.
Sem propósito, porém nada permanece desfavorecido.

b) O movimento do seis na segunda posição [12] é reto, e por isso a linha se refere também ao quadrado. "Sem propósito, porém nada permanece desfavorecido", pois a luz está contida na essência da terra.

Como o Receptivo adapta seus movimentos ao Criativo, estes movimentos se tornam exatamente o que devem ser. Assim, a terra parteja todas as criaturas, cada qual segundo a sua natureza, de acordo com a vontade do Criador.[13] O quadrado e o firme referem-se à imutabilidade. Cada espécie de ser vivo tem suas leis fixas de existência, de acordo com as quais se desenvolve de modo invariável. Nisso consiste a grandeza da terra.

Justamente por este motivo ela não precisa de um propósito. Tudo se torna de um modo espontâneo aquilo que deve ser, e tudo se torna belo, pois a vida tem uma luz interna que reflete a luz do céu, à qual deve involuntariamente obedecer.

Seis na terceira posição:

a) Linhas ocultas. Alguém é capaz de permanecer perseverante.
Se acaso você está a serviço de um rei,
não procure trabalhos, porém leve à conclusão.

b) "Linhas ocultas. Alguém é capaz de permanecer perseverante."
Deve-se deixá-las brilhar no momento oportuno.
"Se acaso você está a serviço de um rei,
não procure trabalhos, porém leve à conclusão."
Isso mostra que a luz da sabedoria é grande.

Ocultar a beleza não significa permanecer inativo, porém apenas não revelá-la no momento errado. Quando o tempo certo chega, é preciso manifestar-se. "Se acaso você está a serviço de um rei..." — o que segue[14] é suprimido no texto do comentário, que muitas vezes apenas insinua as frases do texto original. Se um homem não se vangloria de seus méritos mas cuida somente de que tudo seja realizado, isso é um sinal de grande sabedoria.

---

[12] No texto do comentário o seis na segunda posição é explicitamente denominado o governante do hexagrama. A tradução inglesa esclarece que esta referência não se relaciona ao Comentário sobre a Decisão e sim a um Comentário que não é apresentado na tradução de Wilhelm. *(Nota da tradução brasileira)*.

[13] No sentido do poder Criativo e não de uma divindade pessoal. *(Idem.)*

[14] "Não procure trabalhos, porém leve à conclusão." *(Idem.)*

Seis na quarta posição:

a) Saco amarrado. Nenhuma culpa. Nenhum elogio.
b) "Saco amarrado. Nenhuma culpa. Nenhum elogio."
Graças à prudência se permanecerá livre de danos.

Uma linha Yin encontra-se aqui numa posição Yin. Ou seja, o poder Yin está aumentando e, assim sendo, a contração é tão forte como a de um saco amarrado. Isso causa naturalmente um certo isolamento, que entretanto libera de obrigações.

Seis na quinta posição:
a) Roupa de baixo amarela traz suprema boa fortuna.
b) "Roupa de baixo amarela traz suprema boa fortuna."
A beleza é interna.

Essa linha lembra, quanto ao posicionamento, o seis na terceira posição. Aqui também a força inerente à posição é neutralizada pela natureza da linha. Por isso, em ambos os casos a beleza está oculta.

Seis na sexta posição:
a) Dragões lutando no prado.
Seu sangue é negro e amarelo.
b) "Dragões lutando no prado."
O caminho chega a seu término.

O seis acima procura manter-se firme, apesar da situação de escuridão estar chegando ao fim. Neste momento o elemento sombrio sai do domínio da indiferença moral e torna-se positivamente mau. Por isso ele entra em luta com o poder primordial, luminoso, que vem do exterior para enfrentar a escuridão. Os dois elementos sofrem danos.

Todas as linhas são seis:
a) A perseverança eterna é favorável.
b) "Perseverança eterna."
Isso termina em grandes coisas.

As seis linhas se modificam, tornam-se luminosas, grandes.

COMENTÁRIO ÀS PALAVRAS DO TEXTO (Wên Yen)

No Wên Yen, o hexagrama O CRIATIVO traz vários comentários, enquanto que O RECEPTIVO inclui apenas um.

Sobre o hexagrama como um todo:
O Receptivo é completamente maleável, porém firme em seu movimento. Ele é completamente calmo, porém quadrado em sua essência.

O Receptivo é como a égua, delicada porém forte, pois só assim pode acompanhar o Criativo. Sua completa quietude interna é decorrente de sua total dependência. Por isso, em suas manifestações, ao partejar as diferentes espécies, o Receptivo permanece invariavelmente ligado a leis fixas. "Firme em seu movimento" explica as palavras do texto: "supremo sucesso". "Calmo porém quadrado" explica as palavras do texto: "a perseverança é favorável".

"Se ele seguir, encontrará orientação",

e assim obterá algo duradouro.
"Ele abrange todas as coisas",
e seu poder de transformação é luminoso.

Essas frases são ampliações do "Comentário sobre a Decisão". Aqui se faz referência ao movimento do Receptivo, que corresponde às estações do verão e do outono (o sul e o oeste). No decorrer destas estações o Receptivo se reúne com "amigos", ou seja, obedecendo às leis do céu ele dá vida aos diferentes seres, cada qual de acordo com sua natureza. Assim, o Receptivo participa da eternidade do céu, abrange todas as coisas e as leva à maturidade, manifestando em plena claridade o seu poder de transformar as coisas.

Como é dedicado o caminho do Receptivo! Ele abriga em si o céu e atua no devido momento.

Essas duas atividades correspondem ao inverno e à primavera (o norte e o leste). Aqui se faz referência à união solitária com o Criativo, ao recebimento da semente e à calma maturação até o nascimento.

Os comentários sobre o Receptivo se apóiam no caráter do seis na segunda posição, o governante do hexagrama, do mesmo modo que os comentários do Criativo baseiam-se no nove na quinta posição.

LINHAS

Sobre o seis na primeira posição:

Uma casa que acumula bem sobre bem certamente terá abundância de bênçãos. Uma casa que acumula mal sobre mal certamente terá uma abundância de infortúnios. Lá onde um servidor assassina o seu senhor, onde um filho mata seu pai, as causas não se encontram entre a manhã e o anoitecer de um único dia. É necessário um longo tempo antes que as coisas cheguem a este ponto. Isso ocorreu porque não se parou a tempo aquilo que há muito devia ter sido contido.

No Livro das Mutações se diz: "Quando se caminha pela geada, o gelo sólido não estará longe". Isso mostra até onde se pode chegar quando se permite que as coisas sigam o seu curso.

Segundo Chu Hsi, a última frase deve ser interpretada da seguinte forma: "Isso se refere à vigilância necessária" (para conter a tempo as coisas que, por si mesmas, naturalmente conduziriam a más conseqüências).

Sobre o seis na segunda posição:

O retilíneo significa o corrigir das coisas; o quadrado significa o cumprimento do dever. O homem superior é sério para poder retificar sua vida interna; ele cumpre seu dever para poder enquadrar sua vida externa. Lá onde permanecem firmes a seriedade e o cumprimento do dever o caráter não se torna unilateral.

"Reto, quadrado, grande. Sem propósito, porém nada permanece desfavorecido", porque nunca tem dúvidas quanto ao que deve fazer.

A vida interna torna-se correta graças à seriedade conseqüente. A vida externa se enquadra, tornando-se também correta graças ao cumprimento do dever. O dever exerce uma influência formativa na vida exterior, porém não é, de modo algum, algo externo. Através da seriedade e do cumprimento do dever, o caráter por si mesmo se desenvolve e enriquece. A grandeza surge por si só, não precisa ser procurada. Quando um indivíduo está livre de todos os escrúpulos e dúvidas que induzem a uma hesitação temerosa, a qual enfraquece o poder de decisão, ele encontra em todos os assuntos o rumo correto de maneira instintiva e sem precisar refletir.

Sobre o seis na terceira posição:

O poder obscuro possui a beleza, porém a oculta. Assim deve proceder um homem ao se pôr a serviço de um rei. Ele deve evitar reivindicar para si a obra realizada. Este é o caminho da terra, o caminho da esposa, o caminho daquele que serve. É próprio ao caminho da terra não expor a obra realizada, porém na posição de um representante de outrem, procurar levar tudo à conclusão.

O dever daquele que ocupa uma posição subalterna é ocultar o próprio valor sem pretender atuar de modo independente, permitindo que todos os méritos da obra já realizada sejam atribuídos ao senhor para o qual trabalha.

Sobre o seis na quarta posição:

Quando o céu e a terra estão criando através da mudança e da transformação, todas as plantas e árvores florescem; porém, quando o céu e a terra se fecham, o homem capaz retira-se para a penumbra.

No Livro das Mutações se diz: "Saco amarrado. Nenhuma culpa. Nenhum elogio". Essas palavras aconselham cautela.

O seis na quarta posição está próximo ao governante, porém não é por ele reconhecido. Nesse caso, a única atitude correta é retirar-se do mundo. Este é o estado de repouso do príncipe obscuro, o estado em que ele se fecha. (Cf. acima.)

Sobre o seis na quinta posição:

O homem superior é amarelo[15] e moderado, exercendo por meio da razão uma influência sobre o mundo exterior.

Ele procura o lugar que lhe é próprio e permanece no essencial. Sua beleza é interna, porém exerce uma influência liberadora sobre os órgãos de seu corpo, e se expressa em suas obras. Esta é a suprema beleza.

O amarelo é a cor do meio da moderação. A moderação interna tem um efeito externo, pois infunde racionalidade a todas as manifestações. O lugar correto que o homem superior procura para si encontra-se nos bons costumes, em virtude dos quais ele deixa a primazia aos outros e se retira modestamente. A beleza suprema consiste na graciosidade discreta que, apesar de não se deixar ver, se manifesta em todos os movimentos e atos. Há uma diferença caracterizante entre o que se disse sobre as linhas do CRIATIVO e sobre as linhas do RECEPTIVO: no CRIATIVO se acentuam o verdadeiro, o digno de confiança, enquanto que no RECEPTIVO se enfatizam a serie-

---

[15] Cf. nota 37 (hexagrama 30, ADERIR, Livro Primeiro). *(Nota da tradução brasileira.)*

dade, o caráter consciencioso e a modéstia. Trata-se de uma mesma coisa, observada de dois ângulos; só a verdade conduz à seriedade e só a seriedade possibilita a verdade.

Sobre o seis na sexta posição:
Quando o princípio obscuro procura igualar o luminoso, uma luta, sem dúvida, ocorre. O dragão é mencionado para que não se julgue que já não resta mais qualquer luz. O sangue é mencionado para deixar claro que não há desvio algum de sua natureza. O negro e o amarelo representam o céu e a terra em confusão. O céu é negro, a terra é amarela.

Essa explicação é expressa de maneira um pouco difícil. O significado é o seguinte: no décimo mês o poder da escuridão triunfa por completo.[16] A última luz que restava foi expulsa. O sol atingiu sua posição mais baixa; a força obscura governa sem restrições. Por isso mesmo uma inversão tem lugar: o solstício de inverno ocorre e a luz combate uma vez mais a escuridão. O mesmo ocorre em todos os relacionamentos. O princípio obscuro não pode ter primazia; ele só se encontra em seu lugar próprio quando é condicionado pelo princípio luminoso, e a ele se submete. Se essa condição não é observada e o princípio obscuro tenta sair de sua esfera interna, dirigindo-se ao exterior, ao campo de ação, então o poder do luminoso se manifesta. Surge, então, o dragão, símbolo da força luminosa, que o expulsa e o conduz de volta para dentro de suas fronteiras, como sinal de que o princípio luminoso ainda existe. O sangue é o símbolo do princípio obscuro, assim como a respiração é o símbolo do luminoso. Como o sangue é derramado, o obscuro sofre danos. Mas o sangue não provém apenas do obscuro, pois o luminoso também sai ferido dessa luta. Por isso as cores indicadas são o negro e o amarelo. O negro, ou melhor, o azul-escuro, é a cor do céu; o amarelo é a cor da terra. (Deve-se notar que aqui ocorre uma atribuição de cores diferente da proposta nos comentários aos oito trigramas, onde o Criativo é considerado vermelho e o Receptivo, negro, ou seja, escuro.)[17]

Nota: Aqui, em contraste com o que se disse sobre o CRIATIVO, as diferentes linhas não mantêm entre si uma relação de desenvolvimento, mas se encontram lado a lado sem que haja uma conexão entre elas. Cada uma dessas linhas representa uma situação isolada. Tal diferença corresponde à natureza dos dois hexagramas. O CRIATIVO representa o tempo, o que gera uma seqüência; o RECEPTIVO representa o espaço, o que indica uma contigüidade.

A respeito das diferentes linhas, deve-se notar o seguinte: a primeira e a última, ou seja, as duas linhas de fora são desfavoráveis. A posição externa não é própria ao Receptivo, e sim a interna. A primeira linha mostra o princípio obscuro tomando a iniciativa. (Cf. hexagrama 44, Kou, VINDO AO ENCONTRO.) Isso significa perigo. O princípio obscuro é, então, representado como alguma coisa objetiva que deve ser combatida no momento devido. Na posição superior, o obscuro atribui a si mesmo a liderança e rivaliza com o princípio luminoso.

Aqui ele também é representado objetivamente como aquilo que é combatido (cf. hexagrama 43, Kuai, IRROMPER). Essas duas situações não estão em harmonia

---

[16] Isto é, o décimo mês do calendário lunar usado na China antiga. Isso corresponde ao décimo segundo mês no calendário Gregoriano. A menção ao mês na verdade visa a indicar a estação em curso naquele mês, no hemisfério norte, onde o I Ching foi formulado. Dezembro, portanto, apenas serviria para aludir ao inverno. *(Nota da tradução brasileira.)*

[17] Cf. cap. III, seç. 11 do Shuo Kua, Discussão dos Trigramas, Livro Segundo. *(Idem.)*

com a natureza de um homem superior e o Livro das Mutações foi escrito apenas para homens superiores. Portanto, tudo o que é inferior está situado no plano externo, objetivo.

As duas linhas do meio dos trigramas básicos são favoráveis, por serem centrais. Mas, ao contrário do hexagrama Ch'ien, aqui a segunda posição, e não a quinta, é que é governante, pois é próprio à natureza do Receptivo se posicionar abaixo. Assim sendo, aqui se expressa o que é próprio à terra, ao material, à natureza espacial, em que tudo atua espontaneamente. A quinta posição mostra a modéstia na natureza humana. O fato de se falar de vestimentas indica mais a imagem de uma princesa que a de um príncipe. (Cf. seis na quinta posição do hexagrama 54, Kuei Mei, A JOVEM QUE SE CASA.)

As duas linhas de transição têm um significado neutro. A terceira tem a possibilidade de se pôr a serviço de um rei, pois a fraqueza de sua natureza é compensada pela força de sua posição. Mas enquanto a terceira linha de Ch'ien contém sua própria finalidade, a terceira linha de K'un, em sua abnegação, preocupa-se apenas em servir aos outros. A quarta linha é demasiado fraca (uma linha maleável numa posição fraca) e, além disso, não mantém vínculo nenhum com a quinta linha. Assim sendo, resta-lhe apenas recolher-se a si mesma. A passividade exacerbada dessa linha corresponde à atividade exaltada do nove na terceira posição do hexagrama Ch'ien. Do mesmo modo, a terceira linha de K'un, em suas possibilidades indeterminadas, corresponde à quarta de Ch'ien.

3. CHUN/ DIFICULDADE INICIAL

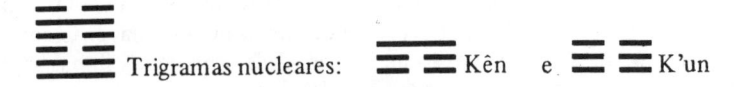

Trigramas nucleares: Kên e K'un

Os governantes do hexagrama Chun são o nove na primeira e na quinta posições. Essas são as duas únicas linhas Yang no hexagrama. O nove inicial está abaixo e significa o ajudante que pode tranqüilizar o povo. O nove na quinta posição está acima; ele pode designar o ajudante para a tarefa de tranqüilizar o povo.

SEQÜÊNCIA[21]

> Depois que o céu e a terra vieram à existência, surgiram os seres individuais. São esses seres individuais que preenchem o espaço entre o céu e a terra. Por isso, a seguir vem o hexagrama DIFICULDADE INICIAL. Dificuldade inicial é o mesmo que preencher.

Chun não significa realmente preencher. O que se procura indicar são as dificuldades que surgem quando o céu e a terra, o princípio luminoso e o obscuro, se unem pela primeira vez, concebendo e dando nascimento a todos os seres. O resultado é um caos que a tudo preenche; por isso esta idéia está associada ao hexagrama Chun.

COLETÂNEA DE INDICAÇÕES
Chun é visível, porém ainda não perdeu sua morada.

A grama aparece com suas pontas sobre a terra, ou seja, já é visível mas encontra-se ainda dentro da terra, sua morada original. O trigrama nuclear superior[18] (montanha) indica visibilidade; o inferior[19] (terra) indica morada.

JULGAMENTO

A DIFICULDADE INICIAL traz sublime sucesso favorecendo através da perseverança. Nada deve ser empreendido. É favorável designar ajudantes.

COMENTÁRIO SOBRE A DECISÃO

A DIFICULDADE INICIAL: o firme e o maleável se unem pela primeira vez, e o nascimento é difícil.

O trigrama inferior Chên, o filho mais velho, nasce da primeira aproximação entre o poder luminoso e o poder obscuro. Isso indica a primeira união. K'an, o trigrama superior[20] significa dificuldade, perigo. Isso indica a dificuldade do parto.

O movimento em meio ao perigo traz grande sucesso e perseverança.

O trigrama inferior,[21] Chên, é movimento; o superior, K'an, é perigo. Assim se tem movimento em meio ao perigo. Pelo movimento se pode sair do perigo. Isso explica as palavras do texto: "sublime sucesso, favorecendo através da perseverança".

O movimento do trovão e da chuva preenche a atmosfera. Enquanto o céu está efetuando a criação, o caos e a escuridão prevalecem e convém designar ajudantes, sem por isso se deixar acomodar ao repouso.

Aqui também se indica a atmosfera sendo preenchida pelas dificuldades que prevalecem até que uma tempestade liberadora eclode. Entretanto, o resultado final já é indicado pelo fato de as duas imagens do hexagrama não serem apresentadas na seqüência: nuvens (K'an) acima e trovão (Chên) abaixo; em vez disso, o trovão é mencionado primeiro e depois as nuvens que, dissolvidas, são expressas pela chuva.

Assim como o trovão e as nuvens que obscurecem precedem a tempestade, também nas situações da vida humana as épocas de ordem são precedidas por períodos caóticos. Nesses momentos o governante que tem o encargo de trazer ordem ao caos necessita de ajudantes eficientes. Porém, ao início a situação permanece séria e difícil. Ele não deve querer confiar totalmente nos outros. Essa frase é sugerida pelos

---

[18] O trigrama nuclear superior é formado pelas linhas nas posições terceira, quarta e quinta. *(Nota da tradução brasileira.)*

[19] O trigrama nuclear inferior é formado pelas linhas nas posições segunda, terceira e quarta. *(Idem.)*

[20] Isto é, o trigrama básico superior, que é formado pelas linhas nas posições quarta, quinta e sexta. *(Idem.)*

[21] Isto é, o trigrama básico inferior, que é formado pelas linhas nas posições primeira, segunda e terceira. *(Idem.)*

dois governantes do hexagrama. O nove na primeira posição significa o ajudante eficiente que deve ser indicado nessas épocas perigosas; o nove na quinta posição indica que ainda existem dificuldades que impedem uma entrega à inação. Em virtude das condições problemáticas, o nove na quinta posição deve continuar à espera de uma solução, não podendo ainda descansar.

IMAGEM

Nuvem e trovão: a imagem da DIFICULDADE INICIAL. Assim o homem superior atua desembaraçando e pondo em ordem.

No Comentário sobre a Decisão, a condição final, provocada pelo movimento, é sugerida pela seqüência: trovão e chuva. Aqui as nuvens e o trovão são apresentados na ordem em que aparecem na estrutura do hexagrama. Isso especifica a condição anterior à chuva, que simboliza o perigo. Para superá-lo deve-se separar e unir, assim como acontece quando a tempestade eclode: primeiro as nuvens acima e o trovão abaixo, depois o trovão acima e a chuva abaixo.

LINHAS

O Nove na primeira posição:
a) Hesitação e obstáculo. É favorável permanecer perseverante. É favorável designar ajudantes.
b) O trabalho visa a realizar o que é correto, ainda que prevaleçam a hesitação e o obstáculo. O homem eminente que se subordina a seus inferiores conquista o coração de todas as pessoas.

Esta linha é governante do hexagrama. Está situada ao início, o que indica que as dificuldades iniciais permanecem sem solução. Não se pode resolvê-las de imediato. O caos deve ser esclarecido pouco a pouco. O caráter e a posição da linha indicam o caminho correto para se atingir este objetivo. A linha é luminosa e firme por natureza, o que a torna, portanto, eminente. É por isso que ela se coloca abaixo das linhas fracas Yin, que não sabem progredir sozinhas. Governar prestando serviços — eis o grande segredo do sucesso. Portanto, esta linha representa o eficiente auxiliar de que se necessita para superar os obstáculos em épocas de dificuldade inicial.

Seis na segunda posição:
a) As dificuldades se acumulam. O cavalo e a carroça se separam. Ele não é um malfeitor. Deseja cortejar no momento oportuno. A jovem é casta, não se compromete. Dez anos e então ela se compromete.
b) A dificuldade do seis na segunda posição consiste no fato de ele repousar sobre uma linha rígida. O fato de comprometer-se depois de dez anos significa um retorno à norma geral.

Esta linha está no meio das dificuldades iniciais. Sua conexão normal é com o nove na quinta posição, com o qual ela tem uma relação de correspondência. Porém, essa relação é perturbada pela influência do nove inicial, que está abaixo e que, por importunar, provoca dúvida e incerteza (além disso é uma das linhas governantes do hexagrama). Porém, como o seis na segunda posição é central e correto, essas tentações são superadas e, quando o período da dificuldade termina — dez anos representam um ciclo completo —, a regra geral entra outra vez em vigor, e a conexão com o nove na quinta posição se estabelece.

Seis na terceira posição:
a) Quem caça o veado sem o guarda-florestal só poderá se perder na floresta. O homem superior compreende os sinais do tempo, e prefere desistir. Continuar traz humilhação.
b) "Ele caça o veado sem o guarda-florestal", isto é, ele ambiciona a caça.
"O homem superior compreende os sinais do tempo e prefere desistir. Continuar traz humilhação."
Isso conduz ao fracasso.

Esta linha possui um caráter fraco, está numa posição forte e, além disso, está ao alto do trigrama do movimento, o que resulta no perigo de que seu movimento seja descontrolado e perturbado pela ambição. Tal movimento só pode conduzir ao fracasso.

Quanto aos trigramas nucleares, essa linha faz parte, por um lado, do trigrama nuclear inferior K'un. Nessa posição ela abandonou seu governante e líder e reteve apenas o movimento. Aqui é válida a frase do hexagrama K'un: "Se tentar dirigir, se desviará." A floresta é sugerida pelo trigrama nuclear superior Kên, que significa a montanha em cuja esfera aqui se entra. Como o seis na terceira posição não possui uma linha correspondente acima, na sexta posição, ele fracassa, e não encontra a caça que procura.

Seis na quarta posição:
a) O cavalo e a carroça se separam. Busque união.
Ir adiante traz boa fortuna. Tudo atua de modo favorável.
b) Ir adiante apenas quando se é solicitado indica clareza.

Essa linha se encontra numa relação de correspondência com o nove inicial e surge, por isso, a idéia de esperar até ser solicitado. A solução é expressa pelo fato de o nove inicial se subordinar ao seis na quarta posição. Esse nove ao início é o governante ativo do hexagrama; em contraposição a ele, o seis na quarta posição significa um homem capaz que é sábio o suficiente para não oferecer seus serviços, esperando até ser procurado.

O Nove na quinta posição:
a) Dificuldade em abençoar. Uma pequena perseverança traz boa fortuna. A grande perseverança traz infortúnio.
b) "Dificuldade em abençoar,"
pois o benefício ainda não é reconhecido.

Essa linha é uma das diretrizes que governam o hexagrama, e sendo central e correta é capaz de exercer uma influência benéfica. Mas essa influência é dificultada de várias maneiras. Por um lado, essa linha encontra-se no meio do trigrama K'an[22], o desfiladeiro, encerrada entre paredes íngremes, de modo que, semelhante a um rio entre margens escarpadas, sua influência não pode beneficiar o meio ambiente. Por outro lado, o seis na segunda posição, apesar de lhe ser correspondente, é demasiado fraco. O nove na primeira posição, que é o outro governante do hexagrama, não tem uma relação direta com a quinta linha. Assim sendo, do ponto de vista particular do nove na quinta posição, a primeira linha governante deve ser considerada mais como um rival. Finalmente, a quinta linha ocupa o ponto culminante do trigrama nuclear superior Kên, cujo atributo é a quietude, e isso também obstrui sua influência.

[22] Trigrama básico superior. *(Nota da tradução brasileira.)*

Seis na sexta posição:
a) O cavalo e a carroça separam-se.
Derramam-se lágrimas de sangue.
b) "Derramam-se lágrimas de sangue."
Como se poderia permanecer muito tempo assim?

Essa linha, assim como a segunda e a quarta, tem como símbolo uma carroça que pára e é desatrelada. O seis na segunda posição mantém uma relação de correspondência tanto com o nove inicial quanto com o nove na quinta posição, e portanto só precisa evitar estabelecer uma ligação falsa. Já o seis na quarta posição corresponde ao nove inicial, com o qual encontra uma ligação conveniente, e o seis na última posição está completamente isolado, uma vez que não há uma linha que lhe corresponda na terceira posição.

Ao alto do trigrama K'an, cujo símbolo é uma carroça defeituosa, o homem é obrigado a desatrelar. Mas ninguém vem para socorrê-lo e, por isso, aparecem os outros símbolos do trigrama K'an, a água (lágrimas) e o sangue. Porém, essa situação de desespero não é duradoura. Como essa última linha é um seis, ela se transforma em seu oposto, e do trigrama do perigo, do desfiladeiro, surge o trigrama Sun, que significa o vento, com o que então se supera a estagnação. Em tal situação deve-se sempre provocar rapidamente uma mudança.

Nota: O hexagrama como um todo tem o caráter de dificuldade inicial. As diferentes linhas representam situações particulares que surgem durante esse período de problemas. No que se refere à posição das linhas, nem o caráter intrínseco[23], nem o posicionamento dentro do hexagrama como um todo[24] devem ser considerados. Em cada caso, tudo o que importa é a posição objetiva da linha em questão. Por exemplo, considerando-se o hexagrama como um todo, o nove na quinta posição e o nove inicial são os governantes; o nove na quinta posição é a linha diretriz governante que toma o nove inicial como seu vassalo. Por outro lado, considerando individualmente, o nove na primeira posição não deve ser visto como ajudante do nove na quinta, mas apenas como seu rival pois, em virtude de sua posição objetiva, ele desvia o seis na segunda posição, o qual possui uma relação de correspondência com o nove na quinta posição. Deve-se sempre ter em mente essa regra de avaliação das diferentes linhas.

Uma outra idéia que se encontra em todo o Livro das Mutações é que cada hexagrama designa a situação de um período. Porém, a aplicação do hexagrama depende dos homens. Aqui, por exemplo, se indica a época da DIFICULDADE INICIAL. A aplicação do hexagrama vai variar de acordo com a pessoa que se encontra nessa situação, nesse período, seja um governante, um funcionário ou uma pessoa particular. Entretanto, as linhas básicas de direção são evidentemente as mesmas, sendo necessário apenas adaptá-las às situações individuais.

Uma visão global das diferentes linhas mostra dois diferentes rumos possíveis na época da dificuldade inicial. No caso de algumas linhas, a dificuldade inicial deve ser superada pela atitude pessoal do indivíduo e, em outras linhas, pelas circunstâncias externas; quando esses meios de vencê-las falham, o resultado é nefasto.

As posições fortes, a primeira, a terceira e a quinta, representam o obstáculo provocado pela atividade pessoal. Os noves na primeira e na quinta posições são fortes e por isso recebem o conselho correspondente: o nove inicial precisa de paciência,

---

[23] Isto é, o caráter Yin ou Yang da linha ocupante. *(Nota da tradução brasileira.)*

[24] Isto é, o caráter Yin ou Yang da posição par ou ímpar. *(Idem.)*

de estabilidade e de ajudantes. O nove na quinta posição precisa aprender a agir gradualmente, etapa por etapa. Por outro lado, ao seis na terceira posição falta uma diretiva e, por isso, não lhe é pressagiado sucesso.

As posições fracas, a segunda, a quarta e a sexta, dependem do auxílio externo. "Se ao menos algo surgisse e cuidasse de mim!" O seis na segunda e na quarta posições cedo ou tarde encontram essa ajuda, como no caso de uma jovem que encontra um pretendente que a salva. O seis na última posição, ao contrário, está demasiado afastado no exterior e permanece isolado, de modo que a dificuldade inicial não é superada. Neste caso, é aconselhável romper completamente e começar uma nova situação.

4. MÊNG / INSENSATEZ JUVENIL

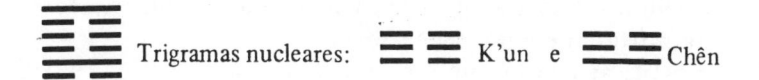

Trigramas nucleares: ☷ K'un e ☳ Chên

O nove na segunda posição e o seis na quinta são os governantes do hexagrama. O nove na segunda posição tem um caráter firme e central, e o seis na quinta posição lhe corresponde. O nove na segunda posição está abaixo: é o professor capaz de instruir aos outros. O seis na quinta posição está ao alto: ele é capaz de honrar o professor e assim instruir os homens por seu intermédio.

SEQÜÊNCIA

Após as dificuldades iniciais, as coisas recém-nascidas são sempre envolvidas em obtusidade. Por isso, a seguir vem o hexagrama INSENSATEZ JUVENIL. A insensatez juvenil significa a tolice do jovem. Essa é a condição das coisas na juventude.

COLETÂNEA DE INDICAÇÕES

INSENSATEZ JUVENIL significa confusão e subseqüente esclarecimento.

No começo da vida as diversas qualidades e aptidões estão ainda confusas e sem desenvolvimento. Através da educação tudo vem a se diferenciar e a clareza substitui a obtusidade. A confusão é simbolizada pelo trigrama interno, abismo, e a clareza, pelo trigrama externo, montanha.

JULGAMENTO

A INSENSATEZ JUVENIL tem sucesso. Não sou eu quem procura o jovem insensato, é o jovem insensato quem me procura. À primeira consulta eu respondo. Se ele pergunta duas ou três vezes, torna-se importuno. Ao que se torna importuno não dou nenhuma informação. A perseverança é favorável.

COMENTÁRIO SOBRE A DECISÃO

A INSENSATEZ JUVENIL mostra um perigo na base de uma montanha. Perigo e imobilidade, eis a insensatez.

A imagem do hexagrama, uma montanha diante da qual há um abismo cheio de água, assim como os atributos dos trigramas básicos que indicam um perigo diante do qual se permanece imóvel, sugerem a idéia da insensatez.

"A insensatez tem sucesso."
Alguém que tem sucesso encontra o momento oportuno para agir.
"Não sou eu quem procura o jovem insensato, é o jovem insensato quem me procura."
As duas posições se correspondem.
"À primeira consulta eu respondo,"
pois a posição é firme e central.
"Se ele pergunta duas ou três vezes, torna-se importuno. Ao que se torna importuno não dou nenhuma informação."
Importunar é uma insensatez.
Fortificar aquilo que é correto num insensato é uma tarefa sagrada.

O governante do hexagrama é a poderosa segunda linha. Ela está situada no meio do trigrama inferior, e portanto numa posição central. Sendo forte e central, essa linha tem sucesso, atuando no momento adequado. Ela simboliza um sábio numa posição inferior, qualificado para aconselhar de modo correto a um jovem governante inexperiente. O jovem dirigente é representado pela linha fraca na quinta posição, a qual possui uma relação de correspondência com a linha forte na segunda posição. A quinta linha, que ocupa uma posição elevada, é fraca, enquanto a segunda, que ocupa uma posição baixa, é forte por natureza. Isso expressa a idéia de que não é o instrutor forte que procura o jovem insensato, porém é o jovem insensato que se aproxima do professor, como alguém que solicita um favor. Esse é o relacionamento correto no domínio da educação.

Por ser forte e central, a segunda posição pode responder às perguntas da quinta, permanecendo dentro dos precisos limites da moderação. Porém, se esses limites são ultrapassados com perguntas importunas, o professor torna-se por sua vez desagradável para com o aluno, recusando-se a respondê-las.

A última frase do texto, "a perseverança é favorável", é desenvolvida pelo comentário final: "Fortificar aquilo que é correto num insensato é uma tarefa sagrada".

Além da segunda, a última linha forte também se encarrega de afastar a insensatez juvenil, enquanto que as quatro linhas restantes representam vários tipos de jovens insensatos. A segunda linha, ocupando uma posição central, representa a gentileza, e a linha forte ao alto equivale à severidade.

IMAGEM

Uma fonte surge na base da montanha: a imagem da juventude.
Assim o homem superior fortalece seu caráter graças à meticulosidade em tudo que faz.

A fonte na base da montanha é ainda pequena e está se desenvolvendo[25]. O homem superior deduz seu rumo de ação dessas duas imagens. Em sua natureza, ele é profundo e claro como uma fonte na montanha, e com isso ele atinge a tranqüilidade diante do perigo, reproduzindo a grande calma da montanha à beira do abismo.

LINHAS

Seis na primeira posição:
a) Para fazer com que o insensato se desenvolva é favorável aplicar a disciplina. Deve-se remover os grilhões.
Continuar assim traz humilhação.
b) "É favorável aplicar a disciplina",
a fim de enfatizar a lei.

A linha maleável na posição inferior representa um jovem insensato que ainda não possui uma direção firme. Ele deve ser submetido à disciplina pela linha forte situada acima, na segunda posição, para que nele se formem princípios firmes e hábitos corretos.

O Nove na segunda posição:
a) Suportar aos insensatos com benevolência traz boa fortuna.
Saber como tratar as mulheres traz boa fortuna.
O filho está apto a administrar a casa.
b) "O filho está apto a administrar a casa",
pois o firme e o maleável estão unidos.

A quinta linha, maleável, se encontra numa relação de complementaridade com a linha firme da segunda posição. Por isso, o senhor da casa, que é compreensivo, permite a atuação do filho, que é firme. Isso também é válido na vida pública, na relação entre príncipe e funcionário. Essa linha é governante do hexagrama.

Seis na terceira posição:
a) Não tome a uma jovem que, ao ver um homem de bronze, perde o domínio de si mesma.
Nada é favorável.
b) Não se deve tomar a uma jovem, pois sua conduta não obedece a ordem.

A linha é maleável e encontra-se numa posição forte, que é também o lugar de transição entre o trigrama inferior e o superior. Por isso, essa linha é incapaz de resistir à tentação de se perder, e assim abandona o caminho correto. Uma relação íntima não é, pois, favorável. A correção do texto proposta por Chu Hsi, querendo ler "cauteloso" em vez de "obedece à ordem", é supérflua.

Seis na quarta posição:
a) Insensatez juvenil limitada traz humilhação.
b) A humilhação da insensatez juvenil limitada decorre do fato de estar o mais afastada possível da realidade.

Uma linha maleável numa posição fraca, sem relação com uma linha forte, e cercada de outras linhas fracas, está, em virtude dessas condições, completamente excluída de qualquer possibilidade de relacionamento com uma linha verdadeira, ou se-

---

[25] Literalmente, "está na juventude". *(Nota da tradução brasileira.)*

ja, firme, e por isso permanece confinada, de maneira irremediável, à sua insensatez juvenil.

O Seis na quinta posição:
a) Insensatez infantil traz boa fortuna.
b) A boa fortuna da insensatez infantil é decorrente de sua a-quiescência e gentileza.

A quinta linha ocupa a posição do governante, mas como é fraca e está relacionada à linha firme na segunda posição, expressa a idéia de aquiescência, na cortesia das palavras e gentileza na disposição de escutar. A linha está ao alto do trigrama nuclear superior K'un, cuja natureza é aquiescente.

Nove na sexta posição:
a) Ao castigar a insensatez não é favorável cometer abusos. É favorável apenas coibir abusos.
b) "É favorável apenas coibir abusos", pois deste modo os que estão acima e os que estão abaixo se submetem à ordem.

A linha forte acima está relacionada com a terceira linha fraca que se desviou da ordem e força o avanço, apesar das circunstâncias. A linha superior a rechaça de volta à esfera que lhe é própria de modo enérgico, de forma que ela obedece à ordem. E como a linha superior não excede seus limites mas permanece apenas na defensiva, ela não se desvia da ordem.

5. HSU / A ESPERA (NUTRIÇÃO)

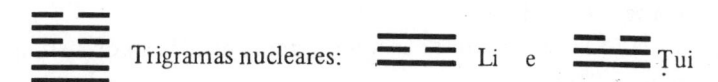

Trigramas nucleares: Li e Tui

O governante do hexagrama é o nove na quinta posição. Todos os empreendimentos exigem uma paciente espera e, especialmente para o governante, é fundamental que seus planos se realizem por meio de uma influência duradoura. A afirmação do Comentário sobre a Decisão: "ele ocupa a posição do céu e é correto e central em seu proceder" refere-se ao nove na quinta posição.

SEQÜÊNCIA

Quando as coisas ainda são pequenas, não se deve deixá-las sem alimento. Por isso, a seguir vem o hexagrama Hsu. Hsu significa o caminho que conduz ao comer e ao beber.

A relação entre os dois significados do hexagrama, "nutrição" e "espera", consiste no fato de que se deve esperar o alimento. Este não depende do poder do homem, porém do céu e das chuvas.

COLETÂNEA DE INDICAÇÕES

A ESPERA significa "não avançar".

JULGAMENTO

A ESPERA. Se você é sincero, tem a luz e o sucesso.
A perseverança traz boa fortuna.
É favorável atravessar a grande água.

COMENTÁRIO SOBRE A DECISÃO

A ESPERA significa conter-se. Há perigo adiante. Sendo firme e forte, o homem não cairá nele. O sentido é evitar a perplexidade e o atordoamento.

O atributo do trigrama inferior Ch'ien é a força; o do trigrama superior K'an, o abismo, é o perigo. Porém, como se está seguro da própria força, não se age de modo precipitado e se evita a perplexidade.

"Se você é sincero, tem a luz e o sucesso. A perseverança traz boa fortuna", pois a linha governante ocupa a posição do céu e, em sua conduta, é correta e central.
"É favorável atravessar a grande água."
Através do progresso o trabalho se realiza.

A quinta linha, diretriz governante do hexagrama, possui a sinceridade de seu símbolo, a água (K'an é um curso d'água entre duas margens altas). As características próprias a esta linha fazem com que ela esteja em acordo com o sentido do trigrama Ch'ien, o Criativo, céu. Sendo firme e estando numa posição ímpar (Yang), há concordância entre seu caráter e a posição que ocupa; por isso ela é correta. Além disso, está ao meio do trigrama superior e, portanto, é central. Essas são as circunstâncias do dirigente do hexagrama que indicam sucesso. Porém, a espera não quer dizer renúncia ao empreendimento. Adiar não é abandonar. Por isso a obra se realiza.

IMAGEM

Nuvens se elevam no céu: a imagem da ESPERA.
Assim o homem superior come e bebe, permanece alegre e de bom humor.

A água acima, no céu, toma a forma de nuvens. Quando as nuvens se elevam[26], a chuva não tarda. Em geral, a segunda parte da imagem separa os atributos dos dois trigramas para indicar como uma dada situação pode ser superada. Neste caso, se explica como aceitar a situação e adaptar-se a ela. Ao subir aos céus a chuva já prepara sua queda; assim toda a vida é alimentada e refrescada. O homem superior age de acordo com isso e conquista, assim, o segundo significado do hexagrama Hsu, que além de espera representa também a nutrição. São ainda levados em consideração os dois trigramas nucleares Li (clareza) e Tui (alegria, contentamento).

LINHAS

Nove na primeira posição:
a) A espera na planície. É favorável esperar no duradouro. Nenhuma culpa.

---

[26] Isto é, o vapor ascende, formando as nuvens. *(Nota da tradução brasileira.)*

b) "A espera na planície."
Não se procuram dificuldades de modo precipitado.
"É favorável esperar no duradouro. Nenhuma culpa."
O solo comum não foi abandonado.

Por ser firme, a linha inferior não se precipita diante do perigo que ainda é remoto (por isso a imagem da planície) e pode permanecer calma e controlada, como se não tivesse adiante nada de extraordinário.

Nove na segunda posição:
a) A espera na areia. Há alguma maledicência.
O final traz boa fortuna.
b) "A espera na areia."
Está-se tranqüilo, pois a linha é central. Apesar de isso provocar alguma maledicência, o final traz boa fortuna.

Essa linha está mais próxima ao perigo simbolizado pelo trigrama superior do que a primeira, por isso a espera na areia. Porém, é equilibrada. A capacidade de sua natureza é amenizada pela maleabilidade da posição, que é também central. Por isso ela permanece tranqüila apesar de divergências menores (não está em relação de correspondência com o governante do hexagrama, pois por serem ambas da mesma categoria, já que tanto a segunda quanto a quinta posição são ocupadas por linhas inteiras, elas se repelem de modo que tudo corre bem). A maledicência é indicada pelo trigrama nuclear Tui.[27]

Nove na terceira posição:
a) A espera no lodo gera a chegada do inimigo.
b) "A espera no lodo."
O infortúnio está do lado de fora[28]
"Gera a chegada do inimigo."
A seriedade e a cautela evitam danos.

A linha forte na posição forte é demasiado enérgica. Encara o perigo e se precipita nele, atraindo, assim, o inimigo. Este mal só pode ser evitado através da cautela.

Seis na quarta posição:
a) A espera no sangue. Saia do buraco.
b) "A espera no sangue."
Ele é flexível e obedece.

Esta é uma linha fraca numa posição fraca; conseqüentemente, mesmo estando em meio ao perigo e aprisionada entre duas linhas fortes (K'an significa buraco e sangue) ela não agrava as coisas forçando um avanço. Ela se submete, e a tempestade se afasta.

O Nove na quinta posição:
a) A espera junto ao vinho e ao alimento.
A perseverança traz boa fortuna.
b) "O vinho e o alimento. A perseverança traz boa fortuna", em virtude de seu caráter central e correto.

---

[27] Tui representa "boca" e, em virtude do contexto, um falar maledicente. *(Nota da tradução brasileira.)*

[28] K'an, o trigrama básico superior e exterior, simboliza o perigo. *(Idem.)*

Esta linha é diretriz governante do hexagrama. Como tal encontra-se ao centro do trigrama básico superior. Ocupa a posição forte que corresponde a seu caráter forte e, portanto, é correta. Encontra-se também ao alto do trigrama nuclear superior ☰ Li, luz, o que lhe confere iluminação. Tudo isso conduz à expectativa de condições favoráveis.

> Seis na sexta posição:
> a) Alguém cai no buraco. Chegam três hóspedes que não foram convidados. Honra-os, e ao final virá boa fortuna.
> b) "Chegam hóspedes que não foram convidados. Se forem reverenciados, ao final virá a boa fortuna."
> Apesar de a linha não estar no lugar que lhe é próprio, pelo menos nenhum grande erro é cometido.

Uma linha maleável no ponto mais alto do perigo, acima do hexagrama, não está, na verdade, em seu lugar apropriado (K'an indica um buraco). Ainda que uma linha fraca numa posição fraca aparentemente esteja no lugar adequado, surge uma inadaptação pelo fato de estar situada acima, enquanto a terceira linha forte que lhe corresponde está abaixo. A chegada de três hóspedes que não foram convidados é indicada por essa terceira linha e pelas duas linhas inferiores do trigrama Ch'ien, que estão ligadas àquela. Já que em decorrência de sua natureza firme não são invejosos, tudo correrá bem se a linha Yin seguir sua natureza maleável, e os acolher com deferência.

Nota: A ESPERA revela uma situação em que uma natureza firme e forte se encontra diante de um perigo. O que se requer do homem neste período é contenção. Ele precisa esperar o momento adequado: deve ser flexível e permanecer tranqüilo. Se ele não avaliar suficientemente as condições do momento e forçar o avanço de um modo rígido, colérico e inquieto, certamente encontrará a derrota.

O nove inicial ainda está muito afastado do perigo; por isso, atendo-se ao que é duradouro se podem evitar erros. O nove na segunda posição está se aproximando mais do perigo, porém também pode alcançar ao final a boa fortuna, permanecendo maleável e mantendo-se na posição central. O nove na terceira posição já é ameaçado pelo perigo e por isso se diz que a seriedade e a cautela evitam a derrota. O seis na quarta posição foi atingido pelo perigo, mas por ser maleável e pacífico consegue sair outra vez do buraco. O seis acima está no ponto culminante do perigo, mas através da deferência também atinge, ao final, a boa fortuna. O autocontrole e a deferência são, portanto, os meios de evitar danos na época da espera. Grande é o significado do tempo do perigo.

6. SUNG / CONFLITO

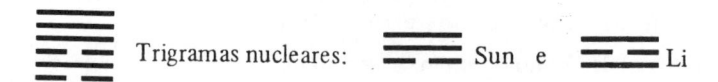

Trigramas nucleares: Sun e Li

O dirigente do hexagrama é o nove na quinta posição. Todas as demais linhas representam pessoas discutindo e o nove na quinta posição é aquele que ouve as disputas. É a isso que se refere a seguinte frase do Comentário sobre a Decisão: "É favorável ver o grande homem; honra-se, assim, sua posição central e correta."

SEQÜÊNCIA

A propósito de comida e bebida haverá, sem dúvida, conflito. Por isso vem a seguir o hexagrama CONFLITO.

COLETÂNEA DE INDICAÇÕES

Conflito significa não amar.

JULGAMENTO

CONFLITO. Você é sincero e está sendo impedido.
Deter-se cautelosamente no meio do caminho traz boa fortuna.
Ir até o fim traz infortúnio.
É favorável ver o grande homem.
Não é favorável atravessar a grande água.

COMENTÁRIO SOBRE A DECISÃO

CONFLITO: acima a força, abaixo o perigo.
Perigo e força geram o conflito.
"O homem que se encontra em meio ao conflito é sincero e está sendo impedido." Chega o firme e alcança a posição mediana. "Ir até o fim traz infortúnio."
Não se deve permitir que um conflito se torne permanente.
"É favorável ver o grande homem."
Deste modo sua posição correta e central é honrada.
"Não é favorável atravessar a grande água",
pois isso conduziria ao abismo.

O nome do hexagrama CONFLITO deriva dos trigramas[29] Ch'ien, força, e K'an, perigo. Quando a força está acima e a astúcia abaixo, há conflito entre dois adversários. Do mesmo modo um homem internamente astuto e externamente forte tende a entrar em conflito com os outros.

O homem que se encontra em meio ao conflito — representado pela segunda linha — é sincero e está sendo bloqueado. Por ocupar uma posição no trigrama interno, dele se diz: "Ele vem". Como a linha é forte e ocupa a posição do meio, sugere a sinceridade, pois torna o centro "verdadeiro". Ela está sendo bloqueada pelo fato de estar encerrada entre duas linhas Yin. O grande homem é representado pela linha central e correta na quinta posição. O juiz que deve decidir permanece fora da situação perigosa. Ele só pode julgar de modo justo permanecendo imparcial. O abismo no qual se poderia cair ao atravessar a grande água é indicado pelo trigrama K'an, perigo. A travessia de grande água é sugerida pelo fato de o trigrama nuclear Su, madeira, estar sobre o trigrama inferior K'an, água.

Em termos de estrutura, este hexagrama é o inverso do precedente: por isso aqui se tem conflito e lá a tolerância. Apesar do significado do tempo representado pelo hexagrama ser de conflito, o texto ensina a cada passo como evitá-lo.

IMAGEM

O céu e a água movimentam-se em sentido oposto:
a imagem do CONFLITO.
Assim o homem superior em todas as suas negociações
cuidadosamente considera o começo.

O movimento do trigrama superior, céu, é ascendente; o do trigrama inferior, água, dirige-se para baixo; assim, os dois se afastam cada vez mais, gerando o conflito. Para evitá-lo, em todas as transações (indicadas pelo trigrama nuclear Sun, o trabalho, o empreendimento) é necessário considerar (K'an significa preocupar-se e o trigrama nuclear Li é o símbolo da clareza) o começo (Ch'ien é o começo de todas as coisas).

LINHAS

Seis na primeira posição:
a) Se não se perpetuar a questão
haverá uma pequena maledicência.
Ao final chega a boa fortuna.
b) "Não se deve perpetuar a questão."
Não se deve prolongar o conflito.
Apesar de "haver uma pequena maledicência",
o assunto é, ao final, claramente decidido.

O seis é uma linha fraca e encontra-se bem abaixo. Por isso, apesar de uma pequena discussão com o nove vizinho, o conflito não pode continuar, pois a posição e o caráter da linha são demasiado fracos para isso. O trigrama nuclear Li, que se encontra acima dessa linha, tem como atributo a clareza, e por isso tudo ao final se decide de modo justo, o que num caso de conflito significa boa fortuna. Ao transformar-se, o seis dá origem ao trigrama Tui, que simboliza a fala.

---

[29] Os dois trigramas básicos. *(Nota da tradução brasileira.)*

Nove na segunda posição:
a) Não se pode lutar, volta-se para casa e cede-se.
As pessoas de sua cidade, trezentos lares,
permanecem livres de culpa.
b) "Não se pode lutar, volta-se para casa e cede-se."
E assim se escapa.
Lutar contra um superior a partir de uma posição baixa causa sofrimentos auto-infligidos.

Não se pode entrar em conflito, ainda que esta linha firme ao centro do trigrama K'an, o Abismal, implique na intenção de lutar com o nove na quinta posição. Sendo um nove, a linha na segunda posição se movimenta, isto é, transforma-se numa linha Yin. Assim, ela se esconde, formando com as outras linhas Yin uma cidade de trezentas famílias que permanece livre de qualquer complicação.

Seis na terceira posição:
a) Alimentar-se da antiga virtude induz à perseverança.
Perigo. Ao final chega a boa fortuna.
Se acaso você está a serviço de um rei,
não procure encargos.
b) "Alimentar-se da antiga virtude",
obedecer àquele que está acima traz boa fortuna.

A linha é fraca e está numa posição forte, não sendo, por isso, correta. Acima e abaixo há linhas fortes que a aprisionam. Além disso, ocupa a posição de transição e é, portanto, internamente inquieta. Todas essas circunstâncias constituem elementos perigosos. Porém, tudo correrá bem desde que a linha se contente com o que foi adquirido, de modo honroso, pelos seus antepassados. Esta linha corresponde à terceira do "hexagrama mãe" K'un, cujo oráculo é, por isso, parcialmente repetido aqui.

Nove na quarta posição:
a) Ele não pode lutar,
volta e submete-se ao destino.
Modifica-se e encontra a paz na perseverança.
Boa fortuna.
b) "Ele volta e submete-se ao destino,
modifica-se e encontra a paz na perseverança."
Assim nada é perdido.

Esta linha não é central nem correta e, portanto, tende originalmente a entrar em conflito. Mas não o pode fazer. Acima dela, na quinta posição, encontra-se o poderoso juiz com o qual não se pode discutir. Abaixo dela encontra-se a linha fraca na terceira posição, e na primeira posição está a linha fraca com a qual mantém uma relação de correspondência[30]. Nenhuma das duas dá motivo algum para discussão. O fato de encontrar-se numa posição maleável dá a essa linha a possibilidade de se converter e abandonar o conflito.

O Nove na quinta posição:
a) Lutar diante dele traz suprema boa fortuna.
b) "Lutar diante dele traz suprema boa fortuna",
porque ele é central e correto.

---

[30] Em virtude da função introdutória de ambas. *(Nota da tradução brasileira.)*

Esta linha é diretriz governante do hexagrama. Ela ocupa uma posição de honra, é central, correta e forte. Tudo isso a torna apta à tarefa de apaziguar o conflito, de forma que a grande boa fortuna virá por seu intermédio.

Nove na sexta posição:
a) Mesmo que, por um acaso,
alguém seja presenteado com um cinto de couro,
ao final da manhã lhe terá sido arrancado três vezes.
b) Obter uma distinção através do conflito não é,
afinal de contas, algo que imponha respeito.

Uma linha forte no ponto culminante do conflito procura obter distinção por meio de uma luta. Porém, isso não dura.

Nota: O nove na quinta posição é o juiz, as demais linhas são os conflitantes. Porém, só as linhas fortes lutam realmente. As linhas fracas na primeira e terceira posições se contêm. As linhas na segunda e quarta posições são fortes e por isso tendem, por natureza, à luta, mas não podem discutir com o juiz na quinta posição, e as linhas fracas abaixo dela não oferecem resistência. Por isso elas também se retiram do conflito a tempo. Só a linha forte ao alto conduz a luta até o fim, e como está em relação de correspondência com a linha fraca na terceira posição, triunfa e recebe uma distinção. Entretanto, essa linha é análoga à linha superior do hexagrama Ch'ien, o "dragão arrogante". Ela terá motivo para se arrepender. Aquilo que foi conquistado pela violência será arrancado pela violência.

師

7. SHIH / O EXÉRCITO

Trigramas nucleares: K'un e Chên

Os dirigentes do hexagrama são o nove na segunda e o seis na quinta posição. O nove na segunda posição, que está abaixo, é o homem forte. O seis na quinta posição, que está acima, tem condições de utilizar o homem forte.

SEQÜÊNCIA

Quando há conflito, as massas certamente se levantam. Por isso a seguir vem o hegrama O EXÉRCITO. O exército significa as massas.

COLETÂNEA DE INDICAÇÕES

O EXÉRCITO significa tristeza.

JULGAMENTO

O EXÉRCITO necessita da perseverança e de um homem forte. Boa fortuna sem culpa.

COMENTÁRIO SOBRE A DECISÃO

O EXÉRCITO significa as massas. A perseverança significa disciplina. Aquele que consegue impor a disciplina sobre as multidões pode alcançar o comando do mundo.

Aquele que é forte está ao centro e encontra um apoio que lhe vem corresponder. Ele faz algo perigoso, porém encontra devoção. O povo segue aquele que conduz[31] o mundo desta maneira. Boa fortuna. Que erro poderia haver nisso?

Este hexagrama se compõe de uma multidão de linhas maleáveis no meio da qual encontra-se uma única linha forte e central, apesar de numa posição subordinada. Assim surge a idéia das massas (as várias linhas maleáveis), de um exército: uma multidão disciplinada. A linha firme na segunda posição encontra apoio na maleável quinta linha, a qual ocupa posição do governante e lhe é correspondente.

O perigo da ação é indicado pelo trigrama inferior K'an e a devoção, pelo trigrama superior K'un.

IMAGEM

No meio da terra está a água: a imagem do EXÉRCITO.
Assim o homem superior aumenta suas massas
através de sua generosidade para com o povo.

Devido ao serviço militar compulsório, que era habitual na antiguidade, a possibilidade de se conseguir um grande número de soldados alistados entre o povo lembrava a água no subsolo. Por isso, cuidando do povo se assegurava um exército eficiente.

A expansão é o atributo da terra, que também representa as massas. A água significa a utilização no serviço prestado a algo; tudo flui em direção à água.

LINHAS

Seis na primeira posição significa:
a) Um exército deve ser posto em movimento ordenadamente.
Se não há boa ordem o infortúnio ameaça.
b) "Um exército deve ser posto em movimento ordenadamente".[32]
Perder a ordem é um infortúnio.

A linha está bem abaixo, indicando, assim, o começo, quando o exército é posto em marcha. O trigrama da água significa o uso correto do exército. Quando a linha se transforma, o trigrama inferior torna-se Tui, a Alegria, com o que a ordem se

---

[31] No texto, o ideograma correspondente a "conduz" é "Tu", que significa "envenenar", mas deve ser lido "Tan", que significa "conduzir".

[32] A palavra "Lü" indicando ordem significa originalmente um instrumento musical de forma tubular. A tradução literal seria então: "O exército deve ser posto em movimento ao som de cornetas. Se as cornetas não estão afinadas isto é um mau sinal".

vê perturbada, pois a alegria não é a disposição interna própria para o desencadear de uma guerra.

    O Nove na segunda posição significa:
    a) No meio do exército.
    Boa fortuna. Nenhuma culpa.
    O rei concede uma tríplice condecoração.
    b) "No meio do exército. Boa fortuna."
    Ele recebe a graça do céu.
    "O rei concede uma tríplice condecoração."
    Ele possui o bem de todas as regiões em seu coração.

A segunda posição é a do funcionário; neste caso, é o general, por se tratar do hexagrama O EXÉRCITO. A graça do céu decorre do seis na quinta posição, que ocupa um lugar na esfera do céu e está em relação de correspondência com essa linha. A tríplice condecoração deriva das três linhas da mesma espécie que formam o trigrama K'un.

    Seis na terceira posição:
    a) Talvez o exército conduza cadáveres na carroça.
    Infortúnio.
    b) "Talvez o exército conduza cadáveres na carroça."
    Isso é completamente desprovido de mérito.

O trigrama superior é K'un, cuja imagem é a carroça.[33] A linha é fraca, encontra-se no ápice do perigo, no meio do trigrama nuclear Chên, o Incitar. Todas essas circunstâncias estão sugerindo uma derrota grave.

    Seis na quarta posição:
    a) O exército retrocede. Nenhuma culpa.
    b) "O exército retrocede. Nenhuma culpa",
    pois ele não se desvia do caminho habitual.

O texto literalmente diz: "O exército vira para a esquerda." Na guerra, "à direita" equivale à frente e "à esquerda", à retaguarda. A linha é extremamente fraca, pois possui uma natureza fraca e ocupa uma posição fraca. Entretanto, está num lugar que lhe é apropriado; logo, a retirada não deve ser censurada.

    O Seis na quinta posição:
    a) Há caça no campo. É favorável capturá-la.
    Sem culpa. Que o mais velho lidere o exército.
    O mais moço conduz cadáveres.
    A perseverança traz infortúnio.
    b) "Que o mais velho lidere o exército",
    porque é central e correto.
    "O mais moço conduz cadáveres."
    Então o encargo não é entregue ao homem adequado.

O trigrama K'an significa o porco, o "campo" é a terra (K'un). Dentro do trigrama K'un (campo) encontra-se K'an (porco, isto é, a caça). Então, é favorável capturá-la. A tradução literal seria: "Explicar seus erros" (entretanto esta interpretação

---

[33] Cf. cap. III, seç. 10 do Shuo Kua, Discussão dos Trigramas, Livro Segundo. *(Nota da tradução brasileira.)*

não é tão satisfatória).³⁴ "O mais velho" é o nove forte na segunda posição e é essa linha que deve liderar o exército. Se um outro, inexperiente (representado pelo seis na terceira posição), o dirigir, isso resultará no transporte de cadáveres, o que significa uma derrota.

> Seis na sexta posição:
> a) O grande príncipe emite ordens,
> funda estados, outorga feudos a famílias.
> Não se devem utilizar homens inferiores.
> b) "O grande príncipe emite ordens"
> para recompensar adequadamente o mérito.
> "Não se devem utilizar forças inferiores",
> porque certamente causarão confusão no país.

A posição superior mostra o vitorioso final da guerra. O grande príncipe é o seis na quinta posição. Aqui, como ocorre em algumas outras passagens com o seis na última posição, há uma referência adicional relativa à linha na quinta posição, partindo agora de uma perspectiva externa, objetiva. O mérito recompensado é o do nove na segunda posição, os homens inferiores são representados pelo seis na terceira posição.

8. PI / MANTER-SE UNIDO (SOLIDARIEDADE)

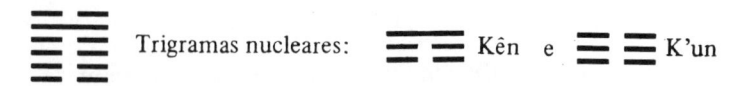

Trigramas nucleares: Kên e K'un

O governante do hexagrama é o nove na quinta posição, pois a estrutura do hexagrama contém apenas uma linha Yang, ocupando o lugar de honra e unindo todas as linhas Yin, situadas acima e abaixo.

SEQÜÊNCIA

Há, certamente, entre as massas uma razão para se unirem.
Por isso, a seguir vem o hexagrama: MANTER-SE UNIDO.
Ser solidário significa unir-se.

COLETÂNEA DE INDICAÇÕES

MANTER-SE UNIDO é algo alegre.

---

[34] A frase "li chih yen" é melhor traduzida quando se considera o termo "yen" (que significa "falar", "explicar") simplesmente como um ponto de exclamação, como freqüentemente acontece no Livro das Odes. Deste modo, se concluiria pela tradução: "É favorável prender, capturar (a caça)".

JULGAMENTO

MANTER-SE UNIDO traz boa fortuna.
Indague ao oráculo mais uma vez
se você possui elevação, constância e perseverança;
então não há culpa.
Os inseguros gradualmente se aproximam.
Aquele que chega tarde demais encontra o infortúnio.

COMENTÁRIO SOBRE A DECISÃO

"MANTER-SE UNIDO traz boa fortuna."
Manter-se unido significa ajuda mútua.
Os subordinados são dedicados e obedientes.

Este hexagrama é o inverso do anterior. Enquanto lá o ponto de convergência é o general, o nove na segunda posição, aqui é o príncipe, forte, central e correto, o nove na quinta posição. Todas as demais linhas são maleáveis, por isso a relação de complementação e ajuda. As linhas maleáveis são os subordinados que obedecem. Assim explica-se o nome do hexagrama através de sua estrutura.

"Indague ao oráculo mais uma vez
se você possui elevação, constância e perseverança;
então não há culpa",
como conseqüência da firmeza e da posição central.
"Os inseguros gradualmente se aproximam"
denota uma correspondência entre o de cima e o de baixo.
"Aquele que chega tarde demais encontra o infortúnio."
Seu caminho acabou.

A linha com a qual tudo se relaciona é o príncipe na quinta posição. As linhas maleáveis abaixo lhe correspondem. Essas cinco linhas mantêm-se unidas umas com as outras. Com isso elas alcançam o poder, o que é uma coisa alegre. Aquele que se mantém isolado e não participa dessa união é o seis superior; ele insiste em seguir seu próprio caminho, mas isso não o conduz a nada.

O hexagrama Pi, MANTER-SE UNIDO, assim como Ts'ui, a REUNIÃO (45), tem abaixo o trigrama K'un; mas aqui o trigrama superior é K'an, água, e lá é Tui, lago. O significado de ambos os hexagramas não é muito diferente. Aqui "a condição sublime, a duração e a perseverança" aplicam-se a todo o hexagrama, enquanto que em Ts'ui referem-se apenas à quinta posição.

No hexagrama Mêng, INSENSATEZ JUVENIL, há uma referência ao "primeiro oráculo", e o comentário o relaciona à linha firme e central. Lá o trigrama K'an, que significa sabedoria, escuridão e oráculo, está abaixo e a linha firme aparece no primeiro trigrama. Aqui diz-se o seguinte: "indague ao oráculo mais uma vez". A explicação do comentário tem novamente a linha firme e central como base. Porém, aqui, K'an está acima e, portanto, a linha firme aparece no segundo trigrama, isto é, no trigrama superior.

IMAGEM

Sobre a terra há água: a imagem do MANTER-SE UNIDO.
Assim os reis da antiguidade concediam direitos feudais
sobre os diferentes estados
e mantinham relações amistosas com os senhores feudais.

A água sobre a terra a ela se mantém unida. Deste fato se deduz uma dupla lição: assim como a água penetra e umedece a terra, assim também devem ser distribuídos os feudos: a partir de cima. Do mesmo modo que as águas fluem sobre a terra convergindo, a organização social deve também procurar a união.

LINHAS

Seis na primeira posição:
a) Mantenha-se solidário a ele com sinceridade e lealdade.
Não há culpa nisso.
A verdade é como um cântaro de barro cheio.
Assim, ao final, a boa fortuna vem de fora.
b) O seis ao início do MANTER-SE UNIDO encontra a
boa fortuna proveniente de outro lugar.

Essa linha está bem abaixo e é fraca, sem relação direta com o governante do hexagrama. Mas como sua atitude ao manter-se unido é sincera (a linha está abaixo no trigrama K'un, cujo atributo é a devoção), alcançará aquilo que almeja, de modo inesperado a partir do exterior. O símbolo da terra é o cântaro, utensílio que serve para acolher as bênçãos que vêm de cima.

Seis na segunda posição:
a) Mantenha-se unido a ele interiormente.
A perseverança traz boa fortuna.
b) "Mantenha-se unido a ele interiormente."
Não se perca a si mesmo.

Essa linha maleável do trigrama interno corresponde ao governante do hexagrama e sugere a idéia de "manter-se unido no interior". Mas justamente por revelar uma afinidade interna e ser, portanto, inevitável, esse "manter-se unido" não necessita de manobras externas indignas.

Seis na terceira posição:
a) Você une-se às pessoas erradas.
b) "Você une-se às pessoas erradas."
Isso não será prejudicial?

Esta linha é fraca e está numa posição de transição, ou seja, é inquieta, não é central, nem correta. As linhas abaixo e acima dela, assim como o seis na última posição com o qual está relacionada[35], são todas linhas obscuras. Aqui elas significam pessoas maléficas.

Seis na quarta posição:
a) Mantenha-se unido a ele também exteriormente.
A perseverança traz boa fortuna.
b) Mantenha-se unido também exteriormente a pessoas
de valor, para deste modo seguir àquele que está acima.

A linha firme na quinta posição é um governante digno, e a quarta linha, maleável, representa o ministro. O ministro pode se permitir exteriorizar sua lealdade a seu valoroso governante. Essa situação difere do seis na segunda posição, que significa um funcionário ainda sem um cargo. Enquanto este deve ser discreto para não compro-

---

[35] A terceira e a sexta posições estão relacionadas, pois são ambas posições de conclusão nos seus respectivos trigramas. *(Nota da tradução brasileira.)*

meter sua dignidade, o ministro pode, com segurança, mostrar sua adesão, uma vez que possui um sólido vínculo oficial. Como esta linha não é atraída pelo seis inicial, pode seguir o seu superior sem as restrições que decorreriam de uma divisão interna.

O Nove na quinta posição:
a) Manifestação de solidariedade.
Durante a caçada, o rei usa batedores somente em três lados e renuncia à caça que foge pela frente.
Os cidadãos não precisam ser advertidos.
Boa fortuna.
b) A boa fortuna resultante da "manifestação de solidariedade" é inerente à sua posição correta e central.
Descartar os que lhe resistem e aceitar os que vêm a ele: eis o sentido de "renúncia à caça que foge pela frente".
"Os cidadãos não precisam ser advertidos", pois aquele que está acima os centraliza.

Esta é a imagem do dirigente em torno do qual os seguidores se reúnem, movidos por sua natureza interior. Ele apenas torna manifesto aquilo que é inerente a cada indivíduo. A espontaneidade desta solidariedade está representada pela imagem de uma caçada imperial, e seus costumes. A caça aceita é representada pelas linhas inferiores, que se oferecem voluntariamente. O seis ao alto é a caça que, por resistir, não é considerada. A imagem da caça é utilizada aqui como o fora também no hexagrama precedente. A diferença é que lá a caça é perseguida, enquanto aqui é deixada em liberdade. O trigrama nuclear inferior do hexagrama precedente é Chên, cujo movimento é ascendente. Aqui o trigrama nuclear superior é Kên, a imobilidade. Portanto, o movimento que parte do nove na quinta posição dirige-se apenas para baixo e não para o alto.

Seis na sexta posição:
a) Ele não encontra uma cabeça para manter-se unido.
Infortúnio.
b) "Ele não encontra uma cabeça para manter-se unido", por isso também não encontra uma conclusão correta.

Essa linha situa-se acima da linha Yang governante. Enquanto as linhas maleáveis inferiores encontram sua liderança nessa linha Yang, a linha superior Yin não tem uma cabeça a qual possa seguir e, portanto, se perde, principalmente por estar no ponto culminante do trigrama K'an, perigo. A expressão "nenhuma cabeça" ocorre também no hexagrama O CRIATIVO. Lá ela possui um significado favorável, pois o hexagrama não tem senão linhas fortes e assim essa expressão lá indica humildade. Aqui ela é desfavorável, pois se trata de uma linha maleável. Um elemento maleável "sem cabeça" é nefasto, por não ter estabilidade.

小畜

9. HSIAO CH'U / O PODER DE DOMAR DO PEQUENO

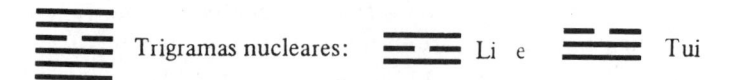

Trigramas nucleares: Li e Tui

O seis na quarta posição é o dirigente constituinte do hexagrama e o nove na quinta posição é seu dirigente governante. Como única linha Yin, o seis na quarta posição restringe as linhas Yang. O Comentário sobre a Decisão refere-se a isso na seguinte frase: "O maleável obtém a posição decisiva e tanto os que se encontram acima como os que se encontram abaixo lhe correspondem". O nove na quinta posição harmoniza-se com a atitude do seis na quarta, para aperfeiçoar a restrição que esta impõe; por isso se diz no Comentário sobre a Decisão: "O firme é central e sua vontade se realiza".

SEQÜÊNCIA

Através do manter-se unido chega-se sem dúvida à contenção.
Por isso a seguir vem O PODER DE DOMAR DO PEQUENO.

COLETÂNEA DE INDICAÇÕES

O PODER DE DOMAR DO PEQUENO é limitado.

Isso se refere ao fato de que aqui o pequeno ocupa a posição do funcionário. Comparar com o hexagrama Ta Yu, GRANDES POSSES (14), onde o pequeno é maleável e ocupa a posição do governante.

JULGAMENTO

O PODER DE DOMAR DO PEQUENO tem sucesso.
Nuvens densas, nenhuma chuva vinda de nossa região oeste.

COMENTÁRIO SOBRE A DECISÃO

O PODER DE DOMAR DO PEQUENO: o maleável obtém a posição decisiva e os que estão acima, assim como os que estão abaixo, lhe correspondem: isso é chamado O PODER DE DOMAR DO PEQUENO.
Forte e suave: o forte é central e sua vontade se realiza, por isso "sucesso".

"Nuvens densas, nenhuma chuva": o movimento vai ainda mais longe. "De nossa região oeste": sua influência ainda não se fez sentir.

A linha pequena, maleável, na posição do ministro, ocupa o lugar decisivo. Todas as linhas firmes acima e abaixo lhe correspondem: essa configuração explica o nome do hexagrama. O sucesso se deve ao caráter dos dois trigramas, a força interna aliada à gentileza externa. Este é o caminho que conduz a resultados. Além disso, o dirigente é central, e sua vontade se realiza. O trigrama superior[36] "vento" é forte o bastante para concentrar o vapor que se eleva do trigrama Ch'ien, de modo a formar nuvens, porém sua força não é suficiente para provocar a chuva. A região oeste é indicada pela posição original de Sun, a oeste (na disposição dos trigramas na Seqüência do Céu Anterior. Já na Seqüência do Céu Posterior é Tui, o lago, que está a oeste).[37]

Quando Tui está acima de Ch'ien, temos o hexagrama IRROMPER (43); lá o vapor de água já se condensou e com facilidade virá a cair. Aqui, Tui aparece sobre Ch'ien, mas apenas como trigrama nuclear, não ainda isoladamente. Na China as nuvens de chuva vêm do leste, do mar, e não do oeste.

IMAGEM

O vento percorre os céus: a imagem do PODER DE DOMAR DO PEQUENO.
Assim o homem superior aperfeiçoa
a forma externa de sua natureza.

O vento a tudo penetra; isso significa aperfeiçoamento. O trigrama inferior[38] é o céu, isso indica a essência do caráter. O trigrama nuclear superior é Li, que significa a forma. Este aperfeiçoamento da forma externa é "pequeno", se comparado com a realização dos princípios fundamentais.

LINHAS

Nove na primeira posição:
a) Retorno ao caminho. Como poderia haver culpa nisso?
Boa fortuna.
b) "Retorno ao caminho";
este é um auspício benéfico.

A forte linha Yang pertence ao trigrama ascendente Ch'ien, tende naturalmente ao alto, mas é detida pela linha maleável na quarta posição. Como encontra-se em relação de correspondência com esta última, ela se retira outra vez sem oferecer oposição, com o que toda luta é evitada. A boa fortuna decorre deste fato.

Nove na segunda posição:
a) Ele deixa-se conduzir ao retorno.
Boa fortuna.
b) Deixar-se conduzir ao retorno decorre da posição central.
E também ele não se perde.

---

[36] Trigrama básico superior. *(Nota da tradução brasileira.)*
[37] Cf. cap. II, seç. 3 e 5 do Shuo Kua, Discussão dos Trigramas, Livro Segundo. *(Idem.)*
[38] Trigrama básico inferior. *(Idem.)*

Essa linha é mais alta que a primeira e também tende por natureza ao alto. Mas em virtude de sua posição central e equilibrada no trigrama inferior Ch'ien, ela se liga à primeira linha e se retira sem luta. Deste modo ela assume uma atitude que a impede de se perder, de se arriscar ao fracasso, o que aconteceria se quisesse se expor apesar da oposição da quarta linha.

Nove na terceira posição:
a) Os raios soltam-se da roda da carruagem.
O homem e a mulher viram os olhos.
b) Quando "o homem e a mulher viram os olhos" é um sinal de que não conseguem manter sua casa em ordem.

"Os raios soltam-se da roda da carruagem" é uma idéia sugerida pelo fato de Ch'ien, sendo redondo, simbolizar uma roda; o trigrama nuclear inferior Tui significa quebrar. "Virar os olhos" é uma imagem evocada pelo significado do trigrama nuclear superior Li, associado aos olhos, e Sun, o trigrama básico superior, que representa muito branco nos olhos.[39]

Esta linha tem a mesma tendência ascendente das duas anteriores, mas enquanto aquelas renunciam à luta e se retiram voluntariamente, a presente linha (demasiado forte em virtude do caráter forte numa posição forte, e instável uma vez que está numa posição de transição) tenta avançar pela força. A quarta linha maleável corresponde à mulher que deixa que se partam os raios das rodas que pertencem a seu marido, representado pela terceira linha. O homem olha para ela com raiva e ela lhe retribui o olhar. Na medida em que a terceira linha abandona sua família (as duas linhas inferiores), mostra que não é capaz de mantê-la em ordem.

☐ Seis na quarta posição:
a) Se você é sincero,
o sangue desaparece e o medo se afasta.
Nenhuma culpa.
b) "Se você é sincero, o medo se afasta",
pois aquele que está ao alto concorda com sua atitude.

Situada no meio das linhas fortes, essa linha está vazia interiormente, isto é, ela é sincera. (Cf. hexagrama 61, VERDADE INTERIOR.) O trigrama nuclear Li, cuja linha central é o seis na quarta posição, é o oposto de K'an, que indica sangue e medo. Por isso a ausência de sangue e medo. A quarta posição é a do ministro. Essa linha tem a difícil tarefa de controlar com seus parcos poderes o esforço de ascensão das linhas inferiores. Isso está necessariamente associado ao perigo e ao medo. Porém, como o seis na quarta posição é sincero (uma linha maleável ocupando uma posição maleável e ainda sendo vazia no interior), o príncipe, o nove na quinta posição, permanece a seu lado e lhe dá o apoio necessário.

○ Nove na quinta posição:
a) Se você é sincero e leal em sua aliança,
será rico em seu semelhante.
b) "Se você é sincero e leal em sua aliança"
você não ficará sozinho em sua riqueza.

A quinta linha está em posição de honra, no meio do trigrama Sun, que significa riqueza. Sun também indica uma aliança, e assim essa linha está ligada ao seis na

---

[39] Cf. cap. III, seç. 11 do Shuo Kua, Discussão dos Trigramas, Simbolismo Adicional, Livro Segundo. *(Nota da tradução brasileira.)*

quarta posição, seu vizinho. Essas linhas são verdadeiramente ricas, porque se complementam uma à outra e compartilham suas riquezas.

Nove na sexta posição:
a) A chuva vem, o repouso chega.
Isso se deve ao efeito duradouro do caráter.
A mulher cai em perigo devido à perseverança.
A lua está quase cheia.
Se o homem superior persistir,
o infortúnio virá.
b) "A chuva vem, o repouso chega."
Este é "o efeito sistematicamente cumulativo do caráter".
"Se o homem superior persistir, o infortúnio virá",
pois poderia haver equívocos.

Como esta linha se move, por ser um nove, o trigrama Sun, vento, transforma-se em K'an, a chuva, a lua. Esta linha está no alto do trigrama Sun, gentil e abnegado, que, pouco a pouco, acumulou em seu interior a força do Criativo, até produzir o efeito desejado. Quando este efeito de Sun é alcançado, o homem deve se contentar. Se insistir impetuosamente em se prevalecer de seu sucesso, isso acarretaria perigo. A insistência levaria a equívocos, pois o restringir se transformaria em opressão, o que o forte Ch'ien decerto não toleraria.

10. LU / CONDUTA (TRILHAR)

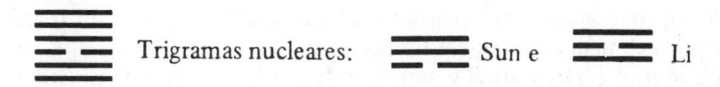

Trigramas nucleares: Sun e Li

A linha diretriz constituinte do hexagrama é o seis na terceira posição; o nove na quinta posição é a diretriz governante. O seis na terceira posição, como única linha maleável entre várias firmes, caminha em meio a elas amedrontada e trêmula. Por isso o hexagrama se denomina CONDUTA. Principalmente aquele que ocupa um lugar de honra deve estar sempre cônscio do perigo e do temor. Por isso o julgamento do nove na quinta posição diz: "Perseverança com consciência do perigo". O Comentário sobre a Decisão diz sobre essa linha: "ele caminha para a posição do governante de modo firme, central e correto, e permanece sem culpa".

SEQÜÊNCIA

Quando os seres estão sujeitos à restrição, os costumes instauram-se. Por isso a seguir vem o hexagrama CONDUTA.

COLETÂNEA DE INDICAÇÕES

Aquele que trilha não permanece.

JULGAMENTOS ANEXOS

A CONDUTA mostra o fundamento do caráter.
O hexagrama Lu é harmonioso e atinge seu objetivo.
Ele promove uma conduta harmoniosa.

Este hexagrama é o inverso do precedente. O movimento dos dois trigramas básicos se dirige ao alto, por isso a idéia de um trilhando atrás do outro. A filha mais moça caminha atrás do pai.

JULGAMENTO

A CONDUTA. Trilhando sobre a cauda do tigre.
Ele não morde o homem.
Sucesso.

COMENTÁRIO SOBRE A DECISÃO

CONDUTA: o maleável pisa sobre o firme.
Alegre, e em relação de correspondência com o Criativo, por isso "trilhando sobre a cauda do tigre. Ele não morde o homem. Sucesso".
Ele caminha para a posição do governante de modo firme, central e correto e permanece sem culpa:
sua luz brilha resplandecente.

O maleável que pisa sobre o firme é o trigrama inferior Tui, que segue a Ch'ien. Assim as formas dos dois trigramas explicam o nome do hexagrama.

A Alegria é o atributo do trigrama[40] inferior Tui, cujo movimento segue a mesma direção do Criativo, do forte, por isso a imagem de pisar sobre a cauda de um tigre. (Tui encontra-se a oeste, região que tem como símbolo o tigre.) Aqui a cauda do tigre é mencionada porque a linha fraca de Tui segue as três linhas de Ch'ien. Além disso, deve-se levar em consideração que a linha maleável do trigrama inferior está situada acima das duas linhas firmes.

Os termos forte, central e correto referem-se ao dirigente governante do hexagrama, a linha do meio do trigrama superior o Criativo, que ocupa uma posição na esfera do céu, ou seja, está na posição do governante. A luz é a característica primordial de Ch'ien, e mais ainda, o trigrama nuclear Li, cujo atributo é a luz, está contido no hexagrama.[41]

IMAGEM

Acima o céu, abaixo o lago: a imagem da CONDUTA.
Assim o homem superior discrimina entre o alto e o baixo e fortalece deste modo a mente do povo.

---

[40] Trigrama básico inferior. *(Nota da tradução brasileira.)*
[41] Li ocupa a posição de trigrama nuclear inferior. *(Nota da tradução brasileira.)*

O céu representa o mais alto; o lago, o mais baixo; essas diferenças de nível fornecem uma norma para a conduta e os costumes. Assim, o homem superior estabelece as diferenças de hierarquia na sociedade, que correspondem às diferenças inerentes à natureza dos seres. Com isso ele fortifica a mente do povo, que se tranqüiliza quando essas distinções estão em acordo com a natureza.

LINHAS

Nove na primeira posição:
a) Conduta simples. Progresso sem culpa.
b) "O progresso da conduta simples" segue
na solidão suas próprias inclinações.

O trilhar significa a conduta. A boa conduta é determinada pelo caráter. Essa linha está no começo do hexagrama e, portanto, para ela, a atitude correta é a simplicidade. Ela já caminha independente. Como não está ligada às outras linhas, trilha sozinha seu caminho, e isso está exatamente em acordo com suas tendências, já que é uma linha forte.

Nove na segunda posição:
a) Trilhando sobre um caminho plano e simples.
A perseverança de um homem obscuro traz boa fortuna.
b) "A perseverança de um homem obscuro traz boa fortuna."
Ela é central e não se confunde.

Essa linha é luminosa, porém ocupa uma posição obscura, por isso a imagem de um homem obscuro. Entretanto, como ele anda no meio da estrada (seu movimento é central), não corre perigo e segue por um caminho plano, sem se confundir por falsas relações.

□ Seis na terceira posição:
a) Um homem com uma só vista pode enxergar,
um aleijado pode pisar.
Ele pisa sobre a cauda do tigre.
O tigre morde o homem.
Infortúnio.
Um guerreiro age assim em favor de seu grande príncipe.
b) "Um homem com uma só vista pode enxergar"
mas não o suficiente para ver claro.
"Um aleijado pode pisar"
mas não o suficiente para acompanhar os outros.
O infortúnio de o homem ser mordido decorre do fato de a posição não ser apropriada.
"Um guerreiro age assim em favor de seu grande príncipe" porque sua vontade é firme.

Essa linha faz parte dos dois trigramas nucleares, Li, os olhos, e Sun, a perna.[42] Porém, como não é correta — é uma linha fraca numa posição forte —, sua visão e seu pisar são defeituosos. Mais ainda, encontra-se bem na boca[43] de Tui, o trigrama inferior, por isso a idéia da mordida do tigre. A linha é fraca, ocupa uma posição for-

---

[42] Cf., cap. III, seç. 9 do Shuo Kua, Discussão dos Trigramas, Livro Segundo. *(Nota da tradução brasileira.)*

[43] Tui corresponde, no corpo, à boca. *(Idem.)*

te, e se apóia numa linha firme. Como se encontra no ponto culminante da alegria, possui uma certa frivolidade, e apesar da situação perigosa, não se retira. Isso sugere a idéia de pisar na cauda do tigre e de ser ferido. Quando a linha se move, o trigrama inferior transforma-se em Ch'ien, o que sugere a idéia do guerreiro que avança, temerário, para servir a seu príncipe.

Nove na quarta posição:
a) Ele pisa na cauda do tigre.
Cautela e circunspecção conduzem ao final à boa fortuna.
b) "Cautela e circunspecção conduzem ao final à boa fortuna"
porque se realiza aquilo que se almeja.

Esta linha está relacionada ao nove inicial, portanto é cuidadosa ao pisar sobre a cauda do tigre. Seu caráter é exatamente o oposto do da linha precedente. Lá havia fraqueza interna aliada à agressividade externa, o que leva ao perigo. Aqui há força interna aliada à cautela externa, o que conduz à boa fortuna.

O Nove na quinta posição:
a) Conduta decidida.
Perseverança com consciência do perigo.
b) "Conduta decidida.
Perseverança com consciência do perigo."
A posição é correta e apropriada.

A linha governante do hexagrama, correta e central, ocupa a posição do dirigente e tem o dever de agir de modo decidido. Ao mesmo tempo ela tem consciência do perigo. Por isso o resultado positivo anunciado no julgamento ao hexagrama como um todo.

Nove na sexta posição:
a) Contemple sua conduta e examine os sinais favoráveis. Quando tudo estiver completo, virá suprema boa fortuna.
b) "Suprema boa fortuna"
na posição superior implica numa grande bênção.

Essa linha está ao final do hexagrama CONDUTA, por isso não pisa sobre mais nada. Então ela se volta para observar sua conduta. A boa fortuna lhe é assegurada, pois possui um caráter forte por natureza (uma linha forte) e conhece a cautela em virtude de sua posição.

Nota: Esse hexagrama significa conduta com o sentido secundário de boas maneiras. Na prática, as boas maneiras dependem da modéstia e de um jeito gracioso. O hexagrama consiste da Alegria abaixo, relacionada ao Criativo, o forte, acima. Assim o subordinado é cauteloso quando está a serviço do superior.

É curioso notar que apesar de o hexagrama como um todo — devido ao caráter de seus dois trigramas — conter a idéia de que o tigre, sobre cuja cauda o homem pisa, não lhe faz mal algum, é justamente o seis na terceira posição que evoca essa idéia, quem terá o destino pessoal de ser mordido pelo tigre. O motivo disso é que, por um lado, quando o hexagrama é considerado como um todo, o trigrama inferior enquanto unidade é compreendido como alegre e obediente; por outro lado, no julgamento da linha individual, o seis na terceira posição é avaliado de acordo com sua posição desfavorável, que lhe traz infortúnio. No Livro das Mutações, com freqüência se pode notar uma tal diferença entre o julgamento relativo ao hexagrama como um todo e o julgamento referente a uma linha particular.

11. T'AI / PAZ

Trigramas nucleares: Chên e Tui

As linhas governantes do hexagrama são o nove na segunda posição e o seis na quinta. O sentido do hexagrama é de que o que está acima e o que está abaixo se encontram unidos, e têm uma vontade comum. O nove na segunda posição preenche plenamente os deveres do funcionário em relação ao governante e o seis na quinta posição preenche plenamente os deveres do governante em relação aos subordinados. As duas linhas são ao mesmo tempo dirigentes constituintes e dirigentes governantes do hexagrama.

SEQÜÊNCIA

Boa conduta e, então, contentamento; assim a tranqüilidade prevalece.
Por isso a seguir vem o hexagrama PAZ. A paz significa união, inter-relação.

A palavra chinesa T'ai não é fácil de traduzir. Significa contentamento, repouso, paz, no sentido positivo de uma união plena e sem bloqueios, que promove o florescimento e a grandeza. O movimento do trigrama inferior Ch'ien tende ao alto e o do superior, K'un, dirige-se para baixo, e assim um vai ao encontro do outro.
Este hexagrama é atribuído ao primeiro mês (fevereiro-março).[44]

COLETÂNEA DE INDICAÇÕES

Os hexagramas ESTAGNAÇÃO e PAZ são opostos por natureza.

JULGAMENTO

PAZ. O pequeno parte, o grande se aproxima.
Boa fortuna. Sucesso.

COMENTÁRIO SOBRE A DECISÃO

PAZ. "O pequeno parte, o grande se aproxima.
Boa fortuna. Sucesso."
Deste modo o céu e a terra se unem, e todos os seres vêm se unir.

---

[44] Cf. nota 14 (hexagrama 11, PAZ, Livro Primeiro). *(Nota da tradução brasileira.)*

Os que estão acima e os que estão abaixo se unem
e têm um anseio comum.
O princípio luminoso está no interior, e o obscuro, no exterior;
a força é interna, a devoção é externa.
O homem superior está do lado de dentro,
o homem inferior está do lado de fora.
O caminho do homem superior está crescendo,
o do homem inferior está diminuindo.

Considerado como um todo e em sua associação ao calendário, este hexagrama é interpretado segundo a idéia de que as linhas fortes que entram abaixo estão ascendendo, enquanto que as linhas fracas situadas acima estão se retirando do hexagrama. Por isso: "O pequeno parte, o grande se aproxima".

Outra interpretação é sugerida pelo movimento dos dois trigramas, um em direção ao outro. O trigrama inferior, ascendente, é Ch'ien, o céu. O trigrama superior, que aqui tende a descer, é K'un, a terra. Assim os dois poderes primordiais se unem e todos os seres se interligam e desenvolvem. Isso corresponde às condições do começo do ano.

Aplicado à esfera humana, especialmente levando-se em consideração duas das linhas — a quinta que representa o governante e a segunda que representa o funcionário —, tem-se como resultado uma união entre o superior e o inferior, cujos anseios dirigem-se a um objetivo comum. A posição dos dois trigramas — interno (abaixo) e externo (acima) — conduz a mais uma consideração: o poder Yang está no interior, o poder Yin está no exterior. Isso indica uma diferença de nível entre o poder dirigente, Yang, ao centro, e o poder subordinado, Yin, na periferia; esse aspecto é ainda mais enfatizado pelos seus respectivos atributos, a força e a devoção. Essas posições relativas são igualmente favoráveis a ambos os elementos.

Aplicado à esfera política, surge uma outra consideração resultante da diferença de valor existente entre os homens superiores, simbolizados pelas linhas luminosas, e os homens inferiores, simbolizados pelas linhas obscuras. Os homens bons estão do lado de fora, sujeitos à influência dos bons. Isto também contribui para o bem geral.

O movimento do hexagrama como um todo produz finalmente uma ascensão vitoriosa dos princípios do bem, e uma retirada e derrota dos princípios do mal.

Nada disso ocorre de modo arbitrário, mas decorre do tempo. Esse hexagrama representa a primavera, tanto no ciclo do ano como na história.

IMAGEM

Céu e terra unem-se: a imagem da PAZ.
Assim, o governante divide e completa
o curso do céu e da terra,
favorece e regula os dons do céu e da terra
e desta forma ajuda ao povo.

A atividade humana deve apoiar a natureza nas épocas de florescimento. A natureza deve ser mantida dentro de limites assim como a terra limita a atividade do céu, para regular os excessos. Por outro lado, a natureza deve ser favorecida, assim como o céu favorece os dons da terra de modo a compensar as deficiências. Dessa forma as bênçãos da natureza beneficiam o povo. O termo chinês correspondente a "ajudar" significa literalmente "estar à esquerda e à direita", o que, por sua vez, deriva do fato de o movimento de Yang ser considerado como se dirigindo para a direita e o de Yin, para a esquerda.

LINHAS

Nove na primeira posição:
a) Quando se arranca uma folha de grama,
junto vem o torrão.
Cada qual de acordo com sua espécie.
Empreendimentos trazem boa fortuna.
b) "Quando se arranca uma folha de grama...
Empreendimentos trazem boa fortuna."
A vontade está dirigida ao exterior.

As três linhas do trigrama inferior Ch'ien formam um conjunto e avançam juntas. A posição mais baixa sugere a idéia da grama. O seis na quarta posição une-se ao nove inicial, e por isso o avanço — "os empreendimentos" — traz boa fortuna.

O Nove na segunda posição:
a) Suportar gentilmente os incultos,
atravessar o rio com decisão,
não negligenciar o longínquo,
não privilegiar os companheiros:
assim se poderá trilhar o caminho do meio.
b) "Suportar gentilmente os incultos...
assim se poderá trilhar o caminho do meio",
porque a luminosidade é grande.

O trigrama Ch'ien envolve K'un, suportando gentilmente os incultos. Essa linha deve atravessar o rio de modo decidido, pois está na posição mais baixa do trigrama nuclear Tui, que significa água. A linha deve passar por cima daqueles que se interpõem para unir-se ao seis na quinta posição. Os que estão distantes são simbolizados pelo seis ao alto; os amigos são as duas outras linhas fortes de Ch'ien. Eles não são levados em consideração porque o nove na segunda posição une-se ao seis na quinta. "Assim se poderá trilhar o caminho do meio", ou, segundo uma outra explicação, "assim se obtém ajuda" — do seis na quinta posição — "para trilhar o caminho do meio".

Nove na terceira posição:
a) Não há planície que não seja seguida por uma escarpa.
Não há partida que não seja seguida por um retorno.
Aquele que se mantém perseverante quando em perigo
permanece sem culpa.
Não lamente essa verdade:
usufrua a boa fortuna que ainda possui.
b) "Não há partida que não seja seguida por um retorno",
esta é a fronteira entre o céu e a terra.

O nove na terceira posição está no meio do hexagrama, na fronteira entre o céu e a terra, entre o Yang e o Yin. Isso sugere a idéia de um revés. Mas a linha é muito forte. Por isso não deve ficar triste, mas manter sua força e usufruir da felicidade que ainda resta (o trigrama nuclear Tui, no meio do qual essa linha se encontra, significa a boca, usufruir, comer).

    Seis na quarta posição:
    a) Ele desce voando, sem se vangloriar de sua riqueza.
Junto a seu próximo, sincero e sem malícia.
    b) "Ele desce voando, sem se vangloriar de sua riqueza."
Todos perderam aquilo que é real.
"Sincero e sem malícia: ele o deseja do fundo do seu coração."

    Assim como as três linhas inferiores sobem juntas, as três superiores descem juntas, batendo as asas. Nenhuma deseja a riqueza só para si. Essa linha "perdeu aquilo que é real", isto é, ela renunciou à vantagem concreta que poderia atrair, caso se unisse de modo egoísta ao seis inicial.

    O Seis na quinta posição:
    a) O soberano I concede sua filha em casamento.
Isso traz bênçãos e suprema boa fortuna.
    b) "Isso traz bênçãos e suprema boa fortuna"
por ser central e estar produzindo aquilo que deseja.

    O trigrama nuclear Chên significa a entrada do governante (Deus irrompe no signo do Incitar).[45] Essa linha está acima do trigrama nuclear Tui, a filha mais moça, e por isso a imagem da filha concedida em casamento ao nove na segunda posição, que é de nível inferior. Graças ao seu caráter central o seis na quinta posição alcança a realização de todos os seus anseios.

    Seis na sexta posição:
    a) A muralha cai novamente no fosso.
Não use o exército agora.
Proclame suas ordens em sua própria cidade.
A perseverança traz humilhação.
    b) "A muralha cai novamente no fosso",
seus planos tornam-se confusos.

    A terra na posição mais alta indica a muralha. Essa linha dirige-se para baixo, assim como as outras linhas Yin, por isso simboliza a queda no fosso. K'un significa as massas, o exército. O trigrama nuclear Tui (boca) sugere ordens.

    Essa linha está relacionada ao inquieto nove na terceira posição. Deste modo ela é arrastada para a confusão pressagiada para a terceira linha. Porém, se o homem permanece interiormente livre e cuida daqueles que lhe são mais próximos, pode defender-se da ruína iminente, mas apenas através do silêncio. Em geral, o tempo se completa segundo a necessidade.

---

[45] Cf. cap. II, seç. 5 do Shuo Kua, Discussão dos Trigramas, Livro Segundo. *(Nota da tradução brasileira.)*

12. P'I / ESTAGNAÇÃO

Trigramas nucleares: ☴ Sun e ☶ Kên

Os dirigentes do hexagrama são o seis na segunda posição e o nove na quinta. Durante a estagnação os que estão acima não se unem aos que estão abaixo. A frase associada ao seis na segunda posição, "A estagnação traz o sucesso", refere-se a alguém que se refugia em sua virtude, para evitar dificuldades. A frase referente ao nove na quinta posição diz: "A estagnação aproxima-se ao fim". Isto está relacionado a alguém que transforma a estagnação em paz. Porém, o seis na segunda posição é o dirigente constituinte do hexagrama, enquanto o nove na quinta posição é o dirigente governante.

SEQÜÊNCIA

As coisas não podem permanecer unidas para sempre. Por isso a seguir vem o hexagrama ESTAGNAÇÃO.

Esse hexagrama é o inverso do precedente. Assim sendo, as tendências de movimento são opostas. O trigrama superior Ch'ien retira-se cada vez mais rumo ao alto, e o inferior, K'un, mergulha cada vez mais rumo às profundezas. Os dois trigramas nucleares, Sun, a Suavidade, e Kên, a Imobilidade, também caracterizam o hexagrama. Estes mesmos trigramas formam o hexagrama 18, TRABALHO SOBRE O QUE SE DETERIOROU, onde também há estagnação.

Este hexagrama é atribuído ao sétimo mês (agosto-setembro).[46]

COLETÂNEA DE INDICAÇÕES

Os hexagramas ESTAGNAÇÃO e PAZ são opostos por natureza.

JULGAMENTO

ESTAGNAÇÃO. Homens maus não favorecem
a perseverança do homem superior.
O grande parte, o pequeno se aproxima.

COMENTÁRIO SOBRE A DECISÃO

"Os homens maus da época da ESTAGNAÇÃO não favorecem

---

[46] Cf. nota 14 (hexagrama 11, PAZ, Livro Primeiro). *(Nota da tradução brasileira.)*

a perseverança do homem superior. O grande parte, o pequeno se aproxima."
Assim o céu e a terra não se unem e todos os seres não se reúnem.
Os que estão acima e os que estão abaixo não se unem,
e no mundo os estados caem em ruína.
O princípio obscuro está no interior e o luminoso, no exterior.
Há fraqueza interna e rigidez externa.
O homem inferior está no interior e o superior, no exterior.
O caminho do homem inferior está crescendo
e o do superior está diminuindo.

As condições aqui são ponto por ponto opostas às do hexagrama precedente. Apesar de tratar-se de condições cósmicas, deve-se procurar a causa no rumo errado tomado pelo homem. São os homens que deterioram as condições, à parte naturalmente dos fenômenos regulares de declínio que ocorrem no curso normal da vida, assim como no decorrer do ano. Quando o céu e a terra estão desunidos, a vida na natureza se paralisa. Quando os que estão acima e os que estão abaixo se encontram desunidos, a vida política e social se paralisa. A luz deveria estar no interior, no centro, e em vez disso é a sombra que aí se encontra e a luz é pressionada para fora. O homem está enfraquecido em seu interior e enrijecido externamente; os homens inferiores ocupam o centro do governo e os superiores foram pressionados para fora. Tudo isso indica que o caminho dos inferiores está em ascensão, enquanto o dos homens superiores está em declínio, assim como as linhas obscuras entram no hexagrama por baixo e fazem pressão rumo ao alto, enquanto que as linhas fortes retiram-se em direção ao alto.

IMAGEM

Céu e terra não se unem: a imagem da ESTAGNAÇÃO.
Assim o homem superior recolhe-se a seu valor interno
de modo a evitar dificuldades.
Ele não permite que o honrem com recompensas.

O caminho para a superação das dificuldades da época da ESTAGNAÇÃO é indicado pelos atributos dos dois trigramas básicos. K'un significa a economia, o restringir-se a qualquer coisa. As três linhas fortes do trigrama externo, Ch'ien, que se retiram, simbolizam a evasão de todas as dificuldades que surgem em virtude da pressão dos homens inferiores. Essa retirada sugere também que o homem superior não deve permitir que o honrem com recompensas. Enquanto no hexagrama anterior as dádivas do céu e da terra eram administradas pelo homem superior, aqui ele se mantém completamente à distância.

LINHAS

Seis na primeira posição:
a) Quando se arranca uma folha de grama,
junto vem o torrão.
Cada qual de acordo com sua espécie.
A perseverança traz boa fortuna e sucesso.
b) "Quando se arranca uma folha de grama...
A perseverança traz boa fortuna."
A vontade se dirige ao governante.

Aqui, consideradas individualmente, as linhas Yin são consideradas não como inferiores e sim como superiores, numa época em que os elementos inferiores triunfam. Em virtude do rumo de movimento dos dois trigramas, não há uma relação de correspondência entre as linhas que estão acima e as que estão abaixo. Por isso as três linhas inferiores permanecem reunidas como folhas de grama e juntas retiram-se para baixo, de modo a permanecerem leais ao príncipe, e para evitar a associação com os homens inferiores que avançam.

□ Seis na segunda posição:
a) Eles suportam e toleram.
Isso significa boa fortuna para os homens inferiores.
A estagnação ajuda o grande homem a obter sucesso.
b) "A estagnação ajuda o grande homem a obter sucesso."
Ele não confunde as massas.

Os homens inferiores se ligam de maneira solícita ao governante, o nove na quinta posição, o que, para eles, é uma boa fortuna, pois deste modo lhes seria possível se aperfeiçoarem.

Porém, o homem superior não se deixa conduzir a uma tal relação incorreta e aduladora, para não confundir as massas que compartilham de suas idéias.

Aqui, do mesmo modo que no hexagrama anterior, trata-se da tolerância. Porém, lá um homem superior tolera um inferior, enquanto aqui trata-se de uma forma servil de tolerar os influentes, que são ricos e poderosos.

Seis na terceira posição:
a) Eles sentem vergonha.
b) "Eles sentem vergonha"
porque a posição não é correta.

A terceira linha é fraca e está na posição de transição. Este não é um lugar correto para ela, por isso a idéia de humilhação. Como a linha está ao alto do trigrama inferior K'un, ela é a que sustenta e tolera os que estão abaixo. Aqui há a indicação do começo de uma mudança para melhor, assim como no nove na terceira posição do hexagrama anterior havia os primeiros indícios do fracasso.

Nove na quarta posição:
a) Aquele que age segundo a ordem do mais alto
permanece sem culpa.
b) "Aquele que age segundo a ordem do mais alto permanece sem culpa."
A vontade se cumpre.

O ponto médio da estagnação foi ultrapassado. A ordem pouco a pouco é restabelecida. O nove na quarta posição é uma linha forte numa posição maleável e por isso não é demasiado fraca. Encontra-se na posição do ministro; age, portanto, cumprindo ordens superiores. Desse modo a linha permanece livre de culpa. Como no hexagrama anterior, aqui também há uma união entre o ministro e o governante.

○ Nove na quinta posição:
a) A estagnação aproxima-se do fim.
Boa fortuna para o grande homem.
"E se fracassasse, e se fracassasse?"
Deste modo ele a amarra a um feixe de brotos de amoreira.

b) A boa fortuna do grande homem consiste no fato de sua posição ser correta e apropriada.

A quinta é a posição do governante e como a linha tem todas as boas qualidades necessárias, ela põe fim à época da estagnação. Mas seu trabalho ainda não terminou, por isso a ansiosa preocupação de que as coisas venham a dar errado. Mas essa preocupação é positiva.

Nove na sexta posição:
a) A estagnação termina.
Primeiro estagnação, depois boa fortuna.
b) Quando a estagnação chega ao fim, ela se inverte.
Não se deve desejar que ela se torne permanente.

Aqui o fim foi alcançado. Com isso, há efetivamente uma mudança. A linha forte encontra-se ao final do hexagrama ESTAGNAÇÃO. Isso indica que está ocorrendo uma inversão em direção ao oposto da estagnação. Aqui também se pode notar um paralelo com a linha superior do hexagrama precedente.

13. T'UNG JÊN / COMUNIDADE COM OS HOMENS

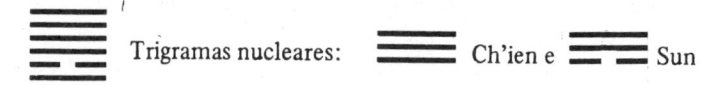

Trigramas nucleares: Ch'ien e Sun

Os dirigentes do hexagrama são o seis na segunda posição e o nove na quinta. Como única linha Yin, o seis na segunda posição é capaz de manter-se fraterno com todas as demais linhas Yang, e o nove na quinta posição lhe corresponde. Por isso se diz no Comentário sobre a Decisão: "O maleável encontra seu lugar, encontra o centro, e o Criativo lhe corresponde."

SEQÜÊNCIA

As coisas não podem permanecer sempre estagnadas. Por isso a seguir vem o hexagrama: COMUNIDADE COM OS HOMENS.

COLETÂNEA DE INDICAÇÕES

A COMUNIDADE COM OS HOMENS encontra o amor.

O movimento dos dois trigramas básicos é ascendente; portanto, tem o mesmo sentido. Os dois trigramas nucleares, Ch'ien e Sun, que juntos formam o hexagrama VIR AO ENCONTRO (44) também indicam a comunidade. O trigrama inferior Li significa o sol e o fogo. O céu, Ch'ien, ao receber o fogo, torna-se mais claro.

JULGAMENTO

COMUNIDADE COM OS HOMENS em espaço aberto. Sucesso.
É favorável atravessar a grande água.
É favorável a perseverança do homem superior.

COMENTÁRIO SOBRE A DECISÃO

COMUNIDADE COM OS HOMENS. O maleável encontra seu lugar, encontra o centro, e o Criativo lhe corresponde: isso significa comunidade com os homens. COMUNIDADE COM OS HOMENS significa: "COMUNIDADE COM OS HOMENS em espaço aberto. Sucesso. É favorável atravessar a grande água". O Criativo atua. Ordem e clareza unidos à força. Central, correto e em relação de correspondência: eis a correção do homem superior. Só o homem superior é capaz de unir a vontade de todos sob o céu.

A segunda linha é o elemento maleável que encontra seu lugar ao centro, e ao qual o Criativo corresponde. Deve ser considerada como representante do trigrama K'un, que se estabeleceu na segunda posição de Ch'ien. Assim sendo, essa linha corresponde à essência da terra e do funcionário.

A frase "comunidade com os homens em espaço aberto" também é representada por essa linha, que ocupa o lugar do campo aberto (cf. com o nove na segunda posição do hexagrama 1, O CRIATIVO). A comunidade é estabelecida pelo funcionário (não pelo governante) em virtude de seu caráter, e não decorre da autoridade de sua posição. O caráter capaz de conseguir esse resultado é delineado a partir dos atributos dos dois trigramas básicos. A ordem e a clareza são atributos de Li, a força é atributo de Ch'ien. Primeiro a sabedoria, depois a força: este é o caminho que leva à cultura.

Mesmo prestando serviços, em condição subalterna, o homem superior ocupa sua posição de modo correto, altruísta, e encontra o apoio de que necessita na figura do governante, o representante do princípio celestial. A vontade dos homens, sob o céu, é representada por Li (que significa a vontade iluminada) embaixo de Ch'ien, o céu.

A travessia da grande água é indicada pelo trigrama nuclear Sun, símbolo da madeira, e dá origem à idéia de um barco.

IMAGEM

O céu junto com o fogo: a imagem da COMUNIDADE COM OS HOMENS.
Assim o homem superior estrutura os clãs
e estabelece distinções entre as coisas.

A natureza do fogo é semelhante à do céu, em direção ao qual sua chama arde. Essa tendência é reforçada pelo trigrama nuclear Sun, que significa o vento. O vento que sopra em toda parte também sugere a união e a comunidade. A mesma idéia é expressa pelo sol no céu, que a tudo por igual ilumina.

Porém, há ainda um ponto nessa comunidade que o homem superior não deve esquecer. Ele não deve se degradar. Por isso a necessidade da estruturação e diferenciação sugerida pelo atributo do trigrama inferior Li, ordem.

LINHAS

Nove na primeira posição:
a) Comunidade com os homens no portão.
Nenhuma culpa.
b) Sair do portão para entrar em comunidade com os homens quem encontraria alguma culpa nisso?

A linha inicial é luminosa, forte e desprovida de egoísmo. O seis na segunda posição é uma linha dividida, aberta no meio, é a imagem de um portão. O nove inicial, forte e numa posição forte, deseja participar da comunidade; livre de interesses pessoais ou egoísmo, ele se une ao seis na segunda posição, que por sua vez é central e correto. Portanto, nenhuma culpa acompanha essa união. Mesmo as linhas invejosas na terceira e quarta posições nada de mal podem encontrar nela.

O Seis na segunda posição:
a) Comunidade com os homens no clã.
Humilhação.
b) "Comunidade com os homens no clã"
é o caminho que leva à humilhação.

O clã significa uma facção, uma comunidade baseada na similitude de natureza. Na seqüência dos trigramas na Ordem Interna do Mundo[47] Li encontra-se ao sul, o lugar de Ch'ien na Ordenação Primordial.[48] Quando essa linha se move, Li transforma-se em Ch'ien.[49] Esses são relacionamentos de caráter íntimo. Mas como o sentido do hexagrama favorece as relações abertas, a comunidade representada por essa linha é demasiado limitada, e por isso acarreta humilhação.

Nove na terceira posição:
a) Ele esconde armas entre os arbustos,
escala a alta colina que está adiante
e não se ergue durante três anos.
b) "Ele esconde armas entre os arbustos",
pois ele teve um adversário tenaz.
"Ele não se ergue durante três anos."
Como poderia fazê-lo?

O trigrama Li significa "armas", o trigrama nuclear Sun significa "esconder" e também "madeira, arbusto". O trigrama resultante da mutação de Sun é Kên, montanha, o que explica a alta colina que está adiante. O nove na terceira posição não é central e é uma linha rígida; significa uma pessoa grosseira que procura a comunidade com o seis na segunda posição, baseando-se numa relação de solidariedade.

Mas o seis na segunda posição é correto, e cultiva uma relação fraterna e adequada com o nove na quinta posição. O nove na terceira posição tenta impedi-la. Co-

---

[47] Cf. cap. II, seç. 5 do Shuo Kua, Discussão dos Trigramas, Livro Segundo. *(Nota da tradução brasileira.)*

[48] Ou Seqüência Primordial. Cf. cap. II, seç. 3 do Shuo Kua, Discussão dos Trigramas, Livro Segundo. *(Idem.)*

[49] Ao mencionar essa mutação, o texto alemão diz que "o seis se transforma em nove", o que não é correto, pois o nove designa a linha Yang móvel e quando uma linha Yin se move, a resultante não é ela própria móvel, e sim "jovem" ou não-mutante. Portanto, o seis resulta sempre no sete e o nove resulta sempre no oito. Cf. Apêndice I, SOBRE A CONSULTA ORACULAR. *(Idem.)*

mo sua força não está à altura do adversário, recorre à astúcia. Espreita o seu adversário, mas não ousa aparecer. Os três anos são provavelmente indicados pelas três linhas de Ch'ien. Essa é a posição mais baixa do trigrama nuclear Ch'ien.

>   Nove na quarta posição:
>   a) Ele sobe em seu muro e não pode atacar.
>   Boa fortuna.
>   b) "Ele sobe em seu muro."
>   A situação é de tal ordem que ele nada pode fazer.
>   Sua boa fortuna consiste em entrar em apuros e, por isso, ter de retornar à lei.

O nove na quarta posição também procura manter uma comunidade com o seis na segunda posição. Porém, esta linha está no interior, e o nove na quinta posição está no exterior. O seis na segunda posição está em relação de correspondência com o nove na quinta, e de solidariedade com o nove na terceira posição. Assim sendo, o nove na terceira posição forma a alta muralha que a quarta linha tem diante de si. Essa muralha protege a segunda linha da quarta. Se, por um lado, o nove na quarta posição pretende lutar contra o nove na quinta posição, por outro verifica também que não tem condições para fazê-lo em decorrência de sua posição fraca e incorreta. Mas como essa posição maleável suaviza a dureza da linha em virtude das exigências da situação ela é motivada a retornar ao caminho correto e a renunciar.

>   O Nove na quinta posição:
>   a) Homens ligados por um sentido de comunidade primeiro choram e se lamentam, mas depois riem.
>   Após grandes lutas conseguem encontrar-se.
>   b) O começo de "homens reunidos numa comunidade"
>   é central e reto.
>   "Após grandes lutas conseguem encontrar-se",
>   isto é, eles vencem.

A quinta e a segunda linhas estão numa correta e direta relação de correspondência. A princípio, a terceira e a quarta linhas impedem essa união, e por isso elas[50] estão tristes. Mas como são centrais e corretas, em algum momento se reunirão. O trigrama inferior, Li, significa armas, e o superior, Ch'ien, vem vigorosamente a seu encontro. Isso indica a vitória de grandes exércitos.

>   Nove na sexta posição:
>   a) Comunidade com os homens no prado.
>   Nenhum arrependimento.
>   b) "Comunidade com os homens no prado."
>   A vontade ainda não foi satisfeita.

Ch'ien significa o prado diante da cidade. A linha superior se mantém fora do hexagrama. Isso também sugere o prado. Para além do prado se estende o campo aberto. Portanto, a comunidade no prado está aquém do derradeiro ideal. Ainda não foi satisfeito o anseio da comunidade em espaço aberto, que é a que traz o sucesso.

Nota: Esse hexagrama contém o ideal da fraternidade humana universal, que entretanto ainda não foi alcançado. Essa exigência nos remete para além das situações particulares de comunidade encontradas no hexagrama, as quais são consideradas em

---

[50] Isto é, a quinta e a segunda linhas. *(Nota da tradução brasileira.)*

parte insatisfatórias. Nenhuma das diferentes linhas atinge o ideal. Todas elas buscam a comunidade sobre a base de relações mais limitadas. Por isso nenhuma chega ao grande sucesso que o hexagrama como um todo tem em vista.

大有

14. TA YU / GRANDES POSSES

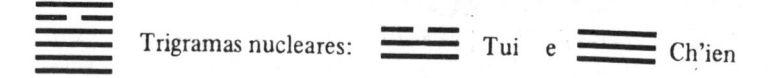

Trigramas nucleares: Tui e Ch'ien

O governante do hexagrama é o seis na quinta posição. Essa linha é aberta e central, ocupa o lugar de honra e tem a capacidade de possuir todas as linhas Yang. Por isso o Comentário sobre a Decisão diz a seu respeito: "O maleável obtém o lugar de honra no grande centro[51] e o superior e inferior lhe correspondem".

SEQÜÊNCIA

As coisas certamente vêm a nós através da COMUNIDADE COM OS HOMENS. Por isso a seguir vem o hexagrama GRANDES POSSES.

COLETÂNEA DE INDICAÇÕES

GRANDES POSSES indica multidão.

Os dois trigramas básicos, Ch'ien e Li, têm ambos um movimento ascendente, assim como os dois trigramas nucleares, Ch'ien e Tui. Todas essas circunstâncias são extremamente favoráveis. Esse hexagrama é o inverso do precedente. GRANDES POSSES é mais favorável do que a COMUNIDADE COM OS HOMENS, porque seu governante ocupa, ao mesmo tempo, o quinto lugar, a posição de autoridade.

JULGAMENTO

GRANDES POSSES: sublime sucesso!

COMENTÁRIO SOBRE A DECISÃO

GRANDES POSSES: o maleável obtém o lugar de honra no grande centro, e tanto o superior como o inferior lhe correspondem. Chama-se a isso: GRANDES POSSES.

Seu caráter é firme e forte, ordenado e claro, encontra correspondência no céu e se move com o tempo. Por isso se diz: "sublime sucesso".

---

[51] O pequeno centro é a segunda posição, o centro do trigrama inferior. *(Nota da tradução brasileira.)*

O elemento maleável que obtém o lugar de honra é o seis na quinta posição. Contrastando com o seis na segunda posição do hexagrama anterior, essa linha ocupa o "grande" centro. Partindo desta posição, a posse das cinco linhas fortes pode ser muito melhor organizada. O funcionário pode de fato unir os homens, porém só o' príncipe pode possuí-los. Enquanto no hexagrama anterior as linhas fortes mantinham apenas uma relação indireta com o príncipe, aqui estão numa relação direta. Portanto, a estrutura do hexagrama dá origem ao seu nome.

As palavras do Julgamento são interpretadas a partir dos atributos e da estrutura do hexagrama. No interior estão a firmeza e a força de Ch'ien; no exterior aparece a forma clara e ordenada de Li. O seis na quinta posição, o governante pelo qual tudo deve se ajustar, por sua vez, procura com modéstia adaptar-se ao nove na segunda posição e aqui, no centro do céu, encontra uma correspondência. Ch'ien, ao se repetir, como trigrama básico inferior e trigrama nuclear inferior, indica o fluxo do tempo. Para que haja êxito na execução das medidas é preciso que exista uma decisão firme no interior, aliada a um método de execução ordenado e claro.

IMAGEM

Fogo ao alto, no céu: a imagem de GRANDES POSSES. Assim o homem superior reprime o mal e promove o bem em obediência à benévola vontade do céu.

O sol no alto dos céus iluminando tudo sobre a terra é a imagem de grandes posses. A supressão do mal é indicada por Ch'ien, o trigrama que pronuncia o Julgamento, e que combate o mal nos seres. A promoção do bem é indicada pelo trigrama Li, que a tudo ilumina e ordena. Ambos constituem o desígnio benéfico do céu (Ch'ien), ao qual o homem superior se consagra obedientemente (Li significa a devoção).

LINHAS

Nove na primeira posição:
a) Nenhuma relação com o que é prejudicial.
Não há culpa nisso.
Aquele que se mantém consciente da dificuldade
permanecerá livre de culpa.
b) Se o nove inicial de GRANDES POSSES não tem relacionamentos, isto é nocivo.

O trigrama superior Li significa armas, isto é, algo nocivo. A linha inicial encontra-se ainda muito longe do trigrama Li, por isso não há uma relação com ele. Existem dificuldades porque grandes posses numa posição inferior atraem o perigo. Por isso a cautela é oportuna. Mas como a linha é forte, pode-se supor que permanecerá sem culpa.

Nove na segunda posição:
a) Uma grande carroça a ser carregada.
Pode-se empreender algo. Nenhuma culpa.
b) "Uma grande carroça a ser carregada".
Acumulando ao centro, não surge mal algum.

Ch'ien simboliza uma roda e uma grande carroça.⁵² As três linhas do trigrama representam a carga destinada à carroça. Há uma alusão a empreendimentos, já que Ch'ien implica num movimento vigoroso. O nove na segunda posição é firme e central, e tem uma relação de correspondência com o governante do hexagrama, por isso tudo é favorável. Normalmente o acúmulo de tesouros é nocivo, mas aqui o acúmulo no meio é correto e central, não causando qualquer dano. Não são tesouros terrestres os que se acumulam, porém tesouros celestes.

Nove na terceira posição:
a) Um príncipe o oferece ao Filho do Céu.
Um homem mesquinho⁵³ não poderia fazê-lo.
b) "Um príncipe o oferece ao Filho do Céu."
Um homem mesquinho prejudica a si mesmo.

Esta linha é forte e correta e está relacionada às linhas acima. Como integrante do trigrama Ch'ien e do trigrama nuclear Tui, está disposta a sacrificar-se. Como está ao alto do trigrama inferior, representa o príncipe. Um homem mesquinho só oferece algo movido por intenções de lucro e isso só poderia ter resultados nocivos.

Nove na quarta posição:
a) Ele estabelece uma diferença
entre ele próprio e seu próximo.
Nenhuma culpa.
b) "Ele estabelece uma diferença
entre ele próprio e seu próximo.
Nenhuma culpa."
Ele é claro, possui discernimento e é compreensivo.

O seis na quinta posição detém a posse das cinco linhas Yang. O nove na quinta posição ocupa o lugar do ministro e, portanto, poderia ignorar a diferença entre ele próprio e o governante, e arrogar a posse para si. Mas como é uma linha forte numa posição fraca, é demasiado modesta para proceder dessa forma; como se encontra ao começo de Li, possui o atributo desse trigrama, a discriminação clara, que impede tais confusões entre o "meu" e o "seu".

O Seis na quinta posição:
a) Aquele cuja verdade é acessível, porém digna, terá boa fortuna.
b) "Aquele cuja verdade é acessível";
ele inflama a vontade dos outros por ser digno de confiança.
A boa fortuna de sua dignidade é decorrente de sua maneira de agir fácil e livre de preparações prévias.

O seis na quinta posição ocupa o lugar de honra. É modesto e sincero e por isso desperta a confiança das outras linhas. Porém, devido à sua posição, essa linha também pode impressionar pela sua dignidade; isto ocorre com facilidade e sem preparativos externos, pois detém o grande centro. Por isso não suscita sentimentos desagradáveis.

---

⁵² Entretanto, no cap. III, seç. 11 do Shuo Kua, Discussão dos Trigramas, Livro Segundo, a roda é associada a K'an, o Abismal, e a carroça, a K'un, o Receptivo. *(Nota da tradução brasileira.)*

⁵³ Literalmente, "pequeno". *(Idem.)*

Nove na sexta posição:
a) Ele é abençoado pelo céu. Boa fortuna.
Nada que não seja favorável.
b) A posição mais alta do Grandes Posses possui a boa fortuna. Isto se deve ao fato de ser abençoada pelo céu.

As cinco linhas Yang pertencem todas ao seis na quinta posição. Até a linha ao alto se submete a ele. Ch'ien e Li são ambas celestes por natureza, por isso se diz que o céu abençoa esta linha. No comentário a essa linha, assim como no referente à primeira linha do hexagrama, uma menção especial é feita à posição, para enfatizar o início e o término. Este hexagrama é organizado de modo tão favorável que o movimento que o integra ao início não pára nem se transforma, ao final, em seu oposto, porém vai se extinguindo harmoniosamente.

15. CH'IEN / MODÉSTIA

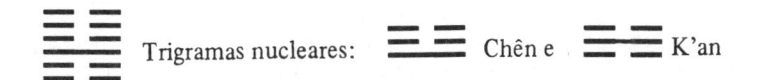

Trigramas nucleares: Chên e K'an

O governante do hexagrama é o nove na terceira posição. É a única linha luminosa do hexagrama, ocupa o lugar adequado e encontra-se no trigrama inferior. Isto é o símbolo da modéstia e assim sendo o julgamento referente a essa linha é idêntico ao do hexagrama como um todo. O comentário com freqüência atribui o infortúnio à terceira posição, porém neste caso a linha é muito favorável.

SEQUÊNCIA

Aquele que possui algo grande deve cuidar para que não se torne excessivo. Por isso a seguir vem o hexagrama: MODÉSTIA.

COLETÂNEA DE INDICAÇÕES

As coisas são fáceis para uma pessoa modesta.

O movimento dos dois trigramas básicos dirige-se para baixo, mas a tendência de descida do trigrama superior é mais forte que a do inferior; e assim a conexão entre os dois está garantida. O trigrama nuclear inferior desce, enquanto o nuclear superior toma um rumo ascendente.

JULGAMENTOS ANEXOS

A MODÉSTIA mostra o manuseio do caráter.
A MODÉSTIA dignifica e ilumina.
A MODÉSTIA serve para regular os costumes.

O bom caráter tem a modéstia como instrumento de ação; através dela o bom caráter pode ser apreendido e assimilado. A modéstia está pronta a honrar aos outros e por fazê-lo é que ela própria se torna tão maravilhosamente luminosa. A modéstia é a atitude mental em que se baseia a sincera observância dos costumes.

JULGAMENTO

A MODÉSTIA cria o sucesso.
O homem superior conduz as coisas à conclusão.

COMENTÁRIO SOBRE A DECISÃO

A MODÉSTIA cria o sucesso, pois é próprio ao caminho do céu verter sua influência em direção ao que está abaixo e criar a luz e o resplendor. É próprio ao caminho da terra estar abaixo e ascender.

É próprio ao caminho do céu esvaziar o que está pleno e acrescentar ao que é modesto. É próprio ao caminho da terra alternar o que é pleno e aumentar o que é modesto. Os espíritos e os deuses minam o pleno e fazem prosperar o modesto. É próprio ao caminho dos homens odiar o pleno e amar o modesto.

A modéstia que é honrada irradia luminosidade. A modéstia que está abaixo não pode ser ignorada. Este é o fim alcançado pelo homem superior.

Aqui a estrutura do hexagrama é utilizada para esclarecer a frase: "A MODÉSTIA cria o sucesso". O nove na terceira posição é o representante da força Yang, que se colocou abaixo. Ele traz luz e claridade, atributos do trigrama Kên, a montanha. O trigrama superior K'un mostra a terra sendo elevada (o trigrama nuclear Chên tem um movimento ascendente). A lei que rege o rebaixar do orgulho e o enaltecer do modesto é apresentada de quatro maneiras: 1) No céu: quando o sol alcança o zênite, inicia seu declínio; quando a lua está cheia, começa o minguante e vice-versa. 2) Na terra: as altas montanhas transformam-se em vales, os vales transformam-se em colinas. A água dirige-se às alturas e as vai aplainando. A água (representada pelo trigrama nuclear inferior K'an) dirige-se rumo às profundezas, e as preenche. 3) No efeito das forças do destino: as famílias poderosas atraem sobre si a destruição, as famílias modestas se engrandecem. 4) Entre os homens: a arrogância atrai antipatia, a modéstia conquista o amor.

A causa última nunca é o mundo externo, que reage de acordo com leis fixas, e sim o próprio homem que com sua conduta atrai sobre si boas ou más influências. O caminho rumo à expansão passa pela contração.

IMAGEM

A montanha no interior da terra: a imagem da MODÉSTIA. Assim o homem superior diminui o que é demasiado e aumenta o que é insuficiente.
Ele pesa as coisas, igualando-as.

Para realizar as condições apresentadas pelo hexagrama, o homem superior atua em harmonia com as tendências de expansão e redução dos dois trigramas nucleares. Onde está o baixo (K'un, a terra) ele ascende (Chên) e aumenta o que é diminuto. Ao contrário, onde está o alto (Kên, a montanha) ele desce (K'an). Assim o homem superior promove o equilíbrio.

LINHAS

Seis na primeira posição:
a) Um homem superior modesto em sua modéstia pode atravessar a grande água.
Boa fortuna.
b) "Um homem superior modesto em sua modéstia" permanece em posição baixa para poder resguardar-se bem.

A dupla modéstia é indicada pela dupla maleabilidade da linha (maleável em posição maleável). A travessia da grande água é indicada pelo trigrama nuclear inferior K'an, que se encontra diante da linha inicial. É aqui que a modéstia, ocupando um lugar baixo, não pode ser ignorada.

Seis na segunda posição:
a) Modéstia manifesta.
A perseverança traz boa fortuna.
b) "Modéstia manifesta.
A perseverança traz boa fortuna."
Ele a possui nas profundezas de seu coração.

O governante do hexagrama, aquele que dá o tom, é o nove na terceira posição. A segunda linha mantém com ele uma relação de solidariedade, por isso responde a esse tom, e se manifesta. A linha é central, por isso tem a modéstia ao centro, no coração.

O Nove na terceira posição:
a) Um homem superior de mérito, e modesto, leva tudo à conclusão.
Boa fortuna.
b) "Um homem superior de mérito, e modesto":
todo o povo o obedece.

Kên, a montanha, é o trigrama no qual o fim e o começo se encontram. A terceira linha está ao alto desse trigrama, por isso a idéia de esforço que conduz à realização. As três linhas superiores fazem parte do trigrama K'un, que significa as massas e a devoção. A linha Yang na terceira posição é a terceira linha do trigrama Ch'ien, o Criativo, que também se distingue por seu esforço incansável.

O Mestre disse: "A maior generosidade é a de um homem que não se vangloria de seus esforços e que não conta seus méritos como virtude". Isso significa que, apesar de todos os seus méritos, ele se subordina aos outros. Nobre por natureza, reverente em sua conduta, o homem modesto impõe o mais profundo respeito, e por isso ele é capaz de manter sua posição.

Seis na quarta posição:
a) Nada que não seja favorável para a modéstia em movimento.
b) "Nada que não seja favorável para a modéstia em movimento."
Ele não vai além das normas.

Essa linha é maleável e está numa posição maleável, na mais baixa posição do trigrama K'un, cujo atributo é a devoção; ela funciona como mediadora entre o nove na terceira posição e o seis na quinta. Encontra-se no meio do trigrama nuclear Chên, o movimento, por isso a idéia da movimentação (literalmente "acenar").

Seis na quinta posição:
a) Não se vanglorie de sua riqueza diante do próximo.
É favorável atacar com violência.
Nada que não seja propício.
b) "É favorável atacar com violência"
para castigar os desobedientes.

Essa linha é central, encontra-se num lugar de honra, porém é maleável. Ela reúne todas as virtudes de um governante. É vazia, portanto não faz alarde de suas riquezas. Está ao centro do trigrama K'un, símbolo das massas, e acima do trigrama nuclear K'an, símbolo do perigo, por isso a idéia de castigar.

Seis na sexta posição:
a) Modéstia que se exterioriza.
É favorável colocar os exércitos em marcha para castigar a própria cidade e o próprio país.
b) "Modéstia que se exterioriza."
O objetivo ainda não foi alcançado.
É preciso fazer marchar exércitos para castigar sua própria cidade e seu próprio país.

Esta linha encontra-se em relação de correspondência com o governante do hexagrama, o nove na terceira posição: portanto, por motivos semelhantes aos do seis da segunda posição, "modéstia manifesta". Unidos, o trigrama básico superior K'un e o trigrama nuclear K'an formam o hexagrama Shih, o EXÉRCITO. O trigrama K'un indica também a cidade e o país. O objetivo ainda não foi alcançado porque esta linha está muito afastada do nove na terceira posição, em direção ao qual ela se esforça por caminhar. Por isso o castigo por meio de um exército, para que estes dois possam se unir.

16. YÜ / ENTUSIASMO

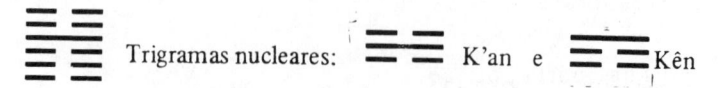

Trigramas nucleares: K'an e Kên

O governante do hexagrama é o nove na quarta posição. É a única linha luminosa do hexagrama, e encontra-se no lugar do ministro. Por isso o hexagrama significa o entusiasmo. E então, no Comentário sobre a Decisão se diz: o firme encontra correspondência e sua vontade se cumpre.

SEQÜÊNCIA
Quando um homem possui algo grande e é modesto, sem dúvida haverá entusiasmo. Por isso a seguir vem o hexagrama: ENTUSIASMO.

COLETÂNEA DE INDICAÇÕES
O ENTUSIASMO conduz à inércia.

JULGAMENTOS ANEXOS
Os heróis da antiguidade introduziram portões duplos e guardas noturnos com matracas para enfrentar os ladrões. Provavelmente inspiraram-se para isso no hexagrama ENTUSIASMO.

Além do entusiasmo, Yü significa também preparação. Neste hexagrama o movimento (Chên) encontra-se acima e ao mesmo tempo ressoa como um trovão: isso sugere a imagem do vigia noturno que, ao fazer sua ronda portando uma matraca, encontra o perigo (o trigrama nuclear K'an). O trigrama nuclear inferior Kên significa uma porta fechada. Os dois trigramas se movem em direções opostas: o trovão ascende, a terra mergulha nas profundezas. Entretanto, há uma certa coerência de estrutura, já que o trigrama nuclear superior Kên permanece imóvel. Porém, esse hexagrama não apresenta uma perspectiva tão favorável quanto o precedente, que é o seu inverso.

JULGAMENTO
ENTUSIASMO. É favorável designar ajudantes e pôr os exércitos em marcha.

COMENTÁRIO SOBRE A DECISÃO
ENTUSIASMO. O firme encontra correspondência, e sua vontade se cumpre. O ENTUSIASMO consiste na devoção ao movimento. Como o ENTUSIASMO evidencia devoção ao movimento, o céu e a terra estão ao seu lado. Isso garante a possibilidade de se engajar ajudantes e pôr em marcha os exércitos. O céu e a terra movimentam-se com devoção, por isso o sol e a lua não se desviam de suas órbitas, e as quatro estações não se confundem.
Aquele que segue o chamado do céu move-se com devoção. Então as penas e os castigos tornam-se justos, e o povo obedece. Grande em verdade é o significado da época do ENTUSIASMO.

O trigrama K'un significa as massas e, portanto, o exército. O trigrama superior Chên é o filho mais velho, o líder das massas, e por isso a idéia de engajar ajudantes (senhores feudais) e de pôr em marcha os exércitos. O comandante do exército, cuja vontade desperta o entusiasmo e que move aqueles que o seguem, é o nove na quarta posição, o governante do hexagrama. O movimento que encontra devoção é o segredo tanto das leis da natureza como das leis humanas.

IMAGEM

O trovão ressoando do interior da terra:
a imagem do ENTUSIASMO.

Assim os reis da antiguidade tocavam música para honrar os homens de mérito e a ofereciam com magnificência à Divindade Suprema, convidando seus antepassados a presenciá-lo.

Chên é o som do trovão que acompanha os movimentos da vida que volta a despertar. Esse som é o modelo para a música. Mais ainda, Chên é o hexagrama no qual Deus surge[54], por isso a idéia da Suprema Divindade. O trigrama nuclear Kên é uma porta, o trigrama nuclear K'an indica algo profundamente misterioso, o que sugere a idéia do Templo dos Ancestrais.

LINHAS

Seis na primeira posição:
a) Entusiasmo que se expressa traz infortúnio.
b) O seis inicial expressa seu entusiasmo; isso leva ao infortúnio de ter a vontade bloqueada.

Essa linha é semelhante ao seis na última posição do hexagrama precedente. Por isso a idéia de expressar-se aparece aqui pelo mesmo motivo que lá, ou seja, pela relação de correspondência com o forte governante do hexagrama. A linha inicial é fraca, incorreta, isolada e, em vez de ser cautelosa, expressa seu entusiasmo. Isso conduz, sem dúvida, ao infortúnio.

Seis na segunda posição:
a) Firme como uma rocha. Nem um dia inteiro.
A perseverança traz boa fortuna.
b) "Nem um dia inteiro. A perseverança traz boa fortuna", pois é central e correta.

Essa linha ocupa a posição inferior do trigrama nuclear Kên, a montanha, por isso a comparação com a pedra. O movimento dessa linha tende mais a descer que a subir, o que explica sua disposição de retirar-se a qualquer momento. Isso é decorrente de sua prudência (indicada pela sua posição central e correta) durante a época do ENTUSIASMO.

Seis na terceira posição:
a) Entusiasmo que ergue o olhar traz arrependimento.
Hesitação traz arrependimento.
b) "Entusiasmo ao erguer os olhos traz arrependimento" porque a posição não é a adequada.

A linha é fraca, está numa posição forte e ocupa ainda um lugar de transição. Ela é atraída pela linha forte na quarta posição, para a qual ergue o olhar com entusiasmo, pois há uma relação de solidariedade entre elas. Porém, o seis na terceira posição perde com isso a sua independência, o que não é nada favorável.

O Nove na quarta posição:
a) A fonte do entusiasmo. Ele alcança grandes coisas.

---

[54] Cf. cap. II, seç. 5 do Shuo Kua, Discussão dos Trigramas, Livro Segundo. *(Nota da tradução brasileira.)*

Não duvide. Os amigos juntam-se à sua volta assim como o grampo junta o cabelo.

b) "A fonte do entusiasmo. Ele alcança grandes coisas."
Sua vontade se cumpre em grandes coisas.

Essa linha encontra-se ao começo do trigrama Chên, o movimento, que tende para o alto; ao mesmo tempo, é a única linha Yang no hexagrama e todas as outras se adaptam a ela. Portanto, é a fonte do entusiasmo. As cinco linhas Yin representam alguma coisa grande que é alcançada. O excesso de linhas obscuras poderia dar margem a dúvidas, o que também poderia ser ocasionado pelo trigrama nuclear K'an, em cujo centro esta linha se encontra. Porém, as cinco linhas Yin são boas amigas da linha Yang, e esta as une, assim como um grampo junta o cabelo.

Seis na quinta posição:
a) Persistentemente doente, mas ainda assim não morre.
b) A doença persistente do seis na quinta posição se deve ao fato de repousar sobre uma linha rígida. Que ela, no entanto, não morra, se deve ao fato de não haver ainda ultrapassado o centro.

Essa posição é, de fato, a do governante. Mas como a linha firme — o nove na quarta posição — como fonte do entusiasmo reúne todos ao seu redor, a quinta linha está privada de entusiasmo. Situada no ponto culminante do trigrama nuclear K'an, que sugere a doença cardíaca[55] essa linha representa alguém com uma doença crônica. Porém, como sua posição central o protege, não permitindo que por isso se desespere, ele continua a viver.

Seis na sexta posição:
a) Entusiasmo iludido.
Mas se depois da conclusão o homem se modifica, não há culpa.
b) Entusiasmo iludido na posição mais alta: como poderia isso durar?

Uma linha fraca no ponto culminante do entusiasmo — isso conduz à ilusão. Entretanto, como essa linha ocupa, ao mesmo tempo, o ápice do trigrama superior Chên, cujo atributo é o movimento, não se deve contar com uma duração prolongada dessa situação.

---

[55] Cf. cap. III, seç. 11, Simbolismo Adicional do Shuo Kua, Discussão dos Trigramas, Livro Segundo. *(Nota da tradução brasileira.)*

隨

17. SUI / SEGUIR

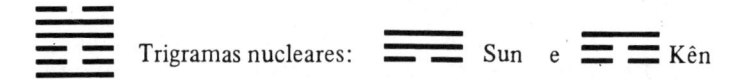

Trigramas nucleares: ☴ Sun e ☶ Kên

Os governantes do hexagrama são o nove inicial e o nove na quinta posição. Esse hexagrama significa seguir, porque o homem forte aceita subordinar-se ao fraco. Tanto a primeira como a quinta linhas são fortes, e ambas encontram-se embaixo de linhas maleáveis; por isso são as governantes do hexagrama.

SEQÜÊNCIA

Onde há entusiasmo, haverá certamente um acompanhar. Por isso o hexagrama subseqüente é: SEGUIR.

COLETÂNEA DE INDICAÇÕES

O SEGUIR não admite velhos preconceitos.

JULGAMENTOS ANEXOS

Os heróis da antiguidade amansaram o gado e atrelaram o cavalo. Assim, pesadas cargas puderam ser transportadas, e regiões longínquas alcançadas, para benefício do mundo. Provavelmente inspiraram-se para isso no hexagrama: o SEGUIR.

Este hexagrama consiste de movimento abaixo e alegria acima. Ele mostra o Incitar (Chên) embaixo da Alegria (Tui), o que sugere a idéia de repouso, e isto é enfatizado pelos trigramas nucleares Sun, a Suavidade e Kên, a Quietude, que indicam a mesma idéia. Assim, o domesticar do gado e do cavalo se explicam como um recurso para uma economia de trabalho. O sucesso decorre da estrutura interna do hexagrama. O transporte de cargas pesadas é indicado pelo trigrama nuclear inferior Kên, montanha. O gado que transporta essas cargas corresponde à terra (a montanha faz parte da terra). Alcançar regiões longínquas é sugerido pelo trigrama nuclear inferior Sun, vento, que chega a todos os lugares. A carroça para a viagem é puxada pelo cavalo, cuja característica, assim como o céu, é o movimento (o vento faz parte do céu).

Tui é a filha mais moça, Chên é o filho mais velho. No hexagrama como um todo, assim como no caso dos dois governantes, o elemento forte coloca-se abaixo do fraco, para se fazer seguir. O movimento dos dois trigramas tem o mesmo sentido ascendente.

JULGAMENTO

SEGUIR tem sublime sucesso.
A perseverança é favorável. Nenhuma culpa.

COMENTÁRIO SOBRE A DECISÃO

SEGUIR. O firme chega e se coloca sob o maleável.
O movimento e a alegria: o SEGUIR.
Grande sucesso e perseverança sem culpa,
assim o mundo inteiro o segue.
Verdadeiramente grande é o significado da época do SEGUIR.

Em primeiro lugar, explica-se o nome do hexagrama com base em sua estrutura e seus atributos. O firme que chega — isto é, que vem do alto e se move para baixo, colocando-se sob o maleável — é, por um lado, Chên, que se coloca abaixo de Tui, e por outro lado, os governantes do hexagrama na primeira e quinta posições, que se colocam ambos sob as linhas maleáveis.

O atributo de Chên é o movimento, o de Tui é a alegria. Um movimento que é associado à alegria consegue logo seguidores. A explicação das palavras do texto expressa também o princípio fundamental de que é preciso primeiro seguir, de maneira correta, para depois poder vir a ser seguido.

IMAGEM

O trovão no meio do lago: a imagem do SEGUIR.
Assim, o homem superior recolhe-se, ao anoitecer, para descansar e recuperar suas forças.

O trigrama Chên está no leste; Tui no oeste.[56] O tempo que transcorre entre eles é a noite. Essa mesma imagem descreve a época do ano — entre o oitavo e o segundo mês[57] — em que o trovão repousa no lago. Isso dá origem à idéia de seguir, de ser guiado pelas leis da natureza. Este repouso restabelece a energia para uma nova ação. A idéia de voltar-se para o interior é sugerida pelo trigrama nuclear superior Sun, que significa recolher-se, e o repouso pelo trigrama nuclear inferior Kên, a quietude.

LINHAS

O Nove na primeira posição:
a) O padrão está se modificando. A perseverança traz boa fortuna. Sair acompanhado pela porta afora leva a realizações.
b) "O padrão está se modificando."
Seguir o que é correto traz boa fortuna.
"Sair acompanhado pela porta afora leva a realizações."
O homem não perde a si próprio.

Esta linha é a governante do trigrama Chên. Alguém que exerce autoridade poderia exigir que o seguissem, porém ele se modifica e segue o seis na segunda posição; como essa é uma linha central e correta, tal exceção traz boa fortuna. "Sair pela porta afora", porque essa linha encontra-se fora do trigrama nuclear inferior Kên, que significa porta.

---

[56] Cf. cap. II, seç. 5, fig. 2, Seqüência do Céu Posterior, Shuo Kua, Discussão dos Trigramas, Livro Segundo. *(Nota da tradução brasileira.)*

[57] Cf. nota 14 (hexagrama 11, PAZ, Livro Primeiro). *(Idem.)*

Seis na segunda posição:
a) Ligando-se ao pequeno menino, perde-se o homem forte.
b) "Ligando-se ao pequeno menino."
Não se pode estar com ambos ao mesmo tempo.

O pequeno menino é o seis maleável na terceira posição, o homem forte é o nove inicial. A tendência expressa em SEGUIR implica em que a segunda linha siga a terceira. Porém, esta é fraca e não merece confiança, por isso o conselho de ligar-se ao homem forte que está abaixo, já que não se pode ter ambos ao mesmo tempo.

Seis na terceira posição:
a) Ligando-se ao homem forte, perde-se o pequeno menino.
Através do seguir encontra-se o que se busca.
É favorável permanecer perseverante.
b) "Ligando-se ao pequeno menino" renuncia-se ao que está abaixo.

Aqui o pequeno menino é o seis na segunda posição, e o homem forte é o nove na quarta posição. De acordo com o movimento do SEGUIR é preciso se ater ao homem forte que está adiante, e renunciar ao homem fraco que está abaixo. O homem forte ocupa a posição do ministro, por isso se obtém dele o que se busca. Porém, o essencial é manter-se perseverante, de modo a não se desviar do caminho certo.

Nove na quarta posição:
a) O seguir cria sucesso.
A perseverança traz infortúnio.
Trilhar seu caminho com sinceridade traz esclarecimento.
Como poderia haver culpa nisso?
b) "O seguir cria sucesso."
Isso tem como significado o infortúnio.
"Trilhar seu caminho com sinceridade": isso traz iniciativas lúcidas.

Essa linha é o ministro que segue a linha forte, governante do hexagrama, o nove na quinta posição. Deste modo ele conquista o sucesso, que consiste em ser seguido pelos homens — sucesso este que ele não pode evitar, por não ser correto (uma linha forte numa posição fraca). Assim, atrai sobre si o infortúnio. O trigrama Chên significa um grande caminho. A linha está sobre Chên, isto é, sobre o caminho. O trigrama nuclear Kên significa claridade e luz.

O Nove na quinta posição:
a) Sincero no bem. Boa fortuna!
b) "Sincero no bem. Boa fortuna!"
A posição é correta e central.

A linha ao alto simboliza um sábio que já se retirou do mundo. O nove na quinta posição, o governante, o segue. O caráter correto e central do governante faz com que ele não se deixe influenciar por aqueles que estão abaixo dele e de quem nada de bom lhe poderia advir.

Seis na sexta posição:
a) Ele encontra uma sólida fidelidade e isso o leva a ligar-se ainda mais.
O rei o apresenta à Montanha do Oeste.

b) "Ele encontra uma sólida fidelidade."
Ao alto, se chega ao fim.

Essa linha se encontra ao alto, e já não tem mais nenhuma outra linha diante de si que possa seguir. Por isso ela se retira do mundo. Porém, o governante, o nove na quinta posição, em sua firme lealdade, a traz de volta. A Montanha do Oeste é indicada pelo trigrama nuclear inferior Kên, montanha, e pelo trigrama básico superior Tui, que está situado a oeste.[58]

18. KU / TRABALHO SOBRE O QUE SE DETERIOROU

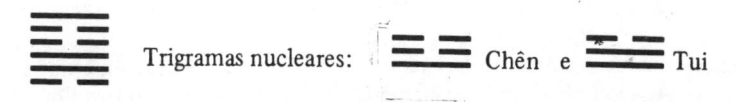

Trigramas nucleares: Chên e Tui

O governante do hexagrama é o seis na quinta posição, pois ainda que todas as linhas estejam ocupadas em reparar o que se deteriorou, somente a quinta linha consegue completar este trabalho. Por isso todas as linhas contêm advertências, e somente na quinta posição se diz: "Encontram-se elogios".

SEQÜÊNCIA

Quando se segue aos outros com prazer, haverá certamente empreendimentos.
Por isso a seguir vem o hexagrama:
TRABALHO SOBRE O QUE SE DETERIOROU.
O trabalho sobre o que se deteriorou significa empreendimentos.

COLETÂNEA DE INDICAÇÕES

TRABALHO SOBRE O QUE SE DETERIOROU.
Em seguida há ordem.

A estrutura do hexagrama não é favorável: acima a pesada carga de Kên; abaixo Sun, a suavidade carente de energia, a filha mais velha, que está ocupada com o filho mais moço. Mas esta estagnação não é permanente nem irrevogável. Os trigramas nucleares indicam um outro rumo: Chên surge de Tui. Ambos tendem a um movimento rumo ao alto e a empreenderem a tarefa de melhoramento com energia e alegria. Esse hexagrama é o inverso do anterior.

---

[58] Cf. cap. II, seç. 5, fig. 2, Seqüência do Céu Posterior, Shuo Kua, Discussão dos Trigramas, Livro Segundo. *(Nota da tradução brasileira.)*

JULGAMENTO

TRABALHO SOBRE O QUE SE DETERIOROU tem sublime sucesso.
É favorável atravessar a grande água.
Antes do ponto de partida, três dias.
Depois do ponto de partida, três dias.

COMENTÁRIO SOBRE A DECISÃO

TRABALHO SOBRE O QUE SE DETERIOROU: o firme está acima e o maleável abaixo; suave e imóvel: o que se deteriorou.
"TRABALHO SOBRE O QUE SE DETERIOROU tem sublime sucesso" e a ordem surge no mundo.
"É favorável atravessar a grande água", indo haverá empreendimentos a executar.
"Antes do ponto de partida três dias, depois do ponto de partida três dias."
Que um novo começo siga a cada término, eis o curso do céu.

Aqui explica-se o nome do hexagrama através de sua estrutura e dos atributos dos trigramas. Ao contrário do hexagrama precedente, o elemento forte que procura elevar-se encontra-se acima, e o elemento fraco que tende a descer está abaixo. Assim os movimentos divergem e há uma falta de relacionamentos. Os atributos de ambos os trigramas são fraqueza interna, suavidade, uma indecisão que se deixa conduzir e, no exterior, inação. Isso conduz à deterioração.

Porém, ao mesmo tempo, aquilo que se deteriorou implica na tarefa de trabalhar sobre este estrago, na expectativa de sucesso. Através do trabalho sobre o que se deteriorou o mundo retorna à ordem. Mas é preciso fazer algo. A travessia da grande água é sugerida pelo trigrama inferior, que significa madeira (e por isso o barco) e vento (e por isso o progresso), como também pelo trigrama nuclear inferior Tui, lago.

A frase "antes do ponto de partida" traduzida literalmente significa "antes do signo Chia". O trigrama Chên, no leste, indica a primavera e o amor e o signo cíclico[59] Chia (e I) lhe está próximo. Chia é o ponto de partida.

Antes dos três meses de primavera, cujos dias chamam-se Chia (e I), há o inverno; nele as coisas do passado chegam ao fim. Depois dos meses de primavera vem o verão; o novo começo vai da primavera até o verão. As palavras "antes do signo Chia, três dias, depois do signo Chia, três dias" são explicadas pelo trecho do comentário que diz: "Que um novo começo siga a cada término, eis o curso do céu". Como neste hexagrama trata-se de condições internas, ou seja, o trabalho sobre o que os pais deixaram que se deteriorasse, o amor precisa prevalecer, e estender-se tanto sobre o começo como sobre o fim.

---

[59] Os dez signos cíclicos são:

Chia e I	leste	primavera	madeira	amor
Ping e Ting	sul	verão	fogo	costumes (Li)
Mou e Chi	meio		terra	fidelidade
Kêng e Hsin	oeste	outono	metal	justiça
Jên e Kuei	norte	inverno	água	sabedoria.

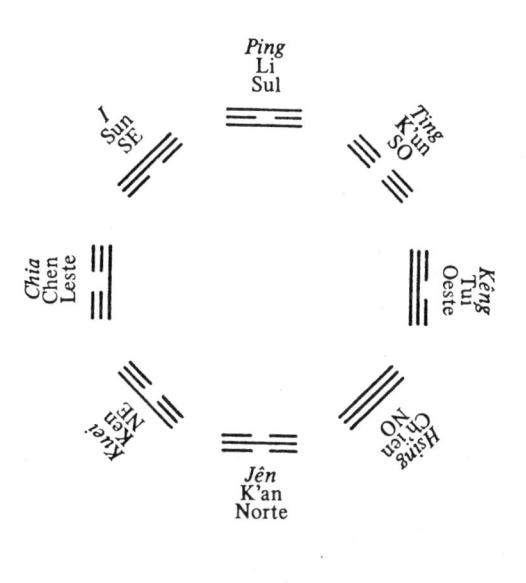

Fig. 6

Uma outra explicação é sugerida pela disposição dos trigramas na Ordem Interna do Mundo. O ponto de partida (Chia) é Chên. Retrocedendo três trigramas a partir daí, chega-se ao trigrama Ch'ien, o Criativo; avançando três trigramas, chega-se a Kun, o Receptivo. Porém, Ch'ien e K'un são pai e mãe, e o hexagrama refere-se ao trabalho sobre o que se deteriorou pelo pai e pela mãe.

IMAGEM

O vento sopra na base da montanha: a imagem da DETERIORAÇÃO. Assim o homem superior agita os homens e lhes fortalece o espírito.

O vento soprando sobre a montanha causa a deterioração. Mas o movimento inverso mostra o trabalho sobre o que se deteriorou; primeiro o vento, sob a influência de Chên, o Incitar, sacode as coisas, e depois a montanha unida ao lago cultiva e nutre alegremente o espírito dos homens.

LINHAS

Seis na primeira posição:
a) Corrigindo o que foi deteriorado pelo pai.
Se há um filho, nenhuma culpa permanecerá sobre o pai que partiu.
Perigo. Ao final boa fortuna.
b) "Corrigindo o que foi deteriorado pelo pai."
Ele recebe em seus pensamentos o pai que partiu.

Quando a primeira e a última linhas se movem, este hexagrama transforma-se em T'ai, a PAZ, no qual o pai, Ch'ien, está abaixo e a mãe, K'un, está acima. Por isso a recorrência da idéia de reparar o que foi deteriorado pelo pai, ou pela mãe. Esta linha mantém com a linha forte na segunda posição uma relação interna de receptividade.

Nove na segunda posição:
a) Corrigindo o que foi deteriorado pela mãe.
Não se deve ser demasiado perseverante.
b) "Corrigindo o que foi deteriorado pela mãe."
Ele encontra o caminho do meio.

Esta linha é forte e central e está no começo do trigrama nuclear Tui; por isso é alegre. Como o nove na segunda posição encontra-se em relação de correspondência com o seis maleável na quinta posição, que representa a mãe, não se deve levar a força a extremos numa perseverança demasiado obstinada.

Nove na terceira posição:
a) Corrigindo o que foi deteriorado pelo pai.
Haverá um pouco de remorso.
Nenhuma grande culpa.
b) "Corrigindo o que foi deteriorado pelo pai."
Definitivamente não há erro algum nisso.

Essa linha encontra-se no começo do trigrama nuclear Chên, o filho mais velho; por isso a imagem do trabalho sobre o que foi deteriorado pelo pai. A linha é demasiado forte para ocupar essa posição forte de transição. Poder-se-ia julgar, então, que a situação levaria a erros, mas neste caso o risco é compensado pela boa intenção.

Seis na quarta posição:
a) Tolerante para com o que foi deteriorado pelo pai.
Continuando-se encontrará humilhação.
Nenhuma grande culpa.
b) "Tolerante para com o que foi deteriorado pelo pai."
Ele vai, mas ainda não encontra nada.

Essa linha é particularmente fraca e se encontra ao alto do trigrama nuclear Tui, a alegria. Na situação atual não se poderá ganhar nada se apenas se deixa que as coisas prossigam.

O Seis na quinta posição:
a) Corrigindo o que foi deteriorado pelo pai.
Encontra-se elogios.
b) "Corrigindo o que foi deteriorado pelo pai.
Encontra-se elogios."
Ele o recebe virtuosamente.

Essa linha é central, ocupa o lugar de honra e é maleável. Está, portanto, perfeitamente qualificada para reparar os erros do passado com indulgência e ao mesmo tempo com energia.

Nove na sexta posição:
a) Ele não está a serviço de reis e príncipes.
Propõe para si objetivos mais elevados.
b) "Ele não está a serviço de reis e príncipes."
Esta atitude pode ser tomada como modelo.

Essa linha está ao alto, é forte e ocupa o ponto culminante do trigrama Kên, montanha. Por isso, não está a serviço do rei na quinta posição, porém visa a objetivos mais elevados. Ele não trabalha apenas para uma época e sim para o mundo, e para todas as épocas.

19. LIN / APROXIMAÇÃO

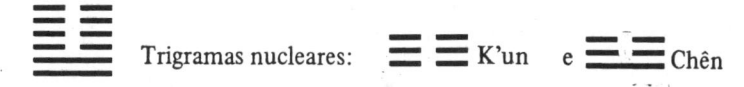

Trigramas nucleares: K'un e Chên

Os governantes do hexagrama são o nove inicial e o nove na segunda posição; o Comentário sobre a Decisão refere-se a eles, dizendo: "O firme penetra e cresce".

SEQÜÊNCIA

Quando há coisas a realizar, pode-se crescer. Por isso, a seguir vem o hexagrama: APROXIMAÇÃO. Aproximação significa tornar-se grande.

COLETÂNEA DE INDICAÇÕES

O significado dos hexagramas APROXIMAÇÃO e CONTEMPLAÇÃO é que em parte eles doam e em parte tomam.

A organização deste hexagrama é inteiramente favorável: as duas linhas que ingressam abaixo e procuram ascender dão à estrutura do hexagrama o seu caráter próprio. Tui, que está abaixo, tende a subir; o trigrama superior, K'un, tende a descer; assim os dois se movem um em direção ao outro. O mesmo acontece em escala ainda maior com os trigramas nucleares: o inferior, Chên, é o trovão que ascende, enquanto K'un, o superior, dirige-se para baixo.

JULGAMENTO

APROXIMAÇÃO tem sublime sucesso.
É favorável a perseverança.
Ao chegar o oitavo mês haverá infortúnio.

COMENTÁRIO SOBRE A DECISÃO

APROXIMAÇÃO. O firme penetra e cresce.
Alegre e dedicado. O firme ocupa o centro e encontra correspondência: "Grande sucesso através da atitude correta".
Este é o curso do céu.
"Ao chegar o oitavo mês haverá infortúnio."
O declínio não tardará.

A estrutura do hexagrama explica o seu nome. O elemento firme que penetra e cresce são as duas linhas Yang. Alegria e devoção são os atributos dos dois trigramas. O firme, ao centro, que encontra correspondência, é o nove na segunda posição: ele serve de base para explicar as palavras do hexagrama. O oitavo mês é sugerido pelo fato de o hexagrama seguinte, Kuan (CONTEMPLAÇÃO, VISTA), no qual o recuo das linhas fortes é paralelo ao seu avanço aqui, chegar exatamente oito meses depois deste hexagrama no curso do ano.

IMAGEM

A terra acima do lago: a imagem da APROXIMAÇÃO.

Assim o homem superior é inesgotável em sua disposição de ensinar e ilimitado em sua tolerância e proteção ao povo.

O lago, com que a terra frutifica através de sua inesgotável umidade, sugere o ensinamento que torna frutífera a natureza interna do homem. A terra indica as massas, por isso o apoio e a proteção do povo.

LINHAS

O Nove na primeira posição:
a) Aproximação em conjunto.
A perseverança traz boa fortuna.
b) "Aproximação em conjunto.
A perseverança traz boa fortuna."
Seu anseio é de agir de modo correto.

Esta linha avança junto com a segunda, por isso a "aproximação em conjunto". A palavra "conjunto" contém igualmente a idéia de estímulo e influência. Tendo sido chamada, essa linha tenta influenciar a linha maleável na segunda posição.[60] Porém, seu anseio é de agir de modo correto, pois é uma linha forte e ocupa uma posição forte.

O Nove na segunda posição:
a) Aproximação conjunta. Boa fortuna!
Tudo é favorável.
b) "Aproximação conjunta. Boa fortuna!
Tudo é favorável."
Não é preciso ceder ao destino.

Aqui, tendo-se chegado ao governante superior do hexagrama,[61] o texto lembra que uma vez que a ascensão conjunta das duas linhas fortes se baseia no destino, com o tempo esse mesmo destino traz também o retrocesso. Mas se, de acordo com o trigrama nuclear Chên, um movimento ascendente é iniciado a tempo, este movimento será forte o suficiente para reagir frente ao destino, ainda que as conseqüências do destino já estivessem se fazendo sentir antes mesmo dessas precauções serem tomadas.

Seis na terceira posição:
a) Aproximação confortável. Nada que seja favorável.

---

[60] A linha é forte, porém a posição que ocupa é fraca.
[61] Este hexagrama possui, excepcionalmente, os seus dois governantes no trigrama inferior, na primeira e segunda posições. Assim sendo, esta linha é considerada governante superior, pois está numa posição mais elevada. *(Nota da tradução brasileira.)*

Se o homem chegar a se entristecer por este motivo, ficará livre de culpa.
b) "Aproximação confortável."
A posição não é a adequada.
Uma falta que leva à tristeza não dura muito tempo.

A terceira linha está ao alto do trigrama da alegria, por isso a "aproximação confortável". Sua posição não é adequada. A linha é fraca e está numa posição forte, por isso nada é favorável.

Mas como o seis na terceira posição se encontra também no centro do trigrama nuclear Chên, que significa comoção e terror, há a possibilidade de arrependimento. Em virtude disso, o movimento — outra característica de Chên — se inicia e o defeito é superado.

Seis na quarta posição:
a) Aproximação total. Nenhuma culpa.
b) "Aproximação total. Nenhuma culpa", pois a posição é adequada.

Aqui se tem a mais íntima aproximação entre o trigrama superior e o inferior. A posição é adequada, pois uma linha maleável ocupa uma posição maleável. Essa linha mantém uma relação de correspondência com o nove inicial.

Seis na quinta posição:
a) Sábia aproximação. Isto é correto para um grande príncipe. Boa fortuna.
b) Aquilo que é correto para um grande príncipe significa que ele deve andar pelo caminho do meio.

A sabedoria consiste no fato de esta linha maleável, na posição central do dirigente, conhecer e estimar o homem forte e capaz na segunda posição, com o qual mantém uma relação de correspondência. O laço que os une é a trajetória central de ambos.

Seis na sexta posição:
a) Aproximação magnânima. Boa fortuna.
Nenhuma culpa.
b) "Aproximação magnânima."
A vontade dirige-se para o interior.

A princípio poderia parecer que o seis na última posição superior, por não manter qualquer relação de correspondência, se estaria afastando das outras linhas. Mas na época da APROXIMAÇÃO ele se dirige para o interior, isto é, para baixo, e com isso permanece em relação com as demais linhas do hexagrama.

觀

20. KUAN / CONTEMPLAÇÃO (A VISTA)

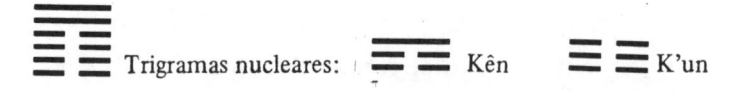

☴ Trigramas nucleares: ☶ Kên ☷ K'un

Os governantes do hexagrama são o nove na quinta posição e o nove ao alto. A frase do Comentário sobre a Decisão: "Há uma grande vista acima" refere-se a eles.

SEQÜÊNCIA

Quando as coisas são grandes, pode-se contemplá-las.
Por isso a seguir vem o hexagrama CONTEMPLAÇÃO.

COLETÂNEA DE INDICAÇÕES

O significado dos hexagramas APROXIMAÇÃO e CONTEMPLAÇÃO é que em parte eles doam e em parte tomam.

Este hexagrama é o inverso do anterior: acima há uma árvore, abaixo, a terra. A árvore sobre a terra é algo que se descortina. Isso também é indicado pelo trigrama nuclear superior Kên, montanha, que também se ergue e é visível ao longe. O hexagrama tem um duplo sentido: ele "em parte doa", isto é, propicia uma visão sublime, e "em parte toma", isto é, contempla, busca algo através da contemplação.

JULGAMENTO

CONTEMPLAÇÃO. A ablução já foi realizada, mas ainda não a oferenda.
Confiantes, eles erguem o olhar para ele.

COMENTÁRIO SOBRE A DECISÃO

Há acima uma grande vista. Dedicado e suave.
Central e correto, ele é digno de ser contemplado pelo mundo.
"CONTEMPLAÇÃO. A ablução já foi realizada, mas ainda não a oferenda."
Confiantes, eles erguem o olhar para ele.
Os que estão abaixo olham para ele e são transformados. Ele lhes propicia uma visão do divino caminho do céu, e as quatro estações não se desviam de suas normas. Assim, o homem santo utiliza a via divina para fornecer ensinamentos, e o mundo inteiro o acata.

A grande vista acima consiste das linhas na quinta e sexta posições. A devoção deriva do trigrama inferior, K'un; a suavidade, do superior, Sun. O nove na quinta posição, o governante do hexagrama, é central e correto. O hexagrama nuclear Kên, montanha, aparece duas vezes na formação do hexagrama, um interpenetrando ao outro (em vez de ☷ temos ☶)

Kên indica portões e palácios, por isso a idéia do templo dos ancestrais, misteriosamente fechado. Kên é a mão, Sun é a pureza, e por isso a idéia de lavar as mãos. Kên significa parar, por isso o sacrifício incompleto. O rito do sacrifício é revelado aos homens e por eles contemplado. O homem santo conhece as leis do céu. Ele as revela ao povo, e o que prediz se realiza. Assim como as estações se sucedem de acordo com leis divinas, imutáveis, os acontecimentos não se desviam do curso por ele profetizado. Assim, ele utiliza seu conhecimento dos caminhos divinos para ensinar o povo. O povo, por sua vez, confia nele, e ergue o olhar em sua direção.

IMAGEM

O vento sopra sobre a terra: a imagem da CONTEMPLAÇÃO. Assim os reis da antiguidade visitavam as regiões do mundo, contemplavam o povo e o instruíam.

O vento sopra em toda parte e revela todas as coisas. Assim, o trigrama Sun, vento, é o símbolo das viagens dos reis da antiguidade, e o trigrama K'un, terra, representa as regiões do mundo. A contemplação equivale ao "tomar" e a instrução, à "doação" que o hexagrama representa.

LINHAS

Seis na primeira posição:
a) Contemplação pueril. Para um homem inferior, nenhuma culpa. Para um homem superior, humilhação.
b) A contemplação pueril do seis inicial é o caminho dos homens inferiores.

O seis na primeira posição é a imagem de um pequeno (por ser uma linha Yin) menino (por ocupar uma posição Yang). Está muito afastado do que todos contemplam, ou seja, o príncipe na quinta posição, com o qual não mantém nenhum relacionamento. Por isso a idéia de olhar ao redor de um modo infantil e inexperiente.

Seis na segunda posição:
a) Contemplação através de uma brecha na porta.
Favorável à perseverança de uma mulher.
b) Contemplação através de uma brecha na porta é humilhante mesmo quando há a perseverança de uma mulher.

O trigrama nuclear Kên indica uma porta, o trigrama K'un sugere uma porta fechada, por isso a brecha na porta. O seis na segunda posição indica uma moça. Esta linha mantém uma relação de correspondência com o nove na quinta posição; existe, portanto, um vínculo, mesmo havendo vários obstáculos.

Seis na terceira posição:
a) A contemplação de minha vida decide entre progresso ou retrocesso.

b) "A contemplação de minha vida decide entre progresso ou retrocesso."
O caminho correto não está perdido.

Aqui, na posição de transição, uma linha fraca está indecisa quanto a avançar ou retroceder. Ela está na base do trigrama nuclear Kên, montanha. Por isso, a visão retrospectiva de sua vida e a idéia do caminho correto.

Seis na quarta posição:
a) Contemplação da luz do reino.
É favorável exercer influência como convidado de um rei.
b) "Contemplação da luz do reino."
Recebe-se as honras próprias a um hóspede.

Esta linha está ao alto do trigrama nuclear K'un, que significa o reino, e ao mesmo tempo no centro do trigrama nuclear K'un, que indica luz. Além disso, ela está próxima ao governante forte e central, o nove na quinta posição, e mantém com ele uma relação receptiva. Assim surge a idéia de ser tratado como um hóspede.

O Nove na quinta posição:
a) Contemplação de minha vida.
O homem superior está livre de culpas.
b) "Contemplação de minha vida", isto é, contemplação do povo.

O governante do hexagrama encontra-se aqui na posição de honra, central e correta, ao alto do trigrama nuclear Kên, montanha. Por isso a contemplação da vida, como que do alto de uma montanha. Aquele que é por todos contemplado, aqui contempla a si mesmo, particularmente no que concerne às influências que exerceu sobre o povo.

O Nove na sexta posição:
a) Contemplação da sua vida.
O homem superior está livre de culpas.
b) "Contemplação da sua vida."
A vontade ainda não foi pacificada.

Aqui um governante do hexagrama contempla do ponto mais elevado ao nove na quinta posição. Ele ainda não esqueceu o mundo, e por isso se preocupa com os seus assuntos.

噬嗑

21. SHIH HO / MORDER

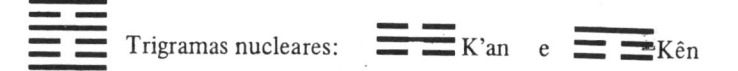

Trigramas nucleares: K'an e Kên

O governante do hexagrama é o seis na quinta posição, do qual se diz, no Comentário sobre a Decisão: "o maleável obtém o lugar de honra, e ascende".

SEQÜÊNCIA
Quando há algo que pode ser contemplado, há algo que cria a união. Por isso a seguir vem o hexagrama MORDER. Morder significa união.

COLETÂNEA DE INDICAÇÕES
MORDER significa consumir.

JULGAMENTOS ANEXOS
Quando o sol encontrava-se na posição do meio-dia, o divino agricultor organizou um mercado. Ele fez com que os homens da terra se reunissem e juntassem os produtos da terra. Trocavam-nos entre si e depois voltavam para casa; assim, cada coisa encontrava o seu lugar. Provavelmente inspirou-se para isso no hexagrama MORDER.

Aqui se explica este hexagrama a partir do significado dos dois trigramas Li e Chên. Li representa o sol ao alto, enquanto Chên significa o turbilhão do mercado, abaixo. A estrutura interna do hexagrama não é de modo algum tão favorável quanto se poderia supor pela sua forma externa. Claridade e movimento estão de fato presentes, porém entre eles encontram-se os trigramas nucleares K'an, perigo, e Kên, imobilidade, ambos formados pela funesta linha na quarta posição.

JULGAMENTO
MORDER tem sucesso. É favorável administrar justiça.

COMENTÁRIO SOBRE A DECISÃO
Há alguma coisa entre as bordas da boca. Chama-se a isto o MORDER. "MORDER, e também com sucesso", pois o firme

e o maleável são distintos um do outro. Movimento e claridade. Trovão e relâmpago estão unidos, formando linhas. O maleável recebe o lugar de honra e ascende. Mesmo não ocupando o lugar adequado, é favorável permitir que se faça justiça.

Aqui explica-se o nome do hexagrama a partir de sua forma. A linha superior e a inferior,[62] são os maxilares. Entre ambas está o nove na quarta posição, obstáculo que deve ser eliminado pelo morder. Isso indica a necessidade de empregar a violência. As linhas firmes Yang e as linhas maleáveis Yin estão claramente separadas sem que, entretanto, tenham rompido uma com a outra. Este é o material que compõe o hexagrama. Do mesmo modo, a inocência e a culpa distinguem-se com clareza entre os olhos de um juiz justo.

O movimento é o atributo de Chên; a claridade, o de Li; ambos dirigem-se para o alto e assim unem-se e formam linhas claramente visíveis. Os movimentos estão separados, a união realiza-se no céu, com o que surge a linha do raio.[63]

O governante do hexagrama é maleável por natureza, o que é benéfico para os processos jurídicos, pois ele evita a crueldade. Como, por outro lado, não se tem aqui uma linha maleável numa posição maleável e sim numa posição firme, essa firmeza compensa a maleabilidade e impede que se converta em fraqueza.

IMAGEM

Trovão e relâmpago: a imagem do MORDER.
Assim os reis da antiguidade consolidavam as leis através de penalidades claramente definidas.

O trovão e o relâmpago seguem invariavelmente um ao outro. A frase diz: "trovão e relâmpago" e não "relâmpago e trovão", porque o movimento começa abaixo. (Porém, segundo Hsiang An Shih, o texto encontrado numa antiga inscrição gravada na pedra diz: "relâmpago e trovão".) A exata determinação da gravidade das punições, que faz com que os homens evitem as transgressões, deve ser tão claramente definida como o relâmpago. As penalidades correspondem ao trigrama nuclear superior, K'an, o perigo. O fortalecimento das leis, de modo a intimidar os negligentes, deve ser realizado com a decisão do trovão. As leis são firmes e estáveis como o trigrama nuclear inferior Kên, montanha.

LINHAS

Nove na primeira posição:
a) Seus pés estão presos no cepo, de modo que os dedos desaparecem. Nenhuma culpa.
b) "Seus pés estão presos no cepo, de modo que os dedos desaparecem. Nenhuma culpa."
Ele não pode andar.

Chên é o pé, aqui ele está abaixo e assim significa os dedos dos pés. Chên é também o cepo. A linha inicial é rígida e inflexível, devendo, portanto, ser castigada. Mas como é contida em seu primeiro movimento, pode ser corrigida por meio de uma **penalidade leve**. Essa é a razão da ausência de culpa.

---

[62] Respectivamente, a sexta e a primeira posições. *(Nota da tradução brasileira.)*
[63] Hoje falaríamos do equilíbrio da eletricidade positiva e negativa, cuja descarga resultante provoca o relâmpago.

Seis na segunda posição:
a) Mordendo através da carne macia, de modo que o nariz desaparece.
Nenhuma culpa.
b) "Mordendo através da carne macia, de modo que o nariz desaparece."
Ele repousa sobre uma linha rígida.

O trigrama nuclear Kên significa nariz. O seis na segunda posição é maleável, ocupa uma posição maleável e repousa sobre o nove inicial, que é rígido. Como conseqüência, o castigo é levado um pouco longe demais.

Seis na terceira posição:
a) Mordendo uma velha carne ressecada, encontra-se algo venenoso. Pequena humilhação. Nenhuma culpa.
b) "Encontra-se algo venenoso."
A posição não é apropriada.

O trigrama nuclear K'an significa veneno. A posição não é apropriada: uma linha fraca numa posição forte, num momento de transição. Como conseqüência de uma falta de poder, as decisões se vão retardando indefinidamente.

Nove na quarta posição:
a) Mordendo a carne seca cartilaginosa. Recebendo flechas de metal. É favorável estar atento ao perigo e ser perseverante. Boa fortuna!
b) "É favorável estar atento ao perigo e ser perseverante. Boa fortuna!"
Ele ainda não ilumina.

Firmeza numa posição maleável indica uma carne com osso. Ela é secada ao sol (a linha encontra-se ao começo de Li). O trigrama nuclear K'an significa flechas. A linha ocupa a posição do funcionário. É forte, porém, em virtude da fraqueza de sua posição, permanece consciente das dificuldades e, por isso, o presságio de boa fortuna. Apesar de encontrar-se na posição inicial de Li, essa linha ainda não ilumina porque ocupa o centro do trigrama nuclear K'an.

O Seis na quinta posição:
a) Mordendo a carne seca musculosa. Recebendo ouro amarelo.
Perseverantemente consciente do perigo.
Nenhuma culpa!
b) "Perseverantemente consciente do perigo, nenhuma culpa!"
Ele encontrou o que é adequado.

A linha é maleável, por isso carne musculosa, e ao meio de Li, por isso carne seca. Quando a linha se move, o trigrama superior transforma-se em Ch'ien, que significa metal. Enquanto linha média de K'un, sua cor é o amarelo, por isso o "ouro amarelo". Em virtude de sua suavidade, ao ocupar o lugar de honra consegue morder através do obstáculo e recebe o ouro amarelo, símbolo da firmeza e da lealdade. Por isso, em sua decisão ele atinge o que é correto e adequado, de modo que tudo corre bem.

Nove na sexta posição:
a) O pescoço preso à canga de madeira, de modo que as orelhas desapareçam.
Infortúnio.
b) "O pescoço preso à canga de madeira, de modo que as orelhas desaparecem."
Ele não ouve claramente.

A linha ao alto indica a cabeça; o trigrama Li, os grilhões. O trigrama nuclear K'an significa a orelha. A linha é demasiado rígida, coloca-se arrogantemente acima do governante do hexagrama e não lhe dá ouvidos. Por isso ela não escuta a sentença justa que lhe é atribuída. Com isso encontra-se no infortúnio de não mais poder ouvir, nem sequer quando o deseja.

22. PI / GRACIOSIDADE (BELEZA)

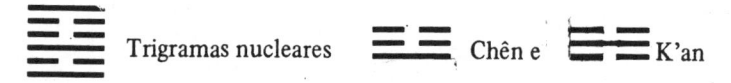

Trigramas nucleares Chên e K'an

Os governantes do hexagrama são o seis na segunda posição e o nove ao alto. O Comentário sobre a Decisão refere-se a eles dizendo: "O maleável chega e dá forma ao firme; o firme ascende e dá forma ao maleável."

SEQÜÊNCIA

As coisas não devem se reunir de modo brusco e rude, por isso a seguir vem o hexagrama: GRACIOSIDADE. Graciosidade equivale a adorno.

COLETÂNEA DE INDICAÇÕES

GRACIOSIDADE significa não ser tingido.

A graciosidade suprema não consiste em ornamentos externos, e sim na manifestação da matéria original, embelezada pela elaboração da forma. O trigrama superior Kên, montanha, indica uma tendência à quietude. Abaixo, Li, o fogo, arde, e suas chamas elevam-se iluminando a montanha. Esse movimento é fortalecido pelo trigrama nuclear Chên, que também se move ascendendo, enquanto que a carga da montanha em repouso é levada a um movimento de queda pelo trigrama nuclear inferior K'an. Deste modo, a estrutura interna do hexagrama revela um harmonioso equilíbrio de movimento, sem que haja um excesso de energia, quer numa direção quer noutra. Este hexagrama é o inverso do anterior.

JULGAMENTO
GRACIOSIDADE tem sucesso.
É favorável empreender algo em assuntos menores.

COMENTÁRIO SOBRE A DECISÃO
"GRACIOSIDADE tem sucesso." O maleável chega e dá forma ao firme, por isso o sucesso. Uma linha firme, isolada, ascende dando forma ao maleável, por isso: "É favorável empreender algo em assuntos menores". Essa é a forma do céu. Pleno de forma, claro e tranqüilo: esta é a forma do homem. Contemplando-se a forma do céu, pode-se descobrir as modificações do tempo. Contemplando-se as formas dos homens, pode-se modelar o mundo.

O texto do comentário parece não estar intacto. É possível que esteja faltando uma frase antes de "esta é a forma do céu". Wang Pi afirma: "O firme e o maleável unem-se alternadamente e criam formas; esta é a forma do céu". Esta versão foi adotada como correspondendo ao texto original hoje perdido, porém Mao Ch'i Ling não concorda com essa hipótese e vê nessa frase apenas uma explicação da sentença precedente. Mas, de fato, deve-se pressupor algo semelhante.

O maleável que chega é o seis na segunda posição. Ele se coloca entre as duas linhas firmes, lhes confere sucesso e lhes confere forma. O nove na sexta posição é o elemento forte que se separa. Ele se coloca acima das outras duas linhas maleáveis mais altas e lhes possibilita a realização de sua forma. Em ambos os casos, o princípio Yang é o conteúdo e o princípio Yin, a forma. No primeiro caso, a linha Yin dá a forma diretamente, gerando, assim, o sucesso, enquanto que a linha ascendente Yang, fornecendo o conteúdo, só indiretamente provê o material sobre o qual se pode elaborar a forma (que, de outro modo, permaneceria vazia) das linhas Yin. Por isso, o efeito é de que é favorável para o "pequeno" empreender algo.

A forma do céu é simbolizada pelos quatro trigramas que constituem o hexagrama: o trigrama básico inferior Li é o sol; o trigrama nuclear inferior K'an é a lua; o trigrama nuclear superior Chên representa, com o seu movimento, a Ursa Maior; e o trigrama básico superior Kên, por sua quietude, representa as constelações. Observando-se a rotação da Ursa Maior se pode conhecer o curso do ano; contemplando-se o curso do sol e as fases da lua se pode identificar a hora do dia e o período do mês.

A forma da vida humana resulta de regras de conduta claramente definidas (Li) e firmemente estabelecidas (Kên), no interior das quais a luminosidade do amor e o elemento sombrio da justiça estruturam as combinações do conteúdo e da forma.

IMAGEM
O fogo na base da montanha: a imagem da GRACIOSIDADE.
Assim procede o homem superior esclarecendo assuntos correntes; mas ele não ousa decidir questões controvertidas dessa maneira.

Este hexagrama é o inverso do precedente. Lá havia clareza e movimento e isso indicava a rápida execução das penalidades, de acordo com leis claramente reconhecidas. Aqui, há quietude no exterior[64] e claridade[65] interior, e isso significa uma disposição de ânimo teórica, e não prática. Essa condição é suficiente para quando se trata de aplicar normas já estabelecidas em assuntos correntes, mas não em casos extraordinários. Um dos governantes do hexagrama é demasiado fraco; o outro encontra-se muito afastado, no exterior, para poder intervir ativamente na situação.

LINHAS

Nove na primeira posição:
a) Ele embeleza os dedos dos pés, abandona a carruagem e caminha.
b) "Abandona a carruagem e caminha", pois não viajar na carruagem corresponde ao seu dever.

Em sua qualidade de linha mais baixa, o nove na primeira posição corresponde aos dedos dos pés. O trigrama nuclear K'an significa uma carruagem. A primeira linha encontra-se embaixo desse trigrama e, por isso, não viaja nela. O seis na segunda posição é o governante do hexagrama; o nove inicial não mantém nenhuma relação com ele, por isso não lhe convém utilizar a carruagem. Por outro lado, como linha Yang, possui suficiente força interna para aceitar a sorte que lhe é imposta.

O Seis na segunda posição:
a) Ele embeleza a barba em seu queixo.
b) "Ele embeleza a barba em seu queixo", isto é, ele ascende junto com aquele que está acima.

A terceira linha é o queixo; a segunda é, apenas, por assim dizer, algo acrescentado. O movimento ascendente que sugere a beleza tem lugar, ao mesmo tempo, nas duas linhas em conjunto. O maleável pode ornamentar o forte, porém não lhe pode acrescentar nenhuma qualidade independente. Essa linha é significativa apenas quando se considera o hexagrama como um todo: em seu aspecto individual não é particularmente importante.

Nove na terceira posição:
a) Gracioso e úmido.
A perseverança constante traz boa fortuna.
b) A fortuna da perseverança contínua não encerra finalmente nada de humilhante.

O nove na terceira posição possui conteúdo por ser uma linha forte numa posição forte; o seis na segunda posição mantém com ele uma relação de solidariedade e o ornamenta. Por isso a graciosidade. O trigrama nuclear no qual esta linha ocupa a posição central é K'an, água, e por isso úmido. A umidade é o ponto máximo da graciosidade e, além disso, o nove na terceira posição está no apogeu do trigrama Li, claridade. Mas como, por outro lado, encontra-se também ao meio do trigrama nuclear K'an, o abismal, há o perigo de submergir. Por isso o elogio à perseverança constante, como uma proteção contra esse perigo.

---

[64] Representada no trigrama básico superior (e por isso exterior) Kên, montanha. *(Nota da tradução brasileira.)*

[65] Representada no trigrama básico inferior (e por isso interior) Li, fogo. *(Idem.)*

Seis na quarta posição:
a) Graça ou simplicidade? Um cavalo branco chega como que voando. Ele não é um salteador.
Deseja cortejar no momento devido.
b) O seis na quarta posição está em dúvida, o que é próprio à posição que ocupa.
"Ele não é um salteador, deseja cortejar no momento devido."
Ao final ele permanece livre de culpa.

O seis na quarta posição encontra-se fora do trigrama inferior e no início do trigrama superior. Assim, devido à fraqueza da linha, há uma certa insegurança. Isso se resolve com o rápido avanço da linha na primeira posição, com a qual esta possui uma relação de correspondência. O trigrama Chên significa um cavalo branco, por isso a presença deste símbolo. O branco é a cor da simplicidade. A intenção da linha que chega não é em si mesma clara, pois o seis maleável encontra-se no ponto culminante do trigrama nuclear do perigo. Porém, não há nada a temer, pois prepondera a relação interna com aquele que se aproxima. Isso ajuda a afastar o perigo da graciosidade exagerada e a voltar à simplicidade.

Seis na quinta posição:
a) Graciosidade nas colinas e nos jardins.
O embrulho de seda é pobre e pequeno.
Humilhação, mas ao final boa fortuna.
b) A boa fortuna do seis na quinta posição possui alegria.

O trigrama superior Kên significa uma grande colina; o trigrama nuclear Chên, um pequeno bosque. Quando essa linha se move, surge Sun, que significa um embrulho de seda. A quinta posição, na realidade, está associada à segunda, mas nesse caso não existe nenhuma relação entre elas por ser a segunda igualmente fraca. Por isso a aliança com a linha forte ao alto, para usufruir, em sua companhia, da graciosidade.

O Nove na sexta posição:
a) Graciosidade simples. Nenhuma culpa.
b) "Graciosidade simples. Nenhuma culpa."
O superior consegue que se cumpra a sua vontade.

A linha ao alto permanece do lado de fora, no ápice do trigrama Kên, montanha. Sua natureza forte lhe possibilita renunciar a todo ornamento. Escolhe a simplicidade do branco. Com a adesão do seis na quinta posição, ela consegue realizar seu anseio de simplicidade.

Nota: As relações de correspondência e solidariedade aparecem neste hexagrama. Assim, o seis na quarta posição e o nove inicial estão em relação de correspondência; o nove inicial abandona a carruagem e se dirige ao seis na quarta posição, que o vê chegar como um cavalo alado. A segunda linha mantém uma relação de solidariedade com a terceira, do mesmo modo que a quinta com a linha ao alto. Assim, todas as linhas mantêm alguma relação entre si; isso ocorre de tal modo que a graciosidade é sempre resultante de uma relação recíproca entre uma linha firme e uma maleável. Deve-se também ter em conta a tendência presente ao longo de todo o hexagrama para reagir contra uma ênfase excessiva sobre a forma por meio do conteúdo.

剝

23. PO / DESINTEGRAÇÃO

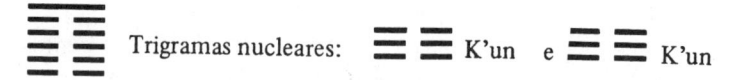

Trigramas nucleares: ☷ K'un e ☷ K'un

O governante do hexagrama é o nove ao alto. Ainda que o sombrio desintegre o luminoso, este não se deixa aniquilar completamente. Por isso ele é o governante do hexagrama.

SEQÜÊNCIA

Quando se vai longe demais em ornamentos, o sucesso se exaure. Por isso a seguir vem o hexagrama: DESINTEGRAÇÃO. Desintegração significa ruína.

COLETÂNEA DE INDICAÇÕES

DESINTEGRAÇÃO significa decomposição.

Essa idéia, considerada em conjunto com a do hexagrama seguinte, mostra a conexão entre a decomposição e a ressurreição. É preciso que o fruto apodreça antes que a semente nova possa se desenvolver.

A tendência de descida do hexagrama é muito forte. Ambos os trigramas nucleares, assim como o trigrama básico inferior, são K'un, cujo movimento tende para baixo. Diante deles está o trigrama superior Kên, que permanece quieto, imóvel. Isso leva a uma desarticulação da estrutura. A tendência das cinco linhas Yin é a de provocar a queda da linha Yang ao alto, uma vez que elas mergulham e com isso tiram-lhe o apoio do solo. Aqui também é expressa uma noção básica que norteia o Livro das Mutações: o elemento luminoso é apresentado como invencível, pois em sua queda ele gera uma nova vida, assim como a semente do trigo ao cair na terra.

JULGAMENTO

DESINTEGRAÇÃO. Não é favorável ir a parte alguma.

COMENTÁRIO SOBRE A DECISÃO

DESINTEGRAÇÃO significa ruína.
O maleável modifica o firme.
"Não é favorável ir a parte alguma."
Os inferiores aumentam.
A devoção e a quietude resultam da contemplação da imagem.

O homem superior está atento à alternância entre o crescimento e a redução, entre o pleno e o vazio; pois este é o curso do céu.

O maleável modifica o forte por meio de uma influência imperceptível e gradual. As linhas Yin estão em aumento. Isso indica a atitude do homem superior em tais épocas; ela deriva dos dois trigramas.[66] Sua devoção está de acordo com o atributo do trigrama K'un, e sua tranqüilidade concorda com o atributo do trigrama Kên, o que significa que ele não empreende nada, pois este não é ainda o momento adequado. Assim, ele se submete ao curso do céu, que alterna a redução e o crescimento de modo que tudo o que está pleno diminui e o que está vazio aumenta.

IMAGEM

A montanha repousa sobre a terra: a imagem da DESINTEGRAÇÃO. Assim os superiores só podem garantir suas posições mediante dádivas aos inferiores.

Quanto mais ampla for a base da montanha, menos ela estará exposta à desintegração. O que aqui se apresenta não é tanto a imagem da desintegração, mas as condições que possibilitam evitá-la. Por isso não é tanto o declínio do luminoso e o incremento do sombrio o que deve ser levado em consideração, e sim a solidez dos fundamentos. Por meio de uma doação generosa, como é próprio à natureza da terra (K'un), se chega a uma tranqüilidade segura, como é próprio à natureza da montanha (Kên).

LINHAS

Seis na primeira posição:
a) A perna da cama se desintegra.
Os perseverantes são destruídos.
Infortúnio.
b) "A perna da cama se desintegra", a fim de aniquilar os inferiores.

A posição inicial, sendo a mais baixa, significa a perna. O que se desintegra é o lugar de repouso, por isso a imagem da cama. A desintegração começa abaixo. Nisso consiste o perigo.

Seis na segunda posição:
a) O canto da cama se desintegra.
Os perseverantes são destruídos.
Infortúnio.
b) "O canto da cama se desintegra", porque não se tem um companheiro.

A desintegração avança da perna da cama para cima. Agora já é o canto da cama que se desintegra. Essa linha está isolada. Não tem relação alguma com as linhas ao seu redor, nem de correspondência nem de solidariedade. Nessa etapa, o ataque já sai do ocultamento, tornando-se visível.

Seis na terceira posição:
a) Rompendo sua ligação com eles. Nenhuma culpa.
b) "Rompendo sua ligação com eles. Nenhuma culpa."

---

[66] Isto é, dos dois trigramas básicos. *(Nota da tradução brasileira.)*

Ele perde seus vizinhos de cima e de baixo.

Essa linha mantém uma relação de correspondência com o nove ao alto e se desentende com aqueles que a rodeiam, pois permanece fiel a seus vínculos originais. Em virtude da relação com o nove na última posição, a terceira linha se separa das duas linhas vizinhas, com as quais ela não tem um vínculo de solidariedade.

Seis na quarta posição:
a) A cama desintegra-se até a pele.
Infortúnio.
b) "A cama desintegra-se até a pele.
Infortúnio."
Este é um infortúnio sério que está próximo.

O trigrama K'un, abaixo, representa a cama, o lugar de repouso. O trigrama Kên, acima, representa a pessoa que descansa. Aqui a desintegração passa do lugar de repouso àquele que descansa. Por isso, o infortúnio é iminente.

Seis na quinta posição:
a) Um cardume. Favores vêm através das damas do palácio.
Tudo é favorável.
b) "Favores vêm através das damas do palácio."
Isso definitivamente não é um erro.

Quando essa linha se move, surge Sun como trigrama básico superior, o qual significa peixes. (O peixe é associado ao princípio sombrio.) A linha ocupa a posição do governante; porém, aqui, como a atividade do poder Yin se torna claramente manifesta, ela representa uma rainha e não um príncipe. Essa linha mantém uma relação de solidariedade com a sexta linha e, por isso, não há uma ação hostil; ao contrário, na culminância de sua influência, a quinta linha se submete ao elemento Yang, do qual se aproxima, liderando as quatro linhas Yin restantes como se fossem um cardume. Esses relacionamentos amigáveis são representados em termos do relacionamento do governante com as damas da corte e a rainha.

O Nove na sexta posição:
a) Um grande fruto ainda não foi comido.
O homem superior recebe uma carruagem.
A casa do homem inferior se desintegra.
b) "O homem superior recebe uma carruagem."
Ele é carregado pelo povo.
"A casa do homem inferior se desintegra."
Ele acaba se tornando inútil.

A única linha forte ao alto, que contém as sementes do futuro, é apresentada na imagem de um grande fruto. K'un significa uma carruagem. O colapso desta linha, através de sua transformação numa linha Yin, é comparado à desintegração da casa do homem inferior. Essa linha é, por assim dizer, o telhado de todo o hexagrama. Ao desintegrar-se, há um colapso geral.

24. FU / RETORNO (O PONTO DE TRANSIÇÃO)

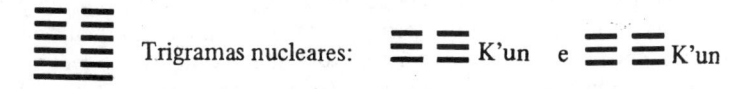

Trigramas nucleares: K'un e K'un

O governante do hexagrama é o nove inicial. O Comentário sobre a Decisão refere-se a ele quando diz: "o firme retorna".

SEQÜÊNCIA

As coisas não podem ser destruídas de uma vez para sempre. Quando o que está acima se desintegra por completo, ele retorna abaixo. Por isso a seguir vem o hexagrama: RETORNO.

COLETÂNEA DE INDICAÇÕES

RETORNO significa voltar.

JULGAMENTOS ANEXOS

O hexagrama RETORNO é o cerne do caráter.
O RETORNO é pequeno e entretanto distinto das coisas externas.
O RETORNO conduz ao autoconhecimento.

Aplicado à formação do caráter, o hexagrama RETORNO fornece diversas sugestões. O princípio luminoso retorna; assim, o hexagrama aconselha afastar-se da confusão do mundo externo e retornar à natureza luminosa de sua primordial constituição interna. Lá, nas profundezas da alma, se encontra o Divino, o Uno. De fato, é apenas um pequeno germe, um princípio, uma potencialidade, porém, mesmo como tal, é nitidamente distinto de todos os objetos. Conhecer essa Unidade significa conhecer a si mesmo em relação às forças cósmicas. Pois essa Unidade é a força ascendente da vida na natureza e no homem. Este hexagrama é o inverso do precedente e o movimento tende muito fortemente a ascender, partindo de baixo — do trigrama Chên —, atravessando o trigrama K'un, que desce.

JULGAMENTO

RETORNO. Sucesso. Saída e entrada sem erro.
Amigos chegam sem culpa. Para adiante e para trás segue o caminho. Ao sétimo dia vem o retorno.
É favorável ter aonde ir.

COMENTÁRIO SOBRE A DECISÃO

"O RETORNO tem sucesso."
O firme retorna.
Movimento e influência através da devoção.
Por isso, "saída e entrada sem erro".
"Amigos chegam sem culpa. Para adiante e para trás segue o caminho. Ao sétimo dia chega o retorno."
Este é o curso do céu.
"É favorável ter aonde ir."
No hexagrama RETORNO se vê o caminho do céu e da terra.

Este hexagrama expressa a idéia de que a força luminosa é o princípio criativo do céu e da terra. Trata-se de um eterno movimento cíclico, no qual a vida ressurge no exato momento em que parece ter sido totalmente vencida. Ao reentrar no hexagrama, a linha Yang produz o movimento (o trigrama inferior é Chên). Esse movimento age através da devoção (o trigrama superior é K'un). Sair e entrar não envolve erro. De fato, a linha Yang havia saído (cf. hexagrama precedente, Po), mas sua saída não se deu sem deixar rastros: assim como um fruto que cai à terra, deixou seus efeitos. Esse efeito manifesta-se na reentrada da linha Yang. Os amigos que chegam são ou as demais linhas Yang que estão em vias de entrar no hexagrama (segundo Ch'êng Tzü), ou as cinco linhas Yin que vão ao encontro da linha Yang como amigas. O caminho de Yang segue para adiante e para trás, para o alto e para baixo. Após a luz ter começado a diminuir no hexagrama Kou (VIR AO ENCONTRO, 44), a linha Yang retorna no hexagrama Fu, após sete mutações.

"É favorável ter aonde ir", isto é, empreender algo. Tanto essa frase, como o símbolo dos amigos, aparecem no texto do segundo hexagrama, K'un, o RECEPTIVO.

IMAGEM

O trovão no interior da terra: a imagem do PONTO DE TRANSIÇÃO. Assim, os reis da antiguidade fechavam as passagens na época do solstício. Comerciantes e forasteiros não transitavam, e o governante não viajava pelas províncias.

Este hexagrama é associado ao mês do solstício de inverno. Desse fator são inferidas as conclusões que resultam na conduta correta no momento em que a força Yang, que retorna, ainda está fraca e precisa, por isso, de cuidados para que, por meio do repouso, possa se fortalecer.

LINHAS

○ Nove na primeira posição:
a) Retorno de uma curta distância.
Não é necessário remorso.
Grande boa fortuna!
b) "Retorno de uma curta distância."
Assim cultiva-se o caráter.

A linha forte, situada abaixo, retorna de imediato. Como linha inicial de Chên, possui uma grande capacidade de movimento; por isso se fala de um retorno instantâneo antes de se ir longe demais.

Confúcio comenta a respeito dessa linha: "Yen Hui, eis alguém que, sem dúvida, o alcançará. Se ele tem alguma falta, jamais deixa de reconhecê-la. Quando a reconheceu, nunca comete o erro uma segunda vez. No Livro das Mutações se diz: 'Retorno de uma curta distância. Não é necessário remorso. Grande boa fortuna!' "

Seis na segunda posição:
a) Retorno tranqüilo.
Boa fortuna.
b) A boa fortuna do retorno tranqüilo depende de se subordinar a um homem bom.

Essa linha é central e modesta (maleável) e está em relação de solidariedade com o governante do hexagrama, o nove inicial. A boa fortuna depende do subordinar-se a esse homem bom, o que decorre dos fatores já mencionados.

Seis na terceira posição:
a) Retorno repetido. Nenhuma culpa.
b) O perigo do retorno repetido é, em seu sentido essencial, uma liberação de culpas.

Essa linha está no ápice do movimento Isso indica um repetido retorno. O primeiro retorno se faz do bem ao mal. O segundo se dirige do mal de volta ao bem. A terceira linha também se volta para o nove inicial de forma amistosa.

Seis na quarta posição:
a) Andando no meio dos outros, retorna-se sozinho.
b) "Andando no meio dos outros, retorna-se sozinho", e segue assim o caminho correto.

A quarta linha está no meio do trigrama nuclear K'un; além disso, ela está também ao alto do trigrama nuclear inferior K'un, ocupando, ainda, a primeira posição no trigrama básico superior K'un. Assim sendo, ela está cercada por linhas fracas, é ela própria submissa e ocupa uma posição fraca. Poder-se-ia concluir que há uma falta de iniciativa. Porém, essa linha está em relação de correspondência com o forte nove inicial, por isso o retorno solitário.

Seis na quinta posição:
a) Retorno digno. Nenhum arrependimento.
b) "Retorno digno. Nenhum arrependimento."
Ele é central e por isso é capaz de examinar-se.

Essa linha está, de fato, muito afastada do nove inicial. Porém, é central e, por isso, tem a possibilidade de se examinar, voltando atrás, assim, em todos os seus erros. A relação com o nove inicial não é sugerida por nenhum vínculo externo e, por isso, representa uma decisão livre e digna.

Seis na sexta posição:
a) Perde-se o retorno. Infortúnio.
Infortúnio interno e externo. Se os exércitos forem postos em marcha desta forma, se sofrerá, ao final, uma grande derrota, desastrosa para o governante do país. Durante dez anos não se estará em condições de atacar.
b) O infortúnio de perder o retorno reside em se opor ao caminho do homem superior.

Essa linha encontra-se ao final das linhas Yin; por isso, para ela não há volta. Recusando-se a retornar, ela procura com obstinação atingir pela força o seu objetivo. Com isso, porém, ela perde por um longo período, em virtude de infortúnio interno e externo, toda possibilidade de se recuperar. A linha ao alto do hexagrama K'un, O RECEPTIVO, tem um julgamento similar. O trigrama Chên significa um general, K'un significa as massas e, por isso, "os exércitos postos em marcha". K'un significa a terra; Chên, o dirigente. Dez é o número da terra.

Nota: O retorno perdido (o seis ao alto) é o oposto do retorno de uma curta distância (o seis inicial). A linha inicial não está distante, e retorna. O retorno tranqüilo (seis na segunda posição) e o retorno solitário (seis na quarta posição) são semelhantes: ambas as linhas estão relacionadas com o governante do hexagrama. O retorno repetido (seis na terceira posição) e o retorno digno (seis na quinta posição) são opostos: no primeiro caso há um ir e vir; no segundo há uma solidez tranqüila.

25. WU WANG / INOCÊNCIA (O INESPERADO)

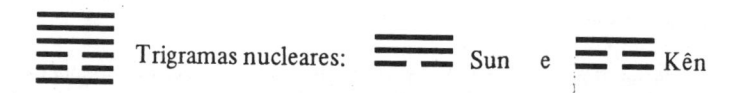

Trigramas nucleares: Sun e Kên

Os governantes do hexagrama são o nove inicial e o nove na quinta posição. O nove inicial é o primeiro movimento do luminoso, como também o primeiro movimento do sincero coração do homem. O nove na quinta posição simboliza a essência do Criativo, assim como a natureza incansável daqueles que são sumamente sinceros. Por isso se diz, no Comentário sobre a Decisão: "O firme vem do exterior e torna-se governante no interior". Isso se refere à primeira linha. E diz ainda: "O firme está ao centro e encontra correspondência". Isso se refere à quinta linha.

SEQÜÊNCIA

Voltando atrás o homem se libera de culpas. Por isso, a seguir vem o hexagrama INOCÊNCIA.

COLETÂNEA DE INDICAÇÕES

O INESPERADO significa infortúnio vindo do exterior.

A inocência se libera de culpas, de modo que nenhum infortúnio de origem interna a pode alcançar. Quando um infortúnio surge inesperadamente, é determinado pelo exterior e, portanto, passará.

O hexagrama possui uma tendência ascendente muito forte; tanto o trigrama inferior como o superior movem-se em direção ao alto. Isso sugere o movimento em harmonia com o céu, a verdadeira essência original do homem. Os dois trigramas nucleares, Kên, a Quietude, montanha, e Sun, a Suavidade, vento (árvore), sugerem a idéia da ação e do desenvolvimento das tendências primordiais.

JULGAMENTO

INOCÊNCIA. Supremo sucesso. A perseverança é favorável. Se o homem não é correto, terá infortúnio e não será favorável empreender coisa alguma.

COMENTÁRIO SOBRE A DECISÃO

INOCÊNCIA. O firme vem do exterior e torna-se governante no interior. Movimento e força. O firme está ao centro e encontra correspondência.
"Supremo sucesso através da correção."
Esta é a vontade do céu.
"Se o homem não é correto, terá infortúnio, e não será favorável empreender coisa alguma."
Quando a inocência é perdida, para onde poderá ir o homem? Quando a vontade do céu não o protege, poderá ele fazer alguma coisa?

O elemento firme que vem do exterior é a linha Yang na primeira posição. Ela vem do céu (Ch'ien). Quando o Receptivo se aproxima do Criativo pela primeira vez, recebe a primeira linha de Ch'ien e gera Chên, o filho mais velho. Aplicado ao homem, isso significa que ele recebe o espírito divino, primordial, como seu guia e mestre. O atributo do trigrama inferior, Chên, é movimento; o do superior, Ch'ien, a força. A linha firme numa posição central que encontra correspondência é o governante superior do hexagrama,[67] o nove na quinta posição, que está relacionado ao seis na segunda. Tudo isso leva ao sucesso porque mostra o homem numa relação correta com o divino, livre de intenções ulteriores, em sua essência primordial. Assim, o homem está em harmonia com o destino celestial, com a vontade do céu, do mesmo modo que o movimento do trigrama inferior está em harmonia com o do superior.

Mas lá onde o estado natural não envolve essa inocência, onde os desejos e as idéias se agitam, surge o infortúnio, movido por uma necessidade interna. Esse hexagrama difere do hexagrama P'i, ESTAGNAÇÃO, apenas pelo fato de ter uma linha forte na primeira posição. Se perdesse sua firmeza, toda a situação mudaria.[68]

IMAGEM

Embaixo do céu está o trovão: todas as coisas alcançam o estado natural da INOCÊNCIA. Assim, os reis da antiguidade, ricos em virtude e em harmonia com o tempo, cultivavam e alimentavam todos os seres.

---

[67] O governante inferior é o nove na primeira posição. Entre duas linhas governantes, a que ocupa uma posição mais alta representa uma autoridade num escalão hierárquico superior. *(Nota da tradução brasileira.)*

[68] Esse hexagrama representa idéias que coincidem com as interpretações místicas das lendas do Paraíso na terra e da Queda do homem.

"Embaixo do céu está o trovão: todas as coisas alcançam o estado natural da INOCÊNCIA." Isso se explica pela frase da Discussão dos Trigramas: [69] "Deus surge no trigrama Chên". Eis o começo de toda vida. Aqui o Criativo está acima, associado ao movimento. O trigrama nuclear superior é madeira, o nuclear inferior é montanha.

"Ricos em virtude" refere-se à força do Criativo. "O tempo" deriva do trigrama Chên (que significa o leste e a primavera), no qual a vida surge. O trigrama nuclear Kên, montanha, indica o cultivar, o alimentar. O trigrama nuclear Sun, vento, força penetrante universal, simboliza influência e abrange todas as coisas.

LINHAS

O Nove na primeira posição:
 a) Conduta inocente traz boa fortuna.
 b) Conduta inocente alcança aquilo que deseja.

A inocência é simbolizada pelo caráter luminoso da linha, que chega como governante sob as duas linhas obscuras. Oriunda do céu, traz em si a garantia do sucesso. Alcança sua meta com certeza intuitiva.

Seis na segunda posição:
 a) Se não pensamos na colheita enquanto aramos, nem no uso do campo quando o preparamos, então será favorável empreender algo.
 b) Não arar para colher, isto é, não se procuram riquezas.

O trigrama Chên significa madeira, por isso o arado; a segunda posição é o lugar do campo. O trigrama nuclear Kên significa mão, por isso o símbolo do preparo da terra.

Esta linha é central e correta. Por um lado ela mantém uma relação de solidariedade com o nove inicial, e por outro está em relação de correspondência com o nove na quinta posição. Mas, por ser central e correta, não permite que essas relações a desviem de seu caminho. O seis na segunda posição é a linha inferior do trigrama nuclear Kên, Quietude, por isso mantém calmos os seus pensamentos; por outro lado está no meio do trigrama Chên, o movimento, e pode, então, empreender alguma coisa.

Seis na terceira posição:
 a) Infortúnio não merecido.
 A vaca que foi amarrada por alguém é o lucro do viajante, e a perda do cidadão.
 b) Se o viajante obtém a vaca, a perda é do cidadão.

Essa linha encontra-se no ápice do movimento e no início do trigrama nuclear Sun, vento. Por isso seus movimentos não estão em harmonia com o tempo. Está também a igual distância de ambos os governantes do hexagrama e, por isso, não encontra a conexão correta nem de um lado nem de outro. Quando essa linha se move, surge abaixo o trigrama Li, que significa vaca.

Nove na quarta posição:
 a) Aquele que é capaz de perseverar permanece sem culpa.
 b) "Aquele que é capaz de perseverar permanece sem culpa", pois o possui firmemente.

---

[69] Cf. cap. II, seç. 5 do Shuo Kua, Discussão dos Trigramas, Livro Segundo. *(Nota da tradução brasileira.)*

O nove na quarta posição originalmente não é correto nem central. Contudo, como linha inferior do trigrama Ch'ien, é capaz de conservar a firmeza própria ao trigrama do Criativo. Por isso permanece livre da culpa que, de outro modo, se deveria temer.

O Nove na quinta posição:
a) Não utilize medicamento algum caso tenha contraído uma doença sem ter culpa nisso. Ela passará por si mesma.
b) Não se deve experimentar um medicamento desconhecido.

O medicamento é indicado pelos dois trigramas nucleares, madeira e pedra (montanha).

A doença é contraída de modo inocente, porque, estando ao centro do Criativo, essa linha representa uma pessoa por natureza livre de moléstias. Parece doente pelo seu modo de tomar sobre si as doenças dos outros. Sua posição central, correta e diretriz a capacita a assumir os males de outrem para que se processem em sua própria pessoa.

Nove na sexta posição:
a) Ação inocente traz infortúnio.
Nada é favorável.
b) Agir sem reflexão gera o malefício da perplexidade.

Essa linha está relacionada ao seis fraco e inquieto na terceira posição. Agir sem reflexão acarreta o infortúnio. Esta linha está ao final num momento em que a ação já não é adequada. Seguir adiante sem refletir leva à perplexidade. Essa linha descreve uma situação semelhante à da linha ao alto do hexagrama O CRIATIVO.

Nota: As seis linhas são todas inocentes, ingênuas, isentas de propósitos ulteriores. O nove inicial ocupa o lugar adequado e é o governante do trigrama do movimento; isso indica que é chegado o momento de agir. Assim sendo, a ação leva à boa fortuna. O nove ao alto não ocupa o lugar correto e está situado no extremo externo do trigrama Ch'ien. O momento de agir já passou. Por isso a ação leva ao infortúnio, apesar de ser inocente. Tudo depende do momento. A linha inicial tem boa fortuna, a fortuna é favorável; isto se deve ao momento. Para a terceira linha pressagia-se infortúnio; para a quinta, doença; para a sexta, infortúnio. Tudo isso ocorre não intencionalmente; são as conseqüências das condições da época em vigência. A primeira e a segunda linhas têm a possibilidade de avançar. Para elas é chegado o momento de agir. A quarta linha deve permanecer perseverante, a quinta não deve tomar medicamentos, a sexta terá o infortúnio se agir, pois tudo indica que para essas linhas é tempo de aquietar-se.

大畜

26. TA CH'U / O PODER DE DOMAR DO GRANDE

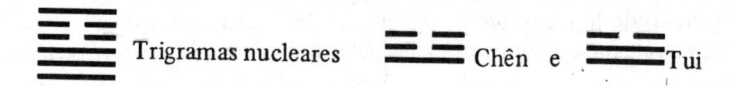

☰ Trigramas nucleares   ☰ Chên e ☱ Tui

Os governantes do hexagrama são o seis na quinta posição e o nove ao alto. A eles se refere o Comentário sobre a Decisão quando diz: "O firme ascende e honra aquele que tem valor".

SEQÜÊNCIA

Quando existe a inocência, é possível domar. Por isso a seguir vem o hexagrama: O PODER DE DOMAR DO GRANDE.

Manter-se ligado à virtude celeste é o pré-requisito da inocência. Por outro lado, a inocência é condição indispensável para poder manter-se ligado à primordial virtude celeste.

COLETÂNEA DE INDICAÇÕES

O PODER DE DOMAR DO GRANDE depende do tempo.

Os movimentos de ambos os trigramas são convergentes. Abaixo o Criativo exerce uma poderosa pressão ascendente, e acima a Quietude o retém. Os trigramas nucleares Chên e Tui têm a mesma tendência ascendente, o superior de forma mais acentuada que o inferior. São essas as forças latentes que são intensificadas pela contenção. As duas linhas maleáveis que ocupam a posição do governante e do ministro "domam" as linhas fortes abaixo, enquanto ao mesmo tempo têm uma atitude de reconhecimento e liberalidade para com a linha forte acima. Este hexagrama é o inverso do anterior.

JULGAMENTO

O PODER DE DOMAR DO GRANDE: a perseverança é favorável.
Fazer as refeições fora de casa traz boa fortuna.
É favorável cruzar a grande água.

COMENTÁRIO SOBRE A DECISÃO

O PODER DE DOMAR DO GRANDE. Firmeza e força.
Autenticidade e verdade. Brilho e luz.
Ele renova sua virtude diariamente.

O firme ascende e honra aquele que tem valor.
Ele é capaz de manter a força em repouso, essa é a "grande correção".
"Fazer as refeições fora de casa traz boa fortuna" porque são alimentados aqueles que têm valor.
"É favorável cruzar a grande água" pois encontra-se correspondência no céu.

O trigrama superior Kên é firme, o inferior Ch'ien é forte; o superior é autêntico, o inferior é verdadeiro; o superior é brilhante, o inferior, luminoso. Assim, os dois trigramas se complementam. Através da Quietude (Kên) a força do caráter (Ch'ien) é de tal modo fortalecida, que se produz uma renovação diária. Isso se refere à influência interna, pessoal. Aqui é apresentado o primeiro significado do hexagrama: manter a quietude e o recolhimento.

O elemento firme que ascende é o nove ao alto. Ele ascende e se coloca sobre o seis na quinta posição, que ocupa o lugar do governante, e este o honra em sua ascensão em virtude de seu valor. O trigrama superior Kên, Quietude, é capaz de conter o inferior, Ch'ien, o forte. Isso explica as palavras do Julgamento: "A perseverança é favorável". Temos aqui o segundo significado do hexagrama: conter e manter-se quieto.

"Fazer as refeições fora de casa", isto é, assumir uma função numa atividade pública traz boa fortuna, pois o seis na quinta posição representa um governante que alimenta as pessoas de valor. Temos aqui o terceiro significado do hexagrama: conter e nutrir.

"É favorável atravessar a grande água." Essa idéia é sugerida pelos dois trigramas nucleares, Chên (que também significa madeira) sobre Tui (o lago). Essa ação perigosa é possível porque o governante do hexagrama, o seis na quinta posição, tem uma relação de correspondência com o nove na segunda posição, a linha central do trigrama inferior céu (Ch'ien).

IMAGEM

O céu no interior da montanha: a imagem do PODER DE DOMAR DO GRANDE. O homem superior se põe a par dos muitos ditos da antiguidade e dos fatos do passado, de modo a fortalecer assim seu caráter.

O céu (Ch'ien) indica o caráter, a virtude. A montanha (Kên) sugere o fortalecimento. Os meios para fortalecer o caráter estão ocultos nos trigramas nucleares: o inferior, Tui, boca, indica palavras; o superior, Chên, movimento, indica ações.

LINHAS

Nove na primeira posição:
a) O perigo ameaça. É favorável desistir.
b) "O perigo ameaça. É favorável desistir."
Assim ele não se expõe ao perigo.

Essa linha forte na posição correta deseja avançar. Porém, encontra-se em relação de correspondência com o seis na quarta posição, que é uma das duas linhas obstrutoras. Isso representa o perigo de um obstáculo para o nove inicial, caso quisesse avançar. Como essa linha encontra-se ainda muito ao começo, cede à contenção e escapa ao perigo.

Nove na segunda posição:
a) Os eixos da carroça foram retirados.
b) "Os eixos da carroça foram retirados."
No centro não há culpa.

Ch'ien é redondo, por isso o símbolo da roda. O trigrama nuclear Tui significa quebrar.

O nove na segunda posição é central e por isso capaz de se controlar. É contido pelo seis na quinta posição, ao qual está relacionado.

Nove na terceira posição:
a) Um bom cavalo que segue a outros. É favorável ter consciência de perigo e perseverança. Pratique diariamente a condução da carroça e a defesa armada.
É favorável ter aonde ir.
b) "É favorável ter aonde ir."
A vontade daquele que está acima é concordante.

Ch'ien é um bom cavalo; essa linha está ao começo do trigrama nuclear Chên, movimento, por isso a idéia de avançar. Há uma relação de similitude entre essa linha e o nove na sexta posição, por isso a concordância da vontade entre as duas. Mas a quarta e a quinta linhas ainda geram separação e perigo, o que se deve ter em mente. A carroça é sugerida pelo trigrama Ch'ien; as armas, pelo trigrama nuclear Tui, que significa metal e ruptura.

Seis na quarta posição:
a) A tábua protetora de um novilho. Grande boa fortuna!
b) A grande boa fortuna do seis na quarta posição consiste em ter alegria.

Essa linha representa os chifres no trigrama nuclear Tui que, de fato, significa a ovelha e não o gado.

A linha "doma" o nove inicial sem dificuldades, antes mesmo de ele começar a se tornar perigoso, por isso a alegria.

O Seis na quinta posição:
a) As presas de um javali castrado. Boa fortuna!
b) A boa fortuna do seis na quinta posição consiste em ser abençoado.

Uma outra interpretação diz: "A estaca para amarrar um filhote de javali". De qualquer maneira, o sentido continua sendo o de uma contenção indireta antes que o perigo aumente.

Um antigo comentário relaciona tanto o javali dessa linha como o novilho da linha precedente aos ritos dos sacrifícios, por isso a felicidade e a bênção.

A bênção decorre da relação dessa linha com a linha central do trigrama inferior, o céu.

O Nove na sexta posição:
a) O caminho do céu é alcançado. Sucesso.
b) "O caminho do céu é alcançado."
A verdade atua no que é grande.

A linha ao alto é honrada como sábia pelo seis na quinta posição. Ela possui uma relação de similitude com o nove na terceira posição que, entretanto, é a linha na última posição do trigrama céu. O trigrama superior Kên significa um caminho.

Nota: Neste hexagrama as relações entre as linhas Yin e Yang não são de correspondência e estímulo, e sim de obstrução, em virtude do caráter do hexagrama. As linhas do trigrama inferior são obstruídas, as linhas do trigrama superior obstruem. Somente a terceira e a sexta linhas, sendo ambas Yang, concordam, e estão livres da idéia de obstrução.

As pessoas representadas pelas duas primeiras linhas ainda fazem suas refeições em casa, e ainda estão bloqueadas na travessia da grande água. A quarta e a quinta linhas agem bloqueando as duas linhas cuja conduta é inadequada; isso é mais fácil num caso que no outro. A terceira linha avança, ainda que com cautela e dificuldades. Apenas a linha ao alto tem um caminho desimpedido adiante e os obstáculos desaparecem. Ela representa um homem de valor, capaz de realizar grandes coisas, e que é alimentado.

27. I / AS BORDAS DA BOCA (PROVER ALIMENTO)

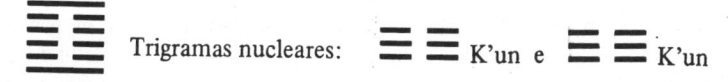

Trigramas nucleares: K'un e K'un

Os governantes do hexagrama são o seis na quinta posição e o nove ao alto. O Comentário sobre a Decisão refere-se a eles quando diz: "Ele alimenta os homens de valor e assim abrange o povo inteiro".

SEQÜÊNCIA

Quando as coisas são firmemente retidas, há alimentos. Por isso a seguir vem o hexagrama: AS BORDAS DA BOCA. As Bordas da Boca significa prover alimento.

COLETÂNEA DE INDICAÇÕES

AS BORDAS DA BOCA significa nutrir aquilo que é correto.

Os dois trigramas básicos se opõem em seus movimentos. Kên, o superior, permanece quieto; Chên, o inferior, move-se para o alto. Isso indica os maxilares e os dentes. O maxilar superior não se move, o maxilar inferior se move, por isso o hexagrama chama-se AS BORDAS DA BOCA. Ao contrário do hexagrama 5, Hsü, A ESPERA, que também trata de nutrição mas enfatiza a dependência alimentar do homem, o tema do hexagrama I trata, isto sim, do papel ativo do homem na administração de alimentos. Há um significado secundário: o de nutrir em primeiro lugar os homens de valor, de modo que, assim, o povo também possa ser alimentado. Os dois hexagramas mostram a nutrição como um processo natural (Hsü, A ESPERA) e como um problema social (I, AS BORDAS DA BOCA).

Existe um contraste análogo entre os dois hexagramas que simbolizam a nutrição em si mesma: o hexagrama 48, Ching, O POÇO, representa a água necessária à nutrição; o hexagrama 50, Ting, O CALDEIRÃO, representa a comida necessária para a nutrição.

JULGAMENTO

AS BORDAS DA BOCA. A perseverança traz boa fortuna.
Preste atenção à nutrição e àquilo que o homem procura para encher sua própria boca.

COMENTÁRIO SOBRE A DECISÃO

"AS BORDAS DA BOCA. A perseverança traz boa fortuna."
Quando se nutre aquilo que é correto, a boa fortuna surge.
"Preste atenção à nutrição", isto é, preste atenção àquilo que alimenta um homem.
"Aquilo que o homem procura para encher sua própria boca", isto é, preste atenção àquilo com que um homem se alimenta.
O céu e a terra alimentam todos os seres.
O santo sábio alimenta os homens de valor e abrange, assim, o povo inteiro.
Verdadeiramente grande é a época de PROVER ALIMENTO.

Enquanto imagem, o hexagrama é concebido como um todo; como a imagem de uma boca aberta. Portanto, não é necessário explicar a procedência do significado de nutrição. O hexagrama enfatiza a idéia de que, quanto ao modo de prover alimentos, tudo depende de estar em harmonia com o que é correto. De acordo com o caráter dos dois trigramas — movimento e quietude — não há relação de correspondência entre as linhas relevantes do trigrama inferior e superior. O trigrama inferior procura alimento para si, o superior provê alimento para outros.

IMAGEM

O trovão na base da montanha: a imagem da NUTRIÇÃO.
Assim, o homem superior é cuidadoso em suas palavras e moderado no comer e no beber.

O trovão é o trigrama no qual Deus surge, a montanha é o trigrama no qual todas as coisas se completam.[70] Esta é a imagem de PROVER ALIMENTO. Os movimentos da boca, a fala e a ingestão de alimentos se deduzem da imagem da boca aberta, sugerida pelo hexagrama quando este é considerado como um todo. Esses movimentos correspondem ao caráter do trigrama Chên, mas precisam ser moderados para que sejam corretos. Isso corresponde ao caráter do trigrama Kên.

LINHAS

Nove na primeira posição:
a) Você deixa escapar sua tartaruga mágica, e olha para mim com os lábios caídos.

---

[70] Cf. cap. II, seç. 5 do Shuo Kua, Discussão dos Trigramas, Livro Segundo. *(Nota da tradução brasileira.)*

Infortúnio.

b) "Você olha para mim com os lábios caídos": isso realmente não é digno de respeito.

Em sua estrutura, o hexagrama inteiro lembra o trigrama Li, o Aderir, por isso a imagem da tartaruga.

O hexagrama contém três idéias: alimentar a si mesmo, alimentar os outros, ser alimentado por outros. A linha forte ao alto, governante do hexagrama, alimenta os outros. As linhas maleáveis ao meio dependem de outros para lhes prover alimentos. A linha forte abaixo, na verdade, deveria estar em condições de alimentar a si mesma (a tartaruga mágica não necessita do alimento terrestre, mas pode viver do ar). Entretanto, em vez disso, ela também se dirige à fonte comum de nutrição e deseja ser alimentada com os outros. Isso é desprezível e desastroso. "Você" refere-se ao nove inicial; "eu", ao nove na última posição.

Seis na segunda posição:

a) Dirigir-se ao alto em busca de alimento, afastar-se do caminho para buscar alimento na colina: caso se continue a agir assim, isso trará infortúnio.

b) Se o seis na segunda posição continuar agindo assim, isso trará infortúnio, pois ao ir adiante ele perde sua natureza.

O seis na segunda posição poderia procurar alimento recorrendo a seu semelhante, o nove inicial. Em vez disso, ele se afasta desse caminho e dirige-se ao alto em busca de alimento, recorrendo ao governante superior do hexagrama (o trigrama superior é Kên, a montanha). Isso traz infortúnio.

Há uma outra interpretação: "Procurar alimento no sentido contrário (ou seja, recorrendo ao nove inicial) ou afastar-se do caminho para buscar alimento na colina (ou seja, recorrendo ao nove na última posição) traz infortúnio".

Seis na terceira posição:

a) Afastando-se da nutrição. A perseverança traz infortúnio. Durante dez anos não atue dessa forma. Nada é favorável.

b) "Durante dez anos não atue dessa forma", pois isso é demasiado contrário ao caminho correto.

Essa linha, estando ao alto do trigrama Chên, movimento, também procura obter alimento do nove na última posição em vez de recorrer ao nove abaixo. O trigrama nuclear K'un indica os "dez anos", pois o dez é o seu número. A razão pela qual esta conduta é tão duramente criticada é que a linha procura vantagens pessoais com base em sua relação de correspondência, o que não é válido neste hexagrama.

Seis na quarta posição:

a) Dirigir-se ao alto em busca de alimento traz boa fortuna. Espreitando em torno com o olhar cortante como o de um tigre numa avidez insaciável. Nenhuma culpa.

b) A boa fortuna decorrente de dirigir-se ao alto em busca de alimento consiste no fato de que aquele que está acima emite luz.

Essa linha também se dirige ao nove na última posição em busca de alimento, mas como ambas fazem parte do mesmo trigrama, isso traz boa fortuna, ao contrário do destino do seis na segunda posição. "Espreitando em torno com o olhar corıante" deriva da forma do hexagrama, que lembra Li. O trigrama Li significa também os olhos.

○ Seis na quinta posição:
a) Desviar-se do caminho. Permanecer perseverante traz boa fortuna. Não se deve atravessar a grande água.
b) A boa fortuna de permanecer perseverante deriva do fato de seguir àquele que está acima com devoção.

Essa linha está na posição do governante, porém, sendo maleável e submissa, mantém uma relação de receptividade com a linha forte acima. Por isso se subordina a ela com devoção. (Quando este hexagrama muda e se converte no hexagrama seguinte, o trigrama superior Kên transforma-se em Tui, lago. A quinta linha ocupa, então, o centro da água; por isso não é favorável atravessar a grande água.)

○ Nove na sexta posição:
a) A fonte da nutrição. A consciência do perigo traz boa fortuna. É favorável atravessar a grande água.
b) "A fonte da nutrição. A consciência do perigo traz boa fortuna." Ele tem grandes bênçãos.

O perigo deriva da responsabilidade da posição que esta linha ocupa ao alto do hexagrama e, mais ainda, pelo fato de o governante maleável na quinta posição lhe conferir autoridade e honrarias. Mas nesta posição ela concede grandes bênçãos. Tendo consciência do perigo, a linha pode empreender grandes obras, tais como a travessia da grande água. (Quando este hexagrama muda e se converte no hexagrama seguinte, essa linha passa a ocupar a posição na superfície de Tui, o lago, e por isso não corre o perigo de se afogar, como a linha precedente.)

28. TA KUO / PREPONDERÂNCIA DO GRANDE

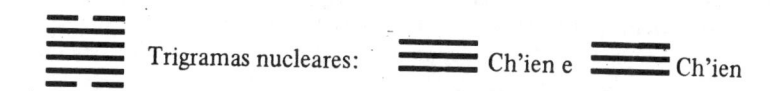

Trigramas nucleares: Ch'ien e Ch'ien

Os governantes do hexagrama são o nove na segunda posição e o nove na quarta. O nove na segunda posição é firme, central e não demasiado pesado. O nove na quarta posição representa uma viga que não cede a ponto de partir.

SEQÜÊNCIA

Sem se prover de alimento, nada pode se mover; por isso a seguir vem o hexagrama PREPONDERÂNCIA DO GRANDE.

A nutrição sem a utilização evoca ao final o movimento. O movimento sem fim acaba por levar longe demais, gerando uma sobrecarga.

COLETÂNEA DE INDICAÇÕES

PREPONDERÂNCIA DO GRANDE é o ponto culminante.

O ponto culminante refere-se ao símbolo da viga-mestra mencionada no Julgamento. Este hexagrama evidencia uma grande força em seu interior. Os dois trigramas nucleares são Ch'ien, cujo atributo é a força. Porém, abaixo encontra-se o suave, Sun, que, sem dúvida, é penetrante mas ao mesmo tempo é etéreo,[71] enquanto que acima está o alegre Tui, que representa um lago. Assim as extremidades não estão à altura do peso da forte estrutura interna, e por isso a preponderância do grande. Este hexagrama é o oposto do precedente.

JULGAMENTOS ANEXOS

Nos tempos primitivos sepultavam-se os mortos cobrindo-os com uma espessa camada de galhos secos e deixando-os ao ar livre, sobre a terra, sem túmulo e sem uma alameda de árvores. O período de luto não tinha uma duração definida. Os homens santos de épocas posteriores introduziram o uso de caixões e sarcófagos. Provavelmente inspiraram-se para isso no hexagrama PREPONDERÂNCIA DO GRANDE.

Este hexagrama representa a madeira que penetrou sob a água no interior da terra. Isso indica a idéia do caixão. Outra explicação sustenta que as duas linhas Yin acima e abaixo representam a terra e as árvores dos cemitérios, enquanto que as linhas Yang entre elas simbolizam o caixão. Quando os mortos recebem assim os cuidados adequados, eles penetram (Sun) no interior da terra e ficam contentes (Tui). Este hexagrama também é o oposto do anterior no sentido de que lá tratava-se de prover alimentos aos vivos, e aqui se mostra o cuidado dedicado aos mortos.

JULGAMENTO

PREPONDERÂNCIA DO GRANDE. A viga-mestra cede a ponto de quebrar. É favorável ter onde ir.
Sucesso.

COMENTÁRIO SOBRE A DECISÃO

PREPONDERÂNCIA DO GRANDE. O grande prepondera. A viga-mestra cede a ponto de quebrar porque o começo e o fim são fracos. O firme prepondera e é central. Suave e alegre ao atuar; então é favorável ter onde ir, pois assim haverá sucesso. Grande, em verdade, é a época da PREPONDERÂNCIA DO GRANDE.

O nome do hexagrama é explicado com base em sua estrutura. O grande, ou seja, o elemento Yang, com suas quatro linhas, supera em número as duas linhas Yin. Em si mesmo isso não significaria ainda preponderância. Porém, o grande está no interior, enquanto que deveria estar fora. Do mesmo modo o pequeno prepondera (cf. hexagrama 62) quando as linhas maleáveis são majoritárias e se encontram no exterior pois, em virtude de sua natureza, o lugar que lhes é próprio é o interior. Representando a preponderância do grande, o hexagrama tem como símbolo a viga-

---

[71] Sun representa também o vento; por isso a idéia de algo etéreo. *(Nota da tradução brasileira.)*

mestra, a viga superior de uma casa, sobre a qual todo o telhado se apóia. Como o princípio e o fim são fracos, há o perigo de um demasiado peso interior, cuja conseqüência seria o ceder até o ponto em que haveria uma ruptura.

Apesar desta situação extraordinária, é importante agir. Se a carga permanecesse onde está, haveria o infortúnio. Porém, por meio do movimento se pode sair desta condição anormal, principalmente porque o governante no trigrama inferior é central e firme. Os atributos dos trigramas, alegria e suavidade, indicam também a conduta correta para uma ação com sucesso.

IMAGEM

O lago sobrepassa as árvores: a imagem da PREPONDERÂNCIA DO GRANDE. Assim, o homem superior não se aflige quando está só e não se deixa abater quando deve renunciar ao mundo.

A idéia de solidão e renúncia ao mundo é sugerida pela situação indicada pelo hexagrama como um todo. Ficar só sem se preocupar é indicado pelo símbolo de Sun, a árvore, e não se deixar abater, pelo atributo de Tui, a alegria.

LINHAS

Seis na primeira posição:
a) Forrar com uma esteira de junco branco.
Nenhuma culpa.
b) "Forrar com uma esteira de junco branco."
O maleável está abaixo.

A linha maleável sob o governante forte do hexagrama, o nove na segunda posição, indica a precaução com que se deposita a carga.

Confúcio diz o seguinte sobre esta linha: "Se alguém contenta-se simplesmente em colocar algo no chão, isso também é válido. Mas se ainda se forra com uma esteira de junco branco, que erro poderia haver? Esta é a extrema cautela. A esteira de junco branco em si é algo sem valor, porém pode ter um efeito muito importante. Quando se é tão cuidadoso em tudo que se faz, se permanece livre de erros."

O Nove na segunda posição:
a) Num álamo seco surge um broto na raiz.
Um homem mais velho toma uma jovem como esposa.
Tudo é favorável.
b) "Um homem mais velho toma uma jovem como esposa."
O extraordinário é eles virem a se reunir.

O trigrama da madeira está sob o trigrama da água, por isso o símbolo do álamo que cresce junto à água. O governante do hexagrama, o nove na segunda posição, tem uma relação de solidariedade com o seis inicial. Por um lado isso simboliza uma raiz que volta a brotar abaixo, renovando, assim, o processo da vida. Por outro lado é a imagem de um homem mais velho (o nove na segunda posição) que toma uma jovem como esposa (o seis inicial). Apesar de tratar-se de algo fora do comum, tudo é favorável.

Nove na terceira posição:
a) A viga-mestra cede a ponto de partir.
Infortúnio.

b) O infortúnio de a viga-mestra ceder e quebrar se deve à falta de apoio.

A terceira e quarta linhas, ao meio do hexagrama, representam a viga-mestra. O nove na terceira posição é firme e ocupa uma posição firme, o que resulta numa firmeza excessiva para uma época de exceção, por isso a ameaça do infortúnio de ceder e partir. Pois com sua obstinação o homem destrói o que poderia dar-lhe apoio.

O Nove na quarta posição:
a) A viga-mestra é sustentada. Boa fortuna.
Se há segundas intenções isso é humilhante.
b) A boa fortuna de a viga-mestra ser sustentada consiste nela não ceder e partir.

Esta linha está em melhor condição que a anterior. Ela não cede, não se parte. Enquanto o nove na terceira posição é demasiado forte e inquieto, a firmeza do nove na quarta posição é atenuada pela maleabilidade da sua posição. Enquanto o nove na terceira posição está exposto ao perigo de partir por ser a linha mais alta do trigrama Sun, que é aberto abaixo, o que significa fraqueza, o nove na quarta posição está na base do trigrama Tui, que é aberto acima. Por isso a sua segurança. "Segundas intenções" são sugeridas pelo fato de esta linha manter uma relação de correspondência com o seis inicial; entretanto não se deve tirar conclusões somente a partir deste fato, pois o ponto mais importante a ser considerado quanto a esta linha é a sua posição como ministro ligado ao governante na quinta posição.

Nove na quinta posição:
a) Um álamo seco floresce.
Uma mulher idosa encontra um marido.
Nenhuma culpa. Nenhum elogio.
b) "Um álamo seco floresce."
Como poderia isso durar muito tempo?
"Uma mulher idosa encontra um marido."
Apesar de tudo, isso é vergonhoso.

Essa linha está em oposição ao nove na segunda posição. Lá um homem mais velho casa com uma jovem. Aqui uma mulher idosa encontra um marido. Lá o álamo gera um broto na raiz. Aqui ele floresce. Lá havia uma relação de correspondência com a linha abaixo, por isso o brotar na raiz. Aqui a associação se faz com a linha acima, por isso o florescer. Lá o nove forte na segunda posição representava o homem que desposava uma jovem (o seis inicial). Aqui o seis na última posição é a mulher idosa que encontra um marido (o nove na quinta posição).

Seis na sexta posição:
a) É preciso atravessar a água.
Esta chega a cobrir a cabeça.
Infortúnio. Nenhuma culpa.
b) Não se deve culpar o infortúnio de ter de cruzar a água.

O trigrama superior Tui é o lago, por isso a água. Os trigramas nucleares são Ch'ien, a cabeça. O trigrama nuclear superior termina no nove na quinta posição; por isso o seis na última posição mostra a água acima da cabeça. Entretanto, não se deve culpar este infortúnio, pois ele é resultante do tempo e a intenção é boa.

Esse oráculo, "Infortúnio, nenhuma culpa", está entre os mais nobres pensamentos possíveis com relação à superação do destino.

Nota: Do mesmo modo que nos hexagramas 27, I, 61, Chung Fu, e 62, Hsiao Kuo, a relação de correspondência também não é válida nesse hexagrama; ao contrário, as linhas superiores e inferiores — contando a partir do centro — estão em antagonismo umas com as outras. Assim, a terceira e quarta linhas simbolizam a viga-mestra. A terceira — firme em posição firme — é infeliz e a viga do telhado cede e se quebra. A quarta linha — firme em posição maleável — é feliz: a viga do telhado tem apoio. A segunda e quinta linhas representam ambas velhos álamos. A segunda — firme em posição maleável — é feliz: ela brota na raiz. A quinta — firme em posição firme — é infeliz: começa a florescer, consumindo, assim, suas últimas forças. A linha de baixo — maleável numa posição firme — tem sorte em virtude de sua grande cautela. A linha na última posição — maleável em posição maleável — é infeliz em virtude de sua coragem e teimosa tenacidade. Todas as linhas situadas em posições opostas à sua natureza têm sorte, já que a posição e a natureza se complementam. Todas as linhas situadas em posições semelhantes à sua natureza não têm sorte, porque isto causa a sobrecarga.

29. K'AN / O ABISMAL (ÁGUA)

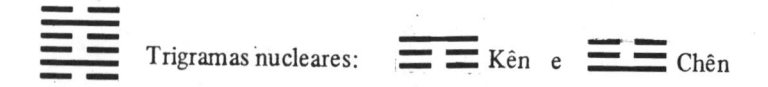

Trigramas nucleares: Kên e Chên

Os governantes do hexagrama são as linhas Yang na segunda e quinta posições. A quinta, entretanto, governa de um modo mais marcante; representa a água que continua a fluir após preencher o espaço que encontra.

SEQÜÊNCIA

As coisas não podem permanecer constantemente num estado de sobrecarga. Por isso a seguir vem o hexagrama: O ABISMAL. O Abismal significa um fosso.

COLETÂNEA DE INDICAÇÕES

O ABISMAL se dirige para baixo.

A água se move de cima para baixo. A água provém da terra mas aqui encontra-se no céu, por isso sua tendência de retornar à terra. Este é um dos oito hexagramas formados pela repetição de um mesmo trigrama. O trigrama K'an possui a linha do meio do Criativo. Na seqüência da Ordem Interna do Mundo este trigrama deslocou-se para o norte, o lugar que era ocupado pelo Criativo na Ordenação Primordial.[72] Por isso, este hexagrama e o seguinte — Li, que possui a mesma relação com o Receptivo que K'an tem com o Criativo — aparecem juntos no fim da primeira parte, a qual começara com o CRIATIVO e o RECEPTIVO.

JULGAMENTO

O ABISMAL repetido. Se você é sincero, terá o sucesso em seu coração e tudo o que fizer terá êxito.

COMENTÁRIO SOBRE A DECISÃO

O Abismal repetido é o perigo duplicado. A água flui e não se acumula em parte alguma; passa por lugares perigosos e não perde sua confiança. "Você terá o sucesso em seu coração" porque os firmes constituem o centro; "tudo o que fizer terá êxito", pois o avanço traz realizações. O perigo do céu consiste em não se poder escalar até ele. O perigo da terra são as montanhas e rios, as colinas e alturas. Os reis e príncipes usam os perigos para proteger seus reinos. Os efeitos da época do perigo são verdadeiramente grandes.

Este hexagrama é explicado de duas maneiras: 1) o homem encontra-se no meio do perigo, assim como a água nas profundezas de um abismo. A água lhe mostra como deve proceder: ela flui para adiante e não se acumula em parte alguma; mesmo nos trechos perigosos ela não perde sua confiança. Deste modo o perigo é superado. O trigrama K'an simboliza também o coração. No coração, a essência divina encontra-se aprisionada no interior das propensões e tendências naturais, correndo, assim, o perigo de submergir nos desejos e paixões. Nesse caso também a superação do perigo consiste em manter-se firmemente ligado às suas tendências inatas ao bem. Isso está indicado pelo fato de as linhas firmes formarem o centro dos trigramas.[73] Com isso, a ação resulta no bem. 2) O perigo serve como medida de precaução defensiva para o céu, a terra e o príncipe, porém nunca é um fim em si mesmo e por isso se diz: "os efeitos da época do perigo são grandes".

IMAGEM

A água flui ininterruptamente e chega à sua meta:
a imagem do ABISMAL repetido.
Assim, o homem superior caminha em constante virtude e exerce o magistério.

A água é constante em seu fluir. Assim, o homem superior é constante em sua virtude, tal como a linha firme no meio do abismo. E do mesmo modo que a água continua sempre a fluir, ele aplica o exercício e a repetição na tarefa de ensinar.

---

[72] Cf. cap. II, seç. 3 e 5 do Shuo Kua, Discussão dos Trigramas, Livro Segundo. *(Nota da tradução brasileira.)*

[73] Isto é, dos trigramas básicos, pois as linhas centrais dos trigramas nucleares são maleáveis e não firmes. *(Idem.)*

LINHAS

Seis na primeira posição:
a) A repetição do abismal. No abismo, se cai num fosso. Infortúnio.
b) "A repetição do abismal." O homem cai no abismo porque perdeu o caminho; isso traz infortúnio.

Essa linha está abaixo e é uma linha partida, ou seja, no fundo do abismo há ainda um fosso. Essa repetição do perigo leva ao hábito. Como a linha é fraca, não possui a força interior para resistir a essa tentação. Por isso já ao começo ela se desvia do caminho correto.

O Nove na segunda posição:
a) O abismo é perigoso. Deve-se procurar alcançar apenas pequenas coisas.
b) "Deve-se procurar alcançar apenas pequenas coisas", pois ainda não se ultrapassou o centro.

Essa linha é forte e central e, portanto, poderia, por sua própria natureza, realizar algo grande. Mas ela ainda se encontra encerrada em meio ao perigo, de modo que não há nada a fazer. Sua força consiste precisamente em não pretender algo impossível e em saber adaptar-se às circunstâncias.

Seis na terceira posição:
a) Para adiante e para trás, abismo sobre abismo.
Num perigo como este, detenha-se ao início e espere, senão você cairá num fosso no abismo. Não atue assim.
b) "Para adiante e para trás, abismo sobre abismo."
Aqui, qualquer esforço ao final torna-se impossível.

Esta linha é fraca e não ocupa a posição correta. Está no meio do perigo e, mais ainda, ao centro do trigrama nuclear Chên, movimento; portanto, além de todo o perigo que a cerca, ela encontra-se interiormente inquieta. Por isso a advertência de não atuar, como sugere o caráter da linha.

Seis na quarta posição:
a) Uma jarra de vinho, uma tigela de arroz, louça de barro, simplesmente entregues pela janela.
Isso por certo não implica em culpa.
b) "Uma jarra de vinho, uma tigela de arroz."
Estes são os limites entre o firme e o maleável.

O trigrama K'an corresponde ao vinho. O trigrama nuclear Chên representa os recipientes usados nos rituais. O conjunto é concebido como representando um sacrifício simples. O trigrama K'an encontra-se ao norte[74] e é constantemente associado à idéia do sacrifício. Apesar da simplicidade, o sacrifício é aceito, pois o sentimento é verdadeiro. A quarta linha mantém uma relação de solidariedade com o governante superior do hexagrama, por isso o relacionamento íntimo que dispensa as formalidades externas.

---

[74] Cf. cap. II, seç. 5 do Shuo Kua, Discussão dos Trigramas, Livro Segundo. *(Nota da tradução brasileira.)*

O Nove na quinta posição:
a) O abismo não está cheio a ponto de transbordar, está cheio apenas até a borda. Nenhuma culpa.
b) "O abismo não está cheio a ponto de transbordar", pois a linha central ainda não é grande.

O governante do hexagrama, sendo, além de tudo, forte em posição forte, poderia facilmente sentir-se grande e poderoso. Mas sua posição central o impede. Por isso lhe é suficiente apenas sair do perigo. O Comentário sobre a Decisão refere-se a esta linha quando diz: "a água flui e não se acumula em parte alguma".

Seis na sexta posição:
a) Amarrado com cordas e cabos, aprisionado entre as muralhas de uma prisão, cercado de arbustos com espinhos. Durante três anos não se consegue encontrar o caminho.
Infortúnio.
b) O seis superior perdeu o caminho.
Este infortúnio perdura ao longo de três anos.

Ao contrário do seis inicial que no meio do abismo cai ainda num fosso, essa linha encontra-se ao alto e por isso é encerrada por um muro cercado de cardos (os muros das prisões chinesas eram feitos dessa forma para evitar as fugas). O trigrama K'an sugere os espinhos. A situação da linha é nefasta devido ao fato de repousar sobre uma linha rígida, o nove na quinta posição. Tratando-se de ofensas menores, pelas quais se demonstrava um arrependimento, se concedia o perdão ao final de um ano; tratando-se de casos mais graves, após dois anos; e sendo muito grave, depois de três anos.

Nota: Todo o hexagrama O ABISMAL parte da idéia de que as linhas luminosas estão encerradas no meio das linhas obscuras e, por isso, em perigo. Essa idéia de perigo não só caracteriza o hexagrama, como também domina as diferentes linhas. Vê-se, então, que as duas linhas fortes (segunda e quinta) têm melhor sorte e a esperança de sair do perigo, enquanto o seis inicial e o seis na terceira posição caem em abismo após abismo. O seis na última posição não vê nenhuma saída durante três anos. Assim sendo, o perigo que ameaça as linhas obscuras é ainda maior. Mas com freqüência sucede que a idéia de um determinado hexagrama se expressa de modo diferente nas linhas individuais. Ocorre que a idéia expressa por um determinado hexagrama como um todo é apresentada de modo diferente em algumas linhas.[75]

---

[75] Na consulta oracular, quando o significado particular de uma linha indicada como sendo móvel diverge ou se diferencia muito do significado do hexagrama como um todo, deve ser dada prevalência à idéia expressa pela linha. *(Nota da tradução brasileira.)*

30. LI / ADERIR (FOGO)

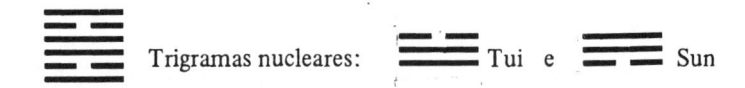

Trigramas nucleares: Tui e Sun

Os governantes do hexagrama são as duas linhas Yin na segunda e quinta posições. A segunda, entretanto, governa de um modo mais marcante, pois o fogo atinge a luminosidade máxima quando, ao surgir, está sendo atiçado.

SEQÜÊNCIA

Num fosso há com certeza algo aderindo no interior.
Por isso a seguir vem o hexagrama ADERIR.
Aderir significa apoiar-se em algo.

COLETÂNEA DE INDICAÇÕES

ADERIR dirige-se para o alto.

JULGAMENTOS ANEXOS

Fu Hsi trançou cordas e as utilizou em redes e cestas para a caça e a pesca. Provavelmente inspirou-se para isso no hexagrama ADERIR.

Este trigrama, aberto por dentro e fechado por fora, é a imagem das malhas de uma rede, na qual os animais ficam presos, "aderidos". O hexagrama é o oposto do anterior, não só em sua forma como em todo seu significado.

JULGAMENTO

ADERIR. A perseverança é favorável. Ela traz o sucesso. Cuidar da vaca traz boa fortuna.

COMENTÁRIO SOBRE A DECISÃO

Aderir significa apoiar-se em algo. O sol e a lua aderem ao céu. Os grãos, as plantas e as árvores aderem ao solo. A dupla claridade, aderindo ao que é correto, modela o mundo e o conduz à plenitude. O maleável adere ao centro e ao que é correto, e por isso tem sucesso. Por isso se diz: "Cuidar da vaca traz boa fortuna".

Aqui a cooperação dos dois princípios universais é apresentada. O princípio luminoso só se torna visível quando adere a corpos. O sol e a lua alcançam sua luminosidade pelo fato de estarem ligados ao céu, de onde emanam as forças do princípio luminoso. O mundo vegetal deve sua vida ao fato de estar ligado ao solo (o ideograma chinês neste caso é "t'u", não "ti"), onde as forças da vida se manifestam. Por outro lado, os corpos também são necessários para que neles as forças da luz e da vida possam se expressar. O mesmo ocorre na vida humana. A natureza psíquica precisa se ligar às forças da vida espiritual para poder transfigurar-se e exercer influência sobre a terra.

O elemento maleável de Li é a linha central do Receptivo, por isso o símbolo da vaca, forte porém dócil.

IMAGEM

A clareza eleva-se duas vezes: a imagem do FOGO.

Assim o homem superior, perpetuando essa clareza, ilumina as quatro regiões do mundo.

O fogo arde em direção ao alto, por isso a expressão: "a clareza eleva-se". "Duas vezes" está implícito na repetição do trigrama. No âmbito espiritual a clareza significa as luminosas predisposições inatas do homem, que em virtude de sua coerência iluminam o mundo. O trigrama Li encontra-se ao sul, e simboliza o sol de verão que ilumina todos os seres na terra.

LINHAS

Nove na primeira posição:

a) As pegadas se entrecruzam. Se o homem se mantém sério, nenhuma culpa.

b) A seriedade ao entrecruzarem-se as pegadas serve para evitar a culpa.

A linha inicial significa a manhã. A princípio o fogo arde de modo agitado, o que sugere tumulto dos assuntos do quotidiano. A linha é firme, por isso a possibilidade de manter a seriedade.

O Seis na segunda posição:

a) Luz amarela. Suprema boa fortuna.

b) A suprema boa fortuna da luz amarela consiste em se ter encontrado o caminho do meio.

Esta linha encontra-se ao meio do trigrama inferior, por isso a referência ao caminho do meio. O amarelo, a cor do meio, é especificamente mencionado aqui porque essa linha tem sua origem na linha do meio do trigrama K'un, o Receptivo.[76]

Nove na terceira posição:

a) Sob a luz do sol poente os homens ou batem no caldeirão e cantam, ou suspiram em voz alta à aproximação da velhice.

b) Como é possível querer manter a luz do sol poente por muito tempo?

---

[76] Li, a filha do meio, surge quando Ch'ien, o pai, procura K'un, a mãe, pela segunda vez e recebe dela a linha do meio que a ele então se entrega. *(Nota da tradução brasileira.)*

Com a terceira linha se conclui o trigrama inferior, por isso o símbolo do sol poente. Ao mesmo tempo, esta linha é parte do trigrama nuclear Tui, que significa o outono, e do trigrama nuclear Sun, que significa crescimento. Por outro lado, Tui também significa alegria e Sun, suspiros.

Nove na quarta posição:
a) Sua chegada é repentina. Inflama-se, extingue-se, é jogado fora.
b) "Sua chegada é repentina." Mas em si mesmo ele nada possui que o leve a ser aceito.

A quarta linha está inquieta e encontra-se no ponto de interseção dos dois trigramas. Pelos que estão abaixo ela é oprimida, pelos que estão acima é rejeitada.

O Seis na quinta posição:
a) Em prantos, suspirando e lamentando.
Boa fortuna!
b) A boa fortuna do seis na quinta posição está ligada ao rei e ao príncipe.

A quinta posição é a do governante. Como a linha que a ocupa é maleável, isso significa que não é arrogante, mas humilde e triste. (Encontra-se ao alto do trigrama nuclear Tui, a boca, por isso o lamento.) Nisto consiste sua boa fortuna.

Nove na sexta posição:
a) O rei o utiliza para marchar adiante e castigar.
O melhor será, então, matar os líderes e aprisionar seus seguidores.
Nenhuma culpa.
b) "O rei o utiliza para marchar adiante e castigar", para manter o país disciplinado.

O rei é o governante do hexagrama, que ocupa a quinta posição. Ele utiliza a linha ao alto para conduzir armas. O trigrama Li tem como símbolo as armas e a defesa. Como está ao alto e é forte, a linha é correta e não leva a guerra longe demais. Isso mostra a culminância da luz.

SEGUNDA PARTE

咸

31. HSIEN / INFLUÊNCIA (CORTEJAR)

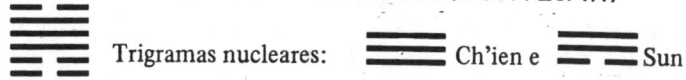

Trigramas nucleares: Ch'ien e Sun

O nove na quarta posição ocupa o lugar do coração. O coração rege a influência e por isso a quarta linha é a governante do hexagrama. O nove na quinta posição ocupa o lugar das costas e por isso significa manter-se quieto no meio da influência. Ele é capaz de permanecer tranqüilo em pleno movimento, sendo, então, governante do hexagrama num nível ainda mais elevado.

SEQÜÊNCIA

Após existirem o céu e a terra, surgem os seres individuais. Após existirem os seres individuais, surgem os dois sexos. Após existirem o masculino e o feminino, surge o relacionamento entre marido e mulher. Após existir a relação entre marido e mulher, surge a relação entre pai e filho. Após existir a relação entre pai e filho, surge a relação entre príncipe e súdito. Após existir a relação entre príncipe e súdito, surge a diferença entre o superior e o inferior. Após existir a diferença entre superior e inferior, as regras quanto ao que é próprio e correto podem se exercer.

COLETÂNEA DE INDICAÇÕES

A INFLUÊNCIA é rapidamente exercida.

JULGAMENTO

INFLUÊNCIA. Sucesso. A perseverança é favorável.
Tomar uma jovem em casamento traz boa fortuna.

COMENTÁRIO SOBRE A DECISÃO

INFLUÊNCIA significa estímulo. O elemento fraco está acima e o forte, abaixo. A força desses dois princípios estimula e provoca a resposta uma da outra, de modo a se unirem.
Quietude e alegria. O masculino se subordina ao feminino.

Por isso se diz: "Sucesso. A perseverança é favorável. Tomar uma jovem em casamento traz boa fortuna".

O céu e a terra estimulam-se um ao outro e todas as coisas tomam forma e vêm à existência. Aquele que é indicado pelo destino estimula o coração dos homens, e o mundo alcança a paz e a tranqüilidade. Pode-se reconhecer a natureza do céu, da terra e de todas as coisas, contemplando as influências que emanam.

O ideograma Hsien difere da palavra kan, "estimular", pelo fato de não incluir, como este último, o grafismo relativo a "coração". Representa, portanto, a influência inconsciente e involuntária, e não a influência intencional e consciente; trata-se de relações objetivas de caráter geral e não de casos subjetivos particulares.

O trigrama Tui é o "elemento fraco acima", a filha mais moça; seu atributo é a alegria; sua imagem, o lago. O trigrama Kên é o "elemento forte abaixo", o filho mais moço; seu atributo é a quietude; sua imagem, a montanha.

A explanação do Julgamento recorre à organização do hexagrama (o fraco acima, o forte abaixo), aos atributos e aos símbolos (o filho mais moço, a filha mais moça).

IMAGEM

Um lago na montanha: a imagem da INFLUÊNCIA.

Assim o homem superior, através da receptividade, incentiva as pessoas de quem se aproxima.

Literalmente: deste modo, o sábio acolhe os homens através do vazio.

O lago sobre a montanha cede a esta sua umidade. A montanha reúne nuvens que alimentam o lago. Assim suas forças têm uma influência recíproca. A relação entre os dois símbolos mostra como essa influência se realiza: é somente quando o cume da montanha está vazio, ou seja, abaulado, que um lago pode se formar. Do mesmo modo o homem superior acolhe as pessoas graças ao vazio. O homem superior é comparado à montanha e as pessoas, ao lago. A relação é estabelecida por iniciativa da montanha, isto é, do homem superior.

LINHAS

O estímulo se exterioriza em etapas, passo a passo. Os traços individuais significam as partes correspondentes do corpo. As 3 linhas inferiores são as pernas — os dedos dos pés, a canela e as coxas; as 3 superiores representam o tórax — o coração, as costas e os pulmões.

Seis na primeira posição:
a) A influência manifesta-se no dedo maior do pé.
b) A influência no dedo maior do pé: a vontade está dirigida ao exterior.

Esta linha está relacionada ao nove na quarta posição, no trigrama exterior. O símbolo do dedo maior do pé foi escolhido por representar a parte mais baixa do corpo. A vontade dirige-se ao exterior sem, no entanto, que isto se torne manifesto, pois o movimento dos dedos dos pés não é visível de fora.

Seis na segunda posição:
a) A influência manifesta-se na altura da tíbia. Infortúnio. Permanecer traz boa fortuna.
b) Mesmo quando o infortúnio ameaça, permanecer traz boa fortuna.
A devoção não causa danos.

Esta linha está relacionada ao nove na quinta posição. Se ela não se move junto com o seis na primeira posição mas permanece até receber um estímulo do alto, do nove na quinta posição, não será prejudicada. Ela tem essa possibilidade em decorrência de sua posição central.

Nove na terceira posição:
a) A influência manifesta-se nas coxas. Aderir àquilo que segue. Continuar é humilhante.
b) "A influência manifesta-se nas coxas", pois ele não pode permanecer quieto.
Quando a vontade se orienta por aquilo a que se atêm os que nos seguem, isso é uma atitude muito baixa.

Como as duas linhas inferiores são fracas por natureza, não é de surpreender que se deixem influenciar por outros. Mas a terceira linha, sendo forte, poderia governar-se a si mesma, sem ceder a um estímulo qualquer que surja abaixo. Torna-se digna de desprezo.

Ao se deixar guiar pelas intenções das duas linhas que lhe são inferiores e representam os seguidores, ela se torna desprezível.

O Nove na quarta posição:
a) A perseverança traz boa fortuna. O arrependimento desaparece. Quando o pensamento de um homem se agita em inquieto vaivém, só os amigos aos quais dirige seus pensamentos conscientes o seguirão.
b) "A perseverança traz boa fortuna. O arrependimento desaparece", pois deste modo não se estimula nada que seja nocivo.
"O pensamento se agita em inquieto vaivém."
Isso indica que ainda não se alcançou uma luz clara.

Esta linha é forte e ocupa uma posição fraca, por isso tem uma dupla possibilidade. Pode permanecer perseverante, resistindo à tentação de usar influências especiais e procurando agir, por meio de sua essência, de maneira tranqüila, como um dos governantes do hexagrama. Nesse caso, ela não estimulará nada de nocivo, pois estará em harmonia com o que é correto. Ou então pode ceder à influência do seis inicial, ao qual está relacionada. Com isso, limitaria sua influência; tudo se transferiria para o plano consciente, e a luz interior se obscureceria. Essa possibilidade é indicada pelo fato de essa ser a linha mais baixa do trigrama Tui, estando, portanto, mergulhada na mais profunda escuridão (Tui é um trigrama Yin, portanto obscuro).

Confúcio comenta a respeito desta linha: "Que necessidade tem a natureza de pensamentos e preocupações? Na natureza, todas as coisas retornam à origem comum e se distribuem pelos diferentes caminhos. Através de uma única ação, os frutos de uma centena de pensamentos se realizam. Que necessidade tem a natureza de pensamentos, de preocupações?".

O Nove na quinta posição:
a) A influência manifesta-se na nuca.
Nenhum arrependimento.
b) "A influência manifesta-se na nuca."
A vontade dirige-se às ramificações.

A nuca é imóvel. A influência é radicalmente autêntica. E quando a raiz é autêntica, as ramificações também o são. Portanto, a influência é boa. A linha é forte, central e é governante do hexagrama, por isso atua através da perfeita tranqüilidade do equilíbrio interior. Ao mesmo tempo, a vontade não está inerte; controlando os principais processos orgânicos, consegue impor ordem também nos detalhes.

Seis na sexta posição:
a) A influência manifesta-se no maxilar, na face e na língua.
b) "A influência manifesta-se no maxilar, na face e na língua."

Esta é uma linha fraca que, em si mesma, tem pouca influência. O trigrama Tui significa a boca. A linha superior é partida, por isso a boca aberta.

32. HÊNG / DURAÇÃO

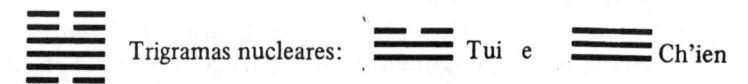

Trigramas nucleares: Tui e Ch'ien

Duração significa o que sempre é. Aquilo que está ao centro, sempre permanece. No hexagrama, a segunda e a quinta posições são centrais. O seis na quinta posição é central, porém fraco, enquanto o nove na segunda posição é ao mesmo tempo central e forte. Por isso, este é o governante do hexagrama.

Enquanto no hexagrama precedente a correspondência das linhas foi considerada mais como impedimento do que como auxílio, aqui o fato de todas as linhas se corresponderem é prova de uma firme organização interna do hexagrama, o que garante a duração.

A segunda linha forte mantém uma relação de correspondência com o seis fraco na quinta posição.

SEQÜÊNCIA

O caminho de marido e mulher não deve ser senão duradouro.
Por isso a seguir vem o hexagrama: DURAÇÃO.
Duração significa o que subsiste por um longo tempo.

COLETÂNEA DE INDICAÇÕES

DURAÇÃO significa o que permanece por um longo tempo.

JULGAMENTOS ANEXOS

A DURAÇÃO promove a firmeza do caráter.
O hexagrama DURAÇÃO mostra experiências diversas sem saciedade.
O hexagrama DURAÇÃO promove a unidade do caráter.

JULGAMENTO

DURAÇÃO. Sucesso. Nenhuma culpa.
A perseverança é favorável.
É aconselhável ter onde ir.

COMENTÁRIO SOBRE A DECISÃO

DURAÇÃO significa o que subsiste por um longo tempo. O forte está acima; o fraco, abaixo; trovão e vento atuam juntos. Suave, e em movimento. Todos os fortes e fracos se correspondem, isso significa duração.
"Sucesso. Nenhuma culpa. A perseverança é favorável." Isso significa uma persistência duradoura em seu próprio curso. O curso do céu e da terra é duradouro e longo e não cessa jamais.
"É aconselhável ter onde ir." Isso significa que cada término é seguido sempre de um novo começo. O sol e a lua têm o céu, e por isso podem brilhar de modo duradouro. As quatro estações se modificam e se transformam e por isso podem sempre conduzir à plenitude. O homem que segue seu destino mantém sempre seu curso e o mundo se reestrutura até completar-se. Se contemplarmos o que dá duração às coisas, compreenderemos a natureza do céu e da terra e de todos os seres.

A organização do hexagrama mostra o forte Chên acima e o fraco Sun abaixo; essa é a condição duradoura no mundo. Aqui o filho mais velho e a filha mais velha estão unidos em casamento, em contraste com a situação do hexagrama precedente, que representava o processo de realização do casamento.

As imagens mostram o trovão sendo levado ainda mais longe pelo poder do vento, e o vento sendo fortalecido pelo poder do trovão. Sua ação coordenada confere duração a ambos.

O atributo do trigrama Sun é a suavidade; o do trigrama Chên, o movimento. O movimento exterior, sustentado internamente pela devoção, possui em si mesmo a capacidade de durar.

Finalmente a relação de correspondência entre as diferentes linhas (seis na primeira posição com o nove na quarta; o nove na segunda posição com o seis na quinta; o nove na terceira posição com o seis na sexta) confere ao hexagrama sua firmeza e capacidade de duração. Tudo isso explica o nome do hexagrama.

Em seguida, com base no Julgamento, são enumeradas as condições necessárias à duração. Elas consistem na perseverança no curso correto, o que significa continuidade na mutação. Este é o segredo da eternidade do mundo.

A perseverança no rumo conduz à meta, ao fim. Porém, como o curso é cíclico, a cada fim segue-se um novo começo. O movimento e o repouso geram um ao outro. Este é o ritmo de todo vir-a-ser. Em seguida se indica a ação desse princípio em aspectos específicos, tanto em relação ao macrocosmos como em relação ao microcosmos.

IMAGEM

Trovão e vento: a imagem da DURAÇÃO.
Assim, o homem superior permanece firme e não altera seu rumo.

O trovão é móvel e o vento, penetrante: isso indica aquilo que é móvel ao extremo e que, sob a lei do movimento, possui duração.

Chên e Sun têm ambos a madeira como atributo, por isso a idéia de firme permanência. Sun está no interior e penetra; Chên está no exterior e se move; por isso a idéia do rumo firme.

LINHAS

Seis na primeira posição:
a) Buscar a duração depressa demais traz persistente infortúnio. Nada é favorável.
b) O infortúnio de procurar a duração depressa demais provém do fato de pretender demasiado desde o começo.

A linha inicial é a que rege o trigrama Sun, cujo atributo é a penetração. A primeira linha pretende penetrar demasiado rápido e demasiado profundo. Essa precipitação atrapalha a influência (que em si mesma é favorável) da linha forte na quarta posição, cuja afinidade com a primeira linha não pode, por isso, exercer seu efeito.

O Nove na segunda posição:
a) O arrependimento desaparece.
b) O nove na segunda posição implica no desaparecimento do arrependimento por ser permanentemente central.

Uma linha forte numa posição fraca poderia, em si mesma, dar motivo ao arrependimento. Mas como a linha é forte e central e tem uma relação correta com o seis na quinta posição, não há perigo de serem ultrapassados os limites da moderação e, assim, o motivo para o arrependimento é eliminado.

Nove na terceira posição:
a) Aquele que não procura dar duração a seu caráter sofrerá vergonha. Persistente humilhação.
b) "Aquele que não procura dar duração a seu caráter" não encontra tolerância.

Essa linha está no ponto de transição do trigrama inferior para o superior, por isso é agitada e superficial. Ainda não ingressou no movimento do trigrama Chên adiante, mas já deixou para trás a suavidade de Sun (por ser uma linha forte ocupando uma posição forte). Assim sendo, ela não encontra seu lugar em parte alguma.

Nove na quarta posição:
a) Nenhuma caça no campo.
b) Quando nunca se está no lugar devido, como se pode encontrar a caça?

Chên é representado pelo cavalo galopando através dos campos e também por uma grande estrada onde não há caça; por isso, a menção a esses símbolos.

A linha encontra-se no começo do trigrama Chên e, portanto, não é central. É forte numa posição fraca; portanto, não é correta. Por isso ela se move constantemente onde não deveria mover-se, e por este motivo nada encontra. A terceira linha possui caráter (é forte e ocupa uma posição forte), porém não tem duração. A quarta linha tem duração mas é desprovida de caráter (é forte numa posição fraca).

Seis na quinta posição:
a) Dar duração a seu próprio caráter através da perseverança traz boa fortuna para a mulher e infortúnio para o homem.
b) A perseverança traz boa fortuna para uma mulher, pois ela segue a um homem durante toda sua vida. Um homem deve se ater a seu dever; se ele segue a mulher, isso acarretará malefícios.

A linha é maleável, porém central, e está em relação direta com o nove forte na segunda posição, que é governante do hexagrama. Portanto, estas relações são duradouras. Porém, que o fraco siga invariavelmente ao forte é uma virtude feminina. As coisas são diferentes no caso de um homem.

Seis na sexta posição:
a) A inquietude como condição duradoura traz infortúnio.
b) A inquietude como condição duradoura na posição mais elevada é totalmente desprovida de mérito.

O atributo de Chên é o movimento. Aqui, uma linha fraca encontra-se no ponto culminante do trigrama do movimento. É incapaz de controlar-se e, assim, tornar-se presa de uma inquietude infeliz. Isso gera o infortúnio, pois se opõe ao sentido do tempo.

Esta linha é o oposto do seis inicial: lá há um movimento apressado demais para poder durar; aqui há um movimento que perdura mas não leva a nada.

33. TUN / A RETIRADA

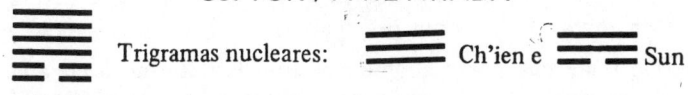

Trigramas nucleares: Ch'ien e Sun

As linhas diretrizes constituintes do hexagrama são as duas linhas Yin na primeira e segunda posições. Elas evidenciam o avanço do princípio obscuro, diante do qual o luminoso se retira. O governante da ação é a linha forte e central na quinta posição, que encontra correspondência na linha fraca e central que ocupa a segunda posição. A ele se refere o Comentário sobre a Decisão quando diz: "O firme ocupa a posição adequada e encontra correspondência. Isso significa que se está em acordo com o tempo".

O trigrama inferior é Kên, a quietude, por isso as três primeiras linhas são impedidas na retirada. O trigrama superior é Ch'ien, o movimento vigoroso, por isso a retirada destas três linhas é livre e desimpedida.

SEQÜÊNCIA
As coisas não podem permanecer para sempre em seus lugares, por isso a seguir vem o hexagrama A RETIRADA. A Retirada significa retroceder.

COLETÂNEA DE INDICAÇÕES
A RETIRADA significa retroceder.

JULGAMENTO
A RETIRADA. Sucesso.
Em pequenas coisas a perseverança é favorável.

COMENTÁRIO SOBRE A DECISÃO
"A RETIRADA. Sucesso." Isso significa que o sucesso jaz na retirada. O firme está no lugar adequado e encontra correspondência. Isso significa que se está em acordo com o tempo. "Em pequenas coisas a perseverança é favorável" significa que ele[77] está em pleno avanço e crescimento.
Grande em verdade é o significado da época da RETIRADA.

O sucesso consiste precisamente em conseguir retirar-se a tempo, e da forma correta. Esse sucesso torna-se possível pelo fato de a retirada não ser a fuga imposta a um fraco, e sim o voluntário afastamento de um forte, o que está implícito no caráter forte do governante do hexagrama, o nove na quinta posição, que encontra uma correspondência no fraco seis na segunda posição. A força é comprovada, então, pelo fato de não se procurar impor nada, mas apenas mostrar perseverança em pequenas coisas, já que o elemento obscuro representado pelas duas linhas Yin está avançando e crescendo. O significado da época da RETIRADA é grande, ou seja, é de extrema importância para que se possa acertar com relação ao momento certo de retirar-se.

IMAGEM
Montanha embaixo do céu: a imagem da RETIRADA.
Assim o homem superior mantém o inferior à distância não com raiva, porém com reserva.

A questão é até que ponto a montanha embaixo do céu sugere a imagem da RETIRADA. Uma interpretação é que a montanha embaixo do céu é tão íngreme e alta que os homens não podem se aproximar dela. Entretanto, há uma outra interpretação que está mais em harmonia com o movimento dos trigramas, segundo a qual o céu representa o homem superior e a montanha, os inferiores. O céu tem um forte movimento ascendente e, portanto, afasta-se automaticamente da montanha, cujo caráter é a imobilidade. Uma divergência ainda maior se verifica no hexagrama 12,

---

[77] Isto é, o elemento obscuro, sombrio. *(Nota da tradução brasileira.)*

P'I, ESTAGNAÇÃO, no qual os movimentos são diretamente opostos. O que a situação no presente hexagrama ensina (do mesmo modo que em P'I) se deduz dos atributos dos trigramas, considerados separadamente. O homem superior mantém os inferiores à distância, mantendo-se reservado e inacessível como o céu; com isso ele faz com que os homens inferiores parem (este é o atributo do trigrama inferior montanha).

LINHAS

☐ Seis na primeira posição:
a) Na cauda durante a retirada: isto é perigoso.
Não se deve empreender algo.
b) Se, estando exposto ao perigo da cauda que se retira, o homem nada empreende, que infortúnio poderia atingi-lo?

As duas linhas inferiores são aquelas diante das quais as quatro linhas superiores se retiram, por isso essas duas linhas são diretrizes constituintes. Assim como no hexagrama 10, Lü, A CONDUTA, onde a filha mais moça segue o trigrama Ch'ien, aqui, no hexagrama A RETIRADA, onde o filho mais moço está embaixo de Ch'ien, também se utiliza a cauda como símbolo da linha na primeira posição. A interpretação não leva em consideração o fato de essa linha, no contexto do hexagrama como um todo, representar os homens inferiores, pois o Livro das Mutações não aconselha aos homens inferiores,[78] mas apenas aos superiores. O conselho, então, enfoca a situação como tal, o que significa a retirada, e particularmente a retirada na cauda, ou seja, atrás. É perigoso ficar atrás durante a retirada. O perigo é evitado através da quietude.

☐ Seis na segunda posição:
a) Ele o submete e detém com firmeza, usando couro de boi amarelo. Ninguém consegue soltá-lo.
b) "Ele o submete e detém com firmeza, usando couro de boi amarelo." Isso significa uma vontade firme.

Aqui também a retirada é impedida. A linha encontra-se ao meio do trigrama Kên, Quietude. O amarelo é a cor do meio. A linha está próxima ao nove na terceira posição, por isso o detém com firmeza. Temos aqui, a perseverança do inferior, do pequeno, ao qual se refere o julgamento.

Nove na terceira posição:
a) Uma retirada contida é penosa e arriscada.
Manter as pessoas como empregados e empregadas traz boa fortuna.
b) O perigo de uma retirada contida é penosa;
isso provoca cansaço. "Manter as pessoas como empregados e empregadas traz boa fortuna."
Mas, de fato, não se pode utilizá-las em grandes coisas.

A linha em si é forte e seria de se esperar que tivesse força para retirar-se. O que torna isso impossível é, por um lado, o fato de ela estar no ápice do trigrama Kên, a Quietude, e, por outro, em virtude de as duas linhas inferiores se agarrarem a ela. Isto é cansativo. Ela pode, é claro, utilizar as linhas inferiores como empregados e empregadas, pois no trigrama Kên a linha superior comanda. Isso oferece uma saída, na me-

---

[78] Pois isso seria o mesmo que falar a um surdo. *(Nota da tradução brasileira.)*

dida em que, assim, o perigo imediato é evitado. Porém, com tais seguidores não se podem alcançar grandes coisas.

>Nove na quarta posição:
>a) A retirada voluntária traz boa fortuna ao homem superior e ruína ao inferior.
>b) O homem superior retira-se de modo voluntário, e isso leva o inferior à ruína.

Aqui completou-se a entrada no trigrama superior. Como o céu é forte, todas as três linhas superiores podem se retirar sem serem impedidas. Esta é a linha de demarcação. O homem superior retira-se em direção ao alto e o homem inferior fica abaixo, sozinho. Isto é mau para ele (mas não para o homem superior), pois é incapaz de governar a si mesmo.

>O Nove na quinta posição:
>a) Retirada amistosa. A perseverança traz boa fortuna.
>b) "Retirada amistosa. A perseverança traz boa fortuna", pois deste modo a vontade chega a uma decisão correta.

Aqui a vontade é associada aos anseios do seis na segunda posição, pois as duas linhas se correspondem. Lá há uma forte vontade de se ater firmemente a algo ou alguém (o que é positivo para um homem inferior); aqui há o desejo claro de permanecer perseverante e não se deixar reter.

Uma outra interpretação, de Chou I Hêng Chieh merece ser mencionada: de que se trata aqui apenas de uma retirada interior, enquanto que exteriormente se permaneceria em seu posto para preparar o contra-ataque.

>Nove na sexta posição:
>a) Retirada alegre. Tudo é favorável.
>b) "Retirada alegre. Tudo é favorável", porque já não há mais a possibilidade de dúvida.

Aqui sabe-se exatamente o que se deve fazer. Nestas condições, cumprir a decisão não é nada difícil.

34. TA CHUANG / O PODER DO GRANDE

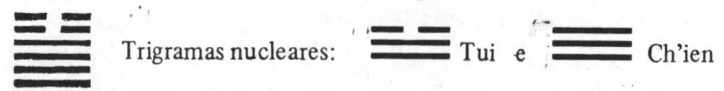

Trigramas nucleares: Tui e Ch'ien

O governante do hexagrama é a linha Yang na quarta posição, pois as quatro linhas Yang são a base do poder do hexagrama, e a quarta as lidera.

SEQÜÊNCIA

As coisas não podem se retirar continuamente, por isso a seguir vem O PODER DO GRANDE.

COLETÂNEA DE INDICAÇÕES

O PODER DO GRANDE se manifesta no fato de alguém se deter.

JULGAMENTOS ANEXOS

Na mais remota antiguidade os homens moravam em cavernas e viviam nas florestas. Os homens santos de épocas posteriores modificaram isso, dando início às construções. Ao alto ficava a viga-mestra e inclinado a partir dela vinha o telhado para proteger do vento e da chuva. Provavelmente inspiraram-se para isso no hexagrama O PODER DO GRANDE.

As quatro linhas fortes, reunidas, são associadas a uma viga-mestra, como ocorre também no hexagrama 28, Ta Kuo, PREPONDERÂNCIA DO GRANDE. As duas linhas partidas acima representam a chuva e o vento.

Este hexagrama pode ser considerado como sendo formado pelas linhas de Tui, que teriam aqui se duplicado. O animal atribuído a Tui é a ovelha (ou cabra), por isso o símbolo usado em algumas linhas é o bode. As duas linhas ao alto representam os chifres.

O que realmente exprime o sentido do hexagrama é o contraste entre o poder e a violência. Em sua estrutura, este hexagrama é o inverso do precedente.

JULGAMENTO

O PODER DO GRANDE. A perseverança é favorável.

COMENTÁRIO SOBRE A DECISÃO

O PODER DO GRANDE significa que o grande é poderoso. Forte em seu movimento — esta é a base do poder.
"O PODER DO GRANDE. A perseverança é favorável", pois o que é grande deve ser correto.
Grande e correto: assim se pode contemplar as relações entre céu e terra.

O hexagrama 11, T'ai, PAZ, é atribuído ao primeiro mês. Apesar de, neste hexagrama, as linhas luminosas estarem avançando, ainda não formam maioria.

O hexagrama 43, Kuai, IRROMPER, é atribuído ao terceiro mês. Nele as linhas luminosas estão em grande maioria, mas a queda já é iminente. Nenhuma dessas situações denota poder.

Mas a presença de quatro linhas Yang, como ocorre em Ta Chuang, indica poder. A força é o atributo do trigrama interno, o Criativo, e o movimento é o atributo do trigrama externo, o Incitar. A força faz com que se possa vencer o egoísmo dos impulsos sensuais, o movimento faz com que se possa realizar a execução da firme decisão da vontade. Deste modo, tudo pode ser alcançado. Esta é a base sobre a qual o poder repousa. Quando se diz que o grande deve ser correto, isso não significa que o grande e o correto sejam duas coisas distintas, e sim que sem a correção não há grandeza. As relações entre céu e terra não são senão grandes e corretas.

IMAGEM

O trovão acima, no céu: a imagem do PODER DO GRANDE. Assim, o homem superior não trilha caminhos que não estão de acordo com a ordem vigente.

O trigrama superior é Chên, trovão; o inferior é Ch'ien, céu. O trovão acima, no céu, mostra o poder do grande em plena expansão. O trigrama Chên também significa o pé e o atributo do trigrama Ch'ien é "grande e correto". Portanto, o pé pisa sobre o grande e correto e caminha sobre eles. A força do trigrama Ch'ien concede ao movimento do trigrama Chên a força para realizar o bem de modo decidido, e nisso se baseia o grande poder.

LINHAS

Nove na primeira posição:
a) Poder nos dedos dos pés. Prosseguir traz infortúnio. Isto é sem dúvida verdadeiro.
b) "Poder nos dedos dos pés."
Isso leva com certeza ao fracasso.

Como ocorre com freqüência, a linha inicial significa os dedos dos pés (cf. hexagrama 31), enquanto as linhas superiores indicam os chifres.

Nove na segunda posição:
a) A perseverança traz boa fortuna.
b) O nove na segunda posição encontra a boa fortuna através da perseverança, pois está numa posição central.

O nove, sendo uma linha forte, em geral não seria correto na segunda posição, que é fraca; poder-se-ia supor, pois, que a perseverança aqui não seria recomendada. Porém, o lugar que ocupa é central, e mais ainda, está no meio do trigrama Ch'ien, céu, e por isso possui uma força em si. Além disso, há também uma firme relação de correspondência com o seis na quinta posição. Todos estes fatores indicam que na posição ocupada por esta linha a perseverança age de modo favorável.

Nove na terceira posição:
a) O homem inferior age através do poder. O homem superior não age assim. É perigoso continuar. Um bode arremete contra uma cerca e prende seus chifres.
b) O homem inferior utiliza seu poder.
O homem superior não age assim.

Essas palavras explicam a primeira frase do oráculo. O símbolo desta linha é um bode que arremete contra uma cerca, prendendo, assim, seus chifres. Isto se deve ao fato de esta linha ser a inferior do trigrama nuclear Tui, cujo animal é a ovelha ou bode. Como há diante dela uma linha forte, isso sugere a idéia de que o bode investe contra uma cerca, e fica preso pelos chifres.

O Nove na quarta posição:
a) A perseverança traz boa fortuna. O arrependimento desaparece. Abre-se a cerca, e não há nenhum emaranhado. O poder se apóia no eixo de um grande carro.
b) "Abre-se a cerca e não há nenhum emaranhado."
Ele pode dirigir-se ao alto.

Esta linha é governante do hexagrama por estar ao alto das quatro linhas luminosas que avançam. Encontra diante de si uma linha partida, que não impede seu avanço. Por isso pode avançar em direção ao alto sem ser bloqueada.

Seis na quinta posição:
a) O bode se solta com facilidade.
Nenhum arrependimento.
b) "O bode se solta com facilidade", pois a situação não é adequada.

A posição é forte, é de fato o lugar do príncipe. Mas a natureza da linha é maleável e, assim, a posição, o aspecto externo, não corresponde à natureza, o aspecto interno. Por isso a linha se livra com facilidade de sua tendência obstinada.

Seis na sexta posição:
a) Um bode arremete contra uma cerca. Não pode ir nem para adiante nem para trás. Nada é favorável.
b) "Não pode ir nem para adiante nem para trás."
Isso não traz felicidade. "Se o homem nota a dificuldade, isso traz boa fortuna."
O erro não é persistente.

Esta linha está ao alto do movimento (Chên), no ápice da figura do bode, símbolo do trigrama nuclear Tui. Isso sugere a idéia de arremeter com os chifres. Porém, como se chegou ao final, não se pode ir além; por isso a confusão e as dificuldades. Mas a linha, em sua natureza, é maleável. Por isso, ao invés de se enrijecer em sua obstinação, ela cede, e assim o erro não persiste.

晉

35. CHIN / PROGRESSO

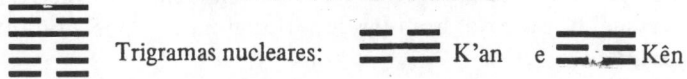

Trigramas nucleares: ☵ K'an e ☶ Kên

O que caracteriza este hexagrama é a luz que se eleva da terra. O seis na quinta posição é o governante do trigrama Li (luz) e se encontra no ponto central do céu. Portanto, é ele o governante do hexagrama ao qual o Comentário sobre a Decisão se refere na frase: "O fraco avança e se dirige ao alto".

SEQÜÊNCIA

Os seres não podem permanecer para sempre numa condição de poder, por isso a seguir vem o hexagrama PROGRESSO. Progresso significa expansão.

COLETÂNEA DE INDICAÇÕES

PROGRESSO significa o dia.

Os hexagramas 35, Chin, PROGRESSO, 46, Shêng, ASCENSÃO, e 53, Chien, DESENVOLVIMENTO, significam todos progresso. Chin tem como símbolo o sol ascendendo sobre a terra. É o mais belo desses três hexagramas. Shêng, ASCENSÃO, tem como símbolo a madeira que se eleva sobre a terra. Chien, DESENVOLVIMENTO, mostra o crescimento ainda mais lento de uma árvore sobre a montanha. Uma expansão demasiado rápida sem dúvida encerra também perigos, como se verá no próximo hexagrama.

Em termos de sociedade humana, o hexagrama indica um governante sábio que tem a seu lado servidores obedientes.

JULGAMENTO

PROGRESSO. O poderoso príncipe é honrado com grande número de cavalos. Num só dia é recebido em audiência três vezes.

COMENTÁRIO SOBRE A DECISÃO

PROGRESSO significa avanço. A claridade se eleva sobre a terra. O fraco com sua devoção e mantendo-se ligado à grande claridade consegue progredir e ascender. Por isso se diz: "O poderoso príncipe é honrado com grande número de cavalos. Num só dia é recebido em audiência três vezes".

A estrutura do hexagrama indica progresso, de fato, um progresso de todos os lados, uma expansão. A devoção refere-se ao trigrama inferior K'un, que aqui significa o servidor. A grande claridade é o trigrama superior Li, que aqui significa o governante. O fraco que progride é a linha do meio de K'un, que ocupa a posição central no trigrama superior que originalmente era Ch'ien, o pai;[79] por isso o seis na quinta posição é o governante do hexagrama, o sábio príncipe. O governante necessita da lealdade de seus servidores e em sua grande sabedoria ele sabe recompensá-los adequadamente. Isso explica as palavras do Julgamento.

IMAGEM

O sol eleva-se sobre a terra: a imagem do PROGRESSO. Assim o próprio homem superior ilumina suas evidentes qualidades.

A IMAGEM é explicada de imediato pela posição relativa dos dois trigramas: Li, a luz, está acima de K'un, a terra. Aqui se tem o modelo para uma sabedoria de vida: aquilo que é intrinsecamente luminoso ascende sobre o que obscurece. A luz pode realizar isso por meio de sua própria força, pois não é obstruída pela terra, que possui uma natureza abnegada.

---

[79] O trigrama Li, o filho do meio, surge quando Ch'ien, o pai, "procura" K'un, a mãe, pela segunda vez e "recebe", assim, a linha partida mediana de K'un. Para maiores detalhes sobre a geração dos chamados "trigramas derivados" (filhos e filhas), consulte cap. III, seç. 10 do Shuo Kua, Discussão dos Trigramas, Livro Segundo. *(Nota da tradução brasileira.)*

LINHAS

Seis na primeira posição:
a) Progredindo, porém sendo recusado. A perseverança traz boa fortuna. Quando não se encontra confiança, deve-se permanecer calmo. Nenhuma culpa.
b) "Progredindo, porém sendo recusado."
Solitário, ele segue o caminho correto.
A serenidade não é um defeito.
O chamado ainda não se realizou.

A imobilidade é imposta a esta linha mais baixa (que é, em si mesma, fraca) pelo trigrama nuclear Kên, que está se formando sobre ela. Por isso, a linha é detida em sua tendência de progredir. Porém, segue solitária o caminho do dever e aguarda, serena, o momento que certamente chegará.

Seis na segunda posição:
a) Progredindo, porém em tristeza. A perseverança traz boa fortuna. Obtém-se, então, uma grande felicidade da parte de sua ancestral.
b) "Obtém-se uma grande felicidade", pois a posição é central e correta.

Essa linha é semelhante, em caráter, ao governante do hexagrama, o seis na quinta posição. Este último surge sob o símbolo da ancestral, pois, de acordo com os costumes da antiguidade, o neto era associado ao avô, não ao pai. Como ambas as linhas são fracas, a imagem é feminina: a esposa do neto e a avó.[80] A linha encontra-se na base do trigrama nuclear Kên, a Quietude, e por isso seu progresso também é impedido.

Seis na terceira posição:
a) Todos estão de acordo. O remorso desaparece.
b) "Todos estão de acordo", pois a vontade é de dirigir-se para o alto.

Essa linha está muito próxima ao trigrama superior Li, clareza, por isso os mal-entendidos são esclarecidos. Como ela está à frente de outros elementos que pensam de forma semelhante, o progresso lhe é possível.

Nove na quarta posição:
a) Progresso como o de um roedor.
A perseverança provoca perigo.
b) Ao perseverar, um roedor se põe em perigo:
a posição não é apropriada.

Essa linha está ao alto do trigrama Kên, ao qual estão associados os ratos e os demais roedores. Ratos e roedores se escondem durante o dia e se movimentam apenas à noite. Porém, esta linha já se encontra no trigrama do sol, cuja luz eles não podem suportar. Como a época é de progresso, a linha se junta à multidão, e colabora. Porém, este lugar não lhe é adequado (uma linha forte numa posição fraca). Por isso, continuar assim acarreta perigo, uma vez que esta linha está também na posição central do trigrama nuclear superior K'an (perigo).

[80] Literalmente, a ancestral. *(Nota da tradução brasileira.)*

○ Seis na quinta posição:
a) O arrependimento desaparece. Não se deixe levar por ganho ou perda. Empreendimentos trazem boa fortuna. Tudo é favorável.
b) "Não se deixe levar por ganho ou perda."
Os empreendimentos trazem bênçãos.

Uma linha Yin numa posição Yang deveria na verdade causar arrependimento, mas como está aqui ao centro da grande luz, não há motivo para tal. Além disso, a linha é "vazia", ou seja, partida ao meio. Este é um sinal de que não se deixa levar por ganho ou perda, pois não é dependente dos elementos externos. O fogo não tem uma forma definida, arde e apaga; por isso a imagem de ganho e perda. Além disso, apesar de o seis na quinta posição ser a linha mais alta do trigrama nuclear K'an, o Abismal, que sugere tristeza, é também governante do hexagrama e, por isso, a tristeza não é necessária.

Nove na sexta posição:
a) Progredir com os chifres é lícito apenas quando se vai aplicar o castigo em seu próprio território. Ter consciência do perigo traz boa fortuna. Nenhuma culpa. A perseverança traz humilhação.
b) "É lícito apenas quando se vai aplicar o castigo em seu próprio território." O caminho ainda não está na claridade.

A linha ao alto é forte, o que sugere a imagem de chifres. Como se trata de uma época de progresso, isso indica que aqui, ao final, há uma tendência a progredir por meio da força. Porém, a linha está isolada, pois abaixo dela o Abismal (trigrama nuclear superior) mergulha nas profundezas, deixando-a abandonada. Ela é lançada de volta a si mesma e só pode disciplinar sua própria cidade.

明夷

36. MING I / OBSCURECIMENTO DA LUZ

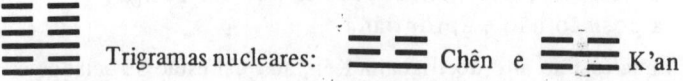

Trigramas nucleares: ☳ Chên e ☵ K'an

O que caracteriza este hexagrama é a imagem do sol que mergulhou sob a terra. O seis ao alto representa o máximo acúmulo de terra, sendo, portanto, a linha que fere e obscurece a luz das outras. Esta linha é a diretriz constitutiva que determina o significado do hexagrama. O seis na segunda posição e o seis na quinta têm ambos as qualidades próprias ao caráter central e dedicado; elas é que são feridas. Estas são as linhas diretrizes governantes do hexagrama. Por isso se diz no Comentário sôbre a Decisão: "o rei Wên experimentou isto, o príncipe Chi experimentou isto".

SEQÜÊNCIA

A expansão certamente encontrará resistência e ferimento. Por isso a seguir vem o hexagrama OBSCURECIMENTO DA LUZ.
Obscurecimento significa lesão, ferimento.

COLETÂNEA DE INDICAÇÕES

OBSCURECIMENTO DA LUZ significa ferimento.

O hexagrama todo ele tem um fundo histórico. Na época em que o Rei Wên escreveu os Julgamentos para os hexagramas, as condições na China eram semelhantes às que descreve o hexagrama. Nos Julgamentos sobre as diferentes linhas, o Duque de Chou refere-se ao príncipe Chi para ilustrar essa situação. Confúcio vai um passo adiante no Comentário sobre a Decisão, ao acrescentar o exemplo do Rei Wên. Posteriormente — e em exato acordo com o significado de cada situação —, personagens históricos foram associados a cada uma das linhas. O governante tenebroso era Chou Hsin, último rei da dinastia Yin. É simbolizado pelo seis ao alto. Sob seu domínio os mais valorosos príncipes do reino foram submetidos a graves sofrimentos. A sorte de cada um deles é retratada em cada uma das linhas. O altivo Po I retirou-se e escondeu-se com seu irmão Shu Ch'i. Ele é representado pelo nove inicial. O seis na segunda posição corresponde ao Rei Wên que, por ser uma figura proeminente entre os príncipes feudais, foi mantido prisioneiro pelo tirano durante um longo período, estando sua vida em constante perigo. O nove na terceira posição representa seu filho, mais tarde o rei Wu de Chou, que derrubou o tirano. O seis na quarta posição retrata a situação do príncipe Wei Tzu, que conseguiu refugiar-se no estrangeiro a tempo. Finalmente, o seis na quinta posição indica a situação do príncipe Chi, que só pôde salvar sua vida através de uma simulação.

Este hexagrama é o inverso do precedente.

JULGAMENTO

OBSCURECIMENTO DA LUZ. Durante a adversidade é favorável manter-se perseverante.

COMENTÁRIO SOBRE A DECISÃO

A luz mergulhou sob a terra: o OBSCURECIMENTO DA LUZ. Belo e claro no interior, gentil e dedicado no exterior, estando, por isso, exposto a grandes adversidades: assim era o Rei Wên. "Durante a adversidade é favorável manter-se perseverante": isso significa encobrir sua luz. Cercado por dificuldades entre aqueles que lhe são mais próximos e, entretanto, mantendo sua vontade fixa no que é correto: assim era o príncipe Chi.

O trigrama interno é Li, a luz, cujos atributos são a beleza e a claridade; o trigrama externo é K'un, o Receptivo, cujos atributos são a maleabilidade e a devoção. O Rei Wên, que reunia estas qualidades, é representado por um dos governantes do hexagrama, o seis na segunda posição.

O príncipe Chi é indicado pelo seis na quinta posição. Ele também se encontra em dificuldades. Estas dificuldades são representadas pelo trigrama nuclear K'an, o Abismal, cujo atributo é o perigo. O Rei Wên está como que encoberto por este trigrama nuclear. As dificuldades do seis na quinta posição encontram-se no "interior", ou seja, abaixo; não chegam a se sobrepor, pois esta linha se encontra ao alto do trigrama nuclear superior Chên, movimento. Através do movimento é possível sair das dificuldades e, apesar de ameaçada, a luz não poderia ser extinta.

IMAGEM

A luz mergulhou no fundo da terra: a imagem do OBSCURECIMENTO DA LUZ. Assim, o homem superior convive com o povo. Ele oculta seu brilho e, apesar disso, ainda resplandece.

O trigrama superior K'un significa as massas. Em meio à multidão, estão os dois poderosos governantes do hexagrama, que representam os homens superiores. Sua conduta é explicada com base na posição relativa dos dois trigramas: a idéia da claridade velada é sugerida pelo fato de a terra estar acima da luz. Mas o trigrama inferior Li não é prejudicado em seu caráter por esta combinação. Sua luz fica apenas encoberta, mas não se extingue.

LINHAS

Nove na primeira posição:
a) Obscurecimento da luz durante o vôo. Ele abaixa suas asas. Em sua peregrinação, o homem superior não come nada durante três dias. Mas ele tem onde ir. Seu anfitrião murmura a seu respeito.
b) É dever do homem superior evitar alimentar-se durante sua peregrinação.

O animal simbólico correspondente ao trigrama Li é o faisão, por isso a idéia do vôo. A linha, sendo forte, está em vias de avançar. Porém, o trigrama nuclear que está acima dela é K'an, o perigo, por isso seu vôo é impedido. Ela renuncia à idéia de sacrificar seus princípios para assegurar o sustento, e prefere passar fome a comer na desonra.

O Seis na segunda posição:
a) O obscurecimento da luz o fere na coxa esquerda.
Ele dá ajuda com a força de um cavalo.
Boa fortuna.
b) A boa fortuna do seis na segunda posição deriva de sua devoção à norma.

Dever-se-ia esperar infortúnio em tal situação e, entretanto, ao oráculo se acrescenta "boa fortuna". Isto ocorre porque a linha, sendo maleável, correta e ocupando um lugar adequado, está à altura do que a posição exige. A primeira metade do Comentário sobre a Decisão, que toma o Rei Wên como exemplo, refere-se a essa linha.

Nove na terceira posição:
a) O obscurecimento da luz durante a caçada no sul.
Captura-se seu principal líder.
Não se deve esperar a perseverança muito rápido.
b) O objetivo de caçada no sul tem grande sucesso.

A meta é a caçada. O fato de obter sucesso e de capturar o grande líder do obscurecimento não é premeditado e, por isso, representa um sucesso ainda maior. O

Rei Wu não tinha intenção alguma de adquirir poder pessoal e conquistar o império para si; isso lhe ocorreu em virtude de seu caráter. A linha é forte, ocupa uma posição forte e, por isso, realiza suas intenções. O trigrama nuclear superior, Chên, está associado ao cavalo, e o inferior, K'an, à carroça, por isso a idéia de uma caçada. A linha encontra-se ao alto de Li, que representa o sul.

Seis na quarta posição:

a) Ele penetra do lado esquerdo do abdômen. Chega-se ao coração do obscurecimento da luz e se deixa para trás o portão e o pátio.

b) "Ele penetra do lado esquerdo do abdômen", isto é, ele descobre os mais íntimos sentimentos do coração.

K'un, o trigrama básico superior, significa o abdômen; Chên, o trigrama nuclear superior, indica o lado esquerdo, por isso o lado esquerdo do abdômen. Essa linha está próxima ao senhor das trevas e, por isso, descobre seus sentimentos mais íntimos e pode se retirar a tempo do perigo. Permanecer seria sacrificar-se inutilmente.

O Seis na quinta posição:

a) O obscurecimento da luz, tal como ocorreu com o príncipe Chi. A perseverança é favorável.

b) A perseverança do príncipe Chi mostra que a luz não pode ser extinta.

A segunda metade do Comentário sobre a Decisão refere-se a esta linha, que é central e maleável. O príncipe Chi ocultava sua perseverança, porém a preservava interiormente. Do mesmo modo, a luz do sol é velada de tempos em tempos mas não pode ser extinta. O trigrama nuclear superior, Chên, no qual esta linha se encontra ao alto, significa incitar e esforço para avançar. Assim, a luz não pode ser permanentemente retida abaixo; quando chega o momento, ela exerce uma poderosa pressão para adiante.

☐ Seis na sexta posição:

a) Não a luz, porém a escuridão. Primeiro ele galgou ao céu, depois precipitou-se nas profundezas da terra.

b) "Primeiro ele galgou ao céu" e poderia, então, ter iluminado todas as quatro regiões da terra.

"Depois precipitou-se nas profundezas da terra", por ter perdido a norma.

Primeiro ele dispunha de uma posição na qual poderia ter iluminado o povo inteiro. Mas, em vez disso, dedicou-se à tarefa de prejudicar os homens, e assim transgrediu a norma que se impõe àquele que governa. Como resultado, ele preparou sua própria queda.

A linha encontra-se ao alto, onde a terra vela o sol mais intensamente. Mas é também a primeira a ser desmascarada em seu caráter sinistro quando o sol ressurge.

家人

37. CHIA JÊN / A FAMÍLIA

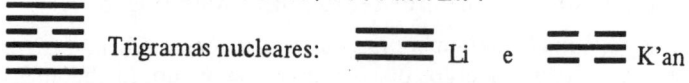

Trigramas nucleares: ☲ Li e ☵ K'an

Os governantes do hexagrama são o nove na quinta posição e o seis na segunda posição, por isso se diz no Comentário sobre a Decisão: "A posição correta para a mulher é no interior; a posição correta para o homem é no exterior".

SEQÜÊNCIA

Aquele que é ferido no exterior, certamente se recolherá à sua família. Por isso vem a seguir o hexagrama A FAMÍLIA.

COLETÂNEA DE INDICAÇÕES

A FAMÍLIA está no interior.

O trigrama superior Sun significa influência, o trigrama inferior Li indica clareza; assim sendo, o hexagrama como um todo indica, então, a influência que se dirige ao exterior, partindo da clareza interna.[81]

JULGAMENTO

A FAMÍLIA. A perseverança da mulher é favorável.

COMENTÁRIO SOBRE A DECISÃO

A FAMÍLIA. A posição correta para a mulher é no interior, a posição correta para o homem é no exterior. O conceito supremo em toda a natureza é que o homem e a mulher ocupem seus lugares corretos. Entre os membros da família há uma rigorosa autoridade: a dos pais. Quando o pai é realmente um pai e o filho um filho, quando o irmão mais velho preenche sua função como irmão mais velho e o mais moço, a que lhe é própria, quando o esposo é realmente um esposo e a esposa, uma esposa, a casa está no caminho correto. Quando a casa está em ordem o mundo se estabelece num rumo firme.

---

[81] Como estas relações indicam, a família chinesa é um clã patriarcal, que forma o núcleo do estado patriarcal. Essa linha de pensamento é desenvolvida ainda mais no texto do Ta Hsüeh (O Grande Ensinamento).

Enquanto o Julgamento fala apenas da perseverança da mulher, uma vez que o hexagrama consiste das duas filhas mais velhas, Sun e Li, que se encontram em suas posições corretas – a mais velha acima, a mais moça abaixo –, o comentário parte dos dois governantes do hexagrama, o nove na quinta e o seis na segunda posição. Fala, por isso, do homem e da mulher, cujas posições corretas são, respectivamente, a externa e a interna. Essas posições para o homem e para a mulher correspondem às posições do céu e da terra e, por isso, são consideradas o conceito máximo na natureza (literalmente o céu e a terra).

As posições adequadas para as diferentes linhas foram já discutidas acima. A ação da família no mundo corresponde à ação do fogo que cria o vento.

IMAGEM

O vento surge do fogo: a imagem da FAMÍLIA.

Assim, em suas palavras, o homem superior possui conteúdo e em seu modo de vida ele possui duração.

O vento é um efeito do fogo. Do mesmo modo, o efeito da ordem no interior da família é o de criar uma influência que traz ordem ao mundo. Isso se realiza quando as palavras do chefe da família têm conteúdo (assim como a chama depende do combustível) e seu modo de vida possui constância (assim como o vento que sopra sem cessar).

LINHAS

Nove na primeira posição:
a) Firme decisão dentro da família.
O arrependimento desaparece.
b) "Firme decisão dentro da família."
A vontade ainda não se modificou.

Esta linha está ao início e representa, portanto, o momento em que a vontade de um indivíduo ainda não mudou para pior. Esse é o ponto em que se deve intervir e impedir a mudança.

O Seis na segunda posição:
a) Ela não deve seguir seus caprichos. Deve cuidar dos alimentos no interior. A perseverança traz boa fortuna.
b) A boa fortuna do seis na segunda posição depende da devoção e da suavidade.

Devoção e suavidade são mencionados três vezes: no hexagrama 4, INSENSATEZ JUVENIL, como atributo necessário quando se serve a um instrutor, no hexagrama 53, DESENVOLVIMENTO, como atributo necessário quando se serve a um governante, e aqui, como atributo necessário quando se serve ao marido.

A linha central no trigrama Li representa a devoção e a correção que nada procura para si mesma.

Os trigramas nucleares são K'an, que significa o vinho e o alimento, e Li, que significa cozinhar e assar, sugerindo o preparo de alimentos como dever da mulher.

Nove na terceira posição:
a) Quando os ânimos na família se inflamam, uma severidade excessiva causa arrependimento. Apesar disso, boa fortuna. Quando a mulher e a criança brincam e riem, isso conduz, ao final, à humilhação.

b) "Quando os ânimos na família se inflamam", nada está por enquanto perdido. "Quando a mulher e a criança brincam e riem" perde-se a disciplina da casa.

Essa linha está ao alto do trigrama básico inferior Li, a chama, e ao mesmo tempo ao começo do trigrama nuclear superior, que também é Li; por isso implica num calor excessivo. Apesar de ser um erro, essa conduta ainda é preferível no caso de uma linha forte entre duas fracas. Quando essa linha se move, torna-se maleável, e a disciplina da casa é perdida.

Seis na quarta posição:
a) Ela é a riqueza da casa. Grande boa fortuna!
b) "Ela é a riqueza da casa. Grande boa fortuna", pois tem devoção e ocupa o lugar adequado.

A quarta é a linha inferior e maleável do trigrama superior Sun, suavidade. É também a linha central do trigrama nuclear superior Li. Quando esta linha se move, continua dentro do trigrama nuclear inferior Sun, que então se forma. Sun significa trabalho, seda, um mercado próximo — tudo o que promete riqueza. Como linha maleável numa posição adequada significa grande boa fortuna.

O Nove na quinta posição:
a) Como um rei ele se aproxima de sua família.
Não tema. Boa fortuna.
b) "Como um rei ele se aproxima de sua família";
eles se ligam uns aos outros com amor.

A linha é correta, central, por isso o símbolo do rei. Como governante do hexagrama, ela influencia as demais linhas. Sendo central, não age recorrendo à severidade.

Nove na sexta posição:
a) Seu trabalho exige respeito.
Ao final vem a boa fortuna.
b) "Exige respeito" e "boa fortuna" indicam que as exigências são feitas em primeiro lugar a si mesmo.

Essa linha está ao final do hexagrama. Ela é forte e estável, por isso não recorre aos outros mas a si mesma, o que leva finalmente à boa fortuna.

38. K'UEI / OPOSIÇÃO

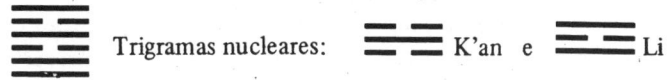

Trigramas nucleares: ☵ K'an e ☲ Li

Os governantes do hexagrama são o seis na quinta posição e o nove na segunda. Por isso se diz no Comentário sobre a Decisão: "O maleável avança e ascende, atinge o meio e encontra correspondência no firme".

SEQÜÊNCIA

Quando o caminho de A FAMÍLIA chega ao fim, surgem mal-entendidos. Por isso a seguir vem o hexagrama OPOSIÇÃO. Oposição significa mal-entendidos.

COLETÂNEA DE INDICAÇÕES

OPOSIÇÃO significa estranhamento.

JULGAMENTOS ANEXOS

Os homens da antiguidade encordoaram um pedaço de madeira e fizeram um arco; enrijeceram outro pedaço de madeira no fogo para fazer flechas. A utilidade do arco e da flecha consiste em manter o mundo atemorizado. Provavelmente inspiraram-se para isso no hexagrama OPOSIÇÃO.

O trigrama básico superior Li significa armas; o inferior, Tui, é associado ao oeste, ao metal, a matar, por isso a idéia do arco e flecha para manter o mundo sob temor e terror.[82]

Neste hexagrama as correspondências entre as linhas são de grande importância. Em todas elas a situação é de oposição, porém a tendência ao longo delas é a de procurar arrefecer os mal-entendidos. É por isso que na primeira linha não se procura o cavalo que voltará por si mesmo, e na quarta linha se encontra alguém que lhe é semelhante em natureza. Na segunda linha se diz "ele encontra seu senhor", e de modo correspondente, na quinta posição se diz "o companheiro abre seu caminho, rompendo o que o envolve". Do mesmo modo, as palavras da terceira posição, "nenhum bom começo, mas um bom final", estão relacionadas às da sexta, "enquanto se segue adiante a chuva cai".

Este hexagrama é o inverso do precedente.

---

[82] Comparar com as flechas de Helios.

JULGAMENTO

OPOSIÇÃO. Em pequenas coisas, boa fortuna.

COMENTÁRIO SOBRE A DECISÃO

OPOSIÇÃO: o fogo se move para o alto, o lago se move para baixo.

Duas filhas moram juntas, mas suas mentes não estão voltadas para objetivos comuns.

Alegria e dependência sobre claridade. O maleável avança e ascende, atinge o meio e encontra correspondência no firme. Por isso a boa fortuna em pequenas coisas.

O céu e a terra são opostos mas sua ação é conjunta. O homem e a mulher são opostos mas aspiram à união. Todos os seres estão em oposição uns aos outros, e por isso seus efeitos se estruturam ordenadamente. Grande em verdade é o efeito da época da OPOSIÇÃO.

O nome do hexagrama é inferido dos relacionamentos originados pelo movimento dos dois trigramas. O fogo arde em direção ao alto, a água escorre para baixo: quando estão em estado de repouso seus movimentos podem se unir, mas quando se ativam, afastam-se um do outro cada vez mais. Originalmente as duas filhas estão juntas na casa paterna. Quando crescem seus caminhos se separam, pois se casam e ingressam em famílias diferentes. Assim, o movimento conduz a uma oposição cada vez maior. Mas como se trata de um movimento natural, uma vez alcançado o ponto extremo ele se inverte por si mesmo.

O trigrama Tui tem a alegria como atributo, o trigrama Li, a dependência da claridade. A alegria une, a clareza encontra o caminho certo para se chegar a ela. Além disso, as relações dos dois governantes são favoráveis, de modo que há uma possibilidade de sucesso, pelo menos em coisas pequenas.

Porém, Confúcio vai mais longe ainda. Ele mostra que a oposição é justamente o pré-requisito natural da união. A oposição gera a necessidade de superá-la, como ocorre entre o céu e a terra, entre o homem e a mulher. Do mesmo modo, são as diferenças entre as coisas o que permite distingui-las com precisão, e assim classificá-las. Este é o efeito da fase de oposição, uma fase que deve ser superada.

IMAGEM

Acima o fogo, abaixo o lago: a imagem da OPOSIÇÃO.

Assim, o homem superior mantém sua individualidade em meio à comunidade.

As imagens dos trigramas, os quais em suas tendências se combatem, criam o estado de oposição, enquanto que seus atributos conduzem à sua superação. A alegria de Tui simboliza a fraternidade, a clareza de Li simboliza a individualidade nitidamente reconhecida.

As duas filhas levam, portanto, à oposição, porque a mais velha, cuja autoridade deveria manter a ordem, está ausente.

LINHAS

Nove na primeira posição:

a) O arrependimento desaparece. Se você perde seu cavalo,

não corra atrás dele. Ele voltará por si mesmo.
Quando você encontrar pessoas más, acautele-se contra erros.
b) "Quando você encontrar pessoas más", acautele-se contra erros.

Enquanto uma oposição ainda não está envenenada, é possível aliviá-la. Um erro só ocorre quando se permite que vá demasiado longe. Esta linha está em relação com a quarta, que por sua vez encontra-se no trigrama nuclear K'an, cujo significado é cavalo. Mas a quarta, por não lhe corresponder, perde o cavalo. A linha inicial é firme, sabe controlar-se e por isso não corre atrás dele. O cavalo voltará por si mesmo quando a oposição tiver terminado o seu curso. A quarta linha, que pertence ao mesmo tempo ao trigrama nuclear K'an, perigo, e a Li, excitação, é o símbolo do homem mau. A alegria do trigrama Tui impede que a oposição se acentue e evita, assim, que erros sejam cometidos.

O Nove na segunda posição:
a) Ele encontra seu senhor numa rua estreita.
Nenhuma culpa.
b) Se ele encontra seu senhor numa rua estreita, então não errou o caminho.

Pretender alcançar algo através de caminhos tortuosos significa perder o rumo. Mas o nove na segunda posição é firme e central, de modo que não está à procura de um encontro a qualquer preço. O encontro, apesar de informal (e portanto não inteiramente de acordo com as normas), é casual ou provocado pelo senhor, e por isso não há qualquer motivo para recriminar-se.

Seis na terceira posição:
a) Alguém vê a carroça sendo arrastada para trás, os bois detidos, cortados o cabelo e o nariz de um homem.
Nenhum bom começo, mas um bom final.
b) "Alguém vê a carroça sendo arrastada para trás."
Isso ocorre porque o lugar não é correto.
"Nenhum bom começo, mas um bom final."
Isso ocorre porque se encontra um homem firme.

A posição não é correta porque o seis, que é fraco, encontra-se na terceira posição, que é forte. Além disso, esta linha maleável está entre as linhas fortes na segunda e quarta posições, as quais cometem transgressões, pois também estão nas posições adequadas. O trigrama nuclear K'an significa uma carroça; o trigrama nuclear Li, em cujo centro esta linha se encontra, está associado à vaca. O fato de que um bom final é alcançado se deve ao relacionamento com a linha forte ao alto, que resolve os mal-entendidos.

Nove na quarta posição:
a) Isolado através da oposição, ele encontra um homem que lhe é semelhante em natureza, com o qual pode estabelecer um relacionamento leal.
Apesar do perigo, nenhuma culpa.
b) "Um relacionamento leal, livre de culpas": isso significa que a vontade realiza seu objetivo.

O companheiro encontrado é a linha inicial forte, que possui o mesmo caráter do nove na quarta posição. Ambos querem superar os mal-entendidos, e o conseguem. Esta linha está isolada em virtude de circunstâncias externas, pois encontra-se entre duas linhas obscuras que representam pessoas inferiores. Aqui não há uma relação de correspondência com a linha inicial, e sim uma relação de similitude de natureza.

O Seis na quinta posição:
a) O arrependimento desaparece. O companheiro abre seu caminho, rompendo o que o envolve. Se fôssemos a seu encontro, como poderia isso ser um erro?
b) "O companheiro abre seu caminho, rompendo o que o envolve." Se fôssemos a seu encontro, isso traria bênçãos.

O companheiro é o nove na segunda posição. O seis na quinta posição encontra-se no trigrama básico superior Li, o nove na segunda está no trigrama nuclear inferior Li; por isso eles possuem uma natureza semelhante. Quando o nove na segunda posição se move, surge o hexagrama 21, MORDER, cuja segunda linha também morde através da carne. Isso descreve o líder que encontra um assistente capaz que o ajuda a aclarar os mal-entendidos. Aquele que ocupa a posição superior deve ir ao encontro do companheiro. A norma o exige. Um homem capaz não virá tomar a iniciativa e se oferecer.

Nove na sexta posição:
a) Isolado em virtude da oposição, vemos nosso companheiro como um porco enlameado, como uma carroça cheia de diabos. Primeiro distendemos o arco em sua direção, depois deixamos o arco de lado. Ele não é um ladrão, no momento devido irá cortejar. Enquanto se segue adiante a chuva cai, depois vem a boa fortuna.
b) A boa fortuna da queda da chuva significa que todas as dúvidas desaparecem.

O trigrama nuclear K'an significa porco, assim como carroça, astúcia, perigo e também ladrão. O trigrama Li significa um arco. Porém, como a terceira linha, à qual esses símbolos se referem, mantém uma relação de correspondência com o nove na última posição, tudo isso não passa de uma ilusão. Não se trata de um assalto hostil, porém de uma aproximação bem intencionada, cujo objetivo é uma aliança mútua. Quando isso é reconhecido, as dúvidas desaparecem e os mal-entendidos se esclarecem.

39. CHIEN / OBSTRUÇÃO

Trigramas nucleares: Li e K'an

O governante do hexagrama é o nove na quinta posição. Por isso se diz no Comentário sobre a Decisão: "Ele vai, e alcança o centro". A menção ao "grande homem" no Julgamento refere-se sempre à quinta posição.

SEQÜÊNCIA

Em virtude da oposição surgem necessariamente dificuldades. Por isso a seguir vem o hexagrama OBSTRUÇÃO. Obstrução significa dificuldade.

COLETÂNEA DE INDICAÇÕES

OBSTRUÇÃO significa dificuldade.

A idéia de obstrução é expressa pelo perigo (K'an) externo, diante do qual se permanece interiormente calmo (Kên). Isso distingue o presente hexagrama do hexagrama 4, INSENSATEZ JUVENIL, onde o perigo é interno e a quietude, externa. A obstrução não é uma condição duradoura, por isso tudo no hexagrama visa a superá-la. Isso ocorre na medida em que a linha forte dirige-se para fora, em direção à quinta posição, e de lá inicia um movimento contrário. A obstrução não é superada pressionando-se para adiante, o que conduziria ao interior do próprio perigo, nem através de uma imobilidade passiva, e sim recuando, cedendo. Por isso o texto faz alusão às palavras do hexagrama 2, K'un, O RECEPTIVO. K'un está no sudoeste, é a terra, a planície; lá estão os amigos. Kên está a nordeste, é a montanha, o íngreme; lá encontra-se a solidão. Para se superar o perigo necessita-se de amizades, por isso o retrocesso. O grande homem é visto porque está ao alto do trigrama nuclear Li, que significa a luz e os olhos. O movimento indicado é expresso também nas diferentes linhas.

JULGAMENTO

OBSTRUÇÃO. O sudoeste é favorável.
O nordeste não é favorável. É favorável ver o grande homem.
A perseverança traz boa fortuna.

COMENTÁRIO SOBRE A DECISÃO

OBSTRUÇÃO significa dificuldade. O perigo está adiante.

A sabedoria consiste em perceber o perigo e saber manter-se
imóvel. Durante a obstrução "o sudoeste é favorável", pois ele
segue adiante e alcança o meio.
"O nordeste não é favorável",
pois lá o caminho chega ao fim.
"É favorável ver o grande homem",
pois ele segue adiante e conquista méritos.
No lugar correto "a perseverança traz boa fortuna",
pois através dela o país se disciplina.
O efeito de uma época de obstrução é realmente grande!

O perigo, o trigrama K'an, está adiante. Perceber o perigo (trigrama nuclear superior Li, a luz, os olhos) e saber se manter imóvel (trigrama interno Kên, Quietude) é a verdadeira sabedoria, ao contrário da INSENSATEZ JUVENIL, onde as posições do perigo e da quietude estão invertidas. Para superar o perigo é importante seguir o caminho seguro em direção ao sudoeste, onde se alcança o centro, ou seja, se é rodeado por auxiliares. Isto é o que faz o nove na quinta posição. Quando o governante do hexagrama se encontra no trigrama externo, se diz: "Ele vai". Quando se encontra no interno, se diz: "ele vem". No nordeste (norte: perigo, nordeste: a montanha) chega-se a um caminho intransitável, que não permite ir adiante. É favorável ver o grande homem, o nove na quinta posição, que está ao alto do trigrama nuclear Li. Indo, se alcançará algo. Na medida em que o governante do hexagrama "vai", ele participa do movimento do trigrama K'an, água, que flui em direção à terra, e assim realiza algo. Perseverar na posição correta traz boa fortuna, pois a ação não se dirige para o exterior e sim para o interior, para o próprio país. As obstruções determinam o "voltar-se para o interior"; a melhoria provocada por esse "retorno ao interior" ("conversão") é o grande valor que possui o efeito de uma época de obstruções.

IMAGEM

A água acima da montanha: a imagem da OBSTRUÇÃO.
Assim o homem superior volta-se sobre si mesmo e cultiva seu caráter.

A água no alto da montanha não pode fluir, descendo, como é próprio à sua natureza, pois as rochas a impedem. Ela tem de permanecer imóvel. Isso faz com que vá aumentando, e esse acúmulo interno torna-se tão grande que sobrepassa as barreiras. O caminho para se superar os obstáculos consiste em voltar-se para o interior e elevar seu próprio ser a um plano superior.

LINHAS

Seis na primeira posição:
a) Seguir conduz à obstrução.
Ao voltar encontra-se o louvor.
b) "Seguir conduz à obstrução.
Ao voltar encontra-se o louvor",
pois o correto é esperar.

Seguir, como tende a fazer essa linha fraca na primeira posição, levaria ao perigo. Voltar está de acordo com o trigrama Kên, Quietude.

Seis na segunda posição:
a) O servidor de um rei encontra obstrução sobre obstrução, mas não é por culpa sua.
b) "O servidor de um rei encontra obstrução sobre obstrução." Mas, ao final, isso-não implica em culpa.

O seis na segunda posição tem relação de correspondência com o governante do hexagrama, o nove na quinta posição. O governante encontra-se bem no centro do perigo (trigrama básico superior K'an). Seu servidor corre em sua ajuda, mas como seu caminho atravessa o trigrama nuclear K'an, ele encontra obstrução sobre obstrução. Porém, esta situação não se deve à sua própria situação; o seis na segunda posição está no trigrama Kên, Quietude, e por isso não implica na necessidade de entrar em tais perigos. É somente o dever, decorrente de sua relação com o governante, que o leva ao perigo. Por isso ele permanece livre de erro, até mesmo na mais perigosa das situações.

Nove na terceira posição:
a) Seguir conduz a obstáculos. Assim sendo, ele volta.
b) "Seguir conduz a obstáculos. Assim sendo, ele volta."
Os que estão no interior alegram-se por isso.

Esta linha forte é governante do trigrama Kên e tem duas linhas fracas dependentes dela. Sua força poderia induzi-la a se mover em direção ao exterior, porém lá encontra o trigrama do perigo. Assim sendo, ela volta atrás, e o seis na segunda posição, com o qual mantém uma relação de solidariedade, alegra-se por isso.

Seis na quarta posição:
a) Prosseguir conduz a obstáculos.
Voltar conduz à união.
b) "Prosseguir conduz a obstáculos.
Voltar conduz à união."
No lugar apropriado se encontra apoio.

O seis na quarta posição está relacionado ao seis na última posição, mas se quisesse seguir até lá, encontraria uma linha fraca na culminância do perigo. Voltar ao seu lugar próprio conduz à união. A quarta posição é a do ministro, que serve ao governante forte acima, o nove na quinta posição, e que é sustentado de baixo pelo ajudante forte, o nove na terceira posição. No lugar adequado (uma linha maleável convém à quarta posição obscura) ela consegue a união com as duas linhas fortes.

O Nove na quinta posição:
a) No meio das maiores obstruções chegam amigos.
b) "No meio das maiores obstruções chegam amigos", pois são regidos pela posição central.

A quinta linha é governante do hexagrama. Como linha central do trigrama superior K'an, ela está no meio do perigo, ou seja, em meio às maiores obstruções. Porém, está relacionada ao seis na segunda, quarta e última posições que chegam como amigos para ajudá-lo, pois as governa graças à sua posição central.

Seis na sexta posição:
a) Seguir conduz a obstáculos, voltar conduz a grande boa fortuna. É favorável ver o grande homem.
b) "Seguir conduz a obstáculos, voltar conduz a grande boa

fortuna", pois a vontade está dirigida ao interior.

"É favorável ver o grande homem", pois assim se segue a um homem eminente.

Se a linha fraca ao alto tentasse avançar e superar sozinha os obstáculos, fracassaria. Sua natureza, sua vontade, dirigem-na ao que é grande, ou seja, para a linha forte, o nove na terceira posição, que lhe é correspondente. "É favorável ver o grande homem", pois o nove na quinta posição, "o grande homem" do hexagrama, está ao alto do trigrama nuclear Li — olhos, luz. Ele é visto no sentido de que esta linha, junto com o nove na terceira posição, seguem-no como ao homem eminente, sob cuja liderança serão superadas as obstruções.

40. HSIEH / LIBERAÇÃO

Trigramas nucleares: K'an e Li

Os governantes do hexagrama são o nove na segunda posição e o seis na quinta. Por isso se diz no Comentário sobre a Decisão: "Indo, ele conquista a multidão"; isso se refere à quinta posição. E mais adiante: "Ele conquista a posição central"; isso se refere à segunda posição.

SEQÜÊNCIA

As coisas não podem permanecer permanentemente em meio a obstruções. Por isso vem a seguir o hexagrama LIBERAÇÃO. Liberação significa distensão.

COLETÂNEA DE INDICAÇÕES

LIBERAÇÃO significa distensão.

A idéia de solução e liberação é expressa pelo fato de o trigrama Chên, movimento, encontrar-se acima ou no exterior e, portanto, mover-se para fora do trigrama K'an, perigo, que está abaixo e no interior. Num certo aspecto, este hexagrama é um desenvolvimento da situação que se descreve no hexagrama 3, Chun, DIFICULDADE INICIAL: lá se tem movimento no interior do perigo, aqui se tem movimento propiciando a libertação do perigo. Num outro aspecto, este hexagrama é o inverso do precedente. A obstrução foi removida, a liberação chegou.

Em termos de Imagem, o trovão, a eletricidade, penetrou as nuvens de chuva. A tensão se dissolveu. A tempestade eclode, e toda a natureza respira aliviada outra vez.

JULGAMENTO

LIBERAÇÃO. O sudoeste é favorável.

Quando não resta nada a que se deva ir, o regresso traz a boa fortuna.
Se ainda há algo a que se deva ir, apressar-se traz boa fortuna.

COMENTÁRIO SOBRE A DECISÃO

LIBERAÇÃO. O perigo gera o movimento. Através do movimento escapa-se do perigo: isso é a liberação.
Durante a liberação "o sudoeste é favorável", indo ele conquista multidões.
"Seu regresso traz a boa fortuna", pois ele conquista a posição central.
"Se ainda há algo a que se deva ir, apressar-se traz boa fortuna", pois ir é meritório. Quando o céu e a terra se liberam, o trovão e a chuva surgem.
Quando o trovão e a chuva surgem, a casca de todos os frutos, plantas e árvores se entreabre.
Grande em verdade é a época da LIBERAÇÃO.

O perigo estimula o movimento e este movimento conduz para fora do perigo: esta explicação do nome do hexagrama se deriva dos atributos dos dois trigramas básicos.

O sudoeste é o lugar do trigrama K'un, o Receptivo. O seu oposto, o nordeste, já não é mais mencionado, pois as dificuldades já foram superadas. K'un também significa as massas; isso se refere ao seis na quinta posição. Logo após a liberação, é necessário uma certa proteção, um tranqüilo cuidado no seio maternal do Receptivo. Retornando quando não há mais nenhuma tarefa a cumprir, o nove na segunda posição conquista o centro do trigrama inferior. Se ainda há algo a fazer, completá-lo o mais rápido possível traz boa fortuna, pois assim o movimento é coroado de sucesso; não é um esforço sem objetivo e vão. Por último menciona-se como analogia a liberação da tensão na atmosfera que acompanha a tempestade, purificando o ar e entreabrindo as cascas das plantas. Assim a época da liberação tem também a sua grandeza.

IMAGEM

O trovão e a chuva surgem: a imagem da LIBERAÇÃO.
Assim o homem superior perdoa os erros e desculpa as faltas.

K'an significa processos judiciais e transgressões. Chên move-se em direção ao alto e deixa que os erros afundem atrás de si. Na vida isto traz um alívio de tensão semelhante ao que se produz na natureza quando uma tempestade purifica a atmosfera.

LINHAS

Seis na primeira posição:
a) Sem culpa.
b) No limite entre o firme e o maleável não deve haver culpa.

Esta linha está numa posição forte, porém sua natureza é maleável. Encontra-se em relação de correspondência com o nove na quarta posição, que ocupa um lugar fraco, porém possuindo uma natureza forte. A ação conjunta desses opostos equilibrados traz ordem a toda a situação e naturalmente tudo correrá bem.

○ Nove na segunda posição:
a) Matam-se três raposas no campo e recebe-se uma flecha amarela. A perseverança traz boa fortuna.
b) A boa fortuna da perseverança do nove na segunda posição se deve ao fato de ele alcançar o caminho do meio.

O trigrama K'an significa uma raposa, Li significa o arco e a flecha. A segunda posição é o lugar do campo, por ser a mais alta das duas linhas iniciais. (Cf. o nove na segunda posição do hexagrama 1, Ch'ien, O CRIATIVO.) As três raposas são as três linhas Yin, não se considerando o seis na quinta posição.

Seis na terceira posição:
a) Se alguém leva um fardo às costas e ao mesmo tempo viaja numa carruagem, atrai com isso a aproximação de ladrões. A perseverança conduz à humilhação.
b) "Se alguém leva um fardo às costas e ao mesmo tempo viaja numa carruagem" ele deveria realmente se envergonhar de si. Se eu próprio atraio os ladrões, a quem devo atribuir a culpa?

Esta linha está situada no ponto de contato entre o trigrama inferior K'an e o trigrama nuclear superior K'an. K'an significa carruagem e ladrões. A estrutura do hexagrama está constituída de tal modo que o seis, uma linha Yin, fraca por natureza, procura ocupar a posição mais alta do trigrama inferior. Como sua força é insuficiente para isso, ela carrega um pesado fardo. Nessa situação insustentável, atrai necessariamente a aproximação de ladrões. Persistir nessa situação conduz sem dúvida à humilhação.

Nove na quarta posição:
a) Liberte-se de seu dedo maior do pé. Virá, então, o companheiro, e nele você poderá confiar.
b) "Liberte-se de seu dedo maior do pé", pois a posição não é adequada.

O trigrama Chên significa o pé, o seis na terceira posição está sob Chên; por isso a imagem do dedo maior do pé. O nove na segunda posição e o nove na quarta posição são amigos que possuem naturezas afins e que juntos prestam uma leal ajuda ao governante na quinta posição. Mas para isso é necessário primeiro excluir o seis intermediário na terceira posição, que interfere e com o qual esta linha mantém uma relação de solidariedade. A posição não é adequada, já que a quarta é uma posição Yin e a linha que a ocupa é Yang.[83]

○ Seis na quinta posição:
a) Caso somente o homem superior possa liberar-se, isso traz boa fortuna. Assim ele demonstra ao homem inferior sua seriedade.
b) "O homem superior se libera," pois os inferiores então se retiram.

A quinta é a posição do governante. Em época de liberação, a disposição maleável desta linha é apropriada, pois ela mantém uma relação de correspondência com os

---

[83] De acordo com outra interpretação, o dedo maior do pé, do qual se deve liberar, é o seis inicial, com o qual há uma relação de correspondência, da qual é preciso libertar-se.

auxiliares fortes. Mas o importante é libertar-se dos homens inferiores que possuem também uma natureza maleável. Quando eles notam essa atitude, retiram-se por iniciativa própria. Essa linha se libera, assim como a anterior, movendo-se em direção ao alto, de acordo com o trigrama Chên.

> Seis na sexta posição:
> a) O príncipe atira num falcão que está pousado sobre uma alta muralha. Ele o mata.
> Tudo é favorável.
> b) "O príncipe atira num falcão", deste modo ele se liberta daqueles que resistem.

A linha superior obscura é prejudicial. Com exceção do seis na quinta posição, todas as linhas Yin na época da LIBERAÇÃO tendem a ter um efeito negativo, na medida em que isso não é neutralizado por relacionamentos com as linhas Yang. Este malfeitor situado em posição elevada é atingido por baixo, onde está situado o trigrama K'an, que significa flecha, pois o movimento dirige-se para o alto e assim se consegue a liberação do último obstáculo.

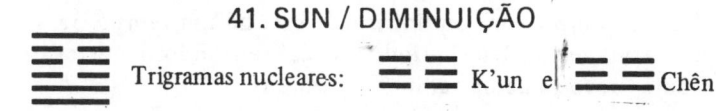

41. SUN / DIMINUIÇÃO

Trigramas nucleares: K'un e Chên

O hexagrama Sun baseia-se na idéia de que a linha do alto do trigrama inferior é diminuída de modo a aumentar a linha do alto do trigrama superior; por isso os governantes que constituem o hexagrama são o seis na terceira posição e o nove na última posição. Como é o governante que é enriquecido pela diminuição do que está embaixo para o aumento do que está acima, a diretriz governante do hexagrama é o seis na quinta posição.

SEQÜÊNCIA

Através do alívio da tensão algo sem dúvida se perde.
Por isso a seguir vem o hexagrama: DIMINUIÇÃO.

COLETÂNEA DE INDICAÇÕES

Os hexagramas DIMINUIÇÃO e AUMENTO são o começo do florescimento e do declínio.

Este hexagrama consiste de Tui abaixo e Kên acima. A profundidade do mar é diminuída em benefício da altura da montanha. A linha ao alto do trigrama inferior é diminuída em favor da linha ao alto do trigrama superior. Em ambos os casos, o que está abaixo se vê diminuído em favor do que está acima, e isso significa pura e simples diminuição.

Quando a diminuição alcançou seu objetivo, um florescimento, sem dúvida, principia. Por isso, a DIMINUIÇÃO é o começo do florescimento, do mesmo modo que o AUMENTO, através da abundância, introduz o declínio.

JULGAMENTOS ANEXOS

O hexagrama DIMINUIÇÃO mostra o cultivo do caráter.
Mostra primeiro o difícil e depois o fácil.
Assim mantém distante o que é nocivo.

JULGAMENTO

DIMINUIÇÃO unida à veracidade promove suprema boa fortuna, livre de culpa. Nisso se pode perseverar.
É favorável empreender algo. Como levá-lo a cabo?
Pode-se utilizar duas pequenas tigelas para o sacrifício.

COMENTÁRIO SOBRE A DECISÃO

DIMINUIÇÃO. O que está abaixo é diminuído, o que está acima é aumentado: o caminho dirige-se para o alto.
"DIMINUIÇÃO unida à veracidade promove suprema boa fortuna, livre de culpa. Nisso se pode perseverar.
É favorável empreender algo. Como levá-lo a cabo?
Pode-se utilizar duas pequenas tigelas para o sacrifício."
As "duas pequenas tigelas" estão em acordo com o tempo.
Há um tempo para diminuir o firme, há um tempo para aumentar o maleável. Diminuindo ou aumentando, ao estar pleno ou vazio, deve-se acompanhar o momento.

A linha firme ao alto do trigrama inferior é diminuída, ou seja, substituída por uma linha maleável; ao mesmo tempo, a linha ao alto do trigrama superior é aumentada, ou seja, substituída por uma linha firme; essa linha firme dirige-se ao alto. Aquele que está acima é enriquecido às custas do que está abaixo. Os que estão abaixo fazem uma oferenda ao governante. Se o sacrifício é oferecido com sinceridade, isso não é errado; ao contrário, terá sucesso e tudo o que é desejável. E mesmo a parcimônia não será motivo para vergonha. Tudo o que importa é que as coisas ocorram no momento certo.

IMAGEM

Na base da montanha está o lago: a imagem da DIMINUIÇÃO.
Assim o homem superior controla sua ira e refreia seus instintos.

O lago evapora; suas águas diminuem e beneficiam a vegetação da montanha, que deste modo é estimulada em seu crescimento e enriquecida. A ira se ergue, alta como uma montanha; os instintos afogam o coração como as profundezas de um lago. Uma vez que os dois trigramas básicos representam o filho mais moço e a filha mais moça, as paixões são especialmente fortes. A ira despertada deve ser dominada pela quietude do trigrama superior Kên, e os instintos devem ser controlados pela qualidade limitadora do trigrama inferior Tui, assim como o lago delimita as águas com suas margens.

LINHAS

Nove na primeira posição:

a) Acudir com rapidez após a conclusão de suas próprias tarefas não implica em culpa. Mas deve-se refletir até que ponto se pode diminuir os outros.

b) "Acudir com rapidez após a conclusão de suas próprias tarefas": isso é correto porque a mente daquele que está acima encontra-se em harmonia com a sua.

A linha de baixo significa os homens do povo. Apesar de forte em si mesma, ela está em relação de correspondência com a linha fraca, o seis na quarta posição, que representa o funcionário. Aquele que está acima precisa da ajuda daquele que está abaixo, e este a oferece com toda boa vontade. Em vez de "após a conclusão" os textos antigos (cf. Shuo Wên, onde essa formulação aparece) usam os termos "através" e "com". Neste caso a frase seria: "Acudir rapidamente com serviços" — isto é, para ajudar aquele que está acima — "não implica em culpa". Isso significa a autodiminuição por parte daquele que está abaixo, em benefício daquele que está acima.

A segunda metade do texto, que diz literalmente "Mas deve-se refletir até que ponto se pode diminuir os outros", refere-se àquele que está acima e que requer os serviços daquele que está abaixo. É seu dever medir quanto pode exigir sem prejudicar o que está abaixo. Somente quando existe uma tal sensibilidade naquele que está acima é que se pode coadunar essa atitude com o auto-sacrifício daquele que está abaixo. Se aquele que está acima fizesse exigências sem mostrar consideração para com aquele que está abaixo, este veria diminuída sua alegria em dar.

Nove na segunda posição:

a) A perseverança é favorável. Empreender algo traz infortúnio. Sem diminuir a si próprio, se pode aumentar aos outros.

b) O fato de que o nove na segunda posição favorece através da perseverança se deve a ele dispor dos meios corretos em sua mente.

O nove é forte e ocupa uma posição central; por isso a perseverança nessa atitude é favorável. Essa linha está ao início do trigrama nuclear Chên, o Incitar. Isso poderia sugerir que ela se dirigisse por iniciativa própria ao seis na quinta posição, com o qual mantém uma relação de correspondência. Porém, se o fizesse, isso de certo modo a comprometeria. O que é próprio à sua posição central é aumentar os outros sem diminuir a si mesmo.

☐ Seis na terceira posição:

a) Quando três pessoas viajam juntas, esse número diminui em um.
Quando uma pessoa viaja só, encontra um companheiro.

b) Se um homem quisesse viajar a três, surgiria a desconfiança.

O texto diz que quando três pessoas viajam juntas, esse número diminui em um, e quando uma pessoa viaja só, encontra um companheiro. Isso se refere à modificação que ocorreu no trigrama inferior. Ele consistia, ao início, das três linhas fortes do trigrama Ch'ien, o Criativo. Elas estiveram caminhando juntas. Então uma delas se separa e dirige-se para o alto, para a posição mais elevada do trigrama superior. A linha fraca que toma seu lugar na terceira posição está sozinha entre as outras duas linhas do trigrama inferior. Mas ela mantém uma relação de correspondência com a linha forte na última posição e, por isso, encontra nela seu complemento. Através desta separação os três tornam-se dois; a seguir, através da união o um torna-se dois. Assim, o que é excessivo é diminuído e o insuficiente é aumentado. Por meio desse processo de intercâmbio entre os trigramas Ch'ien e K'un, geram-se as duas crianças mais moças, Kên e Tui.

Por outro lado, o seis na terceira posição, que se encontra sozinho no trigrama inferior, não deve mais pensar em acompanhar os outros dois, pois isso levaria a mal-entendidos.

Confúcio diz a respeito dessa linha: "O céu e a terra entram em contato e todas as coisas se definem e tomam forma. O masculino e o feminino intercambiam suas sementes, e todos os seres tomam forma e nascem. No Livro das Mutações se diz: 'Quando três pessoas viajam juntas, esse número diminui em um. Quando uma pessoa viaja só, encontra um companheiro'. Isso se refere ao efeito de tornar-se um."

> Seis na quarta posição:
> a) Quando alguém diminui suas falhas, faz com que o outro aproxime-se rapidamente e se alegre. Nenhuma culpa.
> b) "Quando alguém diminui suas falhas" isso é algo que, sem dúvida, é motivo de alegria.

A falha do seis na quarta posição é sua excessiva fraqueza. A linha é fraca numa posição fraca, cercada de linhas fracas acima e abaixo. Porém, essas falhas são compensadas pela relação de correspondência com a linha forte inicial. Ao eliminar essas falhas, o seis na quarta posição permite ao nove inicial acudir rapidamente em sua ajuda, o que causa alegria a ambos e não é um erro.

> ○ Seis na quinta posição:
> a) Alguém sem dúvida o aumenta. Dez pares de tartarugas não podem se opor a isso. Suprema boa fortuna.
> b) A suprema boa fortuna do seis na quinta posição vem do fato de receber bênção do alto.

Se ele é enriquecido, dez pares de tartarugas não podem se opor a isso, e a suprema boa fortuna advém. O número dez é sugerido pelo trigrama nuclear K'un. A tartaruga pertence ao trigrama Li que, sem dúvida, só pode ser associado a esse hexagrama de modo muito forçado. Uma grande tartaruga, para ser usada na prática oracular, custa vinte cauri.[84] Um cauri duplo é chamado um par. Esta é uma explicação: uma tartaruga que vale dez pares de cauri. Segundo uma outra explicação, trata-se de dez pares de cascos de tartaruga. A bênção que vem do alto é sugerida pela linha na sexta posição que cobre o hexagrama de forma protetora.

> □ Nove na sexta posição:
> a) Quando se é aumentado sem que os outros sejam por isso diminuídos, não há culpa. A perseverança traz boa fortuna. É favorável empreender algo. Auxiliares são encontrados, mas não se dispõe de morada própria.
> b) Sem diminuir, ele é aumentado; ou seja, ele realiza em grande escala a sua vontade.

---

[84] O cauri é uma pequena concha, usada em alguns países da Ásia como moeda. *(Nota da tradução brasileira.)*

A linha ao alto é enriquecida pelo seis na terceira posição. Ela aceita este aumento, porém de modo a que a outra não seja por isso diminuída. Portanto, aqui a relação é inversa à do nove na segunda posição, que aumenta os outros sem diminuir a si mesma. Por isso os aspectos são de todo favoráveis, já que a harmonia entre os que estão acima e os que estão abaixo é mantida.

A montanha significa uma casa. Quando essa linha se move o trigrama básico superior Kên converte-se no trigrama K'un, no qual não há montanha, sendo seu lugar no sudoeste; portanto, há auxiliares leais, porém não para promover interesses familiares.

42. I / AUMENTO

Trigramas nucleares: Kên e K'un

A idéia de aumento é expressa aqui no fato de a linha mais baixa do trigrama superior ser diminuída, enquanto que, através disso, a linha mais baixa do trigrama inferior é aumentada. Por isso as linhas diretrizes constituintes do hexagrama são o seis na quarta posição e o nove inicial. Porém, como a diminuição do que está acima depende do príncipe e o aumento do que está abaixo é recebido pelo funcionário, o nove na quinta posição e o seis na segunda são as linhas diretrizes governantes do hexagrama.

SEQÜÊNCIA

Quando a diminuição prossegue cada vez mais, sem dúvida acaba por gerar aumento. Por isso a seguir vem o hexagrama AUMENTO.

COLETÂNEA DE INDICAÇÕES

Os hexagramas DIMINUIÇÃO e AUMENTO são o começo do florescimento e do declínio.

Os dois hexagramas que dão início à Segunda Parte, o 31, INFLUÊNCIA, e o 32, DURAÇÃO, após dez mutações se convertem nos hexagramas 41, DIMINUIÇÃO, e 42, AUMENTO, do mesmo modo que os dois primeiros hexagramas da Primeira Parte, o CRIATIVO e o RECEPTIVO, se convertem, após dez mutações, nos hexagramas 11, PAZ, e 12, ESTAGNAÇÃO. Os hexagramas PAZ e ESTAGNAÇÃO têm uma conexão interna com os hexagramas DIMINUIÇÃO e AUMENTO, pois a DIMINUIÇÃO se desenvolve a partir da PAZ, através da transferência de uma linha forte do trigrama inferior ao trigrama superior. O AUMENTO se desenvolve a partir da ESTAGNAÇÃO, através da transferência de uma linha forte do trigrama superior ao trigrama inferior. Assim, quando em P'i, ESTAGNAÇÃO, a linha mais baixa do trigrama superior se transfere para a base, embaixo, surge o hexagrama I, AUMENTO:

O fato de uma contínua diminuição conduzir, ao final, a uma mudança para o oposto, o aumento, se verifica no curso da natureza, como se pode verificar nos ciclos do crescente e do minguante da lua e em todos os processos regularmente recorrentes da natureza.

O hexagrama é composto dos trigramas de vento e trovão, que aumentam um ao outro.[85] A diminuição acima e o fortalecimento abaixo produzem uma estabilidade que significa um aumento para o todo.

Este hexagrama é o inverso do precedente.

JULGAMENTOS ANEXOS

Quando o clã de Pao Hsi desapareceu, surgiu o clã do divino agricultor. Ele cortou um pedaço de madeira para fazer uma relha de arado, curvou um pedaço de madeira para formar uma rabiça, e ensinou ao mundo inteiro as vantagens de sulcar a terra com o arado. Provavelmente inspirou-se para isso no hexagrama AUMENTO.

Ambas as partes do hexagrama têm como símbolo a madeira. O trigrama externo significa penetração e o interno, movimento. O movimento aliado à penetração trouxe ao mundo o máximo aumento.

"O AUMENTO promove a plenitude do caráter. O AUMENTO mostra o crescimento da plenitude sem artifícios. Assim o AUMENTO favorece aquilo que é útil."

JULGAMENTO

AUMENTO. É favorável empreender algo.
É favorável atravessar a grande água.

COMENTÁRIO SOBRE A DECISÃO

AUMENTO: diminuir o que está acima e aumentar o que está abaixo: assim a alegria do povo é ilimitada.

O que está acima se coloca sob o que está abaixo: este é o caminho da grande luz.

É favorável empreender algo: central, correto e abençoado.

É favorável atravessar a grande água: o caminho da madeira leva ao sucesso.

O AUMENTO se move suave e gentil: progresso diário sem limites.

O céu doa, a terra parteja: assim as coisas aumentam em todas as direções.

O caminho do AUMENTO em toda parte age em harmonia com o tempo.

---

[85] Cf. cap. II, seç. 3 do Shuo Kua, Discussão dos Trigramas, Livro Segundo. *(Nota da tradução brasileira.)*

O nome do hexagrama é explicado a partir de sua estrutura. O aumento do que está embaixo às custas do que está acima significa puro e simples aumento, pois beneficia a todo o povo. A quarta linha, ao descer do trigrama superior para a posição mais baixa do trigrama inferior, demonstra uma abnegação que é prova de uma grande clareza. Em épocas de AUMENTO é favorável empreender algo, pois os governantes do hexagrama, o nove na quinta e o seis na segunda posição, ocupam lugares centrais e corretos, ou seja, uma linha forte numa posição firme, uma linha fraca numa posição maleável. A travessia da grande água é sugerida pelo trigrama superior Sun, que significa madeira, sugerindo, assim, a idéia de barco, enquanto que o trigrama inferior garante o movimento do barco. Os atributos dos trigramas Chên, movimento, e Sun, suavidade, garantem um progresso duradouro.

A idéia de aumento na esfera cósmica é expressa pelo fato de a linha inicial do céu colocar-se sob a terra, gerando o trigrama Chên, no qual todos os seres vêm à existência.[86] Esse processo de aumento está ligado também à época correta, dentro da qual ele se completa.

IMAGEM

Vento e trovão: a imagem do AUMENTO.
Assim, o homem superior: quando vê o bem, o imita.
Quando tem falhas, as descarta.

O vento e o trovão geram e reforçam um ao outro. O trovão, em sua natureza, corresponde ao princípio luminoso que ele põe em movimento. O vento, em sua natureza, está ligado ao princípio obscuro que ele dispersa e dissolve. O luminoso corresponde ao bem que é alcançado pelo movimento que a ele, bem, se dirige, de acordo com o trigrama Chên. O obscuro corresponde ao mal que se destrói ao ser dispersado e dissolvido, assim como Sun, o vento, dispersa as nuvens. Ambos os princípios favorecem o aumento, pois na esfera moral o bem equivale à luz, o positivo, e o favorecer desse princípio significa aumento.

LINHAS

☐ Nove na primeira posição:
a) É favorável executar grandes obras.
Sublime boa fortuna! Nenhuma culpa.
b) "Sublime boa fortuna. Nenhuma culpa."
Os que estão abaixo não o utilizam para sua própria conveniência.

O nove inicial significa as pessoas comuns. Na medida em que o seis na quarta posição, o ministro, desce (ele mantém uma relação de correspondência com a primeira linha), ele possibilita à linha inicial realizar grandes obras, pois não retém para si de modo egoísta a graça que recebeu do alto. Esta linha se encontra embaixo, na base do trigrama Chên, e portanto se move em direção ao alto. Por isso a grande boa fortuna.

O Seis na segunda posição:
a) Alguém sem dúvida o aumenta. Dez pares de tartarugas não

---

[86] O trigrama Chên (☳) surge quando a linha inicial de Ch'ien (☰), o céu, se coloca sob K'un (☷), a terra. O fato de os seres virem à existência em Chên refere-se à sua posição no Arranjo do Céu Posterior, como se pode ver no cap. II, seç. 5 do Shuo Kua, Discussão dos Trigramas, Livro Segundo. *(Nota da tradução brasileira.)*

podem se opor a isso. Contínua perseverança traz boa fortuna. O rei o apresenta diante de Deus.
Boa fortuna!
b) "Alguém sem dúvida o aumenta."
Isso vem sem dúvida do exterior.

O aumento do trigrama interno vem do exterior. Por isso é considerado como sendo inesperado, como um acontecimento espontâneo. O hexagrama I é o inverso do hexagrama Sun, por isso o texto desta linha corresponde ao texto do seis na quinta posição do hexagrama precedente. O aumento vem porque seus pré-requisitos são preenchidos pela linha, com sua correção, sua posição central e natureza maleável; além disso o forte nove na quinta posição mantém com ela uma relação de correspondência. A exortação à perseverança contínua é necessária, pois o caráter maleável da linha, combinado com a maleabilidade da posição, poderia levar a uma certa fraqueza, que deve ser compensada por uma firme vontade.

O aumento é triplo: ocorre através dos homens, através dos deuses (indicados pelas tartarugas que servem como meio para a manifestação da vontade dos deuses) e através do supremo Senhor do Céu, que acolhe com benevolência o homem que lhe é apresentado no decorrer do sacrifício.

O hexagrama I refere-se ao primeiro mês, no qual o rito do sacrifício era realizado no campo.[87]

Seis na terceira posição:
a) Alguém é enriquecido em virtude de acontecimentos desafortunados. Nenhuma culpa caso você seja sincero, caso siga pelo caminho do meio e informe ao príncipe, apresentando-lhe um selo.
b) "Alguém é enriquecido em virtude de acontecimentos desafortunados."
Isso é algo que, com certeza, lhe é devido.

Esta é uma linha fraca numa posição forte, está no ápice da agitação (trigrama inferior Chên) e, além disso, não é central. Todos estes fatores indicam infortúnio. Porém, como a época é de aumento, mesmo este infortúnio, que não é acidental mas, ao contrário, é resultante de causas internas, há de reverter em benefícios.

Essa linha encontra-se ao meio do trigrama nuclear inferior K'an e, ao mesmo tempo, no alto do trigrama básico inferior Chên, movimento, que dá origem à idéia de movimentação, de trilhar o caminho do meio. O selo é um pedaço redondo de jade, conferido como insígnia de um posto.

Uma interpretação explica essa associação de idéias do seguinte modo: quando em épocas de aumento o céu envia infortúnio tais como perda de uma safra e coisas semelhantes, um príncipe compassivo aliviará o fardo dos súditos que foram afetados, garantindo-lhes isenções de taxas e outras facilidades; o funcionário que as anuncia é portador da insígnia de jade, como sinal de sua autoridade.

☐ Seis na quarta posição:
a) Se você segue pelo caminho do meio e informa ao príncipe, ele o seguirá. É favorável ser utilizado na mudança da capital.
b) "Se você informa ao príncipe, ele o seguirá", pois deste modo seus propósitos são aumentados.

---

[87] Cf. nota 14 (hexagrama 11, PAZ, Livro Primeiro). *(Nota da tradução brasileira.)*

A quarta posição é a do ministro. O seis na quarta posição é a linha mais baixa do trigrama Sun, o vento, a penetração. A linha tem a influência correspondente. Porém, como está ao meio do trigrama nuclear superior Kên, ela não utiliza essa influência para propósitos pessoais, pois esta é a linha cuja diminuição aumenta o trigrama inferior. Representa, portanto, um homem que, como mediador entre o príncipe e o povo, está apto a esclarecer ao povo os propósitos do príncipe. Tais pessoas desempenham um papel de grande importância no caso de empreendimentos perigosos e decisivos (a travessia da grande água — aqui isso se refere à transferência da capital, que ocorreu cinco vezes durante a dinastia Shang).

    O Nove na quinta posição:
    a) Se você tem na verdade um coração bondoso, não pergunte. Sublime boa fortuna!
    A bondade será realmente reconhecida como virtude sua.
    b) "Se você tem na verdade um coração bondoso, não pergunte."
    Se a bondade é reconhecida como virtude sua, você alcançou seu propósito plenamente.

O governante do hexagrama, forte e central, em posição correta e firme, tem um coração verdadeiramente bondoso e procura aumentar seus súditos. Aqui não há o que indagar: o efeito é inevitavelmente favorável e, como a boa intenção é reconhecida, tudo corre bem.

    Nove na sexta posição:
    a) Ele não traz aumento a ninguém. Na verdade, alguém vem a golpeá-lo. Ele não mantém seu coração constantemente firme. Infortúnio.
    b) "Ele não traz aumento a ninguém."
    Essas palavras representam a parcialidade.
    "Na verdade alguém vem a golpeá-lo."
    Isso vem do exterior.

Esta linha é obstinada e não cogita de modo firme em aumentar os que estão abaixo. Apesar de sua relação com o seis na terceira posição, esta linha não demonstra ser influenciada por aquela em nada. Por isso ela é parcial e distante. Este posicionamento errôneo traz automaticamente o infortúnio — sem que ninguém tenha esta intenção —, pois sua atitude não é estável, o que no caso significa que não está em harmonia com as exigências do tempo.

夬

43. KUAI / IRROMPER (A DETERMINAÇÃO)

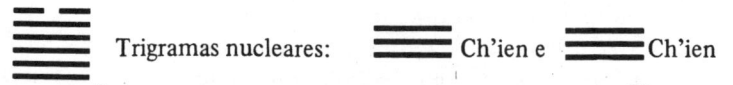

Trigramas nucleares: Ch'ien e Ch'ien

O significado do hexagrama está baseado no fato de que uma linha obscura encontra-se na posição mais elevada, no exterior; por isso o seis ao alto é a diretriz constituinte do hexagrama. Porém, as cinco linhas luminosas voltam-se contra o elemento obscuro de modo decidido. São lideradas pela quinta linha, que, além disso, ocupa o lugar de honra; por isso o nove na quinta posição é a diretriz governante do hexagrama.

SEQÜÊNCIA

Se o aumento prossegue sem cessar, haverá certamente uma eclosão. Por isso a seguir vem o hexagrama: IRROMPER. Irromper significa determinação.

COLETÂNEA DE INDICAÇÕES

IRROMPER significa determinação. O forte volta-se de modo determinado contra o fraco.

JULGAMENTOS ANEXOS

Em tempos primitivos, as pessoas davam nós em cordas para governar. Os homens santos de épocas posteriores introduziram o uso de documentos escritos para dirigir os vários funcionários e para supervisionar o povo. Provavelmente inspiraram-se para isso no hexagrama IRROMPER.

O hexagrama Kuai significa propriamente o irromper como quando um rio rompe seus diques em épocas de inundação. As cinco linhas fortes são consideradas como ascendendo, partindo de baixo, expulsando de modo decidido a linha superior fraca ao alto para fora do hexagrama. As imagens sugerem a mesma idéia. O lago evaporou e elevou-se até o céu, de onde eclode sob a forma de uma chuva torrencial. Portanto, nisso também se tem a idéia de um irromper.

O hexagrama consiste de Tui — que significa palavras — acima e Ch'ien — cujo atributo é a força — abaixo. Sugere, então, que se deve tornar as palavras fortes e duradouras.

JULGAMENTO

IRROMPER: deve-se dar a conhecer o assunto na corte do rei com determinação. Deve ser exposto com veracidade. Perigo. É preciso notificar sua própria cidade. Não é favorável recorrer às armas. É favorável empreender algo.

COMENTÁRIO SOBRE A DECISÃO

O IRROMPER equivale à determinação. O elemento firme desloca o maleável com determinação. Forte e alegre,
isso significa determinado e harmonioso.
"Deve-se dar a conhecer o assunto na corte do rei."
O maleável repousa sobre cinco linhas firmes.
Expor com veracidade envolve perigo,
porém esse perigo conduz à luz.
"É preciso notificar sua própria cidade.
Não é favorável recorrer às armas."
O que aquele homem tem em alta estima torna-se nada.
"É favorável empreender algo", pois o firme cresce e
leva à conclusão.

Ao expulsar a linha obscura ao alto, o importante é que isso se realize dentro do espírito certo. Não se trata de uma luta com desfecho duvidoso. O que ocorre é inevitável. Por isso o estado de ânimo certo consiste de uma determinação calma, alegre e descontraída, como indica o caráter dos dois trigramas (Ch'ien, o Criativo, a força, no interior e Tui, a Alegria, no exterior). Deve-se dar a conhecer o assunto na corte do rei: a linha fraca ao alto encontra-se sobre cinco linhas fortes, das quais a última ocupa a posição do príncipe. A linha fraca simboliza um homem inferior em posição elevada. O trigrama Tui representa a boca, por isso a idéia de dar a conhecer, proclamar. Ch'ien também significa luta e perigo. Tanto Ch'ien quanto Tui indicam o metal, por isso o símbolo de armas. Entretanto, como a situação em si mesma promete sucesso, não é necessário o uso de armas contra forças externas.

IMAGEM

O lago elevou-se aos céus: a imagem do IRROMPER.
Assim o homem superior distribui riquezas para os
que estão abaixo e evita acomodar-se à sua virtude.

O lago evaporou e suas águas acumulam-se acima, no céu, sob a forma de neblina e nuvens. Isso indica um iminente irromper, no qual a água volta a cair como chuva. Para evitar um irromper violento é necessário tirar partido dos atributos dos dois trigramas. Tui significa alegria; então, em vez de acumular riquezas em lugares perigosos, provocando com isso uma ruptura, se deverá doá-las sem cessar, proporcionando, deste modo, a alegria. Quanto à auto-educação, deve-se ter em mente o severo julgamento transmitido pelo trigrama Ch'ien. Evita-se, assim, complacência, que também conduziria necessariamente à catástrofe, e se conserva um temor cauteloso. Quando a alegria é enaltecida, como um lago que ascende ao céu, ela facilmente conduz à presunção, e por isso deve ser complementada pela benévola qualidade do céu. Quando a força percebe a fraqueza acima de si —

como acontece com o céu sob o lago —, isso induz facilmente a uma atitude desafiadora, que precisa ser suavizada pela natureza amigável de Tui.

LINHAS

Nove na primeira posição:
a) Poderoso nos dedos dos pés, que avançam.
Se um homem segue adiante sem estar à altura
da tarefa, cometerá um erro.
b) Se um homem segue adiante sem estar à altura
da tarefa, isso é um erro.

Os dedos dos pés são mencionados por tratar-se da linha na primeira posição. O hexagrama IRROMPER é a etapa seguinte após o hexagrama 34, O PODER DO GRANDE. Por isso o texto da primeira linha em ambos os casos é semelhante, apenas com uma ligeira moderação aqui, já que a situação sofreu um certo desenvolvimento.

Nove na segunda posição:
a) Um grito de alarme. Armas ao entardecer e ao anoitecer.
Não tema coisa alguma.
b) Apesar das armas, nenhum temor — pois o caminho do meio foi encontrado.

Tui, o trigrama superior, significa boca, por isso o grito de alarme. Tui encontra-se a oeste, o que indica o entardecer; Ch'ien está no noroeste, o que indica a noite.[88] Tui e Ch'ien estão associados ao metal, e isso indica armas. Porém, não há nada a temer, pois a linha é forte e central e está ao centro do trigrama inferior Ch'ien, o céu.

Nove na terceira posição:
a) Ser poderoso na face traz infortúnio.
O homem superior está firmemente decidido.
Ele caminha sozinho e é surpreendido pela chuva;
molha-se, e pessoas murmuram contra ele.
Nenhuma culpa.
b) "O homem superior está firmemente decidido."
Isso definitivamente não é um erro.

Ch'ien é a cabeça. A terceira posição está ao alto desse trigrama, por isso o símbolo da face. A linha faz parte do forte trigrama básico Ch'ien e, ao mesmo tempo, está ao centro do trigrama nuclear inferior Ch'ien, por isso a redobrada decisão. Está sozinha porque é a única que tem relação de correspondência com a linha obscura ao alto. Tui é a água e sugere, assim, a idéia de que a linha se molha, recebendo chuva. A força de sua natureza a protege de ser contaminada pela linha obscura ao alto e, por isso, apesar da má aparência, não há erro.

Nove na quarta posição:
a) Não há pele nas coxas e torna-se difícil o caminhar.
Se nos deixássemos conduzir como uma ovelha, o arrependimento desapareceria. Porém, quando ouvimos estas palavras,

---

[88] A associação de Tui ao oeste e de Ch'ien ao noroeste refere-se à Seqüência do Céu Posterior. Cf. cap. II, seç. 5 do Shuo Kua, Discussão dos Trigramas, Livro Segundo. *(Nota da tradução brasileira.)*

não lhes damos crédito.
b) "Torna-se difícil o caminhar."
A posição não é adequada.
"Porém, quando ouvimos estas palavras, não lhes damos crédito."
Não há uma compreensão clara.

Essa linha ocupa a posição mais baixa do trigrama superior, por isso o símbolo das coxas. O caminhar torna-se difícil, pois seu impulso para avançar é freado pela quinta linha forte. Tui tem como símbolo uma ovelha, por isso o conselho de se deixar conduzir como uma ovelha. Quando a linha se move, o trigrama superior se transforma no trigrama K'an, que significa o ouvido. Como a linha não é correta nem está na posição adequada, não ouve o que se lhe diz.

○ Nove na quinta posição:
a) Ao lidar com a erva daninha é preciso uma firme decisão.
Caminhando pelo meio se permanece livre de culpa.
b) "Caminhando pelo meio se permanece livre de culpa."
O centro ainda não se encontra na luz.

Essa linha é a diretriz governante do hexagrama. É ela que deve conduzir à luta decidida com o seis ao alto, símbolo do homem inferior. Porém, enquanto o nove na terceira posição tem relação de correspondência com o seis ao alto, o nove na quinta posição mantém com este seis uma relação de solidariedade. Isso dificulta a luta. Porém, essa linha é capaz de manter-se decidida. Por um lado, é governante do hexagrama e, mais ainda, governa na posição de maior prestígio; por outro lado, é a linha mais alta do enérgico trigrama nuclear superior Ch'ien. Além de tudo isso, está ao centro do trigrama básico superior, de modo que há uma esperança de que ela consiga continuar sendo conseqüente.

☐ Seis na sexta posição:
a) Nenhum chamado.
Ao final chega o infortúnio.
b) Não se deve permitir ao final que perdure
o infortúnio da falta de chamado.

Essa linha é representante do mal, que deve ser arrancado com energia. Porém, isso exige cautela. Parece muito fácil, pois há cinco linhas fortes contra apenas uma linha fraca. Entretanto, sua natureza obscura sugere que ela é capaz de silenciar aqueles que poderiam advertir. Contudo, não se deve tolerar uma tal natureza pois, de outro modo, se poderia temer que a partir dessa única linha Yin que se negligenciou o mal surgisse, crescendo como de uma semente.

44. KOU / VIR AO ENCONTRO

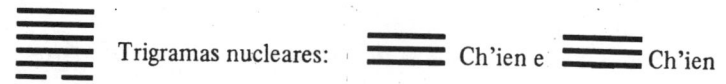

Trigramas nucleares: ☰ Ch'ien e ☰ Ch'ien

O hexagrama VIR AO ENCONTRO aufere seu significado da única linha obscura que surge abaixo; por isso a linha inicial é a diretriz constituinte do hexagrama. Mas as cinco linhas Yang têm o dever de restringir o poder Yin; entre elas, a segunda e a quinta possuem um caráter forte e central. A segunda está próxima ao poder Yin, de modo a detê-lo; a quinta ocupa o lugar de honra e vem do alto para detê-lo. Por isso, o nove na quinta e o nove na segunda posição são dirigentes governantes do hexagrama.

SEQÜÊNCIA

Através da determinação pode-se estar certo de encontrar algo. Por isso a seguir vem o hexagrama: VIR AO ENCONTRO. Vir ao encontro significa encontrar.

COLETÂNEA DE INDICAÇÕES

VIR AO ENCONTRO significa deparar com algo.

Vir ao encontro significa deparar com algo. O trigrama inferior é Sun, o vento, que circula sob o trigrama superior, Ch'ien, o céu, e assim encontra todas as coisas. Mais ainda, a linha Yin surge abaixo, de modo que o elemento obscuro depara inesperadamente com o luminoso. O movimento parte do elemento obscuro, feminino, que vai ao encontro do luminoso, masculino.

Este hexagrama é o inverso do precedente.

JULGAMENTO

VIR AO ENCONTRO. A jovem é poderosa.
Não se deve desposá-la.

COMENTÁRIO SOBRE A DECISÃO

VIR AO ENCONTRO significa deparar com algo.
O fraco vem ao encontro do firme.
"Não se deve desposar essa jovem."
Isso significa que não se pode viver com ela permanentemente.
Quando céu e terra se encontram, todas as criaturas
se estabilizam em linhas firmes.

Quando o firme encontra o ponto mediano e o que é correto, todas as coisas sob o céu prosperam de modo esplendoroso. Grande em verdade é o significado da época de VIR AO ENCONTRO.

Sun é a filha mais velha. Uma linha Yin surge no interior e dirige o hexagrama, enquanto que as linhas Yang se mantêm afastadas como hóspedes. Deste modo o elemento Yin torna-se cada vez mais poderoso. Esta é a linha do trigrama K'un,[89] sobre a qual se diz: "Quando se caminha pela geada, o gelo sólido não estará longe". Trata-se, portanto, de impedir a tempo uma progressiva expansão, pois o caminho dos homens inferiores só aumenta na medida em que os superiores lhes conferem poder. Se isso for evitado desde a primeira manifestação do elemento inferior, o perigo pode ser afastado.

O hexagrama em que o elemento forte surge pela primeira vez em meio às linhas Yin é o 24, que se chama RETORNO. O homem superior permanece sempre onde deve estar. Ele entra apenas em seu domínio próprio. O hexagrama em que o elemento fraco surge pela primeira vez em meio às linhas Yang chama-se VIR AO ENCONTRO (ou DEPARAR). O homem inferior sempre depende da sorte.

O casamento é uma instituição que se destina a perdurar. Mas se uma jovem se associa a cinco homens, sua natureza não é pura e não se pode viver com ela de modo permanente. Por isso, não se deve desposá-la.

Contudo, aquilo que deve ser evitado na sociedade humana tem um significado no curso dos processos da natureza. Aqui o encontro de forças terrestres e celestes é de grande importância, pois no momento em que o elemento da terra entra em jogo e o celeste está em seu apogeu — no quinto mês — todas as coisas se estendem ao ponto máximo em sua manifestação material, e o poder obscuro não pode prejudicar o luminoso. Os dois governantes do hexagrama, o nove na quinta e na segunda posições, simbolizam também um tal encontro feliz. Aqui um ajudante forte e central encontra um governante forte, central e correto. Disso resulta um grande florescimento e o elemento inferior abaixo não pode causar mal. Portanto, o momento do encontro do princípio luminoso com o obscuro é uma época importante.

IMAGEM

O vento embaixo do céu: a imagem do VIR AO ENCONTRO.
Assim age o príncipe ao difundir suas ordens,
proclamando-as aos quatro ventos.

O príncipe é simbolizado pelo trigrama superior Ch'ien, o céu. Suas ordens são simbolizadas pelo trigrama inferior Sun, o vento, cujo atributo é a penetração. A difusão às quatro regiões do céu é simbolizada pelo vento que sopra sob o céu.

LINHAS

☐ Seis na primeira posição:
a) É necessário deter com um freio de bronze.
A perseverança traz boa fortuna.
Caso se deixe seguir seu curso, se sofrerá infortúnio.
Mesmo o porco magro pode mais tarde vir a causar estragos.

---

[89] Ou seja, é a primeira linha do trigrama K'un, na posição básica inferior no hexagrama 2, K'un, O RECEPTIVO. *(Nota da tradução brasileira.)*

b) "Deter com um freio de bronze." Isso significa que é próprio ao fraco ser conduzido.

O freio está abaixo. K'un, do qual esta é a primeira linha, significa uma carruagem; Ch'ien é o metal, por meio do qual a carruagem deve ser detida, abaixo. Esse frear traz boa fortuna, pois o fato de que o elemento fraco, incapaz de conduzir a si próprio, deve ser guiado, corresponde à verdade. Se lhe déssemos livre curso, sofreríamos infortúnio. Isso mostra a tendência de todo o hexagrama. A comparação dessa linha com um porco fraco e magro, que mais tarde causará estragos, refere-se também à sua natureza Yin. O porco é associado à água, em particular ao aspecto Yin da água. É interessante notar que essa linha só se leva em conta como um objeto sobre o qual se age.

O Nove na segunda posição:
a) Há um peixe no tanque. Nenhuma culpa.
Não é favorável aos hóspedes.
b) "Há um peixe no tanque."
É um dever não deixá-lo atingir os hóspedes.

O peixe também pertence ao princípio Yin. Isso se refere ao seis inicial. Esse seis está em relação de correspondência com o nove na quarta posição, "o hóspede". Mas essa relação faria com que o elemento Yin penetrasse demais no hexagrama. Por isso, o seis inicial é retido, como um peixe num tanque, pelo nove na segunda posição, o funcionário leal com o qual mantém uma relação de solidariedade. Como resultado, tudo corre bem. Deve-se notar que a palavra aqui traduzida por "tanque" inclui a idéia de que o elemento Yin é tratado com toda amabilidade.

Nove na terceira posição:
a) Não há pele em suas coxas e torna-se difícil caminhar. Caso se permaneça atento ao perigo, não se cometerá grandes erros.
b) "Torna-se difícil caminhar."
Ele ainda caminha sem ser guiado.

Uma vez que este hexagrama é, em sua estrutura, o inverso do precedente, esta linha corresponde ao nove na quarta posição do hexagrama 43, Kuai; por isso a semelhança do texto. Mas as atitudes internas são diferentes: lá há a decidida intenção de exercer uma pressão em direção ao alto, de modo a expulsar a linha obscura acima; aqui há o desejo de encontrar-se com a linha obscura abaixo. Porém, essa linha obscura já foi posta sob a custódia do nove na segunda posição, de modo que um encontro — que seria de fato desastroso — não é possível. A proximidade dessa linha com o trigrama superior Ch'ien possibilita o reconhecimento do perigo, mas o desejo não é satisfeito. Por isso, apesar de serem evitados grandes erros, a situação não é satisfatória.

Nove na quarta posição:
a) Não há peixe no tanque. Isso leva ao infortúnio.
b) O infortúnio decorrente de não haver peixe no tanque é resultante do fato de ele se ter mantido afastado do povo.

A quarta posição é a do ministro. O seis na primeira posição significa, aqui, pessoas inferiores, vulgares. Há uma relação de correspondência entre essas duas linhas. O dever do funcionário seria manter-se em contato com o povo. Mas isso foi negligenciado. A linha faz parte do trigrama Ch'ien e, por isso, procura ascender, afastando-se do povo que está abaixo. Mas agindo assim, ela atrai o infortúnio. O nove equivalente, na terceira posição do hexagrama anterior, também está isolado, mas lá a atitude interna é correta, e aqui não.

> Nove na quinta posição:
> a) Um melão coberto com folhas de chorão:
> linhas escondidas. Então, algo lhe cai do céu.
> b) O nove na quinta posição esconde suas linhas
> por encontrar-se ao meio e por ser correto.
> "Então, algo lhe cai do céu", pois a vontade
> não desiste do que foi ordenado.

Esta linha é a governante do hexagrama, e, como um príncipe, ocupa a posição correta e honrada, ao centro; a ela se referem as palavras do Comentário sobre a Decisão: "Quando o firme encontra o ponto mediano e o que é correto". Ch'ien é redondo e por isso simboliza uma fruta redonda. Neste caso, a fruta é o melão; ele representa a linha Yin na primeira posição e, assim, pertence ao princípio obscuro. É protegido e coberto por folhas de chorão. Não ocorre nenhuma intervenção violenta. As linhas que regulamentam as leis, das quais depende a beleza da vida, estão encobertas. O homem deixa a fruta que está sob seus cuidados inteiramente entregue ao seu desenvolvimento natural. Então ela amadurece por si mesma, e cai para ele. Isso não é algo forçado, porém decretado pelo destino por ele aceito.

> Nove na sexta posição:
> a) Ele vai ao encontro arremetendo com os chifres.
> Humilhação. Nenhuma culpa.
> b) "Ele vai ao encontro arremetendo com os chifres."
> Ao alto isso acaba, eis a razão da humilhação.

Ch'ien é a cabeça, neste caso o ponto mais elevado, que é também rígido, por isso a imagem de chifres. A orientação desta linha é bem diferente da da linha inicial, ao encontro da qual deveria ir. Ela aborda a primeira linha de modo ríspido e, por isso, o entendimento é muito difícil. Isso leva à humilhação. Mas ela não procura forçar um encontro e, por isso, se retira sem culpa.

45. TS'UI / REUNIÃO

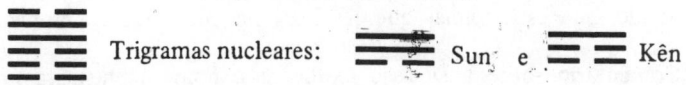

Trigramas nucleares: Sun e Kên

Os governantes do hexagrama são o nove na quinta posição e, numa condição secundária, o nove na quarta posição. Neste hexagrama apenas essas duas linhas Yang ocupam uma posição elevada. Elas reúnem à sua volta todas as linhas Yin.

SEQÜÊNCIA

Quando os seres encontram-se uns com os outros, vão se aglomerando.
Por isso a seguir vem o hexagrama: REUNIÃO. Reunião significa ajuntar.

COLETÂNEA DE INDICAÇÕES

REUNIÃO significa ajuntar.

Em suas duas linhas luminosas, uma ocupando a posição do príncipe e do pai, a outra na do ministro ou filho, o hexagrama possui um poderoso foco central para reunir as demais filhas, que pertencem todas ao princípio sombrio. Enquanto os dois trigramas básicos, K'un (as massas) e Tui (alegria), indicam os fundamentos da reunião, os dois trigramas nucleares significam a quietude (Kên) e a influência (Sun), sugerindo igualmente reunião.

JULGAMENTO

REUNIÃO. Sucesso. O rei se aproxima de seu templo.
É favorável ver o grande homem. Isso traz sucesso.
A perseverança é favorável. Oferecer grandes sacrifícios traz boa fortuna. É favorável empreender algo.

COMENTÁRIO SOBRE A DECISÃO

REUNIÃO significa ajuntar. Com devoção, e ao mesmo tempo alegre. O elemento forte está ao meio e encontra correspondência. Por isso os outros se juntam a ele.
"O rei se aproxima de seu templo."
Isso gera reverência e sucesso.
"É favorável ver o grande homem. Isso traz sucesso."
A reunião se dá sobre bases corretas.
"Oferecer grandes sacrifícios traz boa fortuna.
É favorável empreender algo", pois isso representa devoção ante o comando do céu.
Quando se observa aquilo que eles reúnem, pode-se perceber as relações entre o céu e a terra, assim como entre todos os seres.

A linha forte na quinta posição simboliza o rei, o grande homem, a quem é favorável ver. Abaixo dele está o trigrama nuclear Kên, que significa montanha e casa. A seu lado está ainda a linha forte na quarta posição, a posição do ministro. A montanha indica perseverança. Montanha e templo são ambos lugares onde se celebram grandes sacrifícios. O vento, o trigrama nuclear superior Sun, significa a influência do que está acima, que resultará no sucesso dos empreendimentos já iniciados.

No Comentário sobre a Decisão explica-se o nome do hexagrama de várias maneiras: 1) Os atributos dos dois trigramas são a devoção e a alegria, e sobre isso baseia-se a reunião. 2) Uma reunião precisa também de um líder, um centro de consolidação concretizado pelo nove na quinta posição, em torno do qual se reúnem as outras linhas. Para poder reunir o povo, o governante, que está acima, precisa de alegria (Tui); o povo, abaixo, lhe oferece devoção (K'un).

Há também uma referência à religião como base para a reunião numa comunidade. O céu é o elo de união da natureza, assim como os ancestrais são o elo de união entre os homens. Quando se conhecem essas forças, todos os relacionamentos se esclarecem.

IMAGEM

O lago sobre a terra: a imagem da REUNIÃO.
O homem superior renova suas armas para
enfrentar o imprevisto.

A justaposição dos dois trigramas fornece a imagem da reunião. Na medida em que o lago está sobre a terra e assim há a ameaça de uma inundação, o perigo ligado à reunião está também indicado. Os trigramas básicos e os nucleares, considerados individualmente, mostram como esses perigos devem ser enfrentados. O trigrama Tui significa metal e, por isso, armas. O trigrama K'un significa renovação (a terra produz o metal). O trigrama nuclear Sun significa o penetrante, o imprevisto. O trigrama nuclear Kên significa quietude, obstrução.

LINHAS

Seis na primeira posição:
a) Se você é sincero, mas não até o fim,
algumas vezes há confusão, em outras, reunião.
Se você chama, após um gesto de mão você poderá rir outra vez.
Não lamente nada. Ir não envolve culpa.
b) "Algumas vezes há confusão, em outras, reunião."
A vontade está confusa.

A linha fraca ao começo ainda não está estabilizada. Há, sem dúvida, uma relação de correspondência com o nove na quarta posição – que indica sinceridade –, porém, como essa linha está associada às outras duas linhas fracas de K'un, ela permite que estas a influenciem de modo que a relação natural com o nove na quarta posição é perturbada. Isso causa confusão. Entretanto, basta um chamado (Tui é a boca, e por isso o chamado) para resolver o mal-entendido, e o riso volta (Tui é a alegria). Porém, é importante ater-se à direção ascendente.

Seis na segunda posição:
a) Deixar-se levar traz boa fortuna e mantém livre de culpa.
Quando se é sincero é favorável oferecer mesmo uma pequena oferenda.
b) "Deixar-se levar traz boa fortuna e mantém livre de culpa."
O centro permanece ainda sem se modificar.

Há aqui uma forte relação interna de correspondência com o nove na quinta posição, o governante do hexagrama. Por isso a segunda linha é naturalmente atraída pelo nove na quinta posição.

Por ser uma linha central, ela não se deixa influenciar de modo errôneo por seu meio ambiente. Assim sendo, essa influência interna é efetiva.

Seis na terceira posição:
a) Reunião entre suspiros. Nada que favoreça.

Ir não envolve culpa. Pequena humilhação.
b) "Ir não envolve culpa."
O suave encontra-se acima.

Essa linha não tem relação de correspondência, por isso os suspiros, o abandono e o desamparo. Como a linha pertence ao trigrama inferior, a relação de solidariedade com o nove na quarta posição não se estabelece, pois este último está situado no trigrama inferior. Porém, uma conexão é estabelecida através do trigrama nuclear superior Sun, Suavidade, pois o seis na terceira posição se encontra na posição mais baixa neste trigrama nuclear, ao centro do qual está o nove na quarta posição. Assim é possível ir e estabelecer uma ligação sem que haja culpa, apesar de subsistir alguma humilhação.

○ Nove na quarta posição:
a) Grande boa fortuna! Nenhuma culpa.
b) "Grande boa fortuna! Nenhuma culpa",
pois esta posição nada exige.

Esta linha ocupa a posição do ministro, que promove a reunião em nome do príncipe, o nove na quinta posição. Mas ele não reclama o mérito para si; por isso a grande boa fortuna.

○ Nove na quinta posição:
a) Se aquele que reúne ocupa uma posição de autoridade não há culpa. Caso ainda não haja uma verdadeira adesão por parte de alguns, será necessário uma elevada e constante perseverança. Então o arrependimento desaparece.
b) "Se aquele que reúne ocupa uma posição de autoridade", a vontade ainda não brilha o suficiente.

Em termos essenciais, as condições necessárias para a realização da reunião estão disponíveis. Porém, existem dificuldades. O trigrama nuclear Kên, Quietude, age de tal modo que os efeitos sobre as linhas inferiores não se fazem sentir imediatamente. Uma influência duradoura é, pois, necessária. Convém acrescentar à influência da posição a influência da personalidade. Por seu caráter, essa linha faz parte de Ch'ien, sendo, portanto, sublime. Esse caráter precisa adquirir uma forma duradoura; com isso o remorso desaparece.

Seis na sexta posição:
a) Lamentos e suspiros, torrentes de lágrimas.
Nenhuma culpa.
b) "Lamentos e suspiros, torrentes de lágrimas."
Ele não está tranqüilo ao alto.

A linha mais elevada não tem relação de correspondência (cf. o seis na terceira posição), por isso os lamentos e as lágrimas. Entretanto, não há culpa, pois embora essa linha não esteja tranqüila em sua posição elevada e solitária, ela se adapta à relação de solidariedade e se volta para baixo, para o governante do hexagrama, o nove na quinta posição. A reunião é realizada, pois a idéia de ir ver o grande homem corresponde ao sentido do hexagrama como um todo.

46. SHÊNG / ASCENSÃO

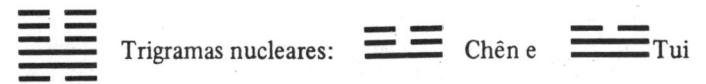

Trigramas nucleares: Chên e Tui

O governante do hexagrama é o seis na quinta posição. O Comentário sobre a Decisão refere-se a essa linha do seguinte modo: "O maleável pressiona, com o tempo, para ascender". O seis na quinta posição é a mais reverenciada entre as linhas ascendentes. Porém, a ascensão começa, sem dúvida, abaixo. O símbolo do hexagrama é a madeira que cresce no interior da terra. O seis inicial é o dirigente do trigrama Sun e representa a raiz da madeira; assim sendo, essa linha é, pelo menos, diretriz constituinte.

SEQÜÊNCIA

O ajuntar em direção ao alto é chamado ascensão. Por isso a seguir vem o hexagrama ASCENSÃO.

COLETÂNEA DE INDICAÇÕES

Aquilo que ascende não retorna.

Este hexagrama em si mesmo está organizado de modo muito favorável. O trigrama superior K'un move-se para baixo; por isso o trigrama inferior Sun, penetração, cujo símbolo é a madeira, avança em direção ao alto sem ser impedido. Entretanto, a ascensão não é tão fácil nem tão ampla quanto o elevar-se do sol no hexagrama 35, PROGRESSO. O movimento ascendente é reforçado, ainda, pelos trigramas nucleares Chên e Tui, que tendem ambos ao alto.

Este hexagrama é o inverso do precedente.

JULGAMENTO

A ASCENSÃO tem sublime sucesso.
É preciso ver o grande homem. Não tema!
A partida rumo ao sul traz boa fortuna.

COMENTÁRIO SOBRE A DECISÃO

O maleável pressiona, com o tempo, para ascender.
Suave e com devoção.
O firme está ao meio e encontra correspondência,
por isso alcança grande sucesso.
"É preciso ver o grande homem. Não tema",

pois isso traz bênçãos.
"A partida rumo ao sul traz boa fortuna."
Cumpre-se a vontade.

O maleável que ascende levado pelo tempo é a linha fraca na posição inicial; ela significa as raízes da madeira, o trigrama inferior. O trigrama inferior é suave, o trigrama superior tem devoção. Esses são os dois requisitos do tempo, em virtude dos quais a linha forte da segunda posição, que tem correspondência com a linha fraca que ocupa o lugar do governante, alcança grande sucesso. O texto do Julgamento diz "É preciso ver o grande homem", e não "é favorável ver o grande homem", como ocorre normalmente. Pois o governante do hexagrama não é o grande homem mas, ao contrário, é uma linha maleável. A causa do sucesso não é de ordem social, porém transcendente. Por isso se diz também "não tema" e "isso traz bênçãos". Este aspecto favorável das circunstâncias vem de esferas invisíveis; é preciso aproveitar ao máximo essas condições através do trabalho. A partida rumo ao sul significa trabalho. O sul é a região do céu entre Sun e K'un, os dois componentes do hexagrama.

IMAGEM

A madeira cresce no interior da terra: a imagem da ASCENSÃO. Assim, o homem superior, com abnegação, reúne pequenas coisas para alcançar o que é sublime e grande.

O acúmulo de pequenas coisas, o progresso constante e imperceptível, é sugerido pelo crescimento gradual e invisível da madeira no interior da terra. A atitude de devoção corresponde ao trigrama K'un; a elevação e a grandeza correspondem ao trigrama Sun, cujo símbolo é a árvore.

LINHAS

☐ Seis na primeira posição:
a) A ascensão que encontra confiança traz grande boa fortuna.
b) "A ascensão que encontra confiança traz grande boa fortuna."
Os que estão acima concordam em suas metas.

A linha maleável ao começo concorda em sua maneira de ser com as linhas maleáveis do trigrama superior K'un. Por isso encontra confiança e sua ascensão é bem sucedida, do mesmo modo que as raízes, ocultas, ligam a árvore à terra e essa ligação possibilita o crescimento.

Nove na segunda posição:
a) Quando se é sincero, é favorável trazer mesmo uma pequena oferenda. Nenhuma culpa.
b) A sinceridade do nove na segunda posição traz alegria.

Esta linha está na posição mais baixa do trigrama nuclear Tui, que significa alegria. O oráculo é igual ao da segunda linha do hexagrama precedente. Lá tratava-se de uma linha fraca intimamente ligada ao "rei" na quinta posição; aqui, uma linha forte tem a mesma relação íntima com a linha fraca na quinta posição. Em ambos os casos, a afinidade espiritual é tão íntima, que as dádivas podem ser pequenas em termos de valor intrínseco, sem que por isso a confiança mútua seja perturbada.

Nove na terceira posição:
a) Ascendendo ao interior de uma cidade vazia.
b) "Ascendendo ao interior de uma cidade vazia."
Não há motivo para hesitar.

A linha é forte e ocupa uma posição forte; mais ainda, encontra-se ao início do trigrama nuclear superior Chên, o movimento. Além disso, tem diante de si as linhas partidas do trigrama K'un, que, sendo vazias e abertas, não opõem qualquer obstáculo ao progresso. Este progresso fácil poderia despertar uma hesitação, mas como está em harmonia com o tempo, o importante é seguir adiante e aproveitar o momento.

Seis na quarta posição:
a) O rei lhe oferece o monte Ch'i.
Boa fortuna. Nenhuma culpa.
b) "O rei lhe oferece o monte Ch'i."
Esta é a atitude daquele que tem devoção.

Esta linha é fraca e ocupa uma posição fraca. Encontra-se ao alto do trigrama nuclear Tui, que significa o oeste e, por isso, talvez faz alusão ao monte Ch'i. O rei é o seis na quinta posição e a quarta linha representa o ministro. A natureza do rei é semelhante à do ministro, por isso lhe proporciona a oportunidade de atuar com eficácia.

O Seis na quinta posição:
a) A perseverança traz boa fortuna.
Ascendendo por degraus.
b) "A perseverança traz boa fortuna.
Ascendendo por degraus."
Aquilo que se almeja é plenamente alcançado.

A ascensão se faz etapa por etapa da primeira linha até esta. A primeira linha encontra confiança, a segunda precisa apenas de pequenas oferendas, a terceira ascende ao interior de uma cidade vazia e a quarta, finalmente, tem acesso às esferas do além. Estas são as etapas do progresso, sintetizadas todas no governante do hexagrama. Nesse ponto, ao atingir um sucesso tão brilhante, é da máxima importância que se permaneça perseverante.

Seis na sexta posição:
a) Ascender em meio à escuridão.
É favorável uma perseverança tenaz.
b) "Ascender em meio à escuridão."
Acima há perda e não riqueza.

Esta linha está ao alto do trigrama K'un e não pode avançar mais. A culminância do elemento sombrio indica a escuridão. Quando já não se pode distinguir as coisas, é preciso ater-se àquela perseverança que está subjacente à consciência, para não se deixar extraviar em seu caminho.

47. K'UN / OPRESSÃO (A EXAUSTÃO)

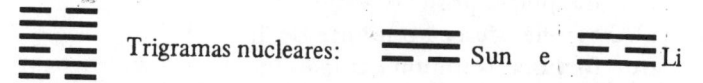

Trigramas nucleares: Sun e Li

Os governantes do hexagrama são o nove na segunda e na quinta posições. A idéia do hexagrama baseia-se no aprisionamento do elemento firme. A segunda e a quinta linhas são ambas por natureza firmes e centrais, e estão encerradas entre duas linhas obscuras. Por isso as duas linhas são ao mesmo tempo diretrizes constituintes e diretrizes governantes do hexagrama.

SEQÜÊNCIA

Quando se ascende sem parar, se chegará, sem dúvida, à opressão. Por isso a seguir vem o hexagrama OPRESSÃO.

COLETÂNEA DE INDICAÇÕES

OPRESSÃO significa um encontro.

A opressão é algo que ocorre por acaso. O fato de não haver água no lago se deve a certas condições excepcionais.

JULGAMENTOS ANEXOS

A OPRESSÃO é o teste do caráter. A OPRESSÃO conduz à perplexidade e, através dela, ao sucesso. Através da OPRESSÃO se aprende a arrefecer seus rancores.

Este hexagrama está repleto de perigos em sua estrutura: sob um lago abre-se um abismo, através do qual a água escorre. O vento e o fogo como trigramas nucleares estão em atividade, exaurindo a água a partir do interior. As forças se movem em direções opostas. O trigrama inferior K'an mergulha, dirigindo-se abaixo, enquanto que Tui, o trigrama superior, evapora, dirigindo-se ao alto. No que concerne às linhas, o elemento Yang está sendo oprimido pelo elemento Yin. As duas linhas fortes superiores estão encerradas entre duas linhas fracas, do mesmo modo que a linha central do trigrama inferior.

JULGAMENTO

OPRESSÃO. Sucesso. Perseverança.
O grande homem promove a boa fortuna.
Nenhuma culpa.
Quando ele tem algo a dizer, não lhe dão crédito.

COMENTÁRIO SOBRE A DECISÃO

OPRESSÃO. O firme está aprisionado.
Perigo e alegria. Só o homem superior é capaz de ser oprimido sem perder o poder de alcançar o sucesso.
"Perseverança. O grande homem promove a boa fortuna", pois ele é firme e central.
"Quando ele tem algo a dizer, não lhe dão crédito."
Aquele que atribui importância à boca cairá na perplexidade.

O nome do hexagrama é explicado por sua estrutura, pois as linhas firmes estão, de diversas maneiras, aprisionadas entre linhas obscuras. O sucesso é alcançado, na época de OPRESSÃO, mantendo-se a jovialidade (trigrama superior Tui) quando diante do perigo (trigrama inferior K'an). As linhas firmes e centrais que, em cada caso, indicam o grande homem, são os governantes do hexagrama na segunda e na quinta posições. Porém, não lhe dão ouvidos. K'an significa dor de ouvido, portanto, pouca disposição para escutar.

IMAGEM

Não há água no lago: a imagem da EXAUSTÃO.
Assim, o homem superior arrisca sua vida para seguir sua vontade.

A imagem deriva da posição relativa dos dois trigramas básicos: a água está sob o lago e, portanto, há vazamento. Os trigramas considerados individualmente provêm o conselho para a conduta na época da EXAUSTÃO: o trigrama K'an, abismo, perigo, sugere arriscar sua vida; o trigrama Tui, alegria, indica que se deve seguir a própria vontade.

LINHAS

Seis na primeira posição:
a) Ele se senta, oprimido, debaixo de uma árvore seca, e mergulha num vale sombrio.
Durante três anos não vê nada.
b) "Ele mergulha num vale sombrio."
Ele se encontra na escuridão e não na claridade.

O trigrama K'an está ao norte, onde a escuridão prevalece. O trigrama nuclear Li indica clareza; esta linha encontra-se fora da clareza. Noutros hexagramas, a primeira linha simboliza o pé, os dedos do pé. Porém, em épocas de opressão o homem se senta; por isso a primeira linha aqui representa o lugar em que se está sentado. O vale sombrio é a primeira linha do trigrama K'an, o buraco no abismo.

O Nove na segunda posição:
a) Ele se sente oprimido em meio a vinho e comida.
O homem de joelheiras vermelhas está chegando.
É favorável oferecer sacrifícios.
Partir traz infortúnio.
Nenhuma culpa.
b) "Oprimido em meio a vinho e comida."
O centro é abençoado.

K'an é o vinho, Tui, a comida. O homem de joelheiras vermelhas é o nove na quinta posição, o governante (que se encontra ao alto do trigrama nuclear Sun, que significa pernas). Entre os dois governantes do hexagrama — o príncipe, o nove na quinta posição, e o funcionário, o nove na segunda — a relação significativa não é a de correspondência, porém, a de similitude. Como não se trata de vínculos naturais e sim sobrenaturais, menciona-se o ato religioso do sacrifício. Ir ao encontro do príncipe, cuja natureza lhe é semelhante, não é, em si mesmo, um erro, pois está em acordo com o momento; mas isto não é viável porque o seis na terceira posição obstrui o caminho e o torna perigoso.

> Seis na terceira posição:
> a) Ele se deixa oprimir pela pedra e se apóia em espinhos e cardos. Ele entra em sua casa e não vê a esposa.
> Infortúnio.
> b) "Ele se apóia em espinhos e cardos", repousa sobre uma linha rígida.
> "Ele entra em sua casa e não vê a esposa"; isso pressagia infortúnio.

A opressão que aflige esta linha é decorrente da linha rígida abaixo dela e da linha rígida que a oprime acima, como se fosse uma pedra. Assim sendo ela não pode nem avançar nem recuar. Essa linha representa uma pessoa que ocupa uma posição errada e que, portanto, encontra-se numa situação insustentável. Por isso, no Julgamento Anexo se menciona uma morte iminente; a isso se refere o texto do item *b)*, quando "pressagia infortúnio".

> Nove na quarta posição:
> a) Ele vem muito lentamente, oprimido numa carroça de ouro.
> Humilhação, mas ainda assim a meta é atingida.
> b) "Ele vem muito lentamente", sua vontade dirige-se para baixo.
> Ele tem companheiros, embora sua posição não seja adequada.

K'an é a carroça; Tui, o metal. Esta linha ocupa a posição do ministro, portanto tem o dever de aliviar a opressão. O ministro se deixa influenciar pela honra que lhe é conferida ao receber do príncipe uma carroça de ouro, de modo que não cumpre sua tarefa com a presteza que devia. Isso é humilhante, mas ao final tudo corre bem. A linha não está na sua posição devida (a posição é maleável e a linha, firme). Porém, ela mantém uma relação de correspondência com o seis na primeira posição, para o qual estão dirigidos os seus anseios; assim sendo, ela tem um companheiro que a induz a agir.

> O Nove na quinta posição:
> a) Cortam seu nariz e seus pés. A opressão vem de alguém com joelheiras púrpura. Lentamente chega a alegria.
> É favorável oferecer sacrifícios e dádivas.
> b) Cortar o nariz e os pés significa que ele ainda não alcançou aquilo que anseia.
> "Lentamente chega a alegria", pois a linha é reta e central.
> "É favorável oferecer sacrifícios e dádivas."
> Assim se alcança a felicidade.

Esta linha está aprisionada entre linhas obscuras. Acima há uma linha obscura. Quando ele tenta afastá-la, o resultado é como se tivessem cortado seu nariz.

Quando ele tenta dirigir-se para baixo, encontra lá também outra linha obstrutora, o seis na terceira posição; quando tenta afastá-la, o resultado é como se cortassem seus pés. Por isso ele não realiza os seus propósitos. Do mesmo modo, o funcionário com quem ele tem uma relação de similitude não está em condições de vir em sua ajuda por se encontrar também aprisionado e oprimido por linhas obscuras. Mas a natureza forte de ambos garante o sucesso final. Aqui também se menciona o sacrifício, assim como no caso do nove na segunda posição.

Seis na sexta posição:
a) Ele é oprimido por trepadeiras.
Movimenta-se de modo inseguro e diz:
"O movimento traz remorso".
Caso sinta arrependimento por tal atitude e comece a agir, terá boa fortuna.
b) "Ele é oprimido por trepadeiras", ou seja, ele ainda não está na condição adequada.
"O movimento traz remorso."
Se há remorso, isso é uma mudança auspiciosa.

Uma linha fraca na culminância da opressão ainda não é o adequado. Mas através do movimento e do despertar interno da intuição necessária, se consegue sair da opressão. Por isso o presságio de boa fortuna para o momento em que a OPRESSÃO termina.

48. CHING / O POÇO

Trigramas nucleares: ☲ Li e ☱ Tui

O governante do hexagrama é o nove na quinta posição. A influência do poço depende da água e o nove na quinta posição é o regente do trigrama K'an (água). O significado do hexagrama é o alimento do poço e o nove na quinta posição é o príncipe que provê alimento para o povo.

SEQUÊNCIA

Aquele que é oprimido acima volta-se com certeza para baixo. Por isso a seguir vem o hexagrama O POÇO.

COLETÂNEA DE INDICAÇÕES

O poço significa união.

JULGAMENTOS ANEXOS

O POÇO mostra o campo do caráter. O POÇO permanece em seu lugar e mesmo assim tem influência sobre as outras coisas. O POÇO promove o discernimento quanto ao que é correto.

O poço permanece em seu lugar. Ele tem uma base firme e inesgotável. Do mesmo modo o caráter precisa ter um fundamento profundo e uma ligação firme com as fontes da vida. O poço ele próprio não se modifica, porém exerce uma influência de vasto alcance através da água que dele se extrai. O poço simboliza a tranqüila doação a todos aqueles que dele se aproximam. Assim também deve ser o caráter: tranqüilo e lúcido, para que as noções do que é correto possam tornar-se claras.

Este hexagrama refere-se à alimentação, do mesmo modo que os hexagramas 5, Hsu, A ESPERA, 27, I, AS BORDAS DA BOCA, e 50, Ting, O CALDEIRÃO. O hexagrama O POÇO refere-se à água necessária à alimentação, e que é indispensável à vida.

Os dois trigramas nucleares tendem a ascender. Por isso os textos das linhas indicam da primeira até a última uma crescente purificação e favorabilidade nas situações, em contraste com o perigo indicado no Julgamento quanto ao hexagrama como um todo.

JULGAMENTO

O POÇO. Pode-se mudar uma cidade, mas não se pode mudar um poço. Este não diminui nem aumenta. Eles vão e vêm, recolhendo do poço. Quando se chega próximo ao nível da água, mas a corda não vai até o fundo ou o balde se quebra, isso traz infortúnio.

COMENTÁRIO SOBRE A DECISÃO

Penetrar sob a água e trazê-la para o alto: isto é O POÇO. O poço alimenta e não se esgota.
"Pode-se mudar uma cidade, mas não se pode mudar um poço", pois a posição central está unida à firmeza.
"Quando se chega próximo ao nível da água, mas a corda não vai até o fundo", ainda não se alcançou nada.
"Quando o balde se quebra": isso traz infortúnio.

Parece que o texto ao início do Comentário está um tanto incompleto. Porém, quanto ao seu significado, nada de essencial se perdeu. A primeira metade do Julgamento refere-se à natureza do poço. É o imutável dentro da mutação. O trigrama superior K'an indica o poço e o inferior Sun simboliza uma cidade. O governante do hexagrama está no trigrama superior, por isso a idéia de que não há mudança. A segunda metade do texto refere-se aos perigos ligados ao uso do poço. O trigrama Sun significa uma corda, o trigrama Li sugere um jarro oco, o trigrama nuclear Tui significa quebrar. Isto indica o perigo de que o jarro se quebre.

Este hexagrama contém ainda um significado simbólico. Assim como em sua inesgotabilidade a água é um requisito básico para a vida, assim também o "caminho dos reis" — o bom governo — é o fundamento indispensável da vida do Estado. O lugar e o momento podem variar, porém os métodos para a organização da vida comunitária dos homens permanecem sempre os mesmos. Condições nocivas surgem somente quando não se conta com as pessoas certas para levar a cabo essa organização. Isto é simbolizado pela quebra do jarro antes de ter alcançado a água.

IMAGEM

Água sobre a madeira: a imagem do POÇO.
Assim o homem superior incentiva o povo em seu trabalho, exortando as pessoas a se ajudarem mutuamente.

Aqui o simbolismo do poço é aplicado ao governo, sendo o poço ele próprio considerado como centro da organização social. Há também uma alusão ao sistema agrário que se atribui à mais remota antiguidade. Nesse sistema os campos eram distribuídos de modo a que oito famílias fossem agrupadas com seus feudos em redor de um centro no qual se encontrava o poço e o povoado; essa área devia ser cultivada em comum, em benefício do governo central. A forma deste sistema de divisão está sugerida no ideograma Ching:

┼┼ Os campos eram divididos da seguinte maneira:
1	4	6
2	9	7
3	5	8

Os campos de 1 a 8 eram destinados ao uso individual das famílias; o nono campo continha o poço com o povoado e os campos senhoriais. Nesse sistema os membros do povoado naturalmente dependiam do trabalho comunitário.

A influência do governo sobre o povo é indicada pelos dois trigramas. O estímulo ao povo em seu trabalho corresponde ao trigrama K'an, que simboliza o trabalho ou o esforço da labuta (Lao). A exortação corresponde ao trigrama Sun, que simboliza a difusão das ordens.

LINHAS

Seis na primeira posição:
a) Não se bebe o barro do poço.
Nenhum animal vem a um poço velho.
b) "Não se bebe o barro do poço", pois está muito abaixo.
"Nenhum animal vem a um poço velho": o tempo o abandona.

Essa linha é fraca e está na posição mais baixa, por isso a idéia do barro no poço. Ela está encoberta pela linha firme na segunda posição, por isso a idéia de que os animais não se aproximam. Ela permanece demasiado fora do movimento. O tempo passa, deixando-a de lado.

Nove na segunda posição:
a) Atira-se nos peixes à entrada do poço.
O cântaro está quebrado e vazando.
b) "Atira-se nos peixes à entrada do poço."
Não há ninguém que o acompanhe.

Esta linha é em si mesma forte e central, mas não tem relação de correspondência com o governante do hexagrama. O trigrama Sun significa peixes. O trigrama nuclear superior Li significa um cântaro e o inferior, Tui, significa quebrar em pedaços e, por isso, o cântaro quebrado.

Esta linha é, por assim dizer, a antítese do governante do hexagrama. Representa a posição à qual se refere a segunda parte do Julgamento (relativa ao cântaro quebrado).

A frase "atira-se nos peixes à entrada do poço", aqui traduzida de acordo com os antigos comentários, foi mais tarde interpretada como significando "A água da fonte do poço borbulha apenas para os peixes". O ideograma "shê", atirar, também significa, em sentido figurado, o disparo de um raio. Em todo caso, o sentido é de que a água não é utilizada pelos homens para beber.

> Nove na terceira posição:
> a) O poço foi limpo, mas não se bebe dele. Este é o pesar de meu coração, pois se poderia usufruir dele.
> Caso o rei fosse lúcido, se poderia compartilhar a felicidade.
> b) "O poço foi limpo, mas não se bebe dele", este é o pesar dos homens ativos. Eles rogam para que o rei seja lúcido para que se possa alcançar a felicidade.

Esta linha é forte e encontra-se ao alto do trigrama inferior, por isso o poço está limpo. Não há relacionamento entre o trigrama inferior e o superior, por isso o isolamento. Porém, no interior há tendências unificantes, pois tanto o trigrama nuclear Tui como o trigrama nuclear Li, em seus movimentos, indicam uma direção ascendente; por isso o "pesar dos homens ativos" (representados por esses trigramas nucleares) e a esperança de que o rei seja lúcido. O rei é o governante do hexagrama, o nove na quinta posição, que está ligado a esta linha pelo trigrama nuclear superior Li, clareza.

> Seis na quarta posição:
> a) O poço está sendo revestido. Nenhuma culpa.
> b) "O poço está sendo revestido. Nenhuma culpa", pois o poço está em conserto.

Esta linha tem relação de solidariedade com o governante do hexagrama na quinta posição, por isso a idéia de que o poço está sendo consertado para que fique em condições de receber a água da nascente, o nove na quinta posição. Aqui o ministro encontra-se na proximidade imediata do príncipe, que colabora com ele para o bem de todos.

> O Nove na quinta posição:
> a) No poço há uma nascente límpida e fresca, da qual se pode beber.
> b) Beber da nascente límpida e fresca decorre da posição central e correta.

Este é o governante do hexagrama. É a linha luminosa que está entre as duas linhas obscuras do trigrama superior e representa a água dentro das bordas do poço; por isso a idéia de uma nascente límpida e fresca. Como governante do hexagrama, ele está à disposição dos outros em virtude de sua posição central e correta.

> Seis na sexta posição:
> a) Retira-se água do poço sem impedimentos.
> Pode-se confiar nele. Suprema boa fortuna.
> b) "Suprema boa fortuna."
> Na posição mais alta, isto significa grande perfeição.

A linha encontra-se ao alto, ou seja, onde a água do poço pode ser utilizada pelas pessoas. A água sendo trazida para cima possibilita o uso do poço. Em virtude disso, o seis na última posição marca a conclusão,[90] a plenitude do hexagrama, e se acrescenta o augúrio de boa fortuna.[91]

49. KO / REVOLUÇÃO

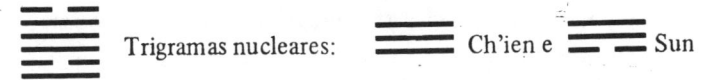

Trigramas nucleares: Ch'ien e Sun

O governante do hexagrama é o nove na quinta posição, pois é preciso que um homem ocupe um lugar de honra para que disponha da autoridade necessária à realização de uma revolução. Aquele que é central e correto é capaz de extrair todos os benefícios de uma tal revolução. Por isso se diz a respeito desta linha: "O grande homem muda como um tigre".

SEQÜÊNCIA

A instalação de um poço deve necessariamente ser reformada no decorrer do tempo.
Por isso a seguir vem o hexagrama: REVOLUÇÃO.

Um poço deve ser limpo de tempos em tempos para que não se acumule lodo. Por isso o hexagrama Ching, O POÇO, que significa uma instalação permanente, é seguido pelo hexagrama REVOLUÇÃO, que mostra a necessidade de mudanças em instituições há muito estabelecidas, para evitar que fiquem estagnadas.

COLETÂNEA DE INDICAÇÕES

REVOLUÇÃO significa remoção daquilo que se tornou antiquado.

O hexagrama está estruturado de modo a que as influências dos dois trigramas básicos estejam em oposição; por isso uma revolução é inevitável. Abaixo, o fogo (Li) é avivado pelo trigrama nuclear Sun, o vento, a madeira. O trigrama nuclear superior Ch'ien prove a firmeza necessária. Todo o movimento do hexagrama é ascendente.

---

[90] Cf. nota 75 (hexagrama 63, APÓS A CONCLUSÃO, Livro Primeiro). *(Nota da tradução brasileira.)*

[91] Como a simbologia do poço está baseada na idéia de extrair a água, trazendo-a para cima, o significado das diferentes linhas torna-se tão mais favorável quanto mais ao alto se encontram.

JULGAMENTO

REVOLUÇÃO. Em seu dia próprio você verá que lhe darão crédito. Supremo sucesso, favorecido pela perseverança. O arrependimento desaparece.

COMENTÁRIO SOBRE A DECISÃO

REVOLUÇÃO: água e fogo subjugam um ao outro.
Duas filhas moram juntas, mas seus pontos de vista impedem seu entendimento. Isso significa revolução.

"Em seu dia próprio você verá que lhe darão crédito": ele dá início a uma revolução e, ao fazê-lo, encontra confiança. Iluminação e com isso alegria: você conquista um grande sucesso através da justiça. Se durante uma revolução encontra-se o correto, "o arrependimento desaparece".
O céu e a terra geram a revolução, e com isto as quatro estações se completam.
T'ang e Wu realizaram revoluções políticas porque tinham devoção ao céu e estavam em acordo com os homens.
A época da REVOLUÇÃO é verdadeiramente grande.

A mudança de pêlo dos animais depende de leis fixas; é preparada previamente. O mesmo ocorre com as revoluções políticas. A expressão "em seu dia próprio" indica — assim como no caso do hexagrama 18, Ku, TRABALHO SOBRE O QUE SE DETERIOROU — um dos dez signos cíclicos. Os dez signos cíclicos são:

1. Chia, 2. I, 3. Ping, 4. Ting, 5. Wu, 6. Chi, 7. Kêng, 8. Hsin, 9. Jên e 10. Kuei.

Como já foi mencionado a propósito do hexagrama 18, o oitavo entre estes signos, Hsin (metal, outono), tem também o significado secundário de renovação; o sétimo, Kêng, significa mudança. O signo que precede Kêng é Chi — assim sendo, é no dia que antecede a mudança que se encontra crédito (por isso a interpretação "seu dia próprio"; Chi também significa "próprio"). Quando se combinam os signos cíclicos com os oito trigramas em sua associação aos pontos cardeais, segundo a Seqüência do Céu Posterior (Ordem Interna do Mundo), constata-se que Chi está junto a K'un — terra — no sudoeste, a meio caminho entre Tui, no oeste, e Li, no sul, ou seja, entre os dois trigramas que se combatem e subjugam um ao outro. A terra ao meio equilibra suas influências de modo que a clareza do fogo (Li) e a alegria da água (Tui) podem se manifestar separadamente. Por isso a necessidade de clareza e alegria para se conquistar a confiança do povo, a qual é indispensável a uma revolução. Assim como as revoluções na natureza ocorrem de acordo com leis fixas, dando lugar assim ao ciclo do ano, assim também as revoluções políticas — que são as vozes necessárias para pôr fim a um estado de decadência — devem seguir leis definidas:

1. É preciso saber esperar o momento certo.
2. Deve-se proceder corretamente, de modo a se conquistar a simpatia do povo e evitar excessos.
3. Deve-se ser correto e estar completamente isento de qualquer motivação egoísta.
4. A mudança deve corresponder a uma necessidade real. Esse era o caráter das grandes revoluções realizadas no passado pelos governantes T'ang e Wu.

IMAGEM

Há fogo no lago: a imagem da REVOLUÇÃO.
O homem superior organiza o calendário e marca com clareza o período das estações.

O fogo no lago causa uma revolução. A água apaga o fogo, o fogo faz com que a água evapore. A organização do calendário é sugerida pelo trigrama Tui, símbolo de um mago, um criador de calendário. A clareza é indicada pelo trigrama Li, cujo atributo é a claridade.

LINHAS

Nove na primeira posição:
a) Em pele de vaca amarela se é envolvido.
b) "Em pele de vaca amarela se é envolvido."
Não se deve agir assim.

Um dos animais associados ao trigrama Li é a vaca. A pele (ko) é sugerida pelo nome do hexagrama, que significa "pele" ou "mudança de pele". O amarelo é a cor da segunda linha, a do meio, que retém a primeira. Esta linha é forte e o trigrama Li, ao qual pertence, faz pressão para ascender; assim sendo, ela poderia ser tentada a iniciar uma revolução. Mas nem o nove na quarta posição, nem o seis na segunda, têm qualquer relação com ela, de modo que este não é o momento de agir.

Seis na segunda posição:
a) Quando chega o momento adequado, pode-se fazer a revolução. Partir traz boa fortuna. Nenhuma culpa.
b) "Quando chega o momento adequado, pode-se fazer a revolução." A ação traz um belo sucesso.

Esta linha é correta, central e clara; ocupa a posição do funcionário. Acima, ela possui uma relação de correspondência com o governante do hexagrama, o nove na quinta posição, e por isso tem a possibilidade de uma ação bem sucedida. Este é o momento indicado pelo Julgamento como correto para conquistar a confiança. (Quanto ao significado do "seu dia próprio" Chi jih, cf. Comentário sobre a Decisão.) A configuração aqui é particularmente clara: o trigrama Li sugere o dia, enquanto que a linha central ocupa a posição correspondente à terra, que está a sudoeste, ao lado de Li (sul).[92]

Nove na terceira posição:
a) Partir traz infortúnio. A perseverança traz perigo. Depois de ouvir se repetir por três vezes o clamor de revolução, ele pode aderir, pois lhe darão crédito.
b) "Depois de ouvir se repetir por três vezes o clamor de revolução, ele pode aderir." Em caso contrário, até onde se permitirá que cheguem as coisas?

Esta linha é forte e clara e encontra-se na posição de transição; mas estas mesmas circunstâncias sugerem o perigo da precipitação. Por isso é preciso esperar até que chegue o momento acertado. Aqui a relação com a linha na última posição

---

[92] No texto alemão está "oeste", o que é obviamente um lapso, pois na Seqüência da Ordem Interna do Mundo Li está ao sul. *(Nota da tradução brasileira.)*

não é levada em consideração, pois esta última já está ligada à quinta linha. Por isso, um avanço precipitado seria perigoso. Para que o fogo seja eficaz em relação à água, precisa agir com absoluta determinação. O sucesso só é possível se as três linhas formam uma única unidade.

>   Nove na quarta posição:
>   a) O arrependimento desaparece. As pessoas confiam nele. Mudar a forma de governo traz boa fortuna.
>   b) A boa fortuna na mudança da forma de governo se deve ao fato de suas convicções encontrarem crédito.

Esta linha possui um equilíbrio harmônico por ser firme numa posição maleável. Ela é semelhante em natureza ao governante do hexagrama, por isso encontra crédito. Aqui, o momento da mudança é chegado. Quando o texto fala não só de revolução mas também de mudança e alteração, isso significa que, enquanto a revolução elimina o velho, a idéia de mudança sugere ao mesmo tempo a introdução do novo.

>   O Nove na quinta posição:
>   a) O grande homem muda como um tigre.
>   Mesmo antes de consultar o oráculo ele encontra a confiança do povo.
>   b) "O grande homem muda como um tigre":
>   suas marcas são nítidas.

Essa linha está associada ao seis na segunda posição e, por isso, tem a clareza de Li à sua disposição. O trigrama Tui, em cujo centro essa linha se encontra, está a oeste, no lugar do tigre branco. A estação do ano correspondente a este trigrama é o outono, quando os animais mudam de pelagem.

>   Seis na sexta posição:
>   a) O homem superior muda como uma pantera.
>   O homem inferior muda na face.
>   Partir traz infortúnio.
>   Permanecer perseverante traz boa fortuna.
>   b) "O homem superior muda como uma pantera."
>   Suas marcas são mais delicadas.
>   "O homem inferior muda na face",
>   ele tem devoção e obedece ao príncipe.

Esta linha tem relação de solidariedade com o governante do hexagrama, por isso lhe foi designada a tarefa de execução de detalhes específicos. As marcas no pêlo da pantera são mais delicadas que as no do tigre. O homem inferior muda pelo menos exteriormente através da influência preponderante dos homens superiores.

50. TING / O CALDEIRÃO

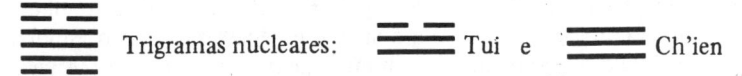

Trigramas nucleares: Tui e Ch'ien

Os governantes do hexagrama são o seis na quinta posição e o nove ao alto. A idéia em que o hexagrama Ting se baseia é a de alimentar os homens dignos. O seis na quinta posição reverencia o homem venerável representado pelo nove ao alto. A simbologia é derivada do modo como as alças e argolas do Ting se encaixam uma na outra.

SEQÜÊNCIA

Nada transforma as coisas tanto como o Ting.
Por isso a seguir vem o hexagrama CALDEIRÃO.

As transformações ocasionadas pelo Ting são por um lado as mudanças sofridas pelos alimentos ao cozinharem e, por outro, em sentido figurado, os efeitos revolucionários que resultam da colaboração de um príncipe com um sábio.

COLETÂNEA DE INDICAÇÕES

O TING significa a acolhida do novo.

Este hexagrama é, em termos de estrutura, o inverso do precedente; seu significado também apresenta uma transformação. Enquanto o hexagrama precedente, Ko, trata da revolução em seu aspecto negativo, o hexagrama Ting mostra o caminho correto para se efetuar uma reorganização social. Os dois trigramas básicos se movem de tal modo que suas atividades reforçam-se mutuamente. Os trigramas nucleares Ch'ien e Tui, significando ambos metal, completam a idéia do Caldeirão como um utensílio sagrado de cerimonial. Estes antigos recipientes de bronze — como ainda são encontrados ocasionalmente em escavações — foram com o tempo associados às mais elevadas expressões da cultura.

JULGAMENTO

O CALDEIRÃO. Suprema boa fortuna. Sucesso.

COMENTÁRIO SOBRE A DECISÃO

O TING é a imagem de um objeto. Quando se leva a madeira ao fogo, cozinham-se os alimentos. O homem santo cozinha para oferecer sacrifícios ao Senhor Deus; ele cozinha banquetes para alimentar os homens santos e as pessoas de valor.

Através da suavidade os ouvidos e os olhos tornam-se aguçados e claros. O suave avança e ascende. Alcança o centro e encontra correspondência no firme; por isso há supremo sucesso.

Todo o hexagrama, com sua seqüência de linhas partidas e inteiras, simboliza um Ting, desde as pernas até as argolas pelas quais se pode levantá-lo. O trigrama Sun abaixo significa madeira e penetração; Li acima significa o fogo. Portanto, a madeira é colocada no fogo e o mantém aceso para o preparo da refeição. A rigor, os alimentos não eram cozidos no Ting; a comida era preparada na cozinha e, depois de pronta, era servida no Ting. Porém, o símbolo do Ting também contém a idéia do preparo de alimentos. O Ting é um recipiente destinado aos cerimoniais, sendo o seu uso restrito aos sacrifícios e banquetes. Isso mostra o contraste entre este hexagrama e o 48, Ching, O POÇO, que significa o alimento para o povo. Para o sacrifício a Deus, só um animal é necessário, pois o importante não é a dádiva em si, mas o sentimento. Para homenagear os hóspedes é necessário comida farta e grande prodigalidade. O trigrama superior, Li, é o olho, e a quinta linha indica as alças do Ting; assim são sugeridos os símbolos de olhos e orelhas. O trigrama inferior Sun é a Suavidade, o adaptar-se. Graças a ele os olhos e os ouvidos tornam-se claros (atributo do trigrama Li) e aguçados.

O elemento maleável que se dirige ao alto é o governante do hexagrama na quinta posição, que está em relação de correspondência com o ajudante forte, o nove na segunda posição, e por isso tem sucesso. Na China antiga, nove tings eram o símbolo da soberania; por isso o oráculo favorável.

IMAGEM

O fogo sobre a madeira: a imagem do CALDEIRÃO.
Assim o homem superior, corrigindo sua posição, consolida seu destino.

O fogo sobre a madeira é o símbolo não do Ting, mas de seu uso. O fogo arde de modo contínuo quando tem sob si a madeira. A vida também deve manter-se sempre ardente, conservando as condições corretas para que o fluir das fontes da vida nunca cesse.

Evidentemente o mesmo é válido para a vida de uma sociedade ou de um Estado. Também nesses casos as relações e as posições devem ser regulamentadas de modo a que a ordem resultante perdure. Assim é estabelecido o destino, através do qual a soberania é conferida a uma casa específica.

LINHAS

Seis na primeira posição:
a) Um Ting com os pés para o alto, emborcado.
É favorável remover o conteúdo estagnado.
Uma concubina é aceita em virtude de seu filho.
Nenhuma culpa.
b) "Um Ting com os pés para o alto, emborcado."
Isso ainda não está errado.
"É favorável remover o conteúdo estagnado",
para poder seguir o homem de valor.

A linha de baixo indica as pernas do Ting.[93] Como é fraca e se encontra ao início, sugere a idéia de que se deve virar o Ting para remover os restos de alimentos do passado. Essa linha tem uma conexão, em virtude da posição, com a linha seguinte, que é central e forte; por isso a idéia de uma concubina (fraca e subordinada).

Nove na segunda posição:
a) Há alimento no Ting. Meus companheiros têm inveja mas nada podem contra mim.
Boa fortuna.
b) "Há alimento no Ting."
Seja cauteloso quanto a onde você vai.
"Meus companheiros têm inveja."
Isso não implica, ao final, em culpa alguma.

Esta linha é firme e central, por isso simboliza o conteúdo do Ting. Ela forma uma unidade com a terceira e quarta linhas, mas como mantém uma relação de correspondência com o governante do hexagrama, precisa seguir seu próprio caminho, tal como essas relações determinam. Por outro lado, isso resulta na inveja das outras duas linhas — suas companheiras —, das quais está separada por relações internas. Porém, como está completamente livre de possíveis complicações e sob o abrigo do forte vínculo com o governante, ela nada precisa temer.

Nove na terceira posição:
a) A alça do Ting está alterada. Ele é impedido em suas atitudes. A gordura do faisão não é comida.
Quando a chuva cair, o remorso desaparecerá.
A boa fortuna virá ao final.
b) "A alça do Ting está alterada."
Ele equivocou-se em sua idéia.

Esta linha está na posição mais baixa do trigrama nuclear superior Tui, cuja linha mais alta designa a boca. Poder-se-ia supor, então, que o conteúdo do Ting, indicado pelo trigrama superior Li, que significa faisão, é comido. Mas isso não acontece. Não se pode mover o Ting, pois a alça foi alterada. Isso é sugerido pelo fato de a terceira linha, que em princípio deveria estar associada à linha na última posição, que representa a alça com que se carrega o Ting, ser ela própria firme e, por isso, não poder receber as alças (comparar com o seis na quinta posição). Existe uma perspectiva para o futuro. Quando essa linha se move, surge K'an, cujo significado é a chuva — tanto no trigrama básico inferior como no trigrama nuclear superior. Isto alivia a situação. Cessa a estagnação e o movimento conduz ao objetivo.

Nove na quarta posição:
a) O Ting com as pernas quebradas. A refeição do príncipe é derramada e nódoas recaem sobre sua pessoa.
Infortúnio!
b) "A refeição do príncipe é derramada",
como é possível ainda confiar nele?

---

[93] Os tings na antiga China tinham três ou quatro pernas. O fato de que a linha inicial partida só toca o solo, por assim dizer, em dois pontos, sugere a idéia de um Ting emborcado, com as pernas para o alto.

Esta linha tem relação de correspondência com o seis na primeira posição, onde se fala do Ting com as pernas para o alto. Porém, enquanto aquela situação não é grave, pois o Ting ainda estava vazio, aqui o assunto é sério, pois o Ting contém alimentos. Por isso não se trata apenas de um simples emborcar: as pernas do Ting foram quebradas e a refeição do príncipe foi derramada. De acordo com a posição que ocupa, esta linha deveria ter um vínculo com o governante do hexagrama, o seis na quinta posição, seja de solidariedade ou de receptividade. Mas isso é impedido pela relação com o seis na primeira posição. Isso indica uma desastrosa divergência entre o caráter e a posição, entre o saber e as aspirações, entre a força e a responsabilidade.

○ Seis na quinta posição:
a) O Ting tem alças amarelas e argolas de ouro.
A perseverança é favorável.
b) As alças amarelas do Ting são centrais, para receber aquilo que é verdadeiro.

Esta linha está ao centro do trigrama superior Li; é também a linha do meio do trigrama K'un, ao qual está associada a cor amarela. As alças de carregar são de metal, porque o trigrama nuclear superior Tui significa metal. As argolas de sustentação (que nos antigos jarros chineses em geral eram interligadas) são sem dúvida representadas pela linha forte ao alto. Essa linha contrasta com o nove na terceira posição: a alça é vazada e pode, portanto, receber "o verdadeiro" (isto é, o firme), a argola de sustentação. Assim, o Ting pode ser carregado. Em linguagem simbólica isso significa muito. A quinta linha é governante do hexagrama, tem acima de si um sábio (o nove na última posição), ao qual está ligada em virtude de sua posição e da relação de complementaridade. Ela é "vazada" e, por isso, está apta a receber o poder, ou seja, os ensinamentos desse sábio (o termo "alça" (erh) é representado pelo mesmo ideograma que "orelha"). Deste modo ele consegue avançar.

○ Nove na sexta posição:
a) O Ting tem argolas de jade. Grande boa fortuna!
Nada que não seja favorável.
b) As argolas de jade na posição mais alta mostram o firme e o maleável complementando um ao outro, do modo adequado.

A situação aqui é semelhante à do seis na quinta posição, só que neste caso é considerada a partir do ponto de vista do sábio que concede. O que se manifesta no seis na quinta posição como a firmeza do metal surge aqui como o brilho suave do jade. O sábio tem a possibilidade de transmitir seu ensinamento porque o seis da quinta posição sai a seu encontro com a receptividade adequada.

震

51. CHÊN / O INCITAR (COMOÇÃO, TROVÃO)

Trigramas nucleares: ☵ K'an e ☶ Kên

Os governantes do hexagrama Chên são as duas linhas luminosas. Mas como está implícito na idéia do hexagrama COMOÇÃO que o elemento luminoso se move em direção ascendente a partir de baixo, a quarta linha não é considerada governante e, sim, apenas a linha inicial.

SEQÜÊNCIA

Entre os guardiões dos utensílios sagrados, o filho mais velho vem em primeiro lugar. Por isso a seguir vem o hexagrama O INCITAR. O incitar significa movimento.

COLETÂNEA DE INDICAÇÕES

O INCITAR significa começar, elevar-se.

Este é um dos oito hexagramas formados pela repetição de um mesmo trigrama nas duas posições básicas. Aqui repete-se o trigrama Chên, que simboliza o filho mais velho, o começo das coisas no leste — a primavera. Isso também é sugerido pela Imagem, que mostra o movimento ascendente da eletricidade, o trovão, que outra vez se faz ouvir na primavera.

JULGAMENTO

A COMOÇÃO traz sucesso.
O choque vem: oh, oh!
Expressões de riso: ha, ha!
O choque gera pavor num raio de cem milhas e ele não deixa cair a colher do cerimonial de sacrifício, nem o cálice.

COMENTÁRIO SOBRE A DECISÃO

"A COMOÇÃO traz sucesso. O choque vem: oh, oh!"
O medo traz boa fortuna.
"Expressões de riso: ha, ha!"
Depois disso se tem uma norma.
"O choque gera pavor num raio de cem milhas."
Quando se provoca o pavor ao longe e se cuida do que está

próximo, pode-se dar um passo adiante, proteger o templo dos ancestrais e o altar da terra e ser o condutor do sacrifício.

"O choque vem: oh, oh!" As exclamações "oh, oh" significam primeiro um tigre amedrontado, depois um lagarto correndo assustado de um lado para outro na parede. Deste modo se atribui o significado de medo aos dois caracteres onomatopaicos (em chinês hi, hi). O medo que foi assim despertado torna o homem cauteloso e a cautela traz boa fortuna. "Expressões de riso: ha, ha!" Essas palavras são sugeridas pelo som do trovão, que soa como "ha, ha". Simbolizam a tranqüilidade interna em meio à tormenta da agitação externa.

"O choque gera pavor num raio de cem milhas." Este é o som do trovão que é, ao mesmo tempo, o símbolo de um governante poderoso (sugerido pela idéia do filho mais velho), que sabe como se fazer respeitar por aqueles que o rodeiam, mas é também cuidadoso e exato nos menores detalhes. A frase de conclusão refere-se igualmente a isso. O senhor do sacrifício é ao mesmo tempo o senhor da casa, ou do reino. Nesse sentido, também, cabe ao filho mais velho uma tarefa especial. O trigrama Chên significa a manifestação de Deus na primavera e, ao mesmo tempo, o redespertar da força da vida, que se agita outra vez abaixo.

IMAGEM

Trovão repetido: a imagem da COMOÇÃO.

Sob temor e tremor, o homem superior retifica sua vida e examina a si mesmo.

A frase diz: "trovão repetido", porque o trigrama Chên aparece nas duas posições básicas. O primeiro trovão indica temor e tremor, o segundo indica dar forma e explorar.

LINHAS

O Nove na primeira posição:
a) O choque vem: oh, oh!
A seguir expressões de riso: ha, ha!
Boa fortuna.
b) "O choque vem: oh, oh!"
O medo traz boa fortuna.
"Expressões de riso: ha, ha!"
Depois disso se tem uma norma.

Aqui se reproduz literalmente uma parte do texto do Julgamento e do Comentário, tal como ocorreu algumas vezes quando se trata do governante do hexagrama. A linha forte na primeira posição iniciando o movimento abaixo evidencia a quinta essência de toda a situação.

Seis na segunda posição:
a) O choque vem trazendo perigo. Cem mil vezes você perde seus tesouros e tem de subir as nove colinas.
Não os persiga. Após sete dias você haverá de recuperá-los.
b) "O choque vem trazendo perigo."
Ele repousa sobre uma linha firme.

Como a primeira linha exerce uma pressão ascendente com um forte choque, não se pode sequer pensar numa relação de solidariedade entre ela e essa linha fraca ocupando uma posição fraca. Porém, a segunda linha é central e correta, sendo afetada apenas exteriormente pelo perigo ameaçador, assim como a tempestade causa apenas um choque momentâneo.

O perigo é indicado pelo trigrama nuclear K'an, sob o qual a linha se encontra. A fuga para as colinas é sugerida pelo trigrama nuclear inferior Kên, a montanha. Sete é o número que indica o retorno,[94] que restabelece as antigas condições após as situações de todas as seis linhas terem se modificado.

>Seis na terceira posição:
>a) O choque vem e provoca perplexidade.
>Caso o choque estimule a ação, se permanecerá livre de culpa.
>b) "O choque vem e provoca perplexidade."
>A posição não é adequada.

A palavra "Su", traduzida por perplexidade, significa literalmente os movimentos do despertar dos insetos após o sono hibernal, quando ainda estão entorpecidos e enrijecidos. A posição não é correta, pois é forte e a linha é fraca. Por isso ela não está à altura do choque da posição e é necessário que se deixe mover pela comoção. O movimento transforma uma linha fraca em forte. Assim se estará em condições de enfrentar a comoção.

>Nove na quarta posição:
>a) A comoção chega ao pântano.
>b) "A comoção chega ao pântano."
>Ele ainda não é suficientemente lúcido.

A linha ela própria é forte, porém sua força é prejudicada pela fraqueza da situação. Além disso, encontra-se justamente no lugar do precipício, o trigrama nuclear K'an, e também ao alto do trigrama nuclear Kên, Quietude. Tudo isso torna a natureza forte da linha ineficaz; ela não se mostra suficientemente lúcida e fica presa no lodo.

>Seis na quinta posição:
>a) A comoção vai e vem. Perigo.
>Porém, nada se perde, há apenas muito por realizar.
>b) "A comoção vai e vem. Perigo."
>Ele caminha em perigo. O que há por realizar está no centro e por isso nada em absoluto se perde.

A linha é central, assim como o seis na segunda posição. Mas enquanto lá o trigrama nuclear K'an, o perigo, ameaça, aqui ele foi superado; o homem já se encontra na colina (trigrama nuclear Kên). Por isso nada se perde. O importante é ater-se com firmeza à posição central, de modo a conservar para si a força inerente a esse lugar (a quinta posição é a do governante). O seis na segunda posição é o funcionário. O funcionário pode perder seus bens temporariamente, mas tudo isso pode ser recuperado. Porém, o seis na quinta posição é o governante; seus bens consistem de terras e pessoas. Isso não se deve perder. Tal perda pode ser evitada caso seja mantida a posição central e se aja corretamente.

>Seis na sexta posição:
>a) A comoção traz a ruína e desperta um espreitar temeroso em redor de si.

---

[94] Cf. comentário ao texto do hexagrama 24, Fu, RETORNO, Livro Primeiro. *(Nota da tradução brasileira.)*

Avançar traz infortúnio.
Se o choque ainda não atingiu o seu próprio corpo, mas apenas o do vizinho, não há nenhuma culpa.
Os companheiros têm assunto para conversa.
b) "A comoção traz a ruína."
Ele não alcançou o centro.
Apesar do infortúnio, nenhuma culpa.
Ele é advertido pelo temor do vizinho.

Esta linha está relacionada à terceira, que é o companheiro que tem algo a dizer. A quinta linha é o vizinho. Aqui uma linha fraca encontra-se no clímax do choque e, portanto, não está à altura da situação. A comoção ameaça arruinar, assim como num terremoto; por isso o espreitar temeroso em torno de si. Tentar empreender alguma coisa nessas condições seria desastroso. Mas se uma pessoa toma a experiência do vizinho como uma advertência (neste caso, a quinta linha) e se mantém a calma, erros são evitados. A terceira linha, o companheiro, é forçada a se mover em virtude de sua situação e, por isso, não pode compreender por que a sexta linha permanece tranqüila. Porém, a diferença de atitudes é resultante da diferença de posição. Assim sendo, é preciso ser totalmente independente em suas ações.

52. KÊN / A QUIETUDE (MONTANHA)

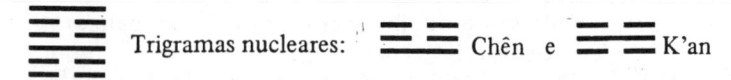

Trigramas nucleares: Chên e K'an

Neste hexagrama também as duas linhas luminosas são, estritamente falando, governantes. Mas o significado do hexagrama A QUIETUDE baseia-se no fato de que o elemento luminoso se detém. Por isso a terceira linha não é considerada como governante, porém apenas a linha de cima.

SEQÜÊNCIA

As coisas não podem se mover incessantemente; é preciso fazê-las parar. Por isso a seguir vem o hexagrama A QUIETUDE. Quietude significa deter-se.

COLETÂNEA DE INDICAÇÕES

A QUIETUDE significa deter-se.

Este hexagrama é o inverso do precedente. É formado pela repetição do trigrama Kên, que significa o filho mais moço, a montanha. A posição de Kên é no nordeste, entre K'an ao norte e Chên a leste. É o lugar misterioso, onde todas as coisas começam e terminam, onde se dá a mútua transição entre a morte e o nascimento. O atributo do hexagrama é a Quietude porque as linhas fortes, cuja tendência é ascendente, atingiram sua meta.

JULGAMENTO

A QUIETUDE. Mantendo imóvel as costas, ele não mais sente seu corpo. Ele se dirige ao pátio e não vê sua gente. Nenhuma culpa.

COMENTÁRIO SOBRE A DECISÃO

A QUIETUDE significa deter-se.
Parar quando é chegado o momento de parar.
Avançar quando é chegado o momento de avançar.
Deste modo o movimento e o repouso não perdem o momento correto e seu curso torna-se brilhante e claro. Aquietar sua imobilidade[95] significa deter-se no lugar devido. Aqueles que estão acima e aqueles que estão abaixo se opõem e nada têm em comum. Por isso se diz:
"Ele não mais sente seu corpo. Ele se dirige ao pátio e não vê sua gente.
Nenhuma culpa".

O hexagrama implica, por sua natureza, em uma separação do trigrama superior e do inferior. Isso também é sugerido pelo movimento divergente dos trigramas nucleares: o superior dirige-se ao alto e o inferior, para baixo. A quietude é o significado do próprio hexagrama: o movimento é o significado dos trigramas nucleares. Por isso é explicado que o mover e o parar, cada qual em seu momento adequado, são ambos aspectos do repouso: um é a continuidade no estado de repouso, o outro é a continuidade no estado de movimento. O hexagrama Kên tem um brilho interno, pois a linha luminosa ao alto está sobre duas linhas obscuras e, portanto, não é obscurecida. Por isso a expressão: "Seu curso torna-se brilhante e claro".

As costas são a parte do corpo que a própria pessoa não pode ver; a quietude das costas simboliza o repouso do eu. O trigrama básico inferior indica essa quietude das costas, de modo a não mais se ter consciência do seu corpo, isto é, de sua personalidade. O trigrama básico superior significa o pátio. As diferentes linhas do trigrama superior não têm relação alguma com as linhas correspondentes do trigrama inferior, por isso o trigrama superior e o inferior voltam as costas um ao outro. Por isso não se percebe as outras pessoas no pátio.

IMAGEM

Montanhas próximas umas das outras: a imagem da QUIETUDE. Assim o homem superior não deixa seus pensamentos irem além da situação em que se encontra.

---

[95] A frase do comentário "Aquietar seu repouso" (kên ch'i chih, em chinês) é uma falha do texto que vem desde o tempo de Wang Pi (226-249 d.C.); dever-se-ia ler como no Julgamento: "Mantendo imóvel as costas" (kên ch'i pei). Uma comparação das antigas explicações evidencia isto.

Em todos os hexagramas formados pela repetição de um mesmo trigrama nas posições básicas as linhas equivalentes no trigrama superior e no inferior não têm relação de correspondência. Entretanto, apenas no hexagrama A QUIETUDE se nota expressamente que as montanhas só estão ligadas exteriormente. Nos outros sete hexagramas de formação similar sempre se pressupõe um movimento recíproco. O motivo é que na QUIETUDE se expressa justamente o oposto do movimento e do intercâmbio. Assim sendo, o ensinamento transmitido pela Imagem é o de restringir-se ao que está dentro dos limites de sua própria posição.

LINHAS

Seis na primeira posição:
a) Mantendo imóveis os dedos do pé.
Nenhuma culpa.
É favorável uma constante perseverança.
b) "Mantendo imóveis os dedos do pé."
O correto ainda não está perdido.

Em suas imagens, as diferentes linhas deste hexagrama lembram as linhas do hexagrama 31, Hsien, INFLUÊNCIA. Assim a linha mais baixa tem, mais uma vez, como símbolo, os dedos do pé. A linha é fraca, por isso a quietude corresponde ao momento e não é um erro. É importante apenas que uma tal natureza fraca não se torne impaciente, mas tenha a perseverança necessária para permanecer quieta.

Seis na segunda posição:
a) Mantendo imóveis as pernas.
Ele não pode salvar aquele a quem segue.
Seu coração não está alegre.
b) "Ele não pode salvar aquele a quem segue",
pois este não se volta para escutá-lo.

A linha a quem o seis na segunda posição segue é o nove na terceira. O seis na segunda posição é correto e central, e não deseja apenas se salvar, mas também aquele a quem segue. Porém, o nove na terceira posição é uma linha forte, numa posição de transição, e é a linha mais baixa do trigrama nuclear Chên, o Incitar; por isso ela é extremamente inquieta. Ao mesmo tempo, encontra-se no trigrama nuclear K'an, o Abismal, que significa dor de ouvido, por isso a alusão a não escutar. K'an é também o símbolo do coração, por isso "seu coração não está alegre".

Nove na terceira posição:
a) Mantendo imóvel o quadril. Rigidez na região do osso sacro.
Perigo. O coração sufoca.
b) "Mantendo imóvel o quadril."
Há perigo de que o coração sufoque.

Esta linha está no meio do trigrama nuclear K'an, por isso a alusão ao coração. Por outro lado, é a única linha luminosa entre duas linhas obscuras, e isso indica perigo e confinamento. A imobilidade numa tal situação é perigosa. Quando as costas são imobilizadas, adquire-se o domínio sobre todo o corpo. Porém, os quadris constituem o limite entre os movimentos dos poderes luminosos e obscuros. Se aqui ocorresse uma rigidez, o coração se movimentaria sem objetivo, os canais nervosos se veriam interrompidos e se poderia temer uma asfixia do coração.

Seis na quarta posição:
a) Mantendo imóvel o tronco.
Nenhuma culpa.
b) "Mantendo imóvel o tronco."
Ele pára, dentro do seu próprio corpo.

A quarta posição é o tronco. Ela é muito fraca e sobre ela encontra-se uma linha fraca. Na época da QUIETUDE é absolutamente correto saber restringir-se no momento certo.

Seis na quinta posição:
a) Mantendo imóveis as mandíbulas. As palavras estão em ordem. O arrependimento desaparece.
b) "Mantendo imóveis as mandíbulas" em virtude do comportamento central e correto.

Enquanto no hexagrama 31, INFLUÊNCIA, os maxilares só aparecem na última posição, aqui são indicados a partir da quinta posição porque a sexta é a do governante.

Esta linha é central e também correta. Mas como pertence ao mesmo tempo ao trigrama Kên, Quietude, e ao trigrama nuclear Chên, movimento, sugere a possibilidade de se mover os maxilares e de se falar como o trovão. Porém, isso é evitado graças à sua condição central e ao fato de pertencer ao trigrama superior Quietude.

O Nove na sexta posição:
a) Quietude magnânima. Boa fortuna!
b) A boa fortuna da quietude magnânima deriva do fato de haver um término amplo.

A linha que finaliza o hexagrama é forte e por isso é considerada ampla. O governante do hexagrama encontra-se no alto da montanha, lá onde as camadas de terra são mais amplamente (densamente) superpostas. Como linha mais alta, ela possui uma luz intrínseca; isto pode prevalecer justamente por causa da quietude da linha. Por isso aqui se atinge a boa fortuna. Como essa linha forte não busca ascender ainda mais, porém se mantém quieta em seu lugar, ela não é desfavorável, em contraste com outras linhas na última posição.[96]

---

[96] As linhas fortes, quando ocupam a última posição, a posição mais alta, tendem a receber um julgamento desfavorável por dois principais motivos: primeiro, pela discrepância de uma linha Yang numa posição Yin, segundo, por a linha Yang tender a ascender e a tentativa de ascensão, quando já se chegou ao alto, representar um anseio desmedido e impossível de se realizar. Cf. o exemplo da linha na última posição no hexagrama 1, Ch'ien, O CRIATIVO. *(Nota da tradução brasileira.)*

漸

53. CHIEN / DESENVOLVIMENTO (PROGRESSO GRADUAL)

☴ Trigramas nucleares: ☲ Li e ☵ K'an

A idéia básica do hexagrama DESENVOLVIMENTO é o casamento de uma jovem. Entre todas as linhas, apenas o seis na segunda posição mantém com o nove na quinta posição uma relação de correspondência. Simboliza a moça que está por casar. Por isso o seis na segunda posição é o governante do hexagrama. Porém, o desenvolvimento tem ainda o significado do progresso e o nove na quinta posição progrediu, ocupa uma alta posição e tem um caráter firme e central; por isso ele também é governante do hexagrama.

SEQÜÊNCIA

As coisas não podem deter-se para sempre, por isso a seguir vem o hexagrama DESENVOLVIMENTO. Desenvolvimento significa progredir.

COLETÂNEA DE INDICAÇÕES

O DESENVOLVIMENTO mostra como a jovem é dada em casamento e nisso deve aguardar as iniciativas do homem.

Assim como o hexagrama 35, Chin, PROGRESSO, e o 46, Sheng, ASCENSÃO, este hexagrama também indica um progresso. Mas enquanto o 35, PROGRESSO, se assemelha ao sol, que se levanta espraiando luz sobre a terra, e o 46, ASCENSÃO, mostra uma árvore que cresce, ascendendo através da terra, no presente caso trata-se de um crescimento lento como o de uma árvore sobre uma montanha.

Por outro lado, este é um dos hexagramas que trata do relacionamento entre homem e mulher e, portanto, está intimamente ligado ao hexagrama 31, Hsien, INFLUÊNCIA. Lá a filha mais moça é influenciada pelo filho mais moço. O efeito é rápido e mútuo, expressando a atração natural entre os sexos. Aqui é a madura filha mais velha que é influenciada pelo filho mais moço. Por isso, neste caso, a ênfase é mais nos costumes e seus efeitos restritivos. Recorda-se aqui o desenvolvimento gradual no caso de um casamento, que no decorrer do tempo requer a realização de seis diferentes ritos. (Cf. o hexagrama seguinte.)

JULGAMENTO

DESENVOLVIMENTO. A jovem é dada em casamento. Boa fortuna! A perseverança é favorável.

COMENTÁRIO SOBRE A DECISÃO

O progresso do DESENVOLVIMENTO significa a boa fortuna do casamento da jovem. Progredindo e assim alcançando a posição correta: ir promove o sucesso.

Progredindo no que é correto: assim se poderá colocar o país em ordem. Sua posição é firme e ele alcançou o centro.

Mantendo-se imóvel e penetrante: isso torna o movimento inesgotável.

O significado do nome do hexagrama é explicado na primeira parte do Julgamento, cujo restante é elucidado com base na estrutura do hexagrama. Os dois governantes do hexagrama, a segunda e a quinta linhas, evidenciam um progresso e, com isso, atingem a posição correta natural. Alcançar a posição apropriada é uma indicação da correta atitude mental. Assim, os empreendimentos têm sucesso e é possível pôr ordem no estado. Aqui se enfatiza a combinação do esforço moral pessoal e da energia necessária para pôr em ordem o estado. O governante do hexagrama, a linha na quinta posição, a posição de comando, que une a força com a correção central, está particularmente qualificada para atingir um tal sucesso. A última parte do comentário trata dos dois trigramas básicos e indica que a calma interior, aliada à adaptabilidade às circunstâncias, é uma fonte inesgotável de progresso. A tranqüilidade é o atributo do trigrama interior Kên, a adaptabilidade é o atributo do trigrama exterior Sun.

IMAGEM

Uma árvore na montanha: a imagem do DESENVOLVIMENTO. Assim, o homem superior mantém-se no caminho da dignidade e da virtude para que haja uma melhora dos costumes.

A árvore sobre a montanha se desenvolve de modo lento e imperceptível. Ela se expande, dá sombra e com sua natureza influencia o meio ambiente. Assim, é um exemplo do poder ativo por meio do qual um homem promove a melhoria dos costumes de seu meio graças ao sério cultivo de suas qualidades morais. A árvore na montanha, assim como a árvore na terra (hexagrama 20, Kuan, A VISTA), representa a influência pelo exemplo. A quietude da montanha é um símbolo da permanência na dignidade e na virtude. O atributo de penetração da madeira (ou do vento) simboliza a influência positiva que emana do bom exemplo.

LINHAS

O hexagrama como um todo refere-se ao matrimônio e, conseqüentemente, a imagem comum a todas as linhas é o ganso selvagem, símbolo da fidelidade conjugal.

Seis na primeira posição:
a) O ganso selvagem aproxima-se gradualmente da margem. O jovem filho está em perigo. Há comentários.
Nenhuma culpa.
b) O perigo que cerca o filho pequeno não implica em culpa.

O trigrama nuclear Li significa um pássaro voando, por isso a imagem do ganso selvagem. A primeira linha está ao lado do trigrama nuclear K'an, o Abismal, por isso o símbolo da margem.

Kên, o trigrama inferior, simboliza o filho mais moço. Ele contém o trigrama nuclear K'an, perigo. Os "comentários" derivam, talvez, do trigrama superior Sun, o vento, que murmura e ressoa.

A linha é maleável e encontra-se em posição firme. Portanto, não é impetuosa em seu avanço e está consciente do perigo. Ainda que os outros façam comentários a seu respeito, ela permanece livre de culpa.

○ Seis na segunda posição:
a) O ganso selvagem dirige-se gradualmente aos rochedos.
Comendo e bebendo em paz e harmonia.
Boa fortuna!
b) "Comendo e bebendo em paz e harmonia."
Ele não come apenas para se fartar.

Kên é a montanha, por isso o símbolo dos rochedos. O trigrama nuclear K'an indica comer e beber. Quando o ganso selvagem encontra comida, ele chama seus companheiros. Esta linha é maleável e está relacionada ao nove na quinta posição, ao qual chama. Ele não come apenas para se satisfazer, mas pensa também nos outros.

Nove na terceira posição:
a) O ganso selvagem dirige-se pouco a pouco ao planalto.
O homem parte e não regressa.
A mulher está grávida, mas não dá à luz.
Infortúnio!
É favorável prevenir-se contra ladrões.
b) "O homem parte e não regressa."
Ele abandona o grupo de companheiros.
"A mulher está grávida mas não dá à luz",
ela perdeu o caminho correto.
"É favorável prevenir-se contra ladrões."
Devoção e mútua proteção.

Esta linha, sendo a mais alta do trigrama Kên, indica o planalto. A linha é forte e ocupa uma posição forte, por isso não é moderada em seu movimento. Simboliza uma pessoa que nunca desiste de seu rumo, que nunca volta atrás. Esta linha está relacionada às duas linhas fortes ao alto, mas não por correspondência. Mais ainda, a linha está ao centro do trigrama nuclear do perigo e por isso separada de seus semelhantes (uma linha obscura acima e outra abaixo). Como a linha não retorna, o trigrama K'un, que se forma abaixo como resultado de sua partida, é deixado sem o filho. Essa linha só possui uma qualidade favorável na medida em que protege contra ladrões as duas linhas fracas que estão abaixo.

Seis na quarta posição:
a) O ganso selvagem dirige-se pouco a pouco à árvore.
Talvez encontre um galho plano.
Nenhuma culpa.
b) "Talvez encontre um galho plano."
Ele tem devoção e é suave.

Esta linha entrou no trigrama superior Sun, madeira, por isso a imagem de aproximar-se pouco a pouco de uma árvore. A árvore, ela própria, não oferece um ponto de apoio ao ganso selvagem, pois suas patas não têm a possibilidade de agarrar. Mas através da adaptabilidade e da devoção ele pode encontrar um galho plano. A linha é fraca e encontra-se em posição fraca, portanto é correta. Então é adaptável e cautelosa e assim encontra temporariamente um lugar de repouso.

O Nove na quinta posição:
a) O ganso selvagem dirige-se pouco a pouco ao cume.
Durante três anos a mulher não tem filhos.
Ao final nada poderá impedi-la.
Boa fortuna.
b) Ao final nada pode impedir a boa fortuna.
Alcança-se o que se deseja.

Esta linha é a governante superior do hexagrama, representando, portanto, o cume do qual o ganso selvagem se aproxima. Ela está relacionada ao governante inferior do hexagrama, o seis na segunda posição; a correspondência entre essas duas linhas é análoga à relação entre marido e mulher. Por isso a idéia de que finalmente a união se realiza. Mas isso demora três anos, pois a linha está separada do seis na segunda posição pelo trigrama nuclear K'an, perigo. Entretanto, a união baseia-se numa afinidade natural; por isso pode ser adiada, mas não definitivamente impedida.

Nove na sexta posição:
a) O ganso selvagem dirige-se pouco a pouco à altura das nuvens.
Suas penas podem ser usadas na dança sagrada.
Boa fortuna!
b) "Suas penas podem ser usadas na dança sagrada.
Boa fortuna."
Não é possível desconcertá-lo.

A posição ao alto representa a região das nuvens. O ideograma Lu, que na realidade significa planalto (cf. o nove na terceira posição), foi escrito erroneamente em lugar de outro ideograma, que designa "as alturas máximas".

O trigrama Sun significa vento. Isso sugere a idéia do vôo através das nuvens. A linha é forte e já se encontra fora dos assuntos do mundo. Ela é vista pelos outros como um exemplo e assim exerce uma influência benéfica. Ela não se envolve mais na confusão dos assuntos do mundo.

As danças mencionadas eram as pantomimas sagradas, nas quais se utilizavam penas de um tipo especial. A idéia básica dessa linha recorda a linha ao alto do hexagrama 20, Kuan, A VISTA. Lá também a linha ela própria permanece fora dos assuntos do mundo, participando apenas como espectadora.

歸妹

54. KUEI MEI / A JOVEM QUE SE CASA

Trigramas nucleares: K'an e Li

O hexagrama A JOVEM QUE SE CASA baseia-se na idéia de que a jovem se casa por iniciativa própria. Ela não tem um bom caráter e por isso se diz no Comentário sobre a Decisão: "Nada que seja favorável. O maleável repousa sobre o rígido". Isso se refere ao seis na terceira posição e ao seis na última posição, que são os dirigentes constituintes do hexagrama. O seis na quinta posição, por outro lado, ocupa o lugar de honra e se associa àqueles que estão abaixo; deste modo ele modifica o que não é bom, convertendo-o em algo benéfico, e transforma o infortúnio em boa fortuna. Por esse motivo o seis na quinta posição é o dirigente governante do hexagrama.

SEQÜÊNCIA

Através do progresso chega-se com certeza ao lugar que nos é adequado. Por isso a seguir vem o hexagrama A JOVEM QUE SE CASA (literalmente: a jovem que passa a ser propriedade).

COLETÂNEA DE INDICAÇÕES

A JOVEM QUE SE CASA mostra o término da condição de donzela.

O hexagrama é julgado de diferentes maneiras. Em épocas mais recentes considerava-se imoral que uma jovem se casasse por iniciativa própria. A tradição exigia que a jovem esperasse pela iniciativa do homem, como acontece no hexagrama anterior. Esse costume remonta aos tempos do patriarcado. Mas o hexagrama tem também, por assim dizer, um significado cósmico: de acordo com a ordenação dos oito trigramas atribuída ao Rei Wên, a Ordem Interna do Mundo,[97] o trigrama superior Chên ocupa o leste e designa a primavera, o começo da vida; o trigrama inferior Tui ocupa o oeste e designa o outono, o término da vida, e os trigramas nucleares K'an e Li representam respectivamente o norte (inverno) e o sul (verão). Portanto, todo o ciclo da vida está contido nesse hexagrama.

JULGAMENTO

A JOVEM QUE SE CASA. Empreendimentos trazem infortúnio. Nada que seja favorável.

---

[97] Cf. cap. II, seç. 5 do Shuo Kua, Discussão dos Trigramas, Livro Segundo. *(Nota da tradução brasileira.)*

COMENTÁRIO SOBRE A DECISÃO

A JOVEM QUE SE CASA descreve o grande significado do céu e da terra. Se o céu e a terra não se unem, todos os seres ficam impossibilitados de prosperar.
A JOVEM QUE SE CASA significa o fim e o começo da humanidade. A alegria no movimento: quem se casa é a jovem.
"Empreendimentos trazem infortúnio."
As posições não são apropriadas.
"Nada que seja favorável."
O maleável repousa sobre o rígido.

Na seqüência dos trigramas na Ordenação Primordial,[98] que corresponde ao mundo das idéias, Ch'ien está ao sul e K'un, ao norte; Li está a leste como sol e K'an, a oeste como lua. Na seqüência da Ordem Interna do Mundo, que corresponde ao universo dos fenômenos, a ação é transferida para os quatro trigramas: Chên (leste), Li (sul), Tui (oeste) e K'an (norte). O sol e a lua aqui tomam o lugar do céu e da terra como forças ativas. O céu, Ch'ien, recolheu-se ao noroeste e o filho mais velho, Chên, no leste, é o gerador da vida. A terra, K'un, retirou-se para o sudoeste e a filha mais moça, Tui, no oeste; rege a colheita e o nascimento. Assim esse hexagrama indica a ordem cósmica das relações entre os sexos e o ciclo da vida.

A interpretação de Liu Yuan no Chou I Hêng Chieh é significativa. Nesse hexagrama ele não vê a jovem (Tui) seguindo ao homem mais velho (Chên), e sim o irmão mais velho (Chên) conduzindo sua irmã mais moça (Tui) a seu marido. Essa interpretação encontra um certo apoio nas palavras atribuídas à quinta linha. Trata-se aqui de reminiscências da época do matriarcado, que foram difundidas no romance popular, de como Chung K'uei concedeu sua irmã em casamento.

A JOVEM QUE SE CASA significa o fim e o princípio da humanidade, assim como Tui no oeste simboliza o outono, o declínio, e Chên no leste, a primavera e a ascensão. Em seguida o comentário explica o nome do hexagrama, citando os atributos dos dois trigramas — alegria (Tui) e movimento (Chên).

O Julgamento do hexagrama, "empreendimentos trazem infortúnio", é derivado da posição das quatro linhas centrais, das quais nenhuma se encontra na posição que lhe é própria. "Nada que seja favorável" resulta da posição do seis na terceira posição, um dos dirigentes do hexagrama, que se encontra acima do nove rígido na segunda posição e dos outros dois dirigentes do hexagrama: o seis na quinta posição e o seis ao alto, que estão ambos sobre o nove rígido na quarta posição.

IMAGEM

O trovão sobre o lago: a imagem da JOVEM QUE SE CASA.
Assim o homem superior toma consciência do transitório à luz da eternidade e do fim.

Tudo chega a seu fim no outono. Quando o trovão está sobre o lago, esse fim está próximo. A eternidade do fim é sugerida pelo trigrama Chên, que surge

---

[98] Cf. cap. II, seç. 3 do Shuo Kua, Discussão dos Trigramas, Livro Segundo. *(Nota da tradução brasileira.)*

do leste (primavera) e conclui sua atividade no oeste (outono), de acordo com leis fixas. Neste momento entra em vigor o poder mortífero do outono, que destrói todas as coisas transitórias. Através do conhecimento dessas leis chega-se àquelas regiões que estão além do princípio e do fim, do nascimento e da morte.

LINHAS

Nove na primeira posição:
a) A jovem que se casa como concubina.
Um aleijado que pode andar.
Empreendimentos trazem boa fortuna.
b) "A jovem que se casa como concubina",
pois isso confere duração.
"Um aleijado que pode andar. Boa fortuna",
pois acolhem um ao outro.

Essa linha está na posição mais baixa, numa posição inferior. Além disso está no trigrama Tui, a filha mais moça; por isso a idéia da concubina. Tui, a filha mais moça, é fraca em relação ao filho mais velho (assim como Tui é fraco diante de Ch'ien no hexagrama 10, Lü, CONDUTA, onde aparece também a imagem do aleijado e de um homem com uma só vista). A linha mais baixa representa o pé, por isso a idéia de um aleijado, uma vez que não há qualquer relacionamento com a quarta linha. O "receber um ao outro" significa que a primeira linha mantém com a segunda uma relação de receptividade e serve a ela assim como à quinta linha; deste modo pode, pelo menos, realizar algo indiretamente, e assim avança.

Nove na segunda posição:
a) Alguém com uma só vista ainda pode ver.
A perseverança de uma pessoa solitária é favorável.
b) "A perseverança de uma pessoa solitária é favorável."
A lei permanente não se modifica.

Esta linha está na posição mais baixa do trigrama nuclear Li, que significa o olho. Ela mantém uma relação de correspondência com a quinta linha, que é fraca; por isso a imagem de alguém com uma só vista. Como a linha é forte e central, não é modificada, apesar de aquele que lhe corresponde ser fraco e não ser bom. Isso sem dúvida conduz o nove na segunda posição à escuridão e à solidão (ele está embaixo do trigrama nuclear K'an, o abismo, e por isso um vale escuro), porém ele não modifica sua atitude diante da lei, permanecendo leal a seu dever.

☐ Seis na terceira posição:
a) A jovem que se casa como escrava.
Ela se casa como concubina.
b) "A jovem que se casa como escrava."
Ela ainda não ocupa a posição adequada.

A linha é fraca em posição forte, portanto não está na posição apropriada. Além disso, encontra-se no ápice do prazer e por este motivo se entrega como o mais baixo tipo de escrava apenas para conseguir, a qualquer preço, um casamento. Ela encontra abrigo como concubina, seguindo o nove na segunda posição.

Nove na quarta posição:
a) A jovem que se casa prorroga o prazo.
Um casamento tardio virá no seu devido momento.

b) A disposição interior que leva a prorrogar o prazo indica o desejo de aguardar algo antes de partir.

Entre as linhas dos trigramas superior e inferior, só a quinta e a segunda mantêm uma relação entre si. Mas enquanto as duas linhas restantes de Tui, estando no trigrama do prazer, também procuram um vínculo matrimonial (mesmo sendo através de um caminho indireto que contorna a segunda linha), as linhas do trigrama superior, que não estão ligadas por nenhuma relação de correspondência, afastam-se da idéia de casamento. Portanto, o nove na quarta posição, além de não ter correspondência no trigrama inferior, não se encontra na posição adequada (linha forte em posição fraca) e está no meio do trigrama nuclear K'an, o perigo. Por isso mantém reserva diante do casamento e, antes de empreender algo, espera até que as condições mudem, com o perigo sendo eventualmente superado através do movimento (Chên). Porém, a nova situação começa apenas depois de terminado o presente ciclo de acontecimentos.

○ Seis na quinta posição:
    a) O soberano I dá sua filha em casamento. As vestes bordadas da princesa não eram tão suntuosas como as da serva.
    A lua, quase cheia, traz boa fortuna.
    b) "O soberano I dá sua filha em casamento. As vestes bordadas da princesa não eram tão suntuosas como as da serva."
    A posição é central e por isso a ação é valiosa.

A posição é central e honrada. Contudo, a linha é maleável e mostra-se condescendente para com o nove forte na segunda posição, assim como uma princesa que desposasse um homem de condição inferior. Assim sendo, em virtude de sua nobreza ela não dá importância alguma à aparência externa e a serva na primeira posição ostenta maior luxo. A imagem da lua aparece porque esta linha está ao alto do trigrama nuclear K'an (lua).

□ Seis na sexta posição:
    a) A mulher segura a cesta que, no entanto, não contém frutos.
    O homem apunhala a ovelha, mas não corre sangue.
    Nada é favorável.
    b) O motivo pelo qual o seis na última posição não tem frutas é porque ele segura uma cesta vazia.

O seis fraco ao alto, no ponto máximo do movimento (Chên), sem relação com uma linha forte, já não tem oportunidade de se casar. Por isso as tentativas de sacrifício são vazias e vãs — o trigrama superior simboliza uma cesta vazia e o trigrama inferior Tui tem como animal a ovelha.

豐

55. FÊNG / ABUNDÂNCIA (PLENITUDE)

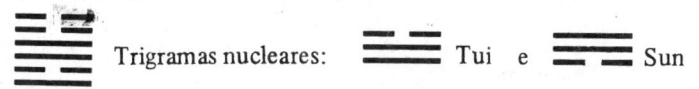

Trigramas nucleares: ☱ Tui e ☴ Sun

O governante do hexagrama é o seis na quinta posição. Quando, no Julgamento, se diz "O rei atinge a abundância. Não fique triste. Seja como o sol ao meio-dia", isso se refere ao seis na quinta posição, pois esta é a posição do rei. A linha é maleável e encontra-se no meio — esta é a natureza do sol ao meio-dia.

SEQÜÊNCIA

Aquele que chega a um lugar onde se encontra em casa, com certeza se tornará grande. Por isso a seguir vem o hexagrama ABUNDÂNCIA. Abundância significa grandeza.

COLETÂNEA DE INDICAÇÕES

ABUNDÂNCIA significa numerosas ocasiões.

Este hexagrama é composto por Chên, que busca ascender, e de Li, que se move na mesma direção. Os trigramas nucleares são o alegre Tui, o lago, e o penetrante Sun, o vento. Vento e água, trovão e relâmpago estão aqui reunidos, e isso indica uma grande força. Há uma culminância, sugerida pelo fato de Chên, cujo movimento é o mais poderoso, estar situado acima. Enquanto o hexagrama 21, Shih Ho, O MORDER, trata da superação de um impedimento, aqui o obstáculo já foi superado. Porém, a culminância da grandeza sugere também o perigo de um retrocesso. A luz é obscurecida em diferentes graus pelo trigrama nuclear Sun, madeira, contido no hexagrama. Este hexagrama é um dos que se refere ao caráter mutável de todas as coisas terrenas. Este é provavelmente o sentido das seguintes palavras: "A ABUNDÂNCIA significa numerosas ocasiões", isto é, ocasiões de preocupação e tristeza.

JULGAMENTO

A ABUNDÂNCIA tem sucesso. O rei atinge a abundância. Não fique triste. Seja como o sol ao meio-dia.

COMENTÁRIO SOBRE A DECISÃO

A ABUNDÂNCIA significa grandeza.
Clareza no movimento, por isso a abundância.
"O rei atinge a abundância", isso enfatiza a grandeza.

"Seja como o sol ao meio-dia."
Deve-se iluminar o dia inteiro.
Quando o sol se encontra ao meio-dia, começa a se pôr; quando a lua está cheia, começa o minguante.
A plenitude e o vazio do céu e da terra crescem e decrescem no decorrer do tempo. Quanto mais verdadeiro é isto quanto aos homens, ou aos espíritos e deuses!

Fêng representa uma época em que a clareza e o progresso geram grandeza e prosperidade na vida pública. Para isso é preciso uma personalidade forte, que lidere e atraia a si outras pessoas de natureza semelhante. Por isso não se considera a relação de correspondência entre as linhas e sim a relação de similitude (cf. o nove inicial com o nove na quarta posição, assim como o seis na segunda e o seis na quinta posição). Porém, uma época de tão grande florescimento cultural encerra também perigos ocultos. Pois, de acordo com a lei universal dos acontecimentos, todo aumento é seguido por uma diminuição, a toda plenitude se segue um vazio. Há um só meio de estabelecer fundamentos firmes em épocas de grandeza: a expansão espiritual. Toda limitação acarreta uma amarga retribuição. A abundância só pode perdurar se círculos cada vez maiores são chamados a compartilhá-la; pois só então o movimento pode prosseguir sem se transformar no seu oposto.

IMAGEM

Trovão e relâmpago surgem: a imagem da ABUNDÂNCIA.
Assim o homem superior decide processos e executa as penas.

A Imagem é imediatamente compreensível, principalmente quando associada ao hexagrama 21, MORDER. Ambos os trigramas Li, clareza, e Chên, choque, pavor, fornecem os pré-requisitos para se clarear a atmosfera através da tempestade de um processo penal.

LINHAS

Nove na primeira posição:
a) Quando um homem encontra o governante que lhe é destinado podem permanecer juntos dez dias, e isso não será um erro. Ir provoca o reconhecimento.
b) "Podem permanecer juntos dez dias e isso não será um erro."
Mais do que dez dias seria prejudicial.

A linha é forte e clara. O governante que lhe é destinado e que se lhe assemelha é o nove na quarta posição. A palavra hsün significa um espaço de tempo de dez dias, um ciclo completo. Apesar da condição de ABUNDÂNCIA, pode-se permanecer junto a um amigo de natureza semelhante durante um ciclo inteiro, sem temer estar cometendo uma falha. Por isso pode-se ir procurá-lo, sem hesitar, mesmo que ele ocupe uma posição elevada. Entretanto, o comentário adverte que não se deve exceder este período e aferrar-se a ele após concluída a tarefa. Isto seria prejudicial. É preciso saber parar no momento certo, principalmente em épocas de abundância.

Os intérpretes do período Sung dão à palavra hsün o sentido de "similar", de modo que seria uma ênfase adicional a "p'ei" — "de natureza semelhante, destinado a alguém".

Seis na segunda posição:
a) A cortina é tão densa que se pode ver a estrela polar ao meio-dia.
Seguir adiante provocará desconfiança e ódio.
Se o despertarem através da verdade, a boa fortuna virá.
b) "Se o despertarem através da verdade", ou seja, deve-se despertar sua vontade através da lealdade.

O trigrama nuclear Sun, madeira, obscurece as linhas que cobre, porém aqui, e no caso do nove na quarta posição o obscurecimento é menor do que o do nove na terceira, o centro, onde é particularmente forte. Como a segunda linha é fraca, encontra apenas dúvida e ódio quando se dirige ao príncipe que lhe corresponde, o seis na quinta posição, que também é fraco. Porém, como é central e correta, o poder da verdade interior lhe possibilitará superar a separação e despertar a vontade do governante.

Nove na terceira posição:
a) O arbusto é tão denso que se vêem pequenas estrelas ao meio-dia. Ele quebra seu braço direito.
Nenhuma culpa.
b) "O arbusto é tão denso" que não se pode realizar grandes negócios. "Ele quebra seu braço direito": ao final não se deve tentar fazer nada.

Aqui o obscurecimento atingiu a culminância. O trigrama nuclear Sun reúne-se ao trigrama nuclear Tui, lago, e isso restringe a possibilidade de realizar grandes coisas. Tui significa quebrar. O braço direito é indicado pelo seis na última posição que, de acordo com as relações existentes nesse hexagrama, não pode ser levado em consideração como auxiliar do nove forte na terceira posição. Se, reconhecendo esta impossibilidade, ele se abstém de agir, permanece sem culpa.

A palavra "p'ei" traduzida por "arbusto" também significa uma massa de água, e a palavra "mo", traduzida por "pequenas estrelas", também significa espuma, chuvisco. Entretanto, a interpretação dada acima parece mais adequada ao contexto.

Nove na quarta posição:
a) A cortina é tão densa que se pode ver a estrela polar ao meio-dia. Ele encontra seu governante, o qual se lhe assemelha.
Boa fortuna!
b) "A cortina é tão densa"; a posição não é apropriada.
"Pode-se ver a estrela polar ao meio-dia."
Ele é obscuro e não transmite luz.
"Ele encontra seu governante, o qual se lhe assemelha.
Boa fortuna!" Isso significa ação.

A primeira frase é a mesma que a do seis na segunda posição; lá se tem o começo e aqui, o fim do trigrama nuclear Sun, a madeira. "A posição não é apropriada", porque esta é uma linha firme numa posição maleável. A linha já não se encontra no trigrama Li, portanto não é mais de natureza luminosa. A luz está embaixo. Entretanto, através do movimento a quarta linha pode encontrar a primeira linha que lhe é semelhante, ou seja, é igualmente forte. Assim, a luz vem através da ação (a primeira linha é luminosa porque se encontra no trigrama Li) e, com ela, a boa fortuna.

○ Seis na quinta posição:
a) Linhas chegam, bênçãos e fama se aproximam.
Boa fortuna!
b) A boa fortuna do seis na quinta posição provém do fato de ele distribuir bênçãos.

Esta linha está relacionada ao seis na segunda posição. Lá se usa a expressão "seguir adiante"; aqui diz-se "chegar". As linhas representam a força luminosa e clara que se aproxima, em virtude do trigrama Li, luz, cuja linha central é o seis na segunda posição, possibilitando, assim, as bênçãos e a fama.

Seis na sexta posição:
a) Sua casa encontra-se na abundância.
Ele esconde sua família. Espreita através do portão e já não percebe mais ninguém.
b) "Sua casa encontra-se na abundância",
ele voa pelas fronteiras do céu.
"Espreita através do portão e já não percebe mais ninguém."
Ele se esconde.

A linha fraca no ponto mais alto do movimento vai longe demais. Assim, ela parece subir numa ascensão contínua, mas por isso mesmo perde cada vez mais seu apoio e se afasta mais e mais da luz; o que se intensifica pelo fato de ela própria obscurecer o nove na terceira posição. Deste modo, o seis na última posição cai numa situação desesperada e solitária pela qual ela própria é a única responsável.

56. LÜ / O VIAJANTE

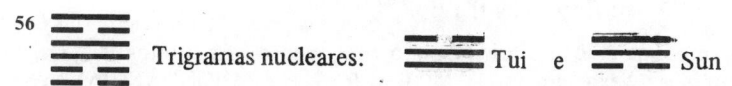

Trigramas nucleares: Tui e Sun

O governante do hexagrama é o seis na quinta posição, por isso se diz no Comentário sobre a Decisão: "O maleável alcança o centro no exterior". E mais adiante: "Mantendo a quietude e aderindo à clareza". A quinta linha está situada no trigrama exterior. Isto simboliza o viajante em terras estranhas. Encontra-se na posição central como governante do trigrama Li. Isto simboliza alcançar o centro e aderir à clareza.

SEQÜÊNCIA

Seja o que for aquilo em que a grandeza se esgote, uma coisa é certa: perde seu lar. Por isso a seguir vem o hexagrama O VIAJANTE.

COLETÂNEA DE INDICAÇÕES

Aquele que tem poucos amigos, este é O VIAJANTE.

Este hexagrama está organizado de tal modo que os dois trigramas básicos têm tendências divergentes. A chama (Li) dirige-se ao alto, a montanha (Kên) pressiona em direção para baixo. Sua união é apenas temporária. A montanha é a hospedaria, o fogo é o viajante que não se demora nela mas deve seguir adiante. Este hexagrama é o inverso do precedente.

JULGAMENTO

O VIAJANTE. Sucesso através do que é pequeno.
A perseverança traz boa fortuna ao viajante.

COMENTÁRIO SOBRE A DECISÃO

"O VIAJANTE. Sucesso através do que é pequeno."
O maleável alcança o centro no exterior e submete-se ao firme. Mantendo a quietude e aderindo à clareza, por isso sucesso no que é pequeno. "A perseverança traz boa fortuna ao viajante." O significado da época do viajante é verdadeiramente grande.

O governante do hexagrama é o seis na quinta posição. Ele é maleável e por isso representa o recato, a ausência de pretensão. Encontra-se ao meio e por isso não pode ser humilhado, apesar de estar no exterior, no estrangeiro. Ele se subordina às linhas firmes acima e abaixo; com isto não provoca infortúnio. O trigrama inferior Kên indica quietude, reserva interna, enquanto que o trigrama superior Li sugere adesão a coisas externas. Um viajante numa terra estranha não consegue encontrar facilmente um lugar adequado para si; por isso é uma grande coisa se perceber o significado do momento.

IMAGEM

Fogo sobre a montanha: a imagem do VIAJANTE.
Assim o homem superior é claro e cauteloso ao aplicar castigos e não prolonga os litígios.

Em geral, quando a claridade e o movimento vêm juntos, trata-se de processos criminais (hexagramas 21, MORDER, e 55, ABUNDÂNCIA). Aqui também há clareza no trigrama superior; a calma da montanha indica a cautela ao impor penalidades. A rapidez ao despachar assuntos penais também está indicada na relação mútua dos dois trigramas. O fogo não se demora sobre a montanha, mas passa por ela rapidamente.

LINHAS

Seis na primeira posição:
a) Se o viajante se ocupa de coisas banais, atrai sobre si a desgraça.
b) "Se o viajante se ocupa de coisas banais",
esgota sua vontade e isso é uma infelicidade.

Esta é uma linha fraca, na base mesmo do trigrama Kên; por isso a sugestão de coisas mesquinhas e triviais. Kên indica a quietude. A linha está muito afastada do trigrama Li, clareza, e por isso não tem amplitude de visão e esgota sua força de vontade em trivialidades. Por isso sua ligação com o nove na quarta posição não tem um efeito esclarecedor e sim prejudicial, do mesmo modo que, ao longo de todo o hexagrama, o fogo é considerado como uma força que consome e causa danos.

Seis na segunda posição:
a) O viajante chega a uma hospedaria.
Traz consigo seus pertences. Ele conquista a perseverança de um jovem servidor.
Isto, ao final, não é um erro.
b) "Ele conquista a perseverança de um jovem servidor."
Isto, ao final, não é um erro.

Esta linha é maleável e central, está no meio do trigrama Kên, que significa porta e cabana; por isso o símbolo de uma hospedaria. O trigrama nuclear Sun significa mercado e ganhos; por isso a idéia de que ele "traz consigo seus pertences". O jovem servidor é o seis na primeira posição.

Nove na terceira posição:
a) A hospedaria do viajante incendiou-se.
Ele perde a perseverança de seu jovem servidor.
Perigo.
b) "A hospedaria do viajante incendiou-se."
Isto é para ele uma perda pessoal. Se ele trata seu subordinado como se fosse um estrangeiro, é correto que o perca.

A linha é demasiado rígida, pois é forte e ocupa uma posição forte. Por isso não tem devoção a seu superior e, portanto, este não o ajuda e sua morada se incendeia. Devido à sua rigidez, ele não é amável para com seus subordinados e perde sua afeição leal, o que, naturalmente, significa perigo. A linha encontra-se ao alto do trigrama Kên, que significa cabana, e Li, o fogo, está imediatamente acima: a idéia da cabana que se incendeia. O servidor é o seis na primeira posição.

Nove na quarta posição:
a) O viajante descansa num abrigo.
Ele obtém sua propriedade e um machado.
Meu coração não está contente.
b) "O viajante descansa num abrigo."
Ele ainda não atingiu o seu lugar.
"Ele obtém sua propriedade e um machado",
entretanto em seu coração ele ainda não está contente.

O abrigo é apenas temporário, pois a linha está fora do trigrama Kên. Ela descansa apenas por um curto período, pois ainda não alcançou o seu verdadeiro lugar (a linha é forte e a posição, fraca). Apesar de possuir propriedades, ela também precisa de um machado para se defender (Li significa armas e o trigrama nuclear Tui indica também o metal e danos). Por isso, seu coração ainda não está contente.

○ Seis na quinta posição:
a) Ele atira num faisão. Ele cai à primeira flechada.
Ao final ele se eleva através de elogios e de um cargo.
b) Ao final ele se eleva através de elogios e de um cargo.

Esta linha, que é maleável e ocupa uma posição central no exterior,[99] representa o viajante. Por ser central e ter devoção, ele consegue encontrar amigos abaixo (nove na quarta posição) e um cargo acima (nove na sexta posição). Deste modo ele se eleva.

O trigrama Li significa um faisão e armas. O trigrama nuclear Tui é o metal, por isso a idéia de atirar. Tui é também a boca, por isso os elogios.

Chu Hsi interpreta a segunda frase como "uma flecha é perdida", o que também é possível do ponto de vista gramatical.

Nove na sexta posição:
a) O ninho do pássaro é incendiado. Primeiro o viajante ri, mas depois há de lamentar-se e chorar.
Por um descuido perde sua vaca.
Infortúnio!
b) Estar ao alto na condição de viajante leva com razão a ser incendiado.
"Por um descuido perde sua vaca."
Ao final ele não escuta.

A linha forte ao alto, cujo movimento além do mais tende a ascender, perde suas bases. Com isso, toda a euforia conduz somente a perdas, pois a linha negligenciou demais os deveres de um viajante e nem mesmo as injúrias tornaram-na mais sábia.

Li é um pássaro, e também a chama. A posição está ao alto, acima do trigrama nuclear Sun; por isso a imagem de um ninho. O riso deriva do trigrama nuclear Tui, que indica a alegria e a boca. O lamento procede da força destrutiva que jaz oculta em Tui. Li é a vaca; ela é perdida em virtude da euforia e descuido numa posição elevada. Não há esperança para essa linha; ela é incapaz de ser razoável porque aspira cada vez mais por ascender, sem se preocupar em retornar.

---

[99] O trigrama superior representa o âmbito externo. *(Nota da tradução brasileira.)*

巽

57. SUN / A SUAVIDADE (O PENETRANTE, VENTO)

Trigramas nucleares: ☲ Li e ☱ Tui

Apesar de este hexagrama ser determinado pelas duas linhas Yin, há apenas um hexagrama feminino, Li, O ADERIR, no qual as linhas Yin são governantes, pois se encontram ao centro. As duas linhas Yin aqui são diretrizes constituintes do hexagrama, mas não podem ser consideradas como diretrizes governantes. A diretriz governante é o nove na quinta posição, pois só aquele que se encontra em posição de honra pode "transmitir a todos suas ordens e executar seus empreendimentos". Por isso, quando no Comentário sobre a Decisão se diz "O firme penetra ao centro, no que é correto, e sua vontade se cumpre", isso se refere à quinta linha.

SEQÜÊNCIA

O viajante não tem nada que o acolha, por isso a seguir vem o hexagrama SUAVIDADE, O PENETRANTE. A SUAVIDADE significa introduzir-se.

Isto significa que o viajante, em seu desamparo, não tem onde ficar, e por isso segue-se Sun, o hexagrama da volta ao lar.

COLETÂNEA DE INDICAÇÕES

A SUAVIDADE significa curvar-se.

A linha obscura está abaixo, curvando-se ao se colocar sob as linhas luminosas, e através deste suave curvar-se consegue penetrar entre as linhas fortes.

JULGAMENTOS ANEXOS

O hexagrama A SUAVIDADE mostra o exercício do caráter. A SUAVIDADE permite avaliar as coisas e permanecer oculto. Através da SUAVIDADE se pode levar em consideração circunstâncias excepcionais.

O suave penetrar torna o caráter capaz de influenciar o mundo externo e de ganhar controle sobre ele. Pois deste modo se pode compreender as coisas em sua essência, sem precisar se pôr em evidência. Nisso reside o poder da influência. Partindo desta posição, pode-se abrir as exceções exigidas pelo momento, sem ser inconseqüente.

A posição de Sun, entre os oito trigramas, é a sudoeste, entre a primavera e o verão; isto significa o fluir dos seres para suas formas, o batismo e a vivificação.

JULGAMENTO

A SUAVIDADE. Sucesso através do que é pequeno.
É favorável ter onde ir. É favorável ver o grande homem.

COMENTÁRIO SOBRE A DECISÃO

O penetrar repetido, de modo a transmitir ordens. O firme penetra ao centro, no que é correto, e sua vontade se cumpre. Ambas as linhas maleáveis se submetem ao forte, por isso se diz: "Sucesso através do que é pequeno. É favorável ter onde ir. É favorável ver o grande homem".

Este hexagrama é constituído pela repetição do trigrama Sun nas posições básicas. Sun significa por um lado suavidade, adaptabilidade, e por outro, penetração. Ao se emitir ordens, é da máxima importância que elas penetrem realmente na consciência dos subordinados. Isso se realiza pela adaptação das ordens à sua capacidade de compreensão. Uma dupla penetração é necessária: em primeiro lugar, a penetração das ordens nos sentimentos dos subordinados, dispersando o mal que se esconde em esconderijos secretos, assim como o vento dispersa as nuvens. Em segundo lugar, uma penetração ainda mais profunda, ao fundo da consciência, onde o bem que se encontra oculto deve ser despertado. Para que se possa consegui-lo, as ordens devem ser dadas repetidas vezes.[100]

O texto é ainda explicado utilizando-se a estrutura do hexagrama. A linha forte que penetrou ao centro (que é, para ela, a posição correta) é o nove na quinta posição; por isso, sua vontade se realiza e é favorável empreender algo. As linhas maleáveis na primeira e quarta posições obedecem ao forte governante do hexagrama, o qual está acima. Assim sendo, o sucesso está ligado ao pequeno, para o qual é favorável ver o grande homem (o nove na quinta posição).

IMAGEM

Ventos que se sucedem: a imagem da SUAVIDADE PENETRANTE. Assim o homem superior transmite a todos suas ordens e executa seus empreendimentos.

Dos dois ventos, o primeiro dispersa as resistências, "transmite a todos suas ordens", e o segundo realiza o trabalho, "executa seus empreendimentos".

LINHAS

☐ Seis na primeira posição:
a) Ao avançar e ao retroceder, é favorável a perseverança de um guerreiro.
b) "Ao avançar e ao retroceder", a vontade vacila.
"É favorável a perseverança de um guerreiro",
a vontade é controlada.

[100] Cf. a moderna teoria da natureza da sugestão.

Essa linha é maleável e está na posição mais baixa do signo da suavidade,[101] por isso a indecisão. Mas ao subordinar-se à linha forte, que está acima, encontra o apoio da disciplina militar.

> Nove na segunda posição:
> a) Penetração sob a cama. Sacerdotes e magos são utilizados em grande número.
> Boa fortuna! Nenhuma culpa!
> b) A boa fortuna do grande número se deve ao fato de se ter alcançado o centro.

A linha é firme mas central, por isso indica boa fortuna. O trigrama Sun significa a madeira e a linha dividida abaixo significa os pés; por isso a imagem da cama. O trigrama nuclear Tui significa a boca e o mago. Submetendo-se ao forte governante do hexagrama, cuja natureza é semelhante à sua, a linha pode prestar-lhe ajuda na transmissão das ordens, pois penetra nos mais secretos recantos. Os sacerdotes são os intermediários entre os homens e os deuses; os magos são os intermediários entre os deuses e os homens. Temos aqui a penetração nas esferas do mundo visível e do invisível, o que possibilita que tudo seja posto em ordem.

> Nove na terceira posição:
> a) Penetração repetida. Humilhação.
> b) A humilhação da penetração repetida provém do fato de que a vontade se esgota.

A terceira posição está no meio dos dois trigramas Sun; um trigrama termina e o outro começa; por isso a penetração repetida. O nove na terceira posição é demasiado rígido e não é central. Apesar deste caráter não ser adequado à penetração suave no cerne das coisas, ainda assim a tentativa é feita. Isso não leva a nenhum resultado. Tudo permanece num estado de irresoluta hesitação.

> ☐ Seis na quarta posição:
> a) O remorso desaparece. Durante a caçada três espécies de caça são capturadas.
> b) "Durante a caçada três espécies de caça são capturadas." Isso é meritório.

O trigrama nuclear Li significa armas e, por isso, se fala em caçada. O seis na quarta posição é correto, submete-se ao governante e leva a ele as três linhas precedentes. Desse modo ele adquire mérito e afasta o arrependimento que poderia ser ocasionado pela fraqueza excessiva.

> O Nove na quinta posição:
> a) A perseverança traz boa fortuna.
> O arrependimento desaparece.
> Nada que não seja favorável.

---

[101] Como Wilhelm usa o termo "Zeichen" para designar tanto os trigramas como os hexagramas (em chinês se usa o termo Kua para designar ambas as estruturas), só se pode identificar se o termo se refere a uma ou outra coisa à luz do contexto. Aqui, entretanto, ambos os sentidos são possíveis, pois esta linha se encontra tanto na posição mais baixa do trigrama básico inferior Sun, Suavidade, como também na posição mais baixa do hexagrama, considerado como um todo. Assim sendo, mantivemos o termo "signo" (Zeichen) designando ambas as estruturas, o trigrama e o hexagrama. *(Nota da tradução brasileira.)*

Nenhum começo, porém um fim.
Antes da mudança, três dias.
Depois da mudança, três dias.
Boa fortuna!
b) A boa fortuna do nove na quinta posição decorre do fato de a posição ser correta e central.

Esta linha, o governante do hexagrama, está ao centro do trigrama superior; por isso ela é a fonte do influir através das ordens, que é a ação que caracteriza o hexagrama. Em contraste com o hexagrama 18, Ku, TRABALHO SOBRE O QUE SE DETERIOROU, onde se trata de compensar o que o pai e a mãe estragaram, no presente caso se descreve o trabalho nos assuntos públicos. Tal trabalho se caracteriza não pelo amor que encobre as falhas, e sim pela justiça imparcial, simbolizada pelo oeste (metal, outono), ao qual está associado o signo Kêng — o sétimo signo cíclico, que foi traduzido por "mudança".

Para impor os comandos é preciso primeiro abandonar o falso começo, para então alcançar um bom término, por isso a expressão "Nenhum começo, porém um fim". Esta frase foi elaborada a partir do seguinte comentário: "Antes do signo Kêng, três dias; após o signo Kêng, três dias". Trata-se, portanto, de uma decidida eliminação de algo que se desenvolveu como um mau começo. Três "dias" antes de Kêng o verão chega a seu término; três "dias" após Kêng chega o inverno, o final do ano. Portanto, ainda que o começo não tenha sido atingido, pelo menos o fim é passível de ser alcançado. (Ao contrário do hexagrama 18, que se encontra entre o fim e o começo.)

Nove na sexta posição:
a) Penetração debaixo da cama.
Ele perde seus bens e seu machado.
A perseverança traz infortúnio.
b) "Penetração debaixo da cama."
Acima, o fim chega.
"Ele perde seus bens e seu machado."
Isso será correto? Isso traz infortúnio.

A segunda linha, ao penetrar embaixo da cama, estabelece a ligação entre o que está acima e o que está abaixo, e assim põe tudo em ordem. Entretanto, aqui a penetração embaixo da cama significa apenas dependência e instabilidade. Assim, a linha perde o que possui de firmeza (a linha que em si mesma é forte perde sua força porque se encontra no ápice do signo da Suavidade[102]), bem como o seu machado (o trigrama nuclear Tui significa metal), de modo que já não é mais capaz de tomar nenhuma decisão. Persistir em tal atitude é definitivamente nocivo.

---

[102] Com a sexta posição ocorre algo semelhante ao que se passa com a primeira linha. A sexta posição está simultaneamente ao alto do trigrama básico superior Suavidade e também ao alto do hexagrama SUAVIDADE, considerado como um todo. Por isso aqui também se aplica o que foi dito na nota 101. *(Nota da tradução brasileira.)*

58. TUI / ALEGRIA (LAGO)

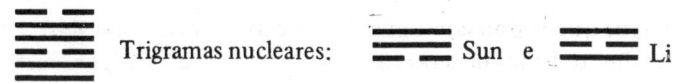

Trigramas nucleares: Sun e Li

As duas linhas Yin são as diretrizes constituintes do hexagrama porque são incapazes de agir como diretrizes governantes. A segunda e a quinta linhas são, então, as diretrizes governantes. Por isso se diz no Comentário sobre a Decisão: "O firme está ao meio e o maleável está no exterior. Alegria e perseverança são favoráveis".

SEQÜÊNCIA

Quando o homem penetrou em algo, ele se alegra.
Por isso a seguir vem o hexagrama ALEGRIA.
Alegria significa estar contente.

COLETÂNEA DE INDICAÇÕES

A ALEGRIA é manifesta.

Tui é o lago, que alegra e refresca todos os seres. Tui é ainda a boca. Quando os homens alegram uns aos outros através de seus sentimentos, isso se manifesta pela boca. A linha Yin se manifesta acima de duas linhas Yang: isso indica como os dois princípios se alegram um ao outro e como isso se manifesta no exterior. Por outro lado, Tui está ligado ao oeste e ao outono. Seu "estado de mutação" é o metal. A qualidade cortante e destrutiva é o outro lado desse significado. Este hexagrama é o inverso do precedente.

JULGAMENTO

A Alegria. Sucesso.
A perseverança é favorável.

COMENTÁRIO SOBRE A DECISÃO

A ALEGRIA significa prazer. O firme está ao meio, o maleável está no exterior. Ser alegre e nisso perseverar — eis o que é favorável; assim o homem se submete ao céu e se põe em acordo com as outras pessoas.

Quando se conduz as pessoas de modo alegre, elas esquecem suas dificuldades. Quando se enfrenta os problemas de modo alegre, o povo se esquece da morte. O mais importante quando se alegra as pessoas é que elas se disciplinam umas às outras.

O firme ao centro são as linhas na segunda e na quinta posições, enquanto que o maleável no exterior são o seis na terceira e o seis na última posição. Esta é a alegria correta: firmeza interior e suavidade exterior. Essa alegria é também o melhor meio de governar.

IMAGEM

Lagos que repousam um sobre o outro: a imagem da ALEGRIA. Assim o homem superior reúne-se a seus amigos para debater e praticar.

Tui significa o lago e também a boca. A repetição da boca significa um debate amplo e a repetição do lago indica o exercício.

LINHAS

Nove na primeira posição:
a) Alegria contente.
Boa fortuna!
b) A boa fortuna da alegria contente consiste no fato de o caminho ainda não ter se tornado dúbio.

A firmeza e a modéstia são os requisitos para uma alegria harmônica. Ambos são preenchidos pela linha forte numa posição baixa. Quando o luminoso está ligado ao obscuro, surgem várias dúvidas e escrúpulos que perturbam a alegria. A linha na primeira posição ainda está afastada de tais complicações, por isso a boa fortuna lhe é assegurada.

O Nove na segunda posição:
a) Alegria sincera. Boa fortuna.
O arrependimento desaparece.
b) A boa fortuna da alegria sincera consiste em ter confiança na própria vontade.

Essa linha está muito próxima à terceira linha obscura, por isso podem surgir dúvidas e arrependimento. Porém, como é central e firme, a sinceridade de sua natureza e de sua posição prevalecem. Ela confia em si mesma, é sincera para com os outros e por isso encontra confiança.

☐ Seis na terceira posição:
a) Alegria que chega.
Infortúnio!
b) O infortúnio da alegria que chega
decorre do fato de sua posição não ser adequada.

Uma linha fraca numa posição forte no ponto máximo da alegria: aqui falta controle. Quando um homem se abre às distrações provenientes do exterior, estas fluem para ele e forçam sua entrada. Então o infortúnio é certo, porque ele se deixa subjugar pelos prazeres que atraiu.

Nove na quarta posição:
a) A alegria que avalia, não está tranqüila.
Depois de se livrar dos erros, um homem encontra a alegria.
b) A alegria do nove na quarta posição traz bênçãos.

A linha está entre o governante forte, o nove na quinta posição, com o qual tem relação de receptividade, e o seis maleável na terceira posição, que mantém com esta linha uma relação de solidariedade, e que tenta seduzi-la. Entretanto, apesar de a pessoa aqui representada ainda não ter alcançado paz nessa posição, possui suficiente força interna para decidir a quem deseja seguir para romper os vínculos com o seis na terceira posição. Disso resulta a boa fortuna e as bênçãos para ela e para os outros.

○ Nove na quinta posição:
a) Ser sincero para com influências destrutivas é perigoso.
b) "Ser sincero para com influências destrutivas",
a posição é correta e apropriada.

A influência destrutiva é representada pelo seis na última posição. O nove na quinta posição, forte e correto, tende a confiar na linha de cima. Isto é perigoso. Porém, esse perigo pode ser evitado, pois em virtude de sua natureza e posição, essa linha é forte o suficiente para superar essas influências.

□ Seis na sexta posição:
a) Alegria sedutora.
b) A razão pela qual o seis ao alto seduz ao prazer é que ele carece de luz.

Essa linha é semelhante ao seis na terceira posição. Mas enquanto aquele se encontra no trigrama interior e atrai com o seu desejo os prazeres, o seis na última posição está no ápice do trigrama externo e tenta os outros ao prazer. A "alegria sedutora" não se refere à pessoa que consulta o oráculo, mas mostra a situação com a qual se defronta. Cabe a ela decidir se se deixa seduzir. Mas é importante estar alerta diante de tais situações dúbias.

Há uma interpretação um tanto diferente para o texto do item *a)*, que também se baseia na literatura chinesa sobre o I Ching.

渙

59 HUAN / DISPERSÃO (DISSOLUÇÃO)

Trigramas nucleares: ☶ Kên e ☳ Chên

O governante do hexagrama é o nove na quinta posição, pois só aquele que ocupa uma posição de honra é capaz de trazer ordem a uma dispersão que se estende pelo mundo. Entretanto, o nove na segunda posição está no interior para reforçar as fundações, e o seis na quarta posição mantém com o nove na quinta uma relação de receptividade, de modo a completar o trabalho da mesma. Portanto, essas duas linhas têm uma função importante no interior do hexagrama. Por isso se diz no Comentário sobre a Decisão: "O firme chega e não se esgota. O maleável recebe um lugar no exterior e o que está acima encontra-se em harmonia com ele".

SEQÜÊNCIA

Após a alegria vem a dispersão. Por isso a seguir vem o hexagrama DISPERSÃO. Dispersão significa separar-se.

COLETÂNEA DE INDICAÇÕES

DISPERSÃO significa separar-se.

JULGAMENTOS ANEXOS

Eles escavavam troncos para construir barcos e endureciam madeiras no fogo para fazer remos. A utilidade dos barcos e dos remos consistia em facilitar as comunicações. Provavelmente inspiraram-se para isso no hexagrama DISPERSÃO.

Este hexagrama tem um duplo significado: o primeiro é sugerido pela imagem do vento sobre a água, que indica a dissolução do gelo e da rigidez. O segundo significado é a penetração; Sun penetra em K'an, o Abismal, o que indica a dispersão, a divisão. Em contraposição a esse processo de dispersão apresenta-se a tarefa de uma reunião; este significado também está contido no hexagrama.

A imagem da "madeira sobre a água" sugere a idéia de um barco.

JULGAMENTO

DISPERSÃO. Sucesso. O rei aproxima-se de seu templo.
É favorável atravessar a grande água.
A perseverança é favorável.

COMENTÁRIO SOBRE A DECISÃO

"DISPERSÃO. Sucesso." O firme chega e não se esgota. O maleável recebe um lugar no exterior e o que está acima encontra-se em harmonia com ele.
"O rei aproxima-se de seu templo."
O rei está no centro.
"É favorável atravessar a grande água."
Confiar na madeira traz méritos.

"Chegar" refere-se à posição no interior, isto é, no trigrama básico inferior, enquanto que "ir" refere-se à posição no exterior, ou seja, no trigrama superior. O elemento firme que vem é o nove na segunda posição. Ocupando a posição central do trigrama inferior ele cria, para o princípio luminoso que se encontra entre as linhas obscuras, uma base de atividade que é inesgotável como a água (K'an). O maleável que obtém um lugar no exterior e age em harmonia com aquele que está acima é o seis na quarta posição, que ocupa o lugar do ministro. A ação simbolizada pelo hexagrama está baseada nas relações recíprocas entre as linhas na quarta, quinta e segunda posições.

O rei ao centro é o nove na quinta posição. Sua posição central explica a concentração interna, que o torna capaz de manter reunidos os elementos que tendem a se dispersar. O templo é sugerido pelo trigrama nuclear superior Kên, cujo significado é a montanha e a casa. A idéia de atravessar a grande água deriva de Sun (madeira) e K'an (água).

IMAGEM

O vento sopra sobre as águas: a imagem da DISPERSÃO. Assim os reis da antiguidade ofereciam sacrifícios ao Senhor e construíam templos.

Aqui indica-se mais uma vez um esforço interno para manter unido, através da prática da religião, aquilo que exteriormente se está separando. A tarefa em pauta consiste na preservação da conexão entre Deus e o homem e entre os ancestrais e seus descendentes. Aqui também a imagem do templo é sugerida pelo trigrama nuclear Kên. Finalmente, a idéia de entrada é sugerida pelo trigrama Sun e a idéia da escuridão, pelo trigrama K'an.

LINHAS

Seis na primeira posição:
a) Ele traz ajuda com a força de um cavalo.
b) A boa fortuna do seis na primeira posição é baseada em sua devoção.

O cavalo forte é o nove na segunda posição. K'an significa um cavalo forte, com um belo quarto traseiro. O seis inicial é fraco, ocupa uma posição baixa e não tem forças ele próprio para pôr fim à dissolução. Porém, como a linha se encontra apenas no começo da dissolução, é relativamente fácil socorrê-la. O forte nove central na segunda posição vem em seu auxílio, o seis inicial se submete e associa-se a ele no serviço do governante na quinta posição.

☐ Nove na segunda posição:
a) Durante a dispersão ele corre em direção ao que lhe dá apoio. O arrependimento desaparece.

b) "Durante a dispersão ele corre em direção ao que lhe dá apoio", e assim ele alcança o que deseja.

O trigrama nuclear Chên significa o pé e um correr veloz. O apoio com o qual esta linha pode contar é o do governante forte na quinta posição, de natureza semelhante à sua. Pelo fato de o homem representado pelo nove na segunda posição procurar o príncipe por sua própria iniciativa, poder-se-ia ter um motivo de arrependimento. Mas ele é forte e central e sua conduta inusitada é motivada por uma época de exceção. Ele não age por motivos egoístas, mas deseja eliminar a dissolução e, juntamente com o nove na quinta posição, ao final o consegue.

Seis na terceira posição:
a) Ele dissolve seu ego. Nenhum arrependimento.
b) "Ele dissolve seu ego."
Sua vontade está dirigida ao exterior.

A linha é fraca numa posição forte e por isso se poderia esperar o remorso. Mas é a única linha do trigrama interno que mantém uma relação de correspondência com uma linha do trigrama externo. Por isso, sua vontade está dirigida ao exterior. Ao alto do trigrama da água ela está em contato direto com o trigrama do vento; por isso a idéia de dissolução ligada à sua própria pessoa e, conseqüentemente, a ausência de remorso.

☐ Seis na quarta posição:
a) Ele se separa de seu grupo.
Sublime boa fortuna!
Através da dispersão chega-se à acumulação.
Os homens comuns não pensam nisso.
b) "Ele se separa de seu grupo.
Sublime boa fortuna!"
Sua luz é grande.

O trigrama inferior deve ser considerado como uma transformação de K'un. K'un significa um grupo de pessoas. Uma vez que sua linha central afastou-se e moveu-se para a quarta posição, ele dissolve a ligação com seu grupo e dispersa o grupo, pois seu lugar foi agora tomado pelo nove forte na segunda posição. Assim, através da dispersão vem o acumular (trigrama nuclear Kên, a montanha). Esta linha maleável, o seis na quarta posição, mantém uma relação de receptividade com o governante, o nove na quinta posição, e recebe como auxiliar o forte funcionário, o nove na segunda posição, de modo que a acumulação de fato segue à dispersão.

O Nove na quinta posição:
a) Seus fortes gritos dissolvem como o suor.
Dispersão! Um rei permanece sem culpa.
b) "Um rei permanece sem culpa."
Ele está em sua posição correta.

O encontro do vento com a água a dissolve, assim como acontece com o suor. O trigrama Sun, o vento, que vai a todos os lugares, significa gritos altos. O rei está em seu devido lugar, portanto sem culpa.

Nove na sexta posição:
a) Ele dissolve seu sangue.

b) "Ele dissolve seu sangue."
Assim ele se mantém afastado dos danos.

K'an é o sangue. O vento dispersa. Assim, a ocasião para derramamento de sangue é afastada. Não só a linha ela própria supera o perigo, como também ajuda ao seis na terceira posição, com o qual está relacionada.

60. CHIEH / LIMITAÇÃO

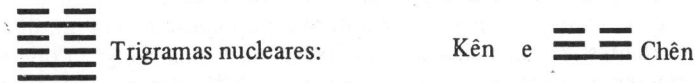

Trigramas nucleares: Kên e Chên

O governante do hexagrama é o nove na quinta posição. Só um homem que é reverenciado e que possui a força espiritual necessária para essa tarefa pode estabelecer o equilíbrio e a medida, a fim de manter o mundo dentro de limites. Por isso se diz no Comentário sobre a Decisão: "No lugar apropriado de modo a limitar; central e correto de modo a unir".

SEQÜÊNCIA

As coisas não podem permanecer para sempre separadas. Por isso a seguir vem o hexagrama LIMITAÇÃO.

COLETÂNEA DE INDICAÇÕES

LIMITAÇÃO significa deter.

Este hexagrama é o inverso do precedente, mas a estrutura interna e a inter-relação dos trigramas nucleares é a mesma em ambos. Aqui o lago mantém a água unida, enquanto que no hexagrama precedente o vento dispersava a água.

JULGAMENTO

LIMITAÇÃO. Sucesso.
Não se deve perseverar ao se exercer uma limitação amarga.

COMENTÁRIO SOBRE A DECISÃO

"LIMITAÇÃO. Sucesso."
O firme e o maleável são divididos em partes iguais, e o firme alcançou as posições medianas.
"Não se deve perseverar ao se exercer a limitação amarga", porque seu caminho termina.
Alegre ao atravessar o perigo; na posição apropriada de modo a limitar; central e correto de modo a unir.

O céu e a terra têm suas limitações e as quatro estações surgem. A limitação aplicada à criação das instituições faz com que os bens não sofram danos e as pessoas não sejam prejudicadas.

Há três linhas Yang e três linhas Yin distribuídas de modo simétrico: primeiro duas linhas Yang, depois duas linhas Yin, e então uma de cada (2 + 2 + 1 + 1). Por isso há linhas fortes nas duas posições centrais, a segunda e a quinta.

Persistir numa limitação amarga levaria ao fracasso. Mas em virtude da conduta central e moderada do governante do hexagrama, o nove na quinta posição, este perigo é superado. A alegria é o atributo do trigrama inferior Tui, o perigo é o atributo do trigrama superior K'an. A limitação do governante do hexagrama é promovida pelas duas linhas Yin, entre as quais ele se encontra. Mas em virtude de sua posição central e correta ele alcança uma influência que a tudo abrange.

A limitação, a divisão em períodos, é o meio de dividir o tempo. Assim, na China, o ano é dividido em vinte e quatro chieh ch'i, os quais, estando em harmonia com os fenômenos atmosféricos, possibilitam aos homens organizarem suas atividades agrícolas de modo a que estejam de acordo com o curso das estações. A limitação ou divisão adequada da produção e do consumo era um dos problemas mais importantes de uma boa administração na China antiga. Princípios fundamentais referentes a esse problema também são indicados no presente hexagrama.

IMAGEM

Água sobre o lago: a imagem da LIMITAÇÃO.

Assim o homem superior cria número e medida, examina a natureza da virtude e da conduta correta.

Número e medida são indicados pela relação recíproca entre a água e o fogo. O produzir corresponde ao trigrama K'an e o examinar, literalmente "discutir", corresponde ao trigrama Tui, a boca. A idéia de número e medida — o que repousa, o firme — corresponde ao trigrama nuclear superior Kên; a idéia de virtude e conduta — o móvel, o ativo — corresponde ao trigrama nuclear inferior Chên.

LINHAS

Nove na primeira posição:
a) Não ir além da porta e do pátio não implica em culpa.
b) "Não ir além da porta e do pátio não implica em culpa", é um sinal de que se sabe o que está aberto e o que está fechado.

Esta linha encontra-se junto ao início. Kên, o trigrama nuclear superior, significa portão, e ainda se está muito longe dele. Por enquanto, não está em jogo ainda o portão duplo exterior e sim o portão simples interior. O homem vê, diante de si, portas fechadas, e por isso evita tomar uma iniciativa. Não ir além da porta e do pátio indica a discrição, que é essencial ao início de qualquer esforço destinado ao êxito.

Nove na segunda posição:
a) Não ir além do portão e do pátio traz infortúnio.
b) "Não ir além do portão e do pátio traz infortúnio", pois perde-se o momento crucial.

Aqui a situação é diferente. O homem tem diante de si duas linhas partidas simbolizando um portão duplo, aberto, dando para um pátio. Este é o último momento de que se dispõe para avançar e não permanecer na retaguarda, de modo egoísta, com as provisões acumuladas. (O trigrama nuclear Chên, que se inicia com esta linha, indica movimento, por isso a hesitação traz infortúnio.)

>Seis na terceira posição:
>a) Aquele que não conhece limitação alguma terá motivo para lamentar-se.
>Nenhuma culpa.
>b) Lamentos por se ter negligenciado a limitação — de quem é a culpa?

O seis na terceira posição é fraco e está ao alto do trigrama Tui, alegria. Por isso ele é negligente para com as limitações que são necessárias. O trigrama Tui significa boca, o trigrama nuclear Chên significa o medo e K'an, a tristeza; por isso a idéia dos lamentos. Mas é a si mesmo que se deve atribuir a culpa por este resultado.

>Seis na quarta posição:
>a) Limitação satisfeita. Sucesso.
>b) O sucesso da limitação satisfeita decorre do fato de se aceitar o caminho do que está acima.

Esta linha correta e maleável mantém relação de receptividade com o governante do hexagrama. Ela se adapta, contente, à sua posição, e por isso encontra o sucesso unindo-se à linha que está acima, o nove na quinta posição, ao qual ela segue.

>O Nove na quinta posição:
>a) Doce limitação traz boa fortuna.
>Ir adiante traz estima.
>b) A boa fortuna da doce limitação vem do fato de se permanecer central, em seu lugar próprio.

A atitude central, forte e correta do governante do hexagrama facilita-lhe o recolhimento (ele está ao alto do trigrama nuclear Kên) e, com seu exemplo, torna a limitação doce para os outros. A montanha, Kên, é composta principalmente de terra, à qual se atribui um sabor doce.

>Seis na sexta posição:
>a) Limitação amarga. A perseverança traz infortúnio.
>O remorso desaparece.
>b) "Limitação amarga. A perseverança traz infortúnio."
>O caminho termina.

Aqui, ao final da época da LIMITAÇÃO, não se deve querer forçar o prosseguimento da limitação. Essa linha é fraca e está ao alto do trigrama K'an, perigo. Tudo que aqui se tentar por meio da força terá um efeito amargo e não poderá prosseguir. Portanto, é preciso tomar um novo rumo e então o remorso desaparecerá.

中孚

61. CHUNG FU / VERDADE INTERIOR

Trigramas nucleares: Kên e Chên

O fator determinante neste hexagrama é o fato de ser vazio ao centro; por isso os seis na terceira e quarta posições são as linhas diretrizes constituintes do hexagrama. Mas, por outro lado, a verdade depende do fato de o centro ser verdadeiro. Por isso, o nove na segunda e na quinta posições são as linhas diretrizes governantes do hexagrama. Como, além disso, a idéia básica é de que o poder da verdade interior transforma todo o mundo, o lugar de honra é necessário para um tal empreendimento. Por isso, o verdadeiro governante do hexagrama é o nove na quinta posição.

SEQÜÊNCIA

Ao serem limitadas, as coisas tornam-se confiáveis.
Por isso a seguir vem o hexagrama VERDADE INTERIOR.

COLETÂNEA DE INDICAÇÕES

VERDADE INTERIOR significa ser confiável.

Esse hexagrama, assim como os dois precedentes, tem uma estrutura interna fechada. Porém, ele difere dos anteriores pelo fato de que as duas linhas que ocupam as posições no extremo externo são fortes. Aqui a filha mais velha e a mais moça estão juntas, nas posições adequadas; por isso a confiança mútua não é perturbada. Os atributos dos trigramas estão bem harmonizados: a suavidade está acima, a alegria está abaixo e os trigramas nucleares são o repouso e o movimento. Além disso, toda a estrutura do hexagrama é muito harmônica e simétrica: as linhas maleáveis estão no interior e as firmes, no exterior. Essas são circunstâncias todas muito favoráveis. Por isso o hexagrama tem um julgamento muito favorável.

JULGAMENTO

VERDADE INTERIOR. Porcos e peixes.
Boa fortuna!
É favorável atravessar a grande água.
A perseverança é favorável.

COMENTÁRIO SOBRE A DECISÃO

VERDADE INTERIOR. Os maleáveis estão no interior mas

os fortes mantêm o centro. Alegre e suave: assim, na verdade, o país é transformado.
"Porcos e peixes. Boa fortuna!"
O poder da confiança estende-se até os porcos e peixes.
"É favorável atravessar a grande água."
Utiliza-se a cavidade de um barco de madeira.
A verdade interior e a perseverança para favorecer:
deste modo o homem se põe em acordo com o céu.

Os maleáveis no interior são a terceira e quarta linhas. Os fortes ao centro dos dois trigramas são a segunda e quinta linhas. As linhas maleáveis no centro do hexagrama criam um espaço vazio. Esse vazio do coração, essa humildade é necessária para atrair o bem. Entretanto, firmeza central e força são necessárias para garantir a confiabilidade requerida. Assim, a base sobre a qual o hexagrama se constrói consiste de uma interligação e combinação da maleabilidade com a força.

Os atributos dos dois trigramas básicos são a alegria e a suavidade: Tui significa a alegria de seguir ao bem e Sun é a suave penetração no coração dos homens. Assim se estabelecem as bases da confiança, que é necessária para que se possa transformar um país. Porcos e peixes são os menos inteligentes dentre os animais. Quando mesmo eles são influenciados, isso mostra o grande poder da verdade.

A madeira e a água, a madeira e a cavidade são interpretadas como símbolos de um barco com o qual se pode atravessar o grande rio.

Nota: O Chou I Hêng fornece uma interpretação diferente. Lá as duas palavras são lidas juntas, significando, então, "peixe-porco", ou seja, golfinho: "os golfinhos surgem no oceano (Tui) e advertem os barcos (Sun) da aproximação de ventos. Eles são mensageiros dignos de crédito que pressagiam as tempestades; por isso o símbolo da verdade interior. O vento que se aproxima é anunciado por sinais definidos que fazem com que os golfinhos venham à superfície. Portanto, a verdade interior é um meio para se compreender o futuro". A idéia é muito engenhosa; só que o Livro das Mutações remonta a um período em que os chineses ainda desconheciam o oceano.

IMAGEM

Vento sobre o lago: a imagem da VERDADE INTERIOR.
Assim, o homem superior debate questões penais de modo a retardar as execuções.

Tui simboliza a boca, por isso o debate. Sun é a suavidade, o hesitante; por isso o retardar das execuções. Em outros hexagramas, Sun também significa as ordens. Matar e julgar são atributos de Tui.

LINHAS

Nove na primeira posição:
a) Estar preparado traz boa fortuna.
Se há desígnios secretos, isto é inquietante.
b) Estando preparado, o nove inicial traz boa fortuna.
A vontade ainda não se modificou.

O ideograma traduzido por "preparado" significava originalmente o sacrifício que era oferecido no dia seguinte ao funeral e, por isso, veio a significar "preparação". O ideograma Yen, repouso, usado na passagem em que se diz "inquietante", significa, em realidade, uma andorinha, mas desde a antiguidade vem sendo usado no sentido de "an", quietude. Essa linha é forte e confiável, interiormente calma e preparada. Sua vontade não se deixa influenciar pelo exterior. Desígnios secretos são sugeridos pela relação de correspondência com o seis na quarta posição. Mas no hexagrama VERDADE INTERIOR não devem haver relações exclusivas e secretas.

    Nove na segunda posição:
    a) Um grou canta na sombra. Sua cria responde.
    Tenho uma boa taça. Quero compartilhá-la com você.
    b) "Sua cria responde."
    Este é o afeto do mais íntimo do coração.

O grou é uma ave aquática, cujo canto se ouve no outono. Tui significa lago e outono. O trigrama nuclear Chên indica uma tendência ao chamado, por isso o símbolo do canto do grou. A segunda linha está sob o trigrama nuclear Kên, montanha, à sombra de duas linhas Yin, no centro de Tui, o lago, por isso "na sombra". Seu filho é o nove na primeira posição, que é da mesma espécie e pertence ao mesmo corpo (o trigrama inferior). De acordo com uma outra interpretação, seu relacionamento seria com o nove na quinta posição. Essa sugestão de uma influência à distância adquire um peso maior com a explicação de Confúcio (cf. comentário ao texto desta linha no Livro Primeiro). A taça e o beber derivam de Tui (boca).

    ☐ Seis na terceira posição:
    a) Ele encontra um companheiro. Às vezes toca o tambor, às vezes pára. Às vezes chora, às vezes canta.
    b) "Às vezes toca o tambor, às vezes pára."
    A posição não é adequada.

Uma linha maleável numa posição firme no ponto mais alto da alegria sugere uma falta de autocontrole. A linha é atraída pelo nove na última posição, porém não encontra um apoio firme lá, pois as atrações são contrárias ao espírito do hexagrama. Ela também não consegue se ligar à linha vizinha, o seis na quarta posição (sem dúvida o companheiro ao qual é feito referência), que é da mesma espécie.

Na China antiga o toque do tambor era o sinal de avançar e a retirada ou o cessar fogo eram anunciados pelo som de um gongo de metal. Essa linha encontra-se nos dois trigramas nucleares Chên (o Incitar) e Kên (a Quietude). A alternância de pranto e riso é motivada pelo trigrama básico Tui e pelo trigrama nuclear Chên.

    ☐ Seis na quarta posição:
    a) A lua, quase cheia. O cavalo da parelha se extravia.
    Nenhuma culpa.
    b) "O cavalo da parelha se extravia."
    Ele se separa dos que são da sua espécie e dirige-se ao alto.

O cavalo da parelha é o seis na terceira posição. Mas a similitude de espécie não tem um efeito determinante. A linha é correta em seu posicionamento e tem relação de receptividade com o governante do hexagrama, o nove na quinta posição, a quem serve na qualidade de ministro. Por isso o afastamento do companheiro que é da mesma espécie e o dirigir-se ao que está acima.

> O Nove na quinta posição:
> a) Ele possui a verdade que a tudo interliga.
> Nenhuma culpa.
> b) "Ele possui a verdade que a tudo interliga."
> A posição é correta e apropriada.

A imagem da interligação deriva do significado do trigrama superior Sun, corda, e do trigrama nuclear superior Kên, mão. Quanto ao restante, a influência dessa linha como governante do hexagrama se evidencia na posição correta, central e honrosa que ocupa.

> Nove na sexta posição:
> a) O canto do galo eleva-se até o céu.
> A perseverança traz infortúnio.
> b) "O canto do galo eleva-se até o céu."
> Como poderia durar muito tempo?

O animal atribuído ao trigrama Sun é o galo. O galo deseja voar até o céu, mas não pode fazê-lo. Assim sendo, somente seu canto se manifesta (Sun significa um grito que penetra em toda parte, assim como o vento). Isso indica um exagero: a expressão é mais forte que o sentimento. Isso cria um patos falso, pois não é compatível com a verdade interior. A longo prazo, isso conduz ao infortúnio. A linha é demasiado forte em sua posição exposta e já não é mais sustentada pela força do hexagrama, por isso o infortúnio.

小過

62. HSIAO KUO / A PREPONDERÂNCIA DO PEQUENO

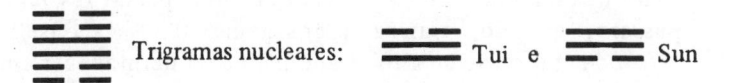

Trigramas nucleares: Tui e Sun

Os governantes do hexagrama são a segunda e a quinta linhas, por serem maleáveis e centrais. Encontram-se num momento em que é preciso efetuar uma transição, mas sem ir longe demais.

SEQÜÊNCIA

> Quando um homem goza da confiança das pessoas, ele as põe em movimento. Por isso a seguir vem o hexagrama PREPONDERÂNCIA DO PEQUENO.

COLETÂNEA DE INDICAÇÕES
A PREPONDERÂNCIA DO PEQUENO significa transição.

JULGAMENTOS ANEXOS

Os governantes partiram a madeira e com ela fizeram um pilão. Escavaram a terra para fazer um almofariz. O uso do pilão e do almofariz beneficiou toda a humanidade. Provavelmente inspiraram-se para isso no hexagrama PREPONDERÂNCIA DO PEQUENO.

A palavra chinesa "kuo" não permite uma tradução que englobe todas as suas conotações secundárias. Significa ultrapassar e então surge a idéia db excesso da preponderância; de fato, significa tudo o que resulta do fato de se ultrapassar o ponto mediano. O hexagrama trata de estados de transição, de condições extraordinárias. Ele está estruturado de tal modo que os elementos maleáveis se encontram no exterior. Quando, numa tal configuração, as linhas fortes predominam, isso resulta no hexagrama 28, PREPONDERÂNCIA DO GRANDE; porém, quando as linhas fracas estão em maioria, isso resulta em PREPONDERÂNCIA DO PEQUENO. Os trigramas nucleares deste hexagrama dão origem à mesma estrutura que os trigramas básicos do hexagrama 28. Este hexagrama é o oposto do precedente.

JULGAMENTO

A PREPONDERÂNCIA DO PEQUENO. Sucesso. A perseverança é favorável. Pequenas coisas podem ser realizadas, grandes coisas não devem ser feitas. O pássaro, voando, traz a mensagem: não é aconselhável o esforço em direção ao alto, é aconselhável permanecer embaixo. Grande boa fortuna!

COMENTÁRIO SOBRE A DECISÃO

A PREPONDERÂNCIA DO PEQUENO. O pequeno prepondera e tem sucesso. Ser favorecido pela perseverança durante a transição significa seguir o tempo.

O maleável atinge o centro; por isso a boa fortuna em coisas pequenas. O rígido perdeu seu lugar e não é central: por isso não se deve realizar coisas grandes.

Este hexagrama tem a forma de um pássaro voando. "O pássaro, voando, traz a mensagem: não é aconselhável o esforço em direção ao alto, é aconselhável permanecer embaixo. Grande boa fortuna." Aspirar para cima é rebelião e para baixo é devoção.

Em épocas de exceção são necessárias medidas excepcionais para restabelecer as normas. A questão aqui é que o tempo exige uma reserva que parece excessiva. É uma época semelhante à do Rei Wên e do tirano Chou Hsin, e esta reserva, que poderia parecer exagerada, é justamente aquilo que a época requer. A preponderância do pequeno é indicada pelo fato de o maleável, ou seja, as linhas pequenas, ocupar as posições centrais; portanto, são governantes do hexagrama, enquanto que as linhas fortes foram forçadas a sair das posições-chave no exterior e levadas a posições no interior, sem serem centrais.

A PREPONDERÂNCIA DO GRANDE é como uma viga. O perigo lá consiste num peso excessivo, por isso precisa ser apoiada ao centro, por baixo. A PREPONDERÂNCIA DO PEQUENO é semelhante a um pássaro. O perigo aqui consiste em subir alto demais e perder o contato com o solo sob seus pés.

IMAGEM

Trovão sobre a montanha: a imagem da PREPONDERÂNCIA DO PEQUENO. Assim o homem superior, em sua conduta, faz com que prepondere o respeito. Em caso de luto ele faz com que o fator preponderante seja a tristeza. Em suas despesas, faz com que prepondere a parcimônia.

O trovão, ao ascender do solo para as alturas, vai, pouco a pouco, perdendo sua intensidade nessa transição. Com isso surge a idéia de uma sobrecarga, de um excesso, ao se fazer algo na direção correta. Pois é precisamente ao fazer um pouco demais na direção do pequeno que se atinge o alvo do que é correto. É assim que o homem chega ao nível certo de reverência em sua conduta, ao nível certo de tristeza num funeral e ao nível certo de economia nas despesas. A conduta é sugerida pelo trigrama superior Chên, que significa movimento, e o funeral pela posição dos trigramas nucleares, lago (Tui) sobre a madeira (Sun). (Cf. hexagrama 28, no qual a idéia do funeral é também representada por essa combinação.) A parcimônia nos gastos é sugerida pelo trigrama Kên, montanha, que indica limitação.

LINHAS

Seis na primeira posição:
a) Em seu vôo o pássaro encontra o infortúnio.
b) "Em seu vôo o pássaro encontra o infortúnio."
Aqui não há nada a fazer.

Esta linha encontra-se na posição mais baixa do trigrama Kên, montanha. Ela deveria permanecer quieta. Mas, como de acordo com o sentido do hexagrama o elemento fraco é preponderante e há uma relação secreta entre esta linha e o nove na quarta posição, ela não sofre restrições e procura subir como um pássaro em vôo. Porém, ao fazê-lo ela se expõe, por sua própria iniciativa, ao perigo, pois se um pássaro levanta vôo no momento em que deve ficar quieto, ele certamente cairá nas mãos do caçador.

O Seis na segunda posição:
a) Ela passa por seu ancestral e encontra sua ancestral.
Ele não chega até o príncipe e encontra o funcionário.
Nenhuma culpa.
b) "Ele não chega até o príncipe."
O funcionário não deve pretender superar o príncipe.

O nove na terceira posição é o pai, o nove na quarta é o avô, o seis na quinta posição é a avó. Existe uma relação de similitude entre esta linha e o seis na quinta posição. Mas como nesse hexagrama se pressupõe que o pequeno passe pelo grande e o supere, e como, além disso, o seis na quinta posição é o governante do hexagrama, o símbolo escolhido é o da ancestral. Por outro lado, esta linha representa um funcionário que não se sobrepõe ao príncipe maleável, o seis na quinta posição, pois sua própria natureza é maleável. No nove na terceira posição, a segunda linha encontra um funcionário, ao qual se liga por uma relação de solidariedade.

Nove na terceira posição:
a) Se ele não tiver uma extraordinária cautela, alguém pode vir por detrás e golpeá-lo.
Infortúnio!
b) "Alguém pode vir por detrás e golpeá-lo."
Que infortúnio!

Esta linha é, sem dúvida, forte, mas o seis na segunda posição está numa situação mais favorável porque não só é central, como também é o governante do hexagrama. O nove na terceira posição, estando ao alto do trigrama Kên, montanha, tem a possibilidade de se precaver contra acidentes inesperados. Se não o fizer, o infortúnio virá ameaçá-lo pelas costas.

Nove na quarta posição:
a) Nenhuma culpa. Sem ultrapassá-lo, ele o encontra.
Ir adiante traz perigo. Deve-se ficar em guarda.
Não atue. Seja constantemente perseverante.
b) "Sem ultrapassá-lo, ele o encontra."
A posição não é adequada.
"Ir adiante traz perigo. Deve-se ficar em guarda."
Não se deve de modo algum continuar assim.

A força do nove na quarta posição é atenuada pela fraqueza de sua posição, a do ministro. Ele não procura ultrapassar seu príncipe, mas vai ao seu encontro; com isso, tudo corre bem. Porém, como governante do trigrama superior Chên, essa linha facilmente se inclina a se deixar levar a um movimento excessivo, o que seria perigoso. Por isso a advertência contra a ação.

O Seis na quinta posição:
a) Nuvens densas. Nenhuma chuva vem da nossa região oeste.
O príncipe atira e atinge aquele que está na caverna.
b) "Nuvens densas, nenhuma chuva."
Ele já se encontra acima.

O oráculo "nuvens densas, nenhuma chuva" também aparece no hexagrama 9, O PODER DE DOMAR DO PEQUENO, que trata de uma situação de certo modo semelhante. Lá, entretanto, são as linhas fortes acima que finalmente condensam as nuvens e convertem-nas em chuva. Aqui, onde o pequeno ultrapassa o grande, o seis na quinta posição encontra-se demasiado alto. Não há, sobre ele, nenhuma linha forte que possa condensar as nuvens. O oeste é sugerido pelo trigrama nuclear superior Tui, que também significa metal, por isso a imagem de um disparo. Quem se encontra na caverna é o seis na segunda posição. O termo "atirar" significa o disparo de uma flecha amarrada a uma corda, de modo a poder puxar a caça atingida. Esta conexão provém do fato de que o seis na quinta e o seis na segunda posições têm um vínculo de similitude.

Seis na sexta posição:
a) Cruzando com ele sem ir a seu encontro.
O pássaro em seu vôo o abandona.
Infortúnio!
b) "Cruzando com ele sem ir a seu encontro."
Ele já é arrogante.

Na realidade, o seis ao alto mantém uma relação de correspondência com o nove na terceira posição; porém, numa época em que o pequeno ultrapassa o grande, essa relação não se aplica. O seis na última posição dirige-se apenas ao alto. Assim aparece novamente a imagem do pássaro. Mas enquanto no caso do seis inicial o desastre é causado pela impaciência, aqui se deriva do fato de a linha estar demasiado ao alto, ser demasiado arrogante e não estar disposta a retroceder. Assim ela se extravia e, em virtude disso, perde seu caminho, abandona as outras e atrai sobre si desgraças tanto da parte dos deuses como dos homens.

63. CHI CHI / APÓS A CONCLUSÃO

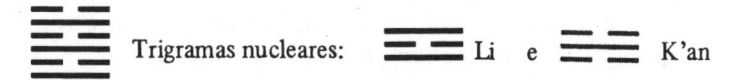

Trigramas nucleares: Li e K'an

O governante do hexagrama é o seis na segunda posição. O hexagrama APÓS A CONCLUSÃO significa que ao início prevalece a boa fortuna e ao final, a desordem. O seis na segunda posição encontra-se no trigrama inferior justo no momento em que a boa fortuna começa. Por isso se diz no Comentário sobre a Decisão: "Ao início, boa fortuna. O maleável alcançou o centro".

SEQÜÊNCIA

Aquele que está acima das coisas as conduz à conclusão. Por isso a seguir vem o hexagrama APÓS A CONCLUSÃO.

COLETÂNEA DE INDICAÇÕES

APÓS A CONCLUSÃO significa tornar firme.

Este hexagrama é o único em que todas as linhas se encontram nas posições que lhes são próprias. Este é o hexagrama da transição entre o 11, T'ai, PAZ, e o 12, P'i, ESTAGNAÇÃO. Ele possui como trigramas básicos K'an e Li, os quais, em ordem inversa, constituem os trigramas nucleares. K'an tende a descer e Li, a ascender. A organização externa e interna do hexagrama cria, então, um estado de equilíbrio que é evidentemente instável.

JULGAMENTO

Sucesso em pequenas coisas. A perseverança é favorável. Ao começo, boa fortuna; ao final, desordem.

COMENTÁRIO SOBRE A DECISÃO

"APÓS A CONCLUSÃO. Sucesso."
Em pequenas coisas há êxito.

"A perseverança é favorável."
O firme e o maleável são corretos e as posições que ocupam são adequadas.
"Ao começo, boa fortuna."
O maleável alcançou o meio.
Se ao final o homem se detém, surgem desordens, pois o caminho chega ao fim.

O governante do hexagrama é o seis na segunda posição; apesar de fraco, tem sucesso, pois mantém uma relação de correspondência com o forte nove na quinta posição. A perseverança é favorável porque todas as linhas se encontram nas posições que lhes são próprias e, assim sendo, qualquer desvio trará malefícios. Ao começo tudo corre bem, pois o seis na segunda posição ocupa o centro do trigrama Li, clareza. É uma época de grande desenvolvimento cultural e refinamento. Mas quando nenhum progresso é mais possível, a desordem necessariamente surge, pois o caminho não pode prosseguir.

IMAGEM

Água sobre o fogo: a imagem da condição do APÓS A CONCLUSÃO. Assim o homem superior reflete sobre o infortúnio e previne-se antecipadamente contra ele.

Por um lado o fogo e a água contrabalançam um ao outro, com o que surge um estado de equilíbrio; mas por outro, o medo de um colapso também é sugerido. Se a água transborda, o fogo se apaga. Se as chamas sobem muito, a água evapora. Por isso, são necessárias medidas de precaução. O trigrama K'an sugere perigo e desastre, o trigrama Li, a clareza e a previsão. O reflexo ocorre no coração e o armar-se, nas ações externas. O perigo ainda espreita, escondido, e por isso só a reflexão possibilita percebê-lo a tempo para que assim seja evitado.

LINHAS

Nove na primeira posição:
a) Ele freia suas rodas.
Sua cauda mergulha na água.
Nenhuma culpa.
b) "Ele freia suas rodas."
De acordo com o significado, não há culpa nisso.

K'an significa roda, uma raposa, como também frear. A linha inicial está atrás da raposa e, por isso, é a cauda. Como a linha inferior do trigrama nuclear inferior também é K'an, ela se molha. Como o trigrama nuclear inferior também é K'an, os símbolos da raposa e da roda surgem logo ao início. A possibilidade de superar o perigo através de uma firme retenção decorre da natureza forte dessa linha.

O Seis na segunda posição:
a) A mulher perde a cortina da sua carruagem.
Não corra atrás dela;
no sétimo dia você a receberá de volta.
b) "Ao sétimo dia você a receberá de volta",
como resultado do caminho do meio.

O trigrama básico Li, em cujo centro esta linha se encontra, é a filha do meio, por isso o símbolo da mulher. A mesma idéia é sugerida pelo fato de o seis na segunda posição ser maleável e manter uma relação de correspondência com o marido, o nove na quinta posição. K'an representa a carruagem; Li, a cortina. K'an também significa ladrões, por isso o roubo da cortina. "No sétimo dia" significa o ciclo completo de mutação nas seis linhas do hexagrama; com a sétima mutação ressurge o ponto de partida. A linha é maleável, encontra-se entre duas linhas fortes; pode ser comparada a uma mulher que perde seu véu e, como conseqüência, se vê exposta a ataques. Mas como ela é correta, essas agressões não lhe causam danos. Ela permanece fiel a seu marido e também recupera seu véu.

Nove na terceira posição:
a) O Ilustre Ancestral castiga a terra do diabo.
Depois de três anos ele a conquista.
Não se deve empregar homens inferiores.
b) "Depois de três anos ele a conquista."
Isso é exaustivo.

Li significa armas. A terra do diabo é o território dos hunos, ao norte. O norte é a direção de K'an. A linha encontra-se no centro do trigrama nuclear K'an. É uma linha forte numa posição forte. O Ilustre Ancestral é o título dinástico de Wu Ting, o imperador que deu à dinastia Wu um novo impulso. A advertência contra a utilização de homens inferiores é sugerida pela relação secreta dessa linha com o fraco seis na última posição.

Seis na quarta posição:
a) As melhores roupas viram farrapos.
Seja cauteloso durante todo o dia.
b) "Seja cauteloso durante todo o dia."
Há motivo para dúvida.

Essa é uma linha maleável numa posição maleável ao começo do perigo. Por isso a advertência de que até as melhores roupas viram farrapos. O motivo para dúvida deriva do trigrama K'an, perigo, em que se está entrando.

Chêng Tsu explica de outro modo. Ele usa a imagem de um barco e diz: "O barco faz água mas há pano para tapar a rachadura".

Nove na quinta posição:
a) O vizinho do leste que sacrifica um boi não consegue uma felicidade tão verdadeira quanto o vizinho do oeste com sua pequena oferenda.
b) O vizinho do leste que sacrifica um boi não está tão em harmonia com o tempo como o vizinho do oeste.
Este alcança a verdadeira felicidade:
a boa fortuna vem em grandes proporções.

Li está associado ao boi. K'an representa o porco, que é sacrificado num sacrifício menor. A segunda linha, que se encontra no trigrama nuclear K'an, é o vizinho do oeste, pois na Seqüência do Céu Anterior, K'an está a oeste. A quarta linha, que se encontra no trigrama nuclear Li, é o vizinho do leste, porque Li está do lado oposto de K'an. O nove na quinta posição dirige o sacrifício. O seis na segunda posição é central; ele traz como oferenda o porco — que é, em si mesmo, uma oferenda menor — no momento certo e, por isso, tem uma ventura maior que o seis na quarta posição que, apesar de trazer uma oferenda relativamente maior, o boi, não ocupa uma posição central.

Seis na sexta posição:
a) Ele mergulha a cabeça na água.
Perigo.
b) "Ele mergulha a cabeça na água."
Como se pode suportar isso por muito tempo?

Enquanto o nove na primeira posição representa a cauda da raposa, o seis ao alto é a cabeça. A cabeça mergulha na água porque a linha fraca está ao alto de K'an, a água, o perigo. Ao cruzar a água, ele se vira e se expõe ao perigo do afogamento. Estas são as desordens profetizadas para o hexagrama como resultado final.

64. WEI CHI / ANTES DA CONCLUSÃO

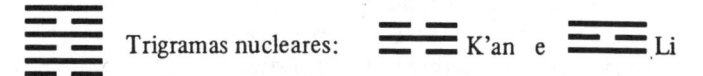

Trigramas nucleares: K'an e Li

O governante do hexagrama é o seis na quinta posição, pois ANTES DA CONCLUSÃO é uma época em que, ao início, prevalece a desordem e, ao final, a ordem. O seis na quinta posição está no trigrama externo e inicia a época da ordem. Por isso se diz no Comentário sobre a Decisão: "ANTES DA CONCLUSÃO. Sucesso. Pois o maleável alcança o centro".

SEQÜÊNCIA

As coisas não podem se esgotar. Por isso vem a seguir, no final, o hexagrama ANTES DA CONCLUSÃO.

COLETÂNEA DE INDICAÇÕES

ANTES DA CONCLUSÃO é o esgotamento do masculino.

Este hexagrama é, ao mesmo tempo, o inverso e o oposto do precedente. K'an e Li, tanto na condição de trigramas básicos como na condição de trigramas nucleares, trocaram de lugar. O hexagrama indica a transição do 12, P'i, ESTAGNAÇÃO, para o 11, T'ai, PAZ. Observando-se do exterior, nenhuma linha está em sua posição própria, mas estão relacionadas entre si. A ordem já está prefigurada em seu interior, apesar da aparência externa de completa desordem. A forte linha central desceu da quinta para a segunda posição, estabelecendo, assim, uma conexão. É verdade que K'un ainda não está acima nem Ch'ien abaixo, como no hexagrama T'ai, porém seus representantes, Li e K'an, ocupam essas posições. Li e K'an representam K'un e Ch'ien tanto em espírito como em influência (em virtude de suas respectivas linhas centrais). No plano fenomênico (Seqüência do Céu Posterior) eles representam K'un e Ch'ien e ocupam as regiões destes: Li ao sul e K'an ao norte.

JULGAMENTO

ANTES DA CONCLUSÃO. Sucesso.
Porém, se a pequena raposa, quase ao completar a travessia, deixa sua cauda cair na água, nada será favorável.

COMENTÁRIO SOBRE A DECISÃO

"ANTES DA CONCLUSÃO. Sucesso",
pois o maleável alcança o centro.
"A pequena raposa quase completa a travessia."
Ela ainda não ultrapassou o meio.
"Deixa sua cauda cair na água e,
então, não há nada que não seja favorável",
pois o assunto não vai até o fim.
Apesar de as linhas não estarem em suas posições adequadas, o firme e o maleável ainda assim correspondem.

K'an tem como símbolo a raposa e também indica a água. Há esperança de sucesso, pois as linhas firmes e maleáveis se correspondem. O governante do hexagrama, o seis na quinta posição, alcançou o meio, e isso assegura a atitude correta para realizar a conclusão. Por outro lado, o nove na segunda posição ainda não ultrapassou o meio, e aqui isto é perigoso. Trata-se de uma linha forte aprisionada entre duas linhas Yin. Assim como a jovem raposa descuidada que corre, precipitada, sobre o gelo, ela confia demais em sua força. Por isso molha sua cauda e não consegue atravessar.

IMAGEM

Fogo sobre água: a imagem das condições em ANTES DA CONCLUSÃO. Assim o homem superior é cauteloso ao diferenciar as coisas para que cada uma ocupe o lugar que lhe é próprio.

O fogo arde para cima, a água flui na direção de descida; por isso não se realiza o completar.[103] Caso se procurasse forçar uma conclusão, o resultado seria nocivo. Assim sendo, é preciso separar para poder unir. É preciso colocar as coisas em suas devidas posições com o mesmo cuidado com que se lida com o fogo e a água, para que não combatam um ao outro.

LINHAS

Seis na primeira posição:
a) Ele mergulha sua cauda na água.
Humilhante.
b) "Ele mergulha sua cauda na água",
pois ele não pode levar em consideração o fim.

---

[103] Cf. nota 75 (hexagrama 63, APÓS A CONCLUSÃO, Livro Primeiro) sobre o significado do termo "conclusão" e "completar". *(Nota da tradução brasileira.)*

Temos aqui as mesmas imagens do hexagrama anterior, apenas distribuídas de modo um pouco diferente. A primeira linha é a cauda. Ela é fraca, encontra-se abaixo, numa posição perigosa, e por isso não percebe as conseqüências dos seus atos. Tenta atravessar de modo precipitado, e fracassa.

> Nove na segunda posição:
> a) Ele freia suas rodas.
> A perseverança traz boa fortuna.
> b) O nove na segunda posição alcança a boa fortuna se for perseverante. É central e por isso age de modo correto.

A imagem da roda e do frear, que no hexagrama anterior estava associada à primeira linha, em virtude da sua força, foi transferida aqui para a forte segunda linha. Sua força e correção criam uma perspectiva favorável.

> Seis na terceira posição:
> a) Atacar antes da conclusão traz infortúnio.
> É favorável cruzar a grande água.
> b) "Atacar antes da conclusão traz infortúnio."
> A posição não é adequada.

A linha está no final do trigrama básico inferior K'an, perigo, de modo que o completar seria possível. Mas como ela é demasiado fraca para essa posição decisiva, e está ao início do trigrama nuclear K'an, um novo perigo surge. Não se deve pretender forçar o completar, e sim procurar sair de toda essa situação. Uma transformação de caráter é necessária. Devido ao fato de a linha se converter de seis em nove, surge abaixo o trigrama Sun que, junto com o trigrama K'an, dá lugar à imagem de um barco sobre a água; por isso a travessia da grande água.

> Nove na quarta posição:
> a) A perseverança traz boa fortuna.
> O arrependimento desaparece.
> Comoção, para castigar a terra do diabo.
> Durante três anos grandes reinos
> serão dados como recompensa.
> b) "A perseverança traz boa fortuna.
> O arrependimento desaparece."
> A vontade se cumpre.

Como este hexagrama é o inverso do precedente, o castigar da terra do diabo, lá mencionado em relação à terceira linha, aqui aparece ligado à quarta posição. No presente caso, o sucesso é mais favorável. Lá há três anos de lutas, aqui há três anos de recompensas.

A linha representa um funcionário forte que ajuda ao governante fraco na quinta posição e, assim, executa a sua vontade.

> O Seis na quinta posição:
> a) A perseverança traz boa fortuna.
> Nenhum arrependimento. A luz do homem superior é verdadeira.
> Boa fortuna!
> b) "A luz do homem superior é verdadeira."
> Sua luz traz a boa fortuna.

Esta linha está ao centro do trigrama Li, luz, e por isso tudo é favorável para completar a transição para um novo período.

Nove na sexta posição:
a) Bebe-se vinho em plena confiança. Nenhuma culpa. Mas se ele molha sua cabeça, perderá essa confiança.
b) Quando se molha a cabeça ao beber vinho é porque não se conhece a moderação.

A linha ao alto é forte e, em si mesma, favorável. A imagem do vinho é decorrente do trigrama K'an; a sexta linha está relacionada à linha do alto de K'an. Como no hexagrama anterior, aqui também é mencionada a imagem de "molhar a cabeça". Porém, neste caso trata-se apenas de uma possibilidade, de um perigo que pode ser evitado.

Assim, em sua conclusão, o Livro das Mutações articula um encadeamento que conduz a novas configurações e a novos começos. A mesma idéia é expressa no Tsa Kua, a Coletânea de Indicações, quando nele aparece ao final o hexagrama 43, Kuai, IRROMPER, que termina com a seguinte frase:

> IRROMPER significa determinação. O forte volta-se decidido contra o fraco. O caminho do homem superior está em ascensão; o caminho do homem inferior leva à tristeza.

ESQUEMA DE IDENTIFICAÇÃO DOS HEXAGRAMAS EM SUA FUNÇÃO ORACULAR

Trig. Sup. / Trig. Inf.	☰	☷	☳	☵	☶	☴	☲	☱
☰	1	11	34	5	26	9	14	43
☷	12	2	16	8	23	20	35	45
☳	25	24	51	3	27	42	21	17
☵	6	7	40	29	4	59	64	47
☶	33	15	62	39	52	53	56	31
☴	44	46	32	48	18	57	50	28
☲	13	36	55	63	22	37	30	49
☱	10	19	54	60	41	61	38	58

Para compor o hexagrama, basta seguir os dois trigramas que o formam; o ponto de encontro dos mesmos indica o número do hexagrama desejado.

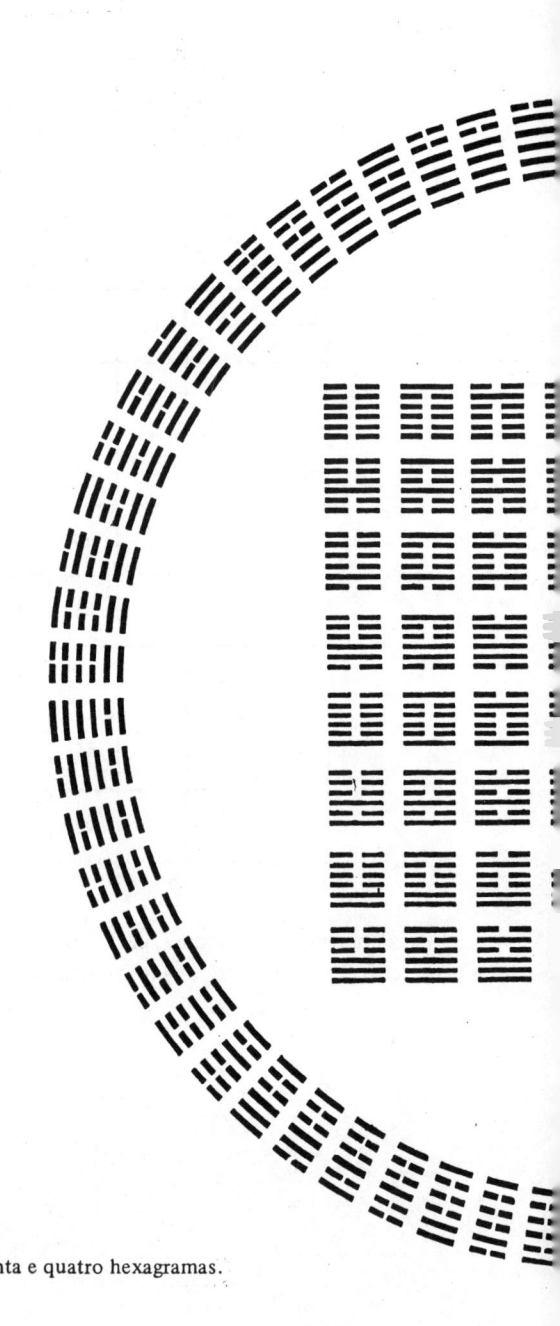

Os sessenta e quatro hexagramas.

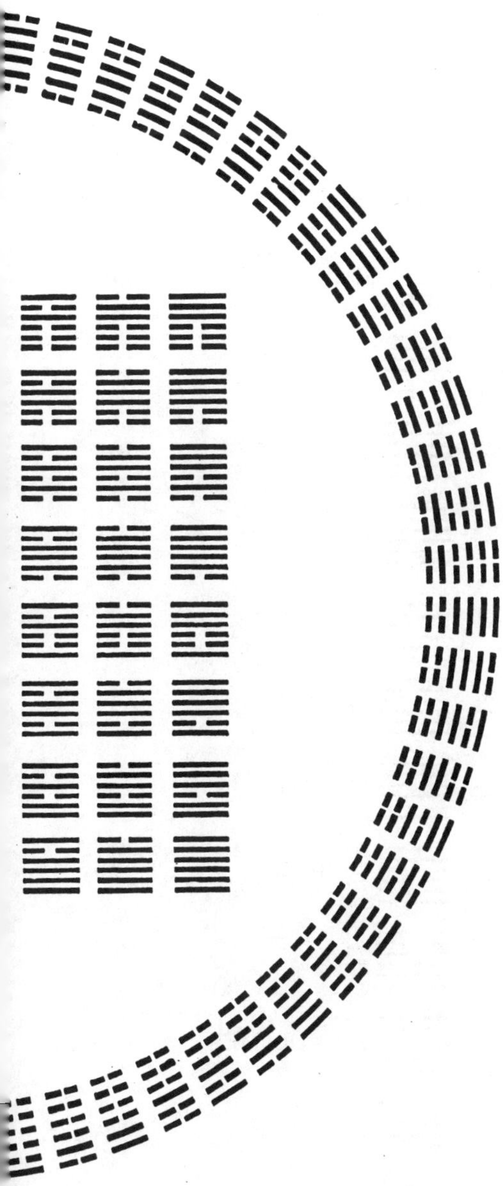

ÍNDICE DOS HEXAGRAMAS

			P.				P.
1		1. CH'IEN	29	17		57. SUN	174
2		44. KOU	141	18		30. LI	106
3		13. TUNG JÊN	63	19		58. TUI	177
4		10. LU	56	20		50. TING	156
5		9. HSIAO CH'U	53	21		49. KO	153
6		14. TA YU	66	22		28. TA KUO	101
7		43. KUAI	138	23		12. PI	61
8		33. TUN	113	24		42. I	135
9		25. WU WANG	94	25		41. SUN	132
10		61. CHUNG FU	184	26		11. T'AI	58
11		26. TA CH'U	96	27		59. HUAN	179
12		34. TA CHUANG	116	28		22. PI	87
13		6. SUNG	45	29		54. KUEI MEI	167
14		37. CHIA JEN	122	30		53. CHIEN	164
15		38. K'UEI	125	31		21. SHIH HO	84
16		5. HSU	43	32		60. CHIEH	182

			P.				P.
33	☴☶	18. KU	76	49	☳☳	51. CHÊN	159
34	☳☲	55. FÊNG	170	50	☲☷	35. CHIN	118
35	☲☶	56. LÜ	172	51	☵☳	3. CHUN	37
36	☱☳	17. SUI	74	52	☷☴	46. SHÊNG	146
37	☳☴	32. HENG	111	53	☳☶	62. HSIAO KUO	188
38	☱☶	31. HSIEN	109	54	☱☷	45. TS'UI	143
39	☵☴	47. K'UN	148	55	☵☵	29. K'AN	103
40	☵☴	48. CHING	151	56	☵☶	39. CHIEN	128
41	☵☲	63. CHI CHI	191	57	☳☵	40. HSIEH	130
42	☲☵	64. WEI CHI	194	58	☷☳	24. FU	91
43	☴☷	20. KUAN	81	59	☷☵	7. SHIH	48
44	☶☳	27. I	98	60	☴☰	15. CH'IEN	68
45	☷☱	19. LIN	78	61	☳☷	16. YU	71
46	☶☵	4. MENG	40	62	☵☷	8. PI	50
47	☷☲	36. MING I	120	63	☶☷	23. PO	89
48	☶☶	52. KÊN	161	64	☷☷	2. K'UN	33

AS DIVERSAS PARTES DO LIVRO DAS MUTAÇÕES

O TEXTO	Primeira Parte	Livro I, p. 29
	Segunda Parte	Livro I, p. 109

AS DEZ ASAS

T'UAN CHUANG – Comentário sobre a decisão   Livro III, no próprio hexagrama

HSIANG CHUANG – Comentário sobre as imagens   Livros I e III, nos próprios hexagramas

TA CHUAN, o Grande Tratado
    (ou O Grande Comentário)
ou HSI TZ'U CHUAN, Comentário aos julgamentos anexos   Livro II, p. 217

WEN YEN – Comentário sobre as palavras do texto   Livro III, nos hexagramas 1 e 2

SHUO KUA – Discussão dos trigramas   Livro II, p. 203

HSU KUA – Seqüência dos hexagramas   Livro III

TSA KUA – Notas diversas sobre os hexagramas   Livro III, nos próprios hexagramas

OS HEXAGRAMAS DISPOSTOS POR CASAS

OS OITO TRIGRAMAS PRIMÁRIOS SEGUNDO SUA FORMA
(para memorizar)

☰ O Criativo tem três linhas inteiras.

☷ O Receptivo tem três linhas partidas.

☳ O Incitar é semelhante a um recipiente aberto.

☶ A Quietude é semelhante a uma taça invertida.

☵ O Abismal é pleno ao meio.

☲ O Aderir é vazio ao meio.

☱ A Alegria tem uma lacuna acima.

☴ A Suavidade é dividida abaixo.

AS OITO CASAS

1. A Casa do Criativo

1. O CRIATIVO é o céu (1).
2. Céu e Vento: VIR AO ENCONTRO (44).
3. Céu e Montanha: RETIRADA (33).
4. Céu e Terra: ESTAGNAÇÃO (12).
5. Vento e Terra: CONTEMPLAÇÃO (20).
6. Montanha e Terra: DESINTEGRAÇÃO (23).
7. Terra e Fogo: OBSCURECIMENTO DA LUZ (36).
8. Terra e Água: O EXÉRCITO (7).

2. A Casa do Abismal

1. O ABISMAL é água (29).
2. Água e Lago: LIMITAÇÃO (60).
3. Água e Trovão: DIFICULDADE INICIAL (3).
4. Água e Fogo: APÓS A CONCLUSÃO (63).
5. Lago e Fogo: REVOLUÇÃO (49).
6. Trovão e Fogo: ABUNDÂNCIA (55).
7. Fogo e Céu: GRANDES POSSES (14).
8. Terra e Fogo: PROGRESSO (35)

3. A Casa da Quietude

1. A QUIETUDE é a montanha (52).
2. Montanha e Fogo: GRACIOSIDADE (22).
3. Montanha e Céu: O PODER DE DOMAR DO GRANDE (26).
4. Montanha e Lago: DIMINUIÇÃO (41).
5. Fogo e Lago: OPOSIÇÃO (38).
6. Céu e Lago: TRILHAR (10).
7. Vento e Lago: VERDADE INTERIOR (61).
8. Vento e Montanha: DESENVOLVIMENTO (53).

4. A Casa do Incitar

1. O INCITAR é o trovão (51).
2. Trovão e Terra: ENTUSIASMO (16).
3. Trovão e Água: LIBERAÇÃO (40).
4. Trovão e Vento: DURAÇÃO (32).
5. Terra e Vento: ASCENSÃO (46).
6. Água e Vento: O POÇO (48).
7. Lago e Vento: PREPONDERÂNCIA DO GRANDE (28).
8. Lago e Trovão: SEGUIR (17).

5. A Casa da Suavidade

1. A SUAVIDADE é o vento (57).
2. Vento e Céu: O PODER DE DOMAR DO PEQUENO (9).
3. Vento e Fogo: A FAMÍLIA (37).
4. Vento e Trovão: AUMENTO (42).
5. Céu e Trovão: INOCÊNCIA (25).
6. Fogo e Trovão: MORDER (21).
7. Montanha e Trovão: AS BORDAS DA BOCA (27).
8. Montanha e Vento: TRABALHO SOBRE O QUE SE DETERIOROU (18).

6. A Casa do Aderir

1. O ADERIR é o fogo (30).
2. Fogo e Montanha: O VIAJANTE (56).
3. Fogo e Vento: O CALDEIRÃO (50).
4. Fogo e Água: ANTES DA CONCLUSÃO (64).
5. Montanha e Água: INSENSATEZ JUVENIL (4).
6. Vento e Água: DISPERSÃO (59).
7. Céu e Água: CONFLITO (6).
8. Céu e Fogo: COMUNIDADE COM OS HOMENS (13).

7. A Casa do Receptivo

1. O RECEPTIVO é a terra (2).
2. Terra e Trovão: RETORNO (24).
3. Terra e Lago: APROXIMAÇÃO (19).
4. Terra e Céu: PAZ (11).
5. Trovão e Céu: O PODER DO GRANDE (34).
6. Lago e Céu: IRROMPER (43).
7. Água e Céu: A ESPERA (5).
8. Água e Terra: MANTER-SE UNIDO (8).

8. A Casa da Alegria

1. A ALEGRIA é o lago (58).
2. Lago e Água: OPRESSÃO (47).
3. Lago e Terra: REUNIÃO (45).
4. Lago e Montanha: INFLUÊNCIA (31).
5. Água e Montanha: OBSTRUÇÃO (39).
6. Terra e Montanha: MODÉSTIA (15).
7. Trovão e Montanha: A PREPONDERÂNCIA DO PEQUENO (62).
8. Trovão e Lago: A JOVEM QUE SE CASA (54).